シリコンバレー一流プログラマーが教える Python プロフェッショナル大全

酒井潤 著

KADOKAWA

※本書は以下のバージョンで動作検証を行いました。

- ・Python 3.9.12　・Anaconda 2022.5
- ・macOS Montrey　・Windows 11

※本書内に記載されている会社名、商品名、製品名などは一般に各社の登録商標です。®、™マークは明記していません。

※本書に掲載されているサービスは予告なく終了することがあります。また、PyCharmほか、バージョンが変わると、ダウンロードした際に、画面の内容が本書と変わっている場合があります。

※本書の内容は2023年1月時点のものです。本書の出版にあたっては正確な記述に努めましたが、本書の内容に基づく運用結果について、著者および株式会社KADOKAWAは一切の責任を負いかねますのでご了承ください。

※本書に記載されたURLなどは、予告なく変更されることがあります。

はじめに

■世界基準のPythonを学ぼう

ぼくは今、米シリコンバレーの企業でソフトウエア・エンジニアとして働いています。世界トップレベルの技術を有するSplunk(スプランク), Inc.を経て、現在はAIに関わるビッグデータを扱うスタートアップCribl(クリブル), Inc.に勤めています。ご存知のようにシリコンバレーにはGoogleやApple、Metaなど、世界的なIT企業が集結し、世界中から人材が集まってきます。

そのかたわら、オンライン学習講座Udemyでプログラミングも教えています。受講生は延べ24万人ほどになりました。YouTubeもしているので、ぼくの名前をご存知の読者もいらっしゃるかもしれませんね。

ぼくがそもそもなぜ今回、Pythonの教本を書こうと思ったのかといえば、**Pythonが今も、そしてこれからも、世界で最も必要とされる言語**のひとつだからです。その理由はシンプルで、GAFAが最もよく使っている言語だから（それくらい使い勝手がよく、優れた言語なのです）。

プログラミングの世界では、**シリコンバレーでGAFAが重点的に使っている技術が最終的に世界へ、そして日本へ**広がっていくことがわかっています。ですから、エンジニアはもちろん、プログラミングを学ぶ方も、「シリコンバレーではどんな技術が注目され、どんなふうに活用されているのか」という**世界トップの技術**を知っておくことが、キャリア戦略上、とても重要になります。

知っているか、知らないか。学んでおくか、おかないか。それが**1年後、3年後、大きな差になっていく**のです。

まだPythonを始めていない方は、今日から学び始めませんか。もう始めている方はさらに一歩進んで、「世界ではどう使われているのか？」「どういうコードが書かれているのか？」を押さえていきましょう。それによって、未来につながる**強力な武器**を手にできる、そう考えています。

また、ぼくはシリコンバレーの企業で働き始めて10年以上になりますが、日本からもどんどん就職・転職しにアプライ（応募）してほしいと心から願っています。

日本のエンジニアは総じて優秀です。アメリカのエンジニアの給与水準はかなり高く、渡米すれば**給料が5倍、10倍**になるのも夢ではありません。ほかにも、後述しますが、さまざまなメリットを手にできるでしょう。

■本書の構成と特長

本書は、**12万人以上が学んだぼくのオンライン講座**（Udemy「現役シリコンバレーエンジニアが教えるPython 3 入門＋応用＋アメリカのシリコンバレー流コードスタイル」）をもとに、さらにわかりやすく、特に独学でも身につけやすいように制作したものです。講座のコンセプト同様、**本書では「シリコンバレーで使われている世界トップレベルの技術」が学べる**ように留意しています。ぜひ活用してください。

また、さまざまなレベルの方に対応できるように、次のような構成にしました。

前半の**「入門編」**（Lesson 1〜7）は、初めて学ぶ方は最初の一歩として、すでに学び始めている方はおさらいのつもりで読んでください。

後半の**「応用編」**（Lesson 9〜13）はデータ解析や機械学習、Web構築に必要な知識など、プロとして活躍していくうえで心強い武器となる知識をまとめています。

ぼくは日本でエンジニアとして働いたあと、アメリカにわたりました。その両方の経験をふまえて、知っておくと役立つ**実務的なポイント、世界標準のコードが書けるようになるコツ**などもできるだけ詰め込みました。

なお、間の「演習編」（Lesson 8）は、入門編の知識を使ってデモアプリの作成にチャレンジしてみる内容になっています。

また、本書に掲載したコードはダウンロードすることができます（詳しくはP.10を見てください）。自分でコードを書いてみて、エラーが出てしまったり、うまく進められなかったりした場合は、参考にしてください。加えて、ぼくのYouTube動画やUdemyの講座も活用してもらえると、より理解が深まると思います。

■TOEIC300点、文系出身のぼくでもトップエンジニアになれた

「プログラミングに興味はあるんです。でも、**文系出身**なので無理でしょうか？」
「コードは英語が多いですよね。**英語が苦手**なんですが、大丈夫でしょうか？」

ぼくはYouTubeやXでも情報発信しているのですが、こんなふうに、「自分には無理ではないか？」「学ぶには遅すぎるのでは？」といった相談を受けることがあ

ります。
　結論からいうと、どちらも「そんなことはありません」です。

　そもそも、ぼく自身が**ITとも英語とも縁のない人生**を歩んできました。
　海外に住んだこともなく、子どもの頃からサッカーひと筋。高校も大学もサッカー推薦で入学したので、受験を経験したこともありません。大学時代、英語のテストで8点を記録（？）したこともあるくらいです。
　在学中は日本代表に選ばれ、U-21東アジア大会で金メダルを取るほど、サッカーに打ち込んでいました。プロチームからオファーもいただきましたが、ひざを傷めてしまい、断念することを選びました。そして、初めて「就職をどうしようか」と考えることになったのです。
　そんなときに相談した教授から言われたのが、**「これからはITと英語をやっておけば、食いっぱぐれることはないよ」**という一言でした。
　そこからIT企業、さらにはエンジニアを目指そうと決めたのですが、「でも、どうやって……？」というのが問題でした。何しろぼくがいたのは神学部。大学はサッカーが目的でしたから、学部は正直、どこでもよかったのです。
　それでも、**「エンジニアになりたい。できるなら、世界トップレベルのシリコンバレーで」**と考えました。

　誰かに言ったら、笑われたかもしれません。
　でも、先ほどの教授が続けて言った言葉をぼくは素直に信じました。
　「ITの世界では新しい言語や分野がどんどん出てくる。
　だから、**先を見据えて一番需要がある分野を極めれば、ずっとITをやってきた人たちにも追いつけるし、追い抜けるよ**」

　「サッカーしかやってこなかった神学部の青年に言うセリフだろうか」とも思いますが（笑）、これは今も**真実**だと思っています。本書もその一助として活用していただけたなら、こんなにうれしいことはありません。
　さて、もう一つの問題。英語力ですが、そもそもプログラミングに使われる英語は、それほど難しいものではありません。特に**Pythonは、誰にとっても読みやすく書きやすいようにと開発されたオープンソースの言語**ですから、なおさらです。
　ちなみに、ぼくが初めて就職した会社で受けたTOEICのスコアは330点でした。そこから、どうやってシリコンバレーで働く英語力に持っていったのか？　については、くわしくはコラムで話したいと思います。ただ、基本的にはエンジニアですから、コードの読み書きができればよく、高い語学力は要求されません。

エンジニアの魅力は①面白さ、②報酬、③自由度

エンジニアとして働く面白さや魅力はいろいろあります。大きく分けるなら、①毎日が刺激的であること、②報酬の高さ、③自由度が高いこと、でしょうか。

①毎日が刺激的

先ほども述べたように、シリコンバレーには世界中から優秀な人材が集まってくるので、自然と技術レベルが高く、自分が成長できる環境になっています。最先端の情報を交換し、教え合い、毎日のように新たな発見があって飽きることがありません。ユニークな人が多く、天才・奇才と呼ばれるような人もゴロゴロいます。

②報酬の高さ

先ほど、日本のエンジニアがアメリカに来れば5倍、10倍の報酬が得られるだろうと述べました。これは決しておおげさな数字ではありません。私自身の正確な年収は、会社との契約上申し上げられませんが、同じポジションのエンジニアが5,000万円です（残業はまずありません）。私も日本にいたら1,000万円もいかないのではないでしょうか。技術にはお金を出す。そういう国なのです。

③自由度が高いこと

エンジニアの世界は技術力勝負ですから、比較的、転職しやすいのは、日本でも同じかと思います。

さらに、アメリカの場合はより成果主義なので、仕事ができていれば、昼間から職場でビールを飲んでいてもとがめられないくらいです（笑）。また、コロナ禍と関係なく、リモートワークが普及しています。

ぼくもカリフォルニアに住んでいましたが、大好きなハワイに引っ越しました。フルリモートワークで家族や友人との時間も楽しみ、副業も充実させながら働いています。

プログラミング言語は世界共通の言語です。これができれば、**世界中どこへでも行き、仕事ができるチャンス**が広がります。

ぜひ本書をそのための第一歩、二歩として、人生をより豊かで楽しいものにしていくために役立てていただけたら幸いです！

酒井　潤

Pythonの特長

AI開発や機械学習、データ分析などに用いられるプログラミング言語として、人気が高まっているPython。主な特長として、次の3点が挙げられます。

1. 読みやすく、覚えやすいコード

```
1  x = 0
2
3  if x < 0:
4      print('negative')
5  elif x == 0:
6      print('zero')
7  else:
8      print('positive')
```

Pythonのプログラムはインデント（行頭の字下げ）をそろえるという決まりがあるので、自然と読みやすいプログラムになります。

また、文法がシンプルなので覚えやすく、プロはもちろん、初心者が学ぶプログラミング言語としても人気があります。

コードも短くてすむというのも特長です。

2. 活躍範囲を広げる豊富なライブラリ

Pythonには、プログラムに機能を追加できるライブラリが豊富です。ライブラリを使うことによって応用範囲が広がり、さまざまなプログラムを開発できます。

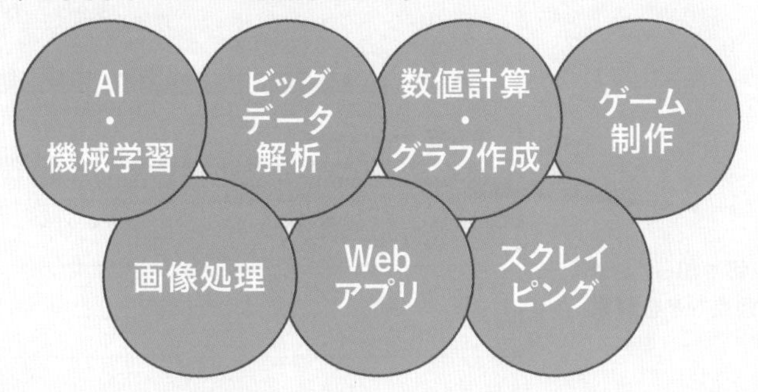

3. 研究用のレポートを作るのにも最適

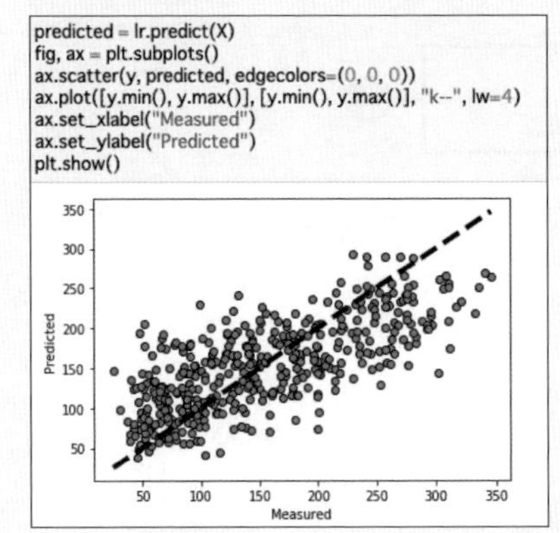

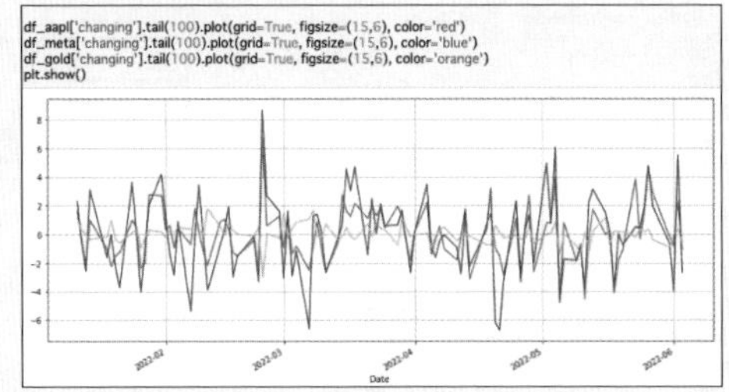

Jupyter NotebookやGoogle Colaboratoryといったツールも使えば、図表やグラフを含んだレポートを簡単に作成できるため、産業界にとどまらず、大学や研究機関でも広く使われています。

本書の使い方

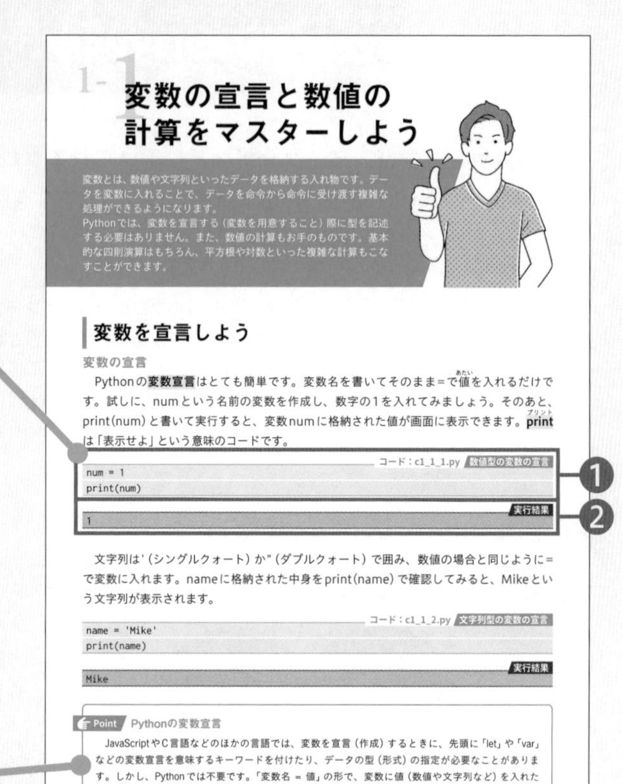

1-1
変数の宣言と数値の計算をマスターしよう
変数とは、数値や文字列といったデータを格納する入れ物です。データを変数に入れることで、データを命令から命令に受け渡す複雑な処理ができるようになります。
Pythonでは、変数を宣言する（変数を用意すること）際に型を記述する必要はありません。また、数値の計算もお手のものです。基本的な四則演算はもちろん、平方根や対数といった複雑な計算もこなすことができます。
変数を宣言しよう
変数の宣言
Pythonの変数宣言はとても簡単です。変数名を書いてそのまま=で値を入れるだけです。試しに、numという名前の変数を作成し、数字の1を入れてみましょう。そのあと、print(num) と書いて実行すると、変数numに格納された値が画面に表示できます。printは「表示せよ」という意味のコードです。
コード：c1_1_1.py 数値型の変数の宣言
num = 1
print(num)
実行結果
1
文字列は'（シングルクォート）か"（ダブルクォート）で囲み、数値の場合と同じように=で変数に入れます。nameに格納された中身をprint(name)で確認してみると、Mikeという文字列が表示されます。
コード：c1_1_2.py 文字列型の変数の宣言
name = 'Mike'
print(name)
実行結果
Mike
Point Pythonの変数宣言
JavaScriptやC言語などのほかの言語では、変数を宣言（作成）するときに、先頭に「let」や「var」などの変数宣言を意味するキーワードを付けたり、データの型（形式）の指定が必要なことがあります。しかし、Pythonでは不要です。「変数名 = 値」の形で、変数に値（数値や文字列など）を入れた（代入した）時点で、Python側が変数を作成してくれるためです。データの型に合わせて変数の型も決まるため、型の指定も不要です。
32

コードと実行結果

解説中の「コード」（❶）は、ソースコードファイル（スクリプト）を作成して入力すると、動作を試すことができます（❷）。PyCharmでの作成／実行方法については、P.26から解説しています。

また、コード：c1_1_1.pyなどとあるのは、サンプルファイル（P.10）のファイル名を表しています。

Point

本文の補足情報や知っておきたいコツ、注意点などを解説しています。

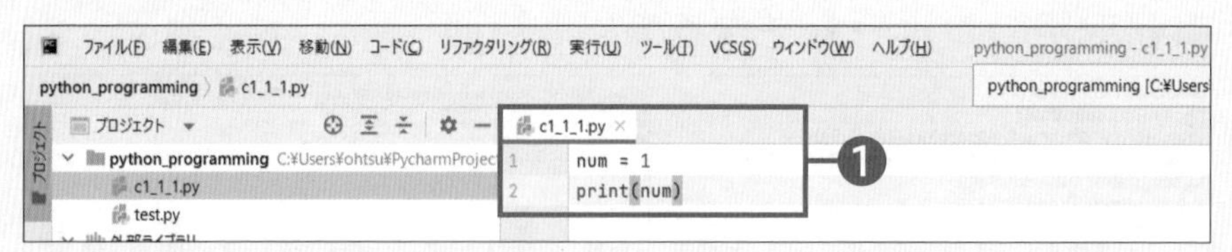

ファイル(F) 編集(E) 表示(V) 移動(N) コード(C) リファクタリング(R) 実行(U) ツール(T) VCS(S) ウィンドウ(W) ヘルプ(H)
python_programming - c1_1_1.py
python_programming c1_1_1.py
プロジェクト
python_programming C:¥Users¥ohtsu¥PycharmProject
c1_1_1.py
test.py
num = 1
print(num)

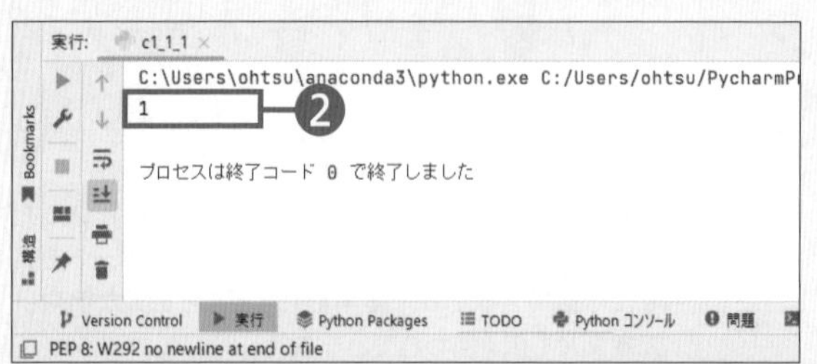

実行: c1_1_1
C:\Users\ohtsu\anaconda3\python.exe C:/Users/ohtsu/PycharmP
1
プロセスは終了コード 0 で終了しました
Version Control
実行
Python Packages
TODO
Python コンソール
問題
PEP 8: W292 no newline at end of file

PyCharmでの検証

プログラム（❶）の実行結果（❷）はPyCharmの［実行：ファイル名］タブに表示されます。

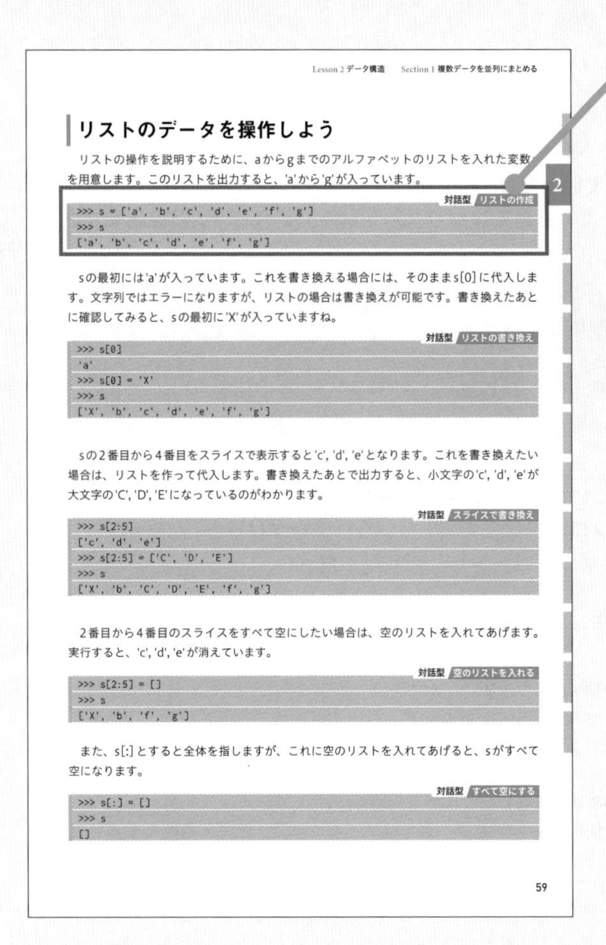
Lesson 2 データ構造　Section 1 複数データを並列にまとめる

リストのデータを操作しよう

リストの操作を説明するために、aからgまでのアルファベットのリストを入れた変数を用意します。このリストを出力すると、'a'から'g'が入っています。

対話型 リストの作成

```
>>> s = ['a', 'b', 'c', 'd', 'e', 'f', 'g']
>>> s
['a', 'b', 'c', 'd', 'e', 'f', 'g']
```

sの最初には'a'が入っています。これを書き換える場合には、そのままs[0]に代入します。文字列ではエラーになりますが、リストの場合は書き換えが可能です。書き換えたあとに確認してみると、sの最初に'X'が入っていますね。

対話型 リストの書き換え

```
>>> s[0]
'a'
>>> s[0] = 'X'
>>> s
['X', 'b', 'c', 'd', 'e', 'f', 'g']
```

sの2番目から4番目をスライスで表示すると'c', 'd', 'e'となります。これを書き換えたい場合は、リストを作って代入します。書き換えたあとで出力すると、小文字の'c', 'd', 'e'が大文字の'C', 'D', 'E'になっているのがわかります。

対話型 スライスで書き換え

```
>>> s[2:5]
['c', 'd', 'e']
>>> s[2:5] = ['C', 'D', 'E']
>>> s
['X', 'b', 'C', 'D', 'E', 'f', 'g']
```

2番目から4番目のスライスをすべて空にしたい場合は、空のリストを入れてあげます。実行すると、'c', 'd', 'e'が消えています。

対話型 空のリストを入れる

```
>>> s[2:5] = []
>>> s
['X', 'b', 'f', 'g']
```

また、s[:]とすると全体を指しますが、これに空のリストを入れてあげると、sがすべて空になります。

対話型 すべて空にする

```
>>> s[:] = []
>>> s
[]
```

59

対話型シェル

1行の命令を少しずつ試したい部分では、「対話型シェル」を使用しています。PyCharmでは［ターミナル］タブで対話型シェルを利用できます。詳しい使い方はP.29で解説しています。

```
ターミナル: ローカル × + ∨
PS C:\Users\ohtsu\PycharmProjects\python_programming> python
Python 3.9.5 (tags/v3.9.5:0a7dcbd, May  3 2021, 17:27:52) [MSC v.1928 64 bit (AMD64)] on win32
Type "help", "copyright", "credits" or "license" for more information.
>>> s = ['a', 'b', 'c', 'd', 'e', 'f', 'g']
>>> s
['a', 'b', 'c', 'd', 'e', 'f', 'g']
>>>
Version Control  実行  Python Packages  TODO  Python コンソール  問題  ターミナル  サービス
PEP 8: W292 no newline at end of file  2:11
```

「>>>」というプロンプトのあとに命令を入力すると、すぐ下に実行結果が表示されます。

サンプルファイルのダウンロード

本書をご購入いただいた方への特典として、サンプルファイル（ソースコードファイル）を無料でダウンロードしていただけます。

記載されている注意事項をよくお読みになり、ダウンロードページへお進みください。

https://kdq.jp/f2FJT

ユーザー名 python_pro　**パスワード** codes_4_learning

上記のURLへアクセスしていただくと、データを無料ダウンロードできます。

「サンプルファイルのダウンロードはこちら」という一文をクリックして、ユーザー名とパスワードをご入力のうえダウンロードし、ご利用ください。

注意事項

- ダウンロードはパソコンからのみとなります。
- ダウンロードページへのアクセスがうまくいかない場合は、お使いのブラウザが最新であるかどうかご確認ください。また、ダウンロードする前に、パソコンに十分な空き容量があることをご確認ください。
- フォルダは圧縮されていますので、展開したうえでご利用ください。
- 本ダウンロードデータを私的使用範囲外で複製、または第三者に譲渡・販売・再配布する行為は固く禁止されております。
- なお、本サービスは予告なく終了する場合がございます。あらかじめご了承ください。

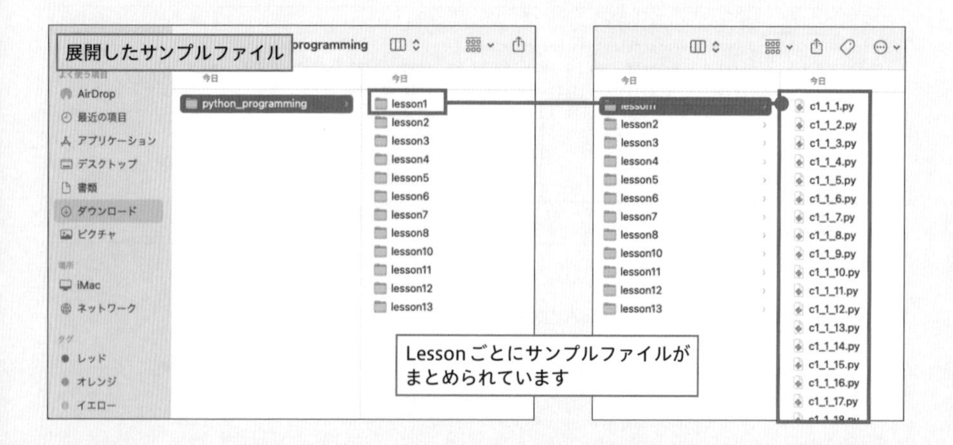

PyCharmでサンプルファイルを開く

展開したサンプルファイルは開発ツールのPyCharmで開くと、動作を確かめることができます。PyCharmのインストール方法や基本操作についてはP.21を参照してください。

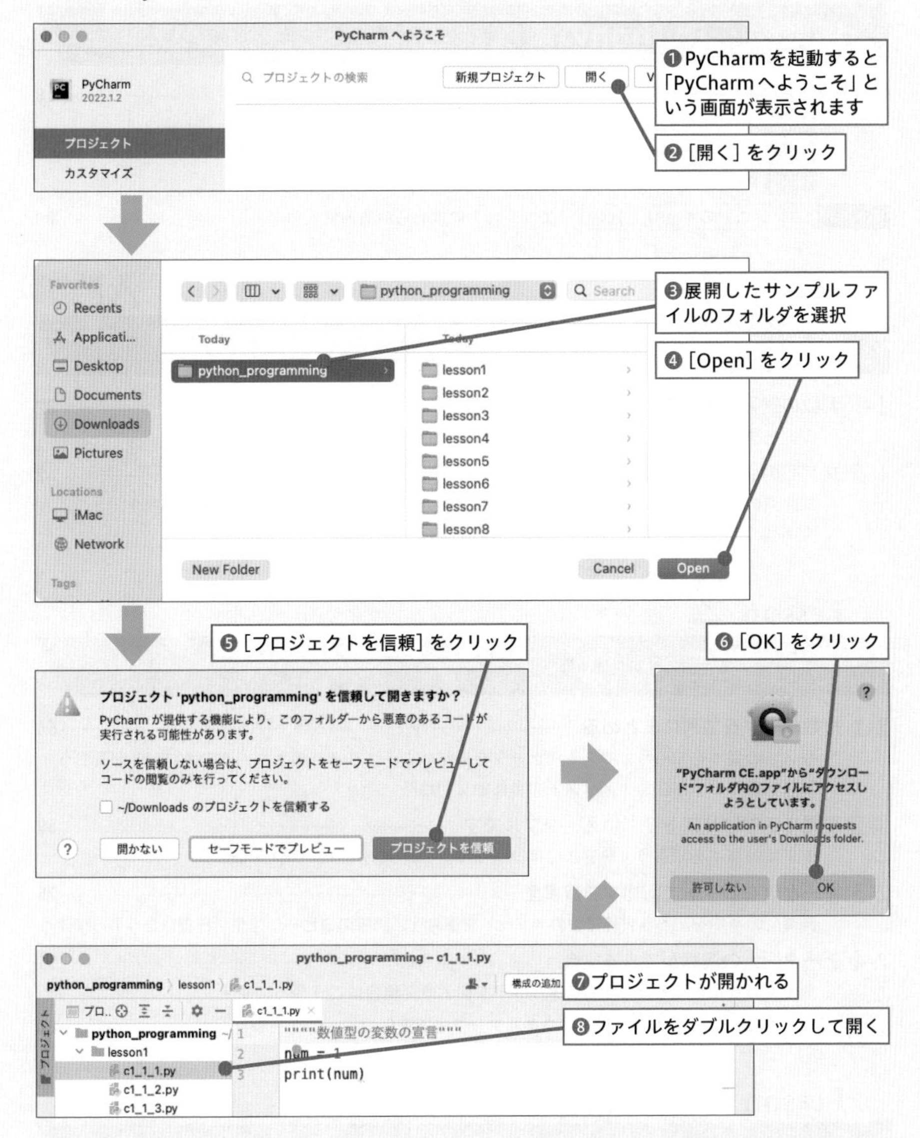

※なお、すでにP.28まで終了した状態（プロジェクトを開いた状態）でサンプルファイルを開きたい場合は、上部メニューの［ファイル］→［開く］でも開くことができます。

※Lesson 9は、Lesson 8のサンプルコードを参照してコードスタイルについて学習していくため、Lesson 9のフォルダはありません。

CONTENTS

Lesson 4 関数と例外処理

Lesson 5 モジュールとパッケージ

Lesson 6
オブジェクトとクラス

Lesson 7
ファイル操作とシステム

Lesson 8 演習編
簡単なアプリケーションの作成にチャレンジ！

Lesson 9 応用編

コードスタイル

Lesson 10

コンフィグとロギング

Lesson 11

Webとネットワーク

Lesson 12 並列化

Lesson 13 データ解析

序章　～Pythonの環境設定

これからPythonについて学んでいく前に、まずはパソコンでPythonのプログラムを実行するための準備をしましょう。本書では、Pythonのインタープリタとデータ解析などで使うライブラリが一体となったAnacondaと、プログラムを作成するのに使用するコードエディタ（統合開発環境）のPyCharmの2つをインストールしていきます。

開発環境の準備

Step 1 Anacondaをインストールしよう

さっそくPythonをインストールしていきましょう。Pythonだけをインストールしてもよいのですが、本書ではデータ解析などに必要な機能（ライブラリ）なども一緒にインストールできる**Anaconda**（アナコンダ）を使用していきます。

まずは以下のページから［Download］をクリックしてダウンロードしてください。

ダウンロードURL https://www.anaconda.com/products/distribution

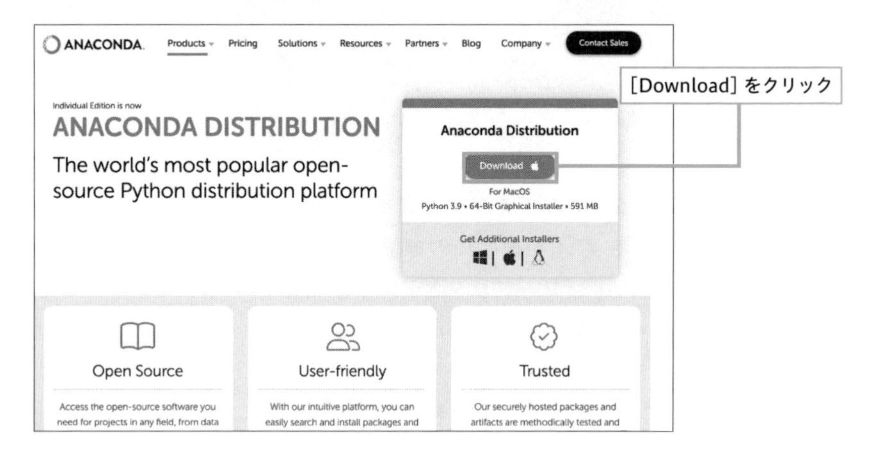

1. Macにインストールする場合

ダウンロードしたファイルを開き、以下のように進めていきます。基本的には［続ける］や［OK］などをクリックしていけば大丈夫です。

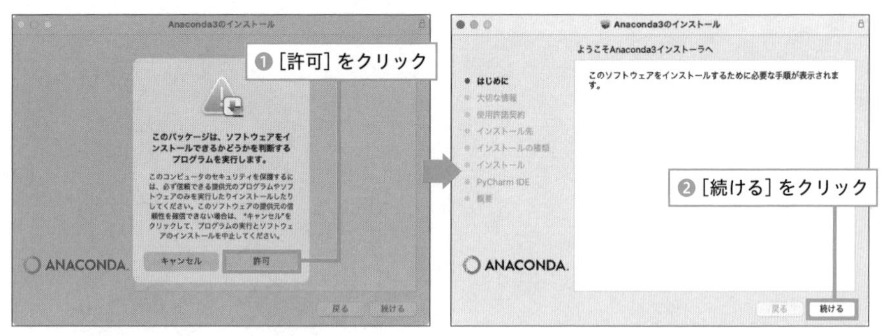

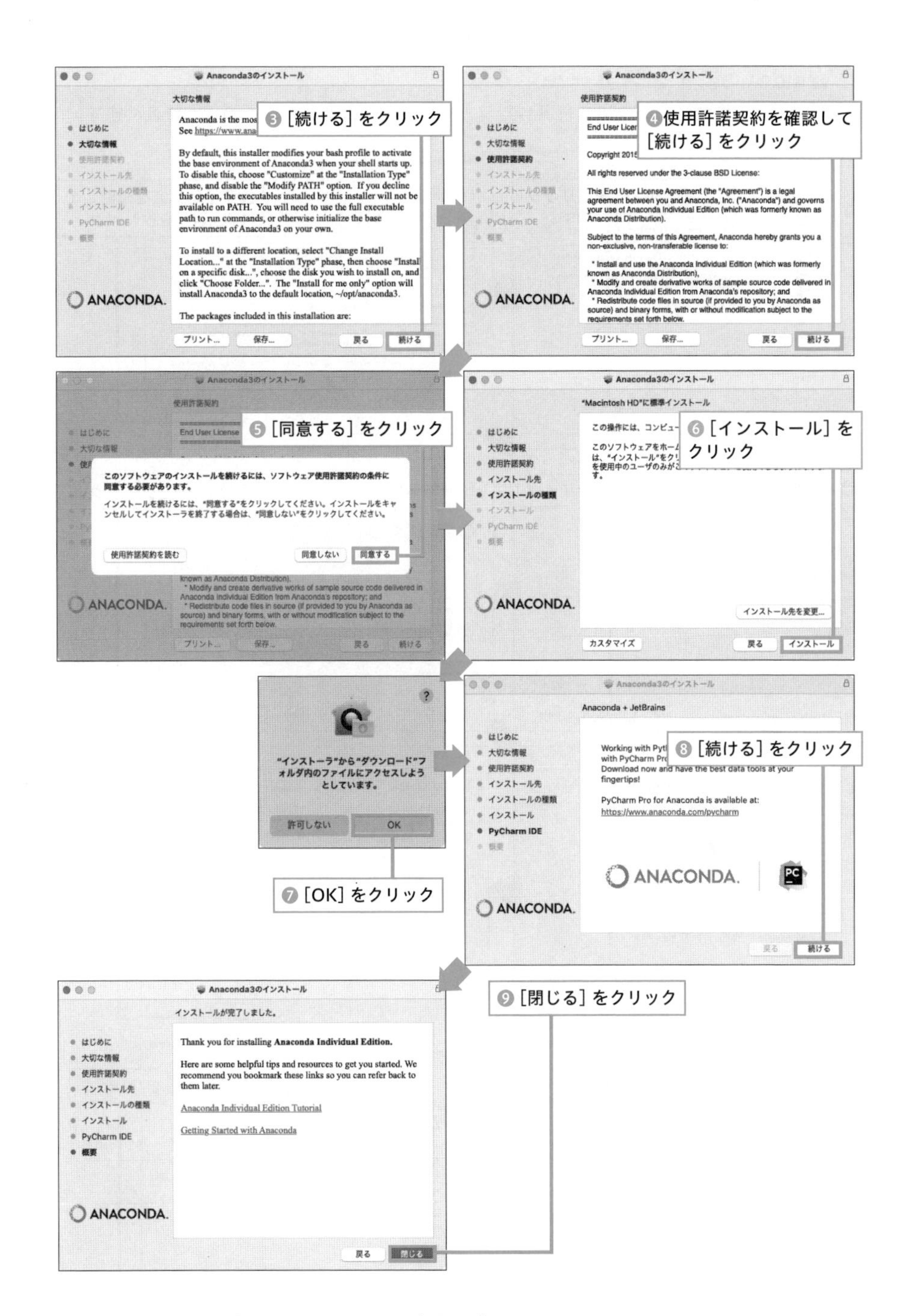

これで、Anacondaのインストールは完了です！

2. Windowsにインストールする場合

Windowsの場合は、ダウンロードしたファイルを開いたあと、以下のように進めます。

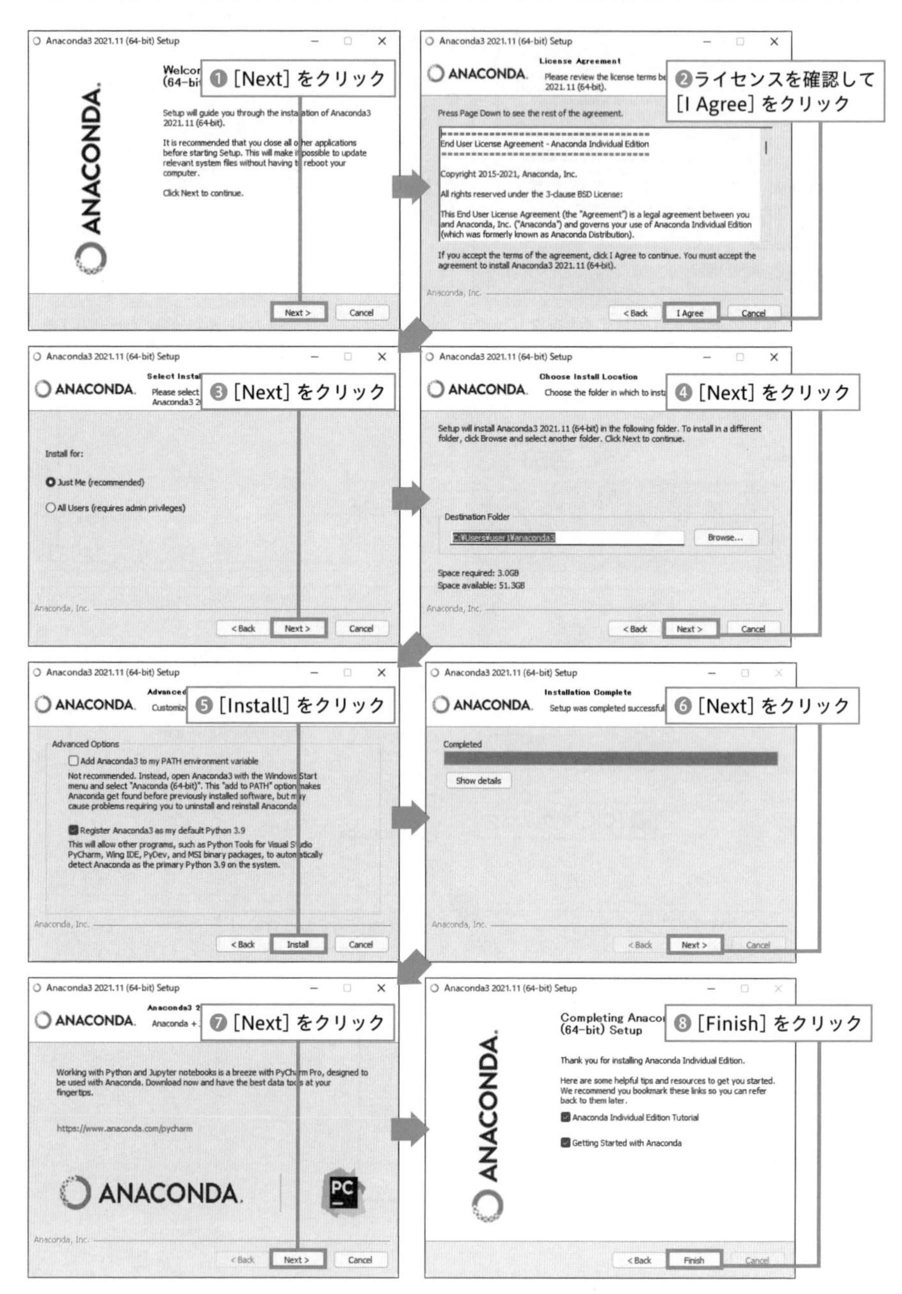

Step 2 PyCharmをインストールしよう

Anacondaをインストールすると、ターミナルなどからPythonを利用できるようになります。さらにシリコンバレーでもよく使われているPythonの統合開発環境である**PyCharm**（パイチャーム）をインストールしていきましょう。以下のページからバージョン2022.1.4を選び、ダウンロードしてください。

ダウンロードURL https://www.jetbrains.com/pycharm/download/other.html

PyCharmにはProfessional版（Edition）とCommunity版があり、Community版は機能が限定されていますが無料で利用することが可能です。また、Professional版も30日間無料で利用できます。本書ではCommunity版を使用しています。

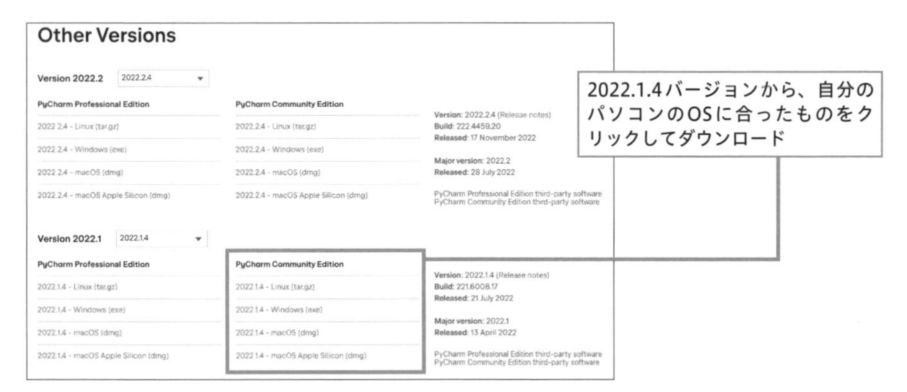

なお、PyCharmは随時更新されており、最新版も上記よりダウンロードすることができます。

1. Macにインストールする場合

ダウンロードしたファイルを開き、以下のように進めます。

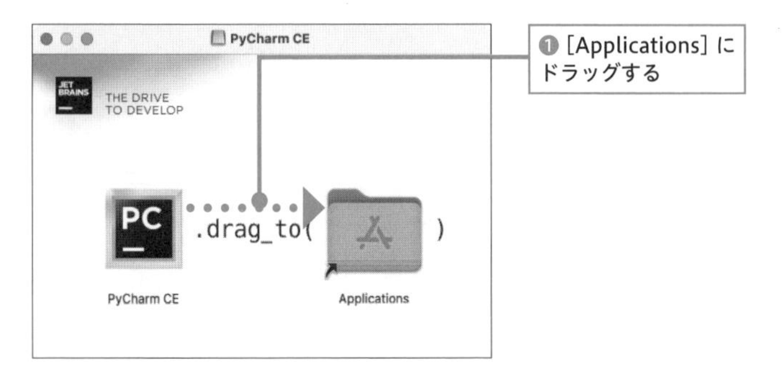

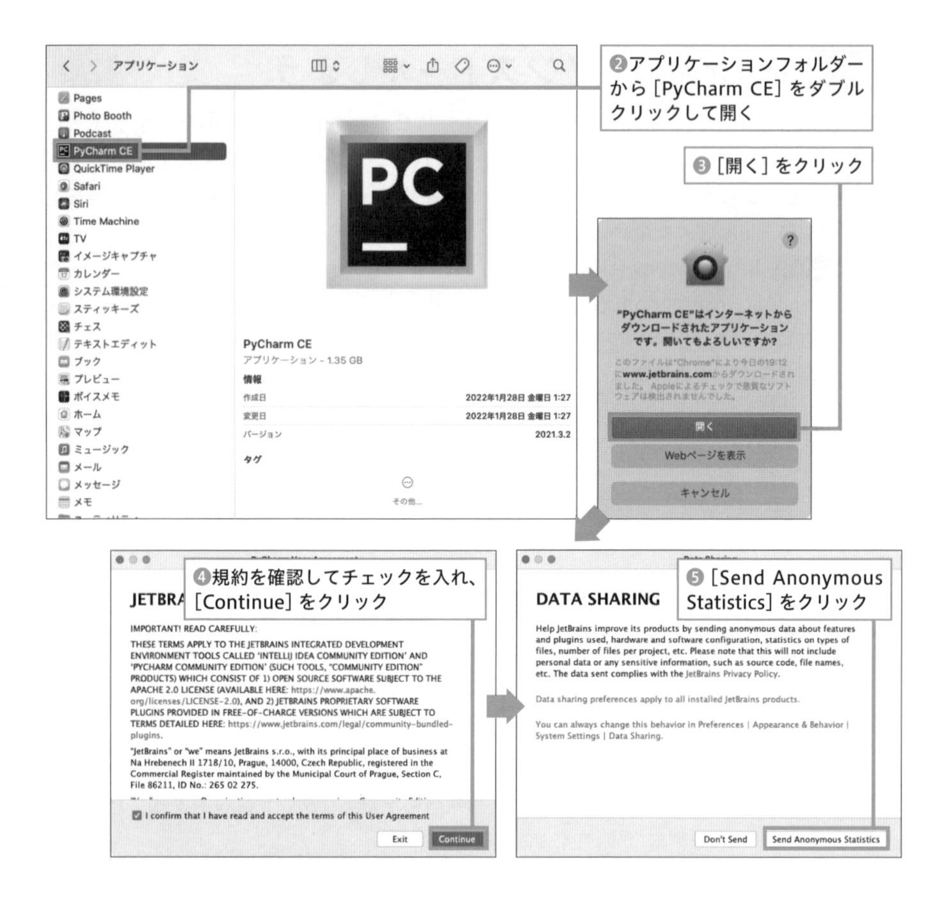

これでPyCharmのインストールは完了です。

2. Windowsにインストールする場合

Windowsの場合は、ダウンロードしたファイルを開いたあと、以下のように進めます。

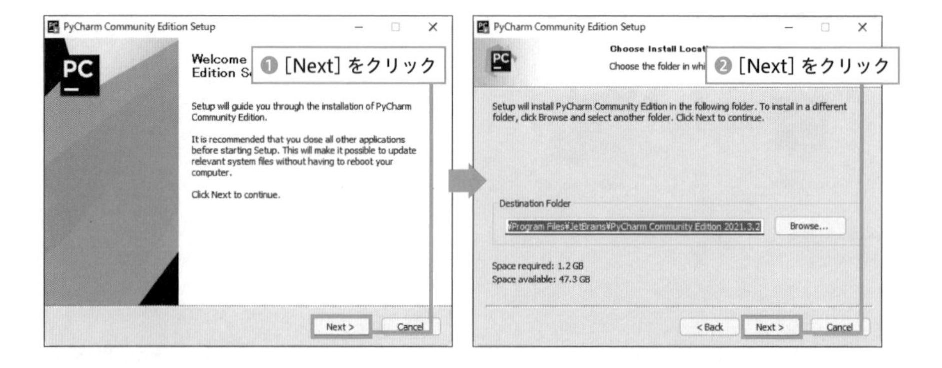

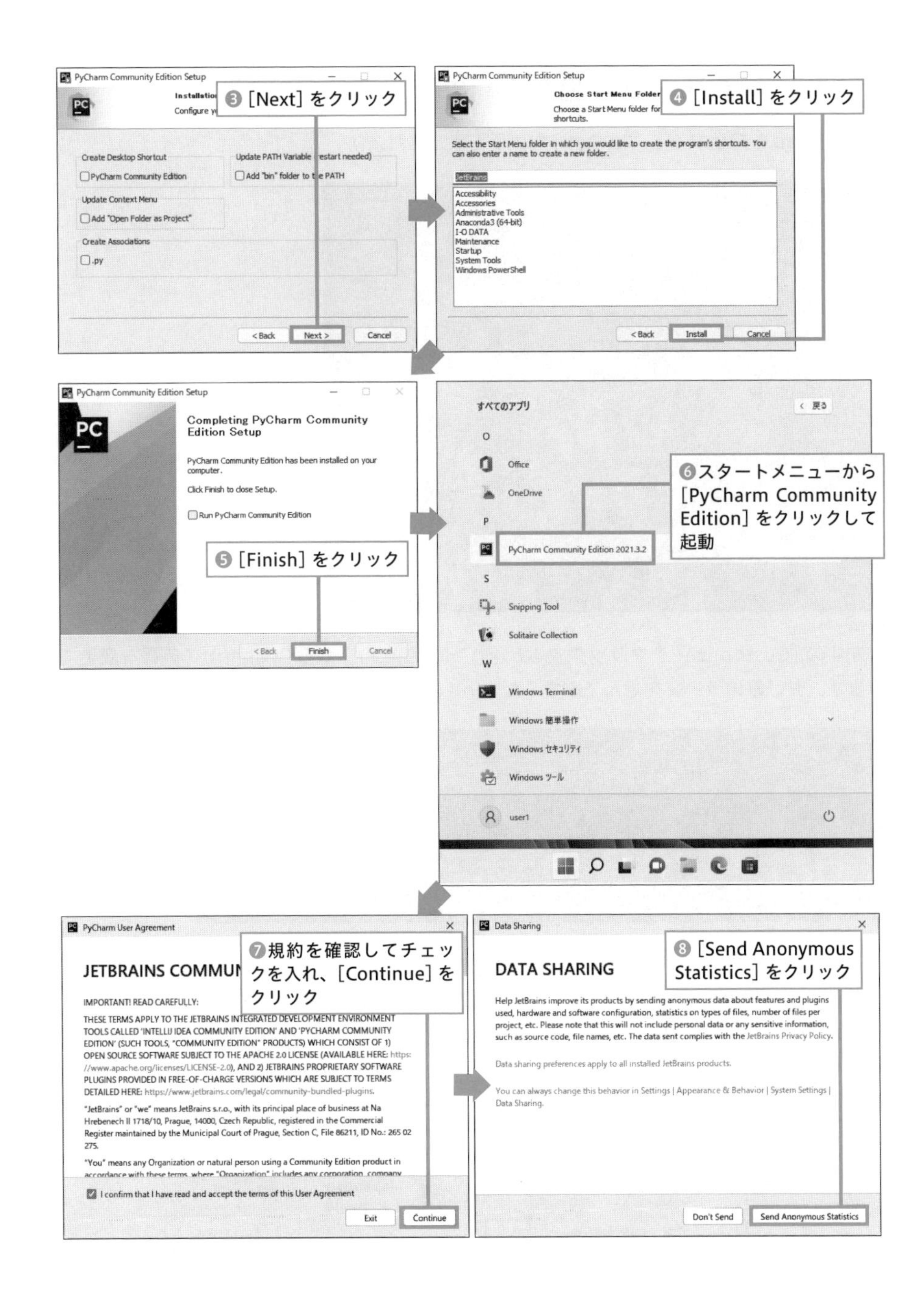

❸ [Next] をクリック
❹ [Install] をクリック
❺ [Finish] をクリック
❻スタートメニューから [PyCharm Community Edition] をクリックして起動
❼規約を確認してチェックを入れ、[Continue] をクリック
❽ [Send Anonymous Statistics] をクリック
PyCharm Community Edition Setup
Choose Start Menu Folder
Completing PyCharm Community Edition Setup
PyCharm Community Edition 2021.3.2
JETBRAINS COMMUN
DATA SHARING

Step 3 PyCharmを日本語化しよう

PyCharmを起動すると、次のような画面が表示されます。

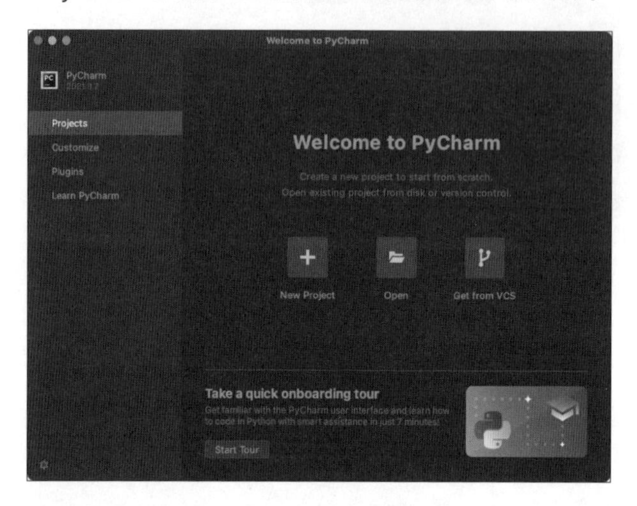

左側の［Customize］をクリックすると、［Color theme］からPyCharmの外観を変更できます。お好みのテーマを選んでみてください（ここでは［IntelliJ Light］を選択）。

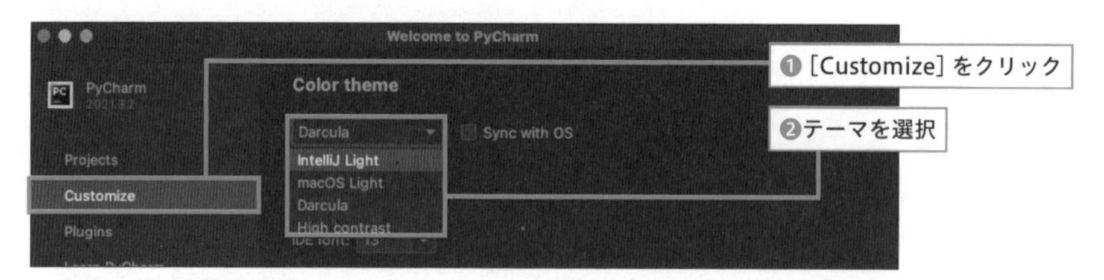

PyCharmを日本語化したい場合は、［Plugins］をクリックして画面上に「Japanese」と入力し、［Japanese Language Pack / 日本語言語パック］を選択して［Install］をクリックします。その後、［Restart IDE］と表示されるので、クリックしてPyCharmを再起動すると、PyCharmが日本語化されています。

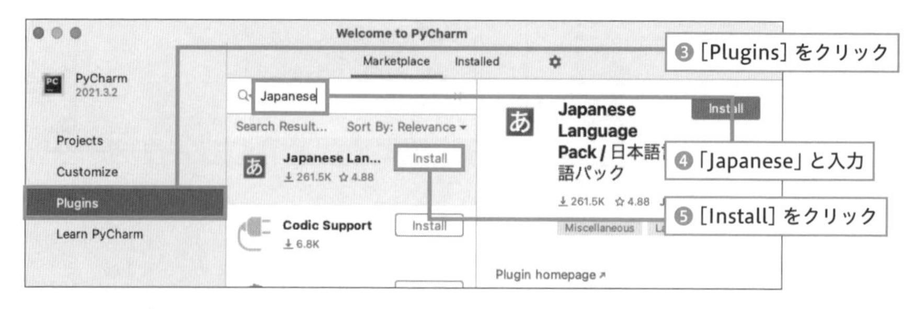

Step 4 プロジェクトを作成しよう

PyCharmでは、開発中のプログラムをプロジェクトという単位で管理します。Pythonのプロジェクトを作成し、AnacondaのPython環境を利用するように設定しましょう。

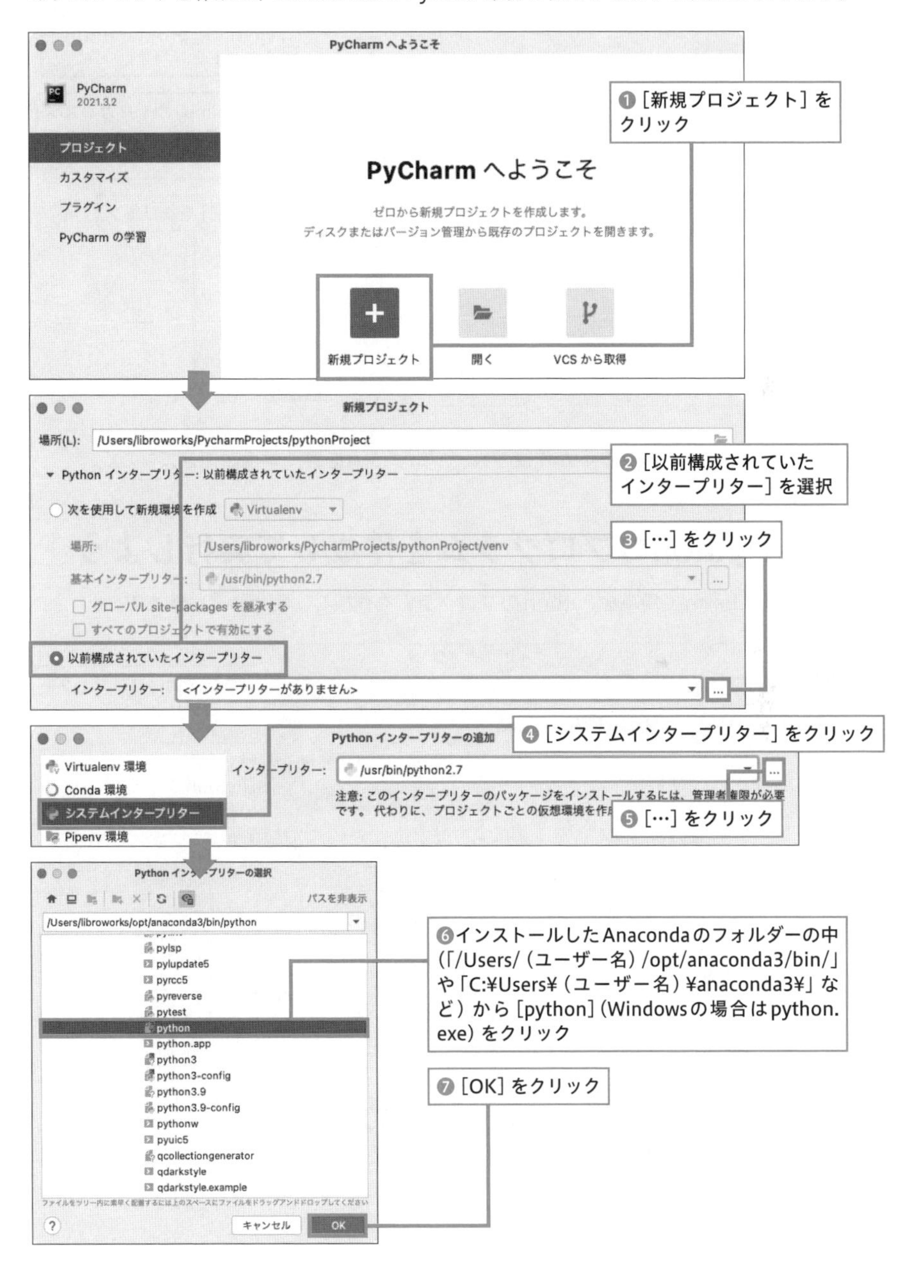

[OK] をクリックし、「Pythonインタープリターの追加」画面を閉じます。

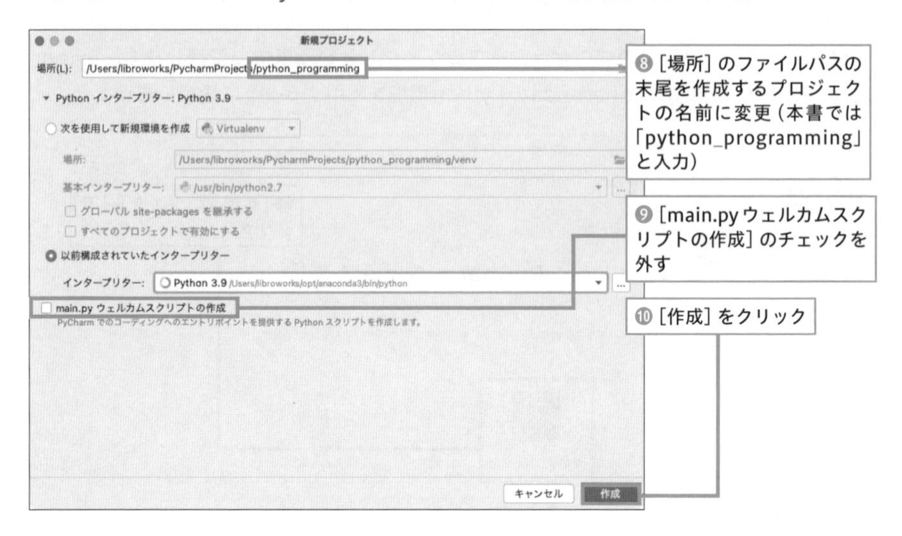

これでPythonのプロジェクトが作成され、プログラムを書く準備ができました。

Step 5 Pythonのプログラムを作成して実行しよう

続いて、PyCharmで簡単なPythonのプログラムを作成し、実行していきます。

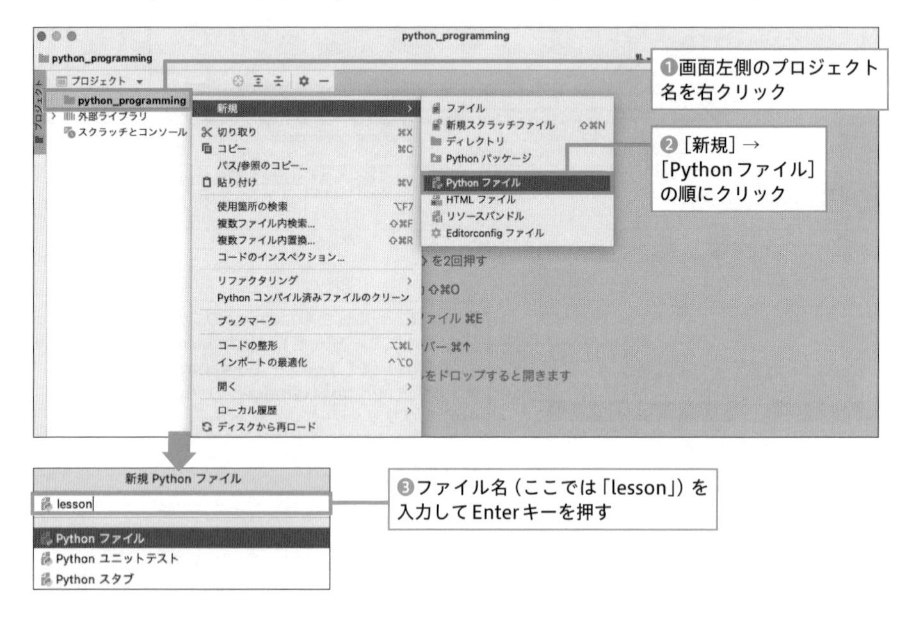

これで「lesson.py」というPythonのファイルが作成されます。ここに、print('hello world')と入力してみましょう。これは、「『hello world』という文を画面に表示する」プログラムです。

コード「hello world」を表示する

```
print('hello world')
```

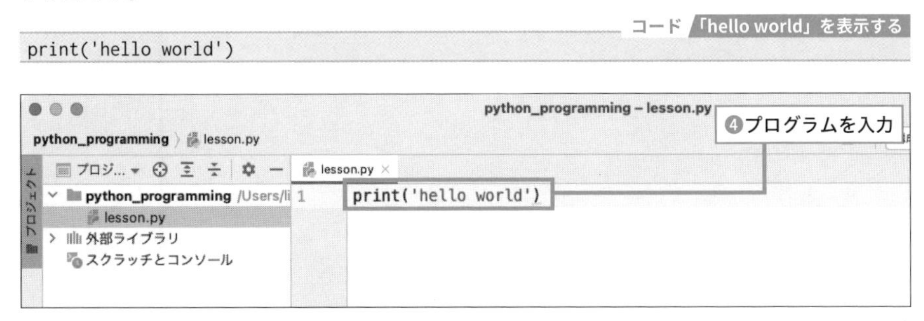

別のファイルを作成して実行する場合は、同じようにしてプロジェクトの中に新しくファイルを作成していきましょう。プロジェクトを作りなおす必要はありません。

作成したPythonのファイルのタブを右クリックして［実行］をクリックすると、プログラムが実行され、結果が画面の下側に表示されます。また、control+shift+R（Windowsの場合はCtrl+Shift+F10）のショートカットキーでも実行可能です。

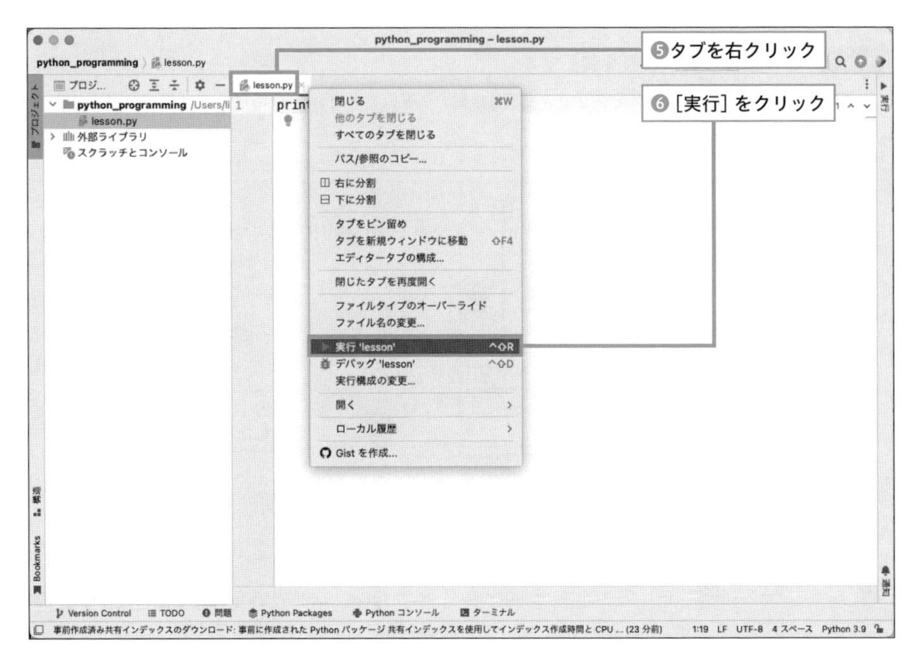

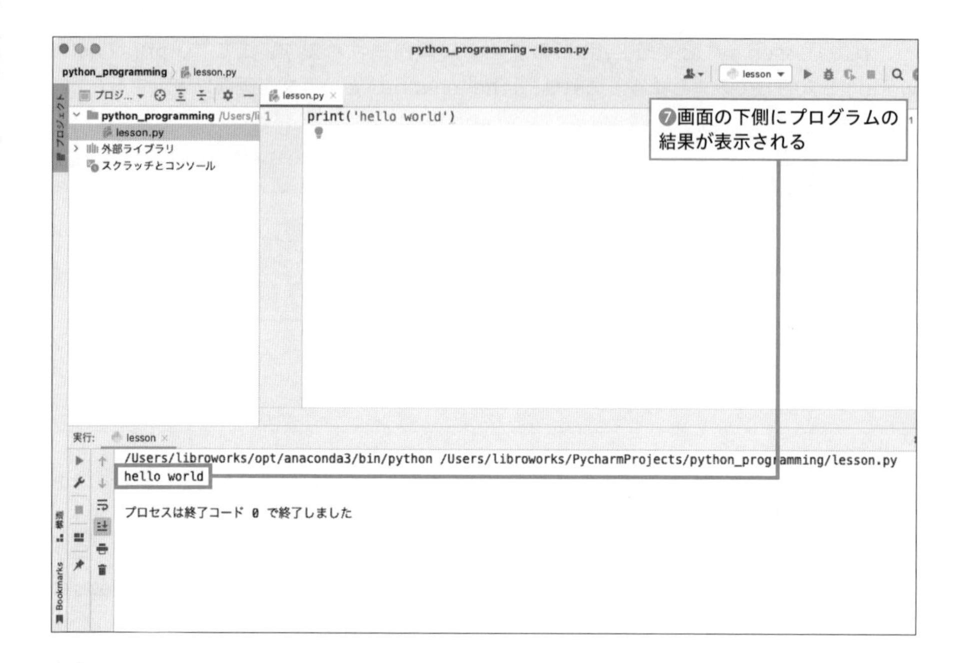

Point 実行結果の表示位置を変更する

実行結果の右上の⚙マークをクリックして［移動］を選択すると、実行結果の表示位置を変更できます。

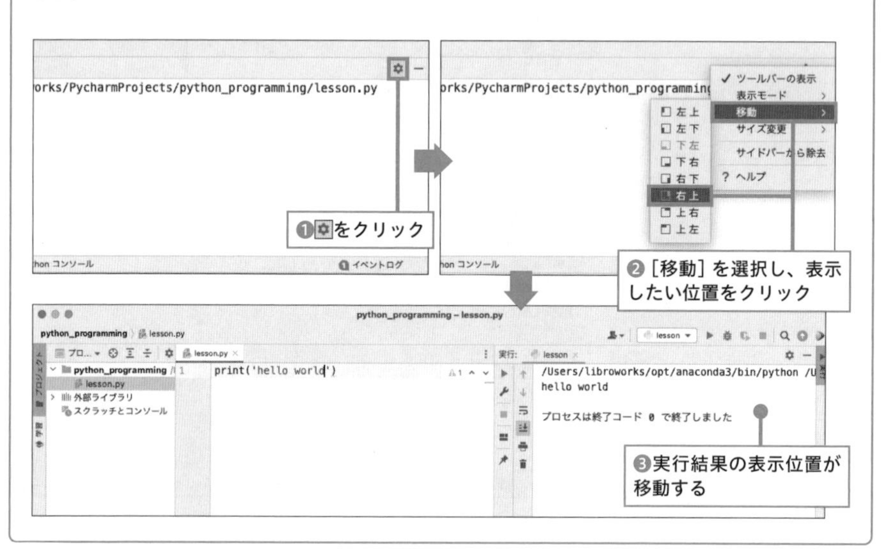

対話型シェルでPythonを実行する

Pythonには、プログラムを1行ずつ実行していく**対話型シェル**というモードがあります。ファイルを作らずにプログラムを実行できるため、プログラミングの学習に役立ちます。

PyCharmの画面の下側にある［ターミナル］をクリックしてpythonと入力すると、対話型シェルが起動します。

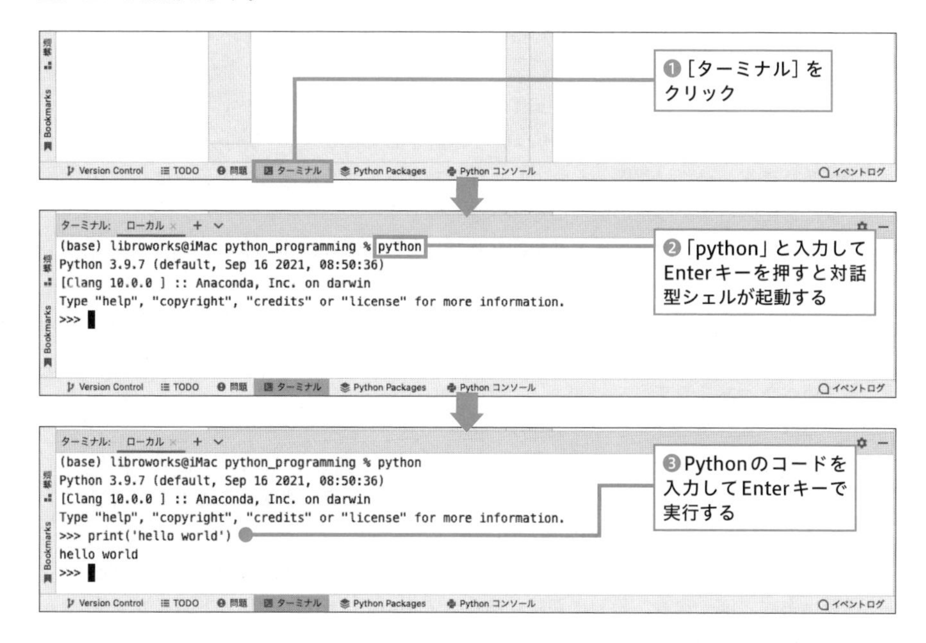

また、同じく画面の下側の［Python コンソール］をクリックすることでも、対話型シェル（IPython）を開くことができます。表示が少し異なりますが、同じように1行ずつプログラムを実行できます。

```
Python 3.9.7 (default, Sep 16 2021, 08:50:36)
In [2]: print('hello world')
hello world

In [3]:
```

本書の解説でも、ときどき対話型シェルを利用します。コード例に「対話型」とある場合は、上記どちらかの対話型シェルを利用してください。

なお、対話型シェルを終了するには、exit()と入力してEnterを押すか、control + Dのショートカットキー（Windowsの場合はCtrl + Zを押してからEnter）を押します。

Column

エンジニアのキャリア戦略①

エンジニアに求められる資質とは？

いいエンジニアの資質とは「技術を追求する能力」だ、「挑戦できる意志力」だ——。そういった話を聞くことがあります。それは実際、そうでしょう。ただ、こうした精神面の資質は、エンジニアに限らず、多くの職種にも必要なものです。

そこで、ここでは、**もっと戦略的な話をしたい**と思います。

私がシリコンバレーのエンジニアを目指したのは学生時代。教授から「これからの時代はITと英語だよ」と言われたのがきっかけだったことは、「はじめに」で述べたとおりです。

では、これからはどうでしょうか。

英語とIT。この2つは確実に必要でしょう。さらにもう一つ、「次世代に関わる技術」を持っているかが、分かれ目になってくると思います。その技術を選択する力、いわば**「選択力」が大事**なのです。

もう一つの技術。それはたとえばファイナンス、つまり**FinTech**でもいいと思います。ぼく自身、投資に興味があるのでPythonを使ってビットコインや株式、FXの自動トレードを自分で作っており、この本のLesson 13でも株価の予想プログラムを作っています。金融工学も勉強中で、今はSplunkというビッグデータ解析ソフトの会社で働いていますが、FinTech分野に移れる力を伸ばしているところです（実際にどうするかは決めていませんが）。

医療やスポーツでもいいと思います。**自動車**が好きなら「自動車＋IT＋英語」もいいでしょう。テスラの例に見るように、こちらも今後、有望な分野なのは明らかです。宇宙ビジネスも注目され、**ロケット**開発にも関心が集まっていますね。

大切なのは、「日本国内や自分のまわりで何が流行っているか」ではなく、「**資本主義をけん引するアメリカで、技術トップのシリコンバレーで稼いでいる企業が手を出している技術は何か**」に目を向けることです。シリコンバレーでクラウドが流行れば、やがて日本を始め世界的にクラウド関連のビジネスが流行り、エンジニアの世界もそちらへ流れていきます。そうです、**日本で流行り始めてからでは遅い**のです。海外に目を向け、一歩先を行くエンジニアになりましょう！

Lesson 1 入門編

Pythonの基本

まずは変数の作り方や、数値や文字列といった基本的なデータの扱い方について見ていきましょう。ここでは、これから何度も出てくる基本的な内容を扱っています。しっかりPythonのコードの書き方に慣れていきましょう！

1-1 変数の宣言と数値の計算をマスターしよう

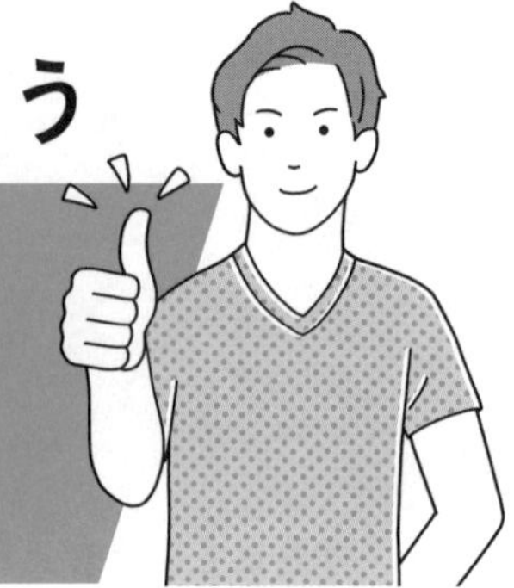

変数とは、数値や文字列といったデータを格納する入れ物です。データを変数に入れることで、データを命令から命令に受け渡す複雑な処理ができるようになります。
Pythonでは、変数を宣言する（変数を用意すること）際に型を記述する必要はありません。また、数値の計算もお手のものです。基本的な四則演算はもちろん、平方根や対数といった複雑な計算もこなすことができます。

変数を宣言しよう

変数の宣言

Pythonの**変数宣言**はとても簡単です。変数名を書いてそのまま=で値（あたい）を入れるだけです。試しに、numという名前の変数を作成し、数字の1を入れてみましょう。そのあと、print(num)と書いて実行すると、変数numに格納された値が画面に表示できます。**print**（プリント）は「表示せよ」という意味のコードです。

コード：c1_1_1.py 数値型の変数の宣言

```
num = 1
print(num)
```

実行結果

```
1
```

文字列は'（シングルクォート）か"（ダブルクォート）で囲み、数値の場合と同じように=で変数に入れます。nameに格納された中身をprint(name)で確認してみると、Mikeという文字列が表示されます。

コード：c1_1_2.py 文字列型の変数の宣言

```
name = 'Mike'
print(name)
```

実行結果

```
Mike
```

Point Pythonの変数宣言

JavaScriptやC言語などのほかの言語では、変数を宣言（作成）するときに、先頭に「let」や「var」などの変数宣言を意味するキーワードを付けたり、データの型（形式）の指定が必要なことがあります。しかし、Pythonでは不要です。「変数名 = 値」の形で、変数に値（数値や文字列など）を入れた（代入した）時点で、Python側が変数を作成してくれるためです。データの型に合わせて変数の型も決まるため、型の指定も不要です。

変数の型

変数の形式のことを、**変数の型**といいます。たとえば、数値が入っている変数は数値型、文字列が入っている変数は文字列型のように呼びます。type(num) やtype(name) のように**type**の ( ) 内に変数名を入れて出力すると、変数の型を知ることができます。typeはその変数の型を表示するコードです。

printに続く ( ) 内を, (カンマ) で区切ると複数の値を出力できます。

コード：c1_1_3.py　変数の型を確認する

```
num = 1
name = 'Mike'
print(num, type(num))
print(name, type(name))
```

print(num, type(num)) ― num と num の型を表示する

print(name, type(name)) ― name と name の型を表示する

実行結果

```
1 <class 'int'>
Mike <class 'str'>
```

変数numの型は、<class 'int'>と表示されているのでint型、つまり整数の数値型ですね。変数nameの型は<class 'str'>なのでstr型、つまり文字列型になります。

True (真) またはFalse (偽) という2つの値を持つことのできる**Boolean型**の変数も作成してみましょう。変数is_okにTrueを入れて、変数の中身と型を表示してみます。すると、<class 'bool'>と表示され、is_okという変数はBoolean型であることがわかります。

このように、変数の型がわからない場合は、typeで確認できます。

コード：c1_1_4.py　Boolean型の変数の宣言

```
is_ok = True
print(is_ok, type(is_ok))
```

実行結果

```
True <class 'bool'>
```

Point　変数に違う型の値を入れる

すでに数値が入っている変数numに、文字列が入っているnameを入れるとどうなるでしょうか。typeを使って出力してみると、変数numが文字列型に変わっていることがわかります。最初に数値を入れた時点ではnumは数値型だったのですが、nameを挿入した時点でPython側はnumを文字列型として認識します。要するに変数の型は、中の値の型で決まるということです。

コード：c1_1_5.py　変数に違う型の値を入れる

```
num = 1
name = 'Mike'
num = name
print(num, type(num))
```

num = name ― num に name の値を入れる

実行結果

```
Mike <class 'str'>
```

型の変換

nameに'1'という文字列を入れてみます。'1'は数値のように見えますが、シングルクォートで囲んでいるので文字列型です。このnameの値を、数値型に変換してから新しい変数new_numに代入してみましょう。数値型に変換したいときは、int(name)のように書きます。変数new_numの型を確認すると、数値型になっていることがわかります。

コード：c1_1_6.py 型変換

```
name = '1'

new_num = int(name)

print(new_num, type(new_num))
```

実行結果

```
1 <class 'int'>
```

Pythonでは、変数を作成する際に、型を宣言する必要がありません。そのため、**間違った型の値を入れてしまうトラブル**が起こることもあるのですが、そのぶん融通が利くというメリットもあります。

型の宣言

Python3.6から、Pythonでも**変数作成時に型を指定**できるようになりました。型の宣言をするには、変数名のあとに:（コロン）を書いて型を記述します。

コード：c1_1_7.py 型宣言

```
num: int = 1
name: str = '1'
```

ただし、型宣言をしていても、Pythonでは数値型の変数に文字列型の変数を入れることができてしまいます。したがって、プログラムを実行する上では、実はPythonの型宣言はしてもしなくても同じなのです。

コード：c1_1_8.py 型宣言をした変数に違う型の値を入れる

```
num: int = 1
name: str = '1'

num = name

print(num, type(num))
```

実行結果

```
1 <class 'str'>
```

型宣言をすると、プログラムを読む上では、「変数がどのような型であるのか」がわかりやすくなります。ただ、大半のPythonのプログラムは型宣言をせずに書かれています。本書でも、変数の型宣言はせずに進めていきます。

変数名に使える文字、記号

変数を宣言する際に、変数名の最初の文字を数字にすると、**SyntaxError**（シンタックスエラー）**（構文エラー）**となるので気をつけましょう。PyCharmでコードを書いているときに、変数名を数字ではじめてしまうと、その時点で赤い波線が表示されてエラーになることがわかります。

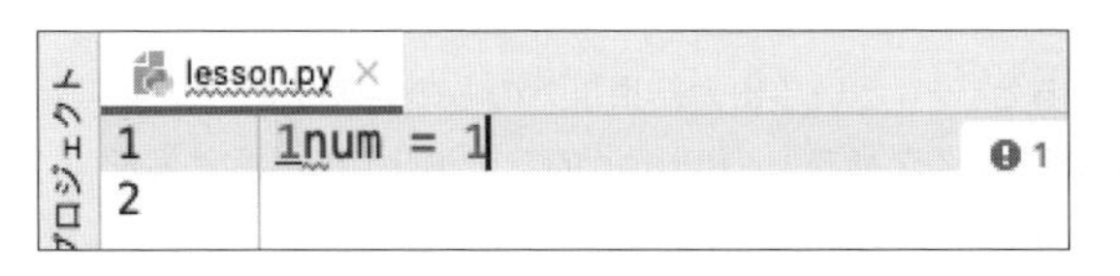

コード：c1_1_9.py　先頭が数字の名前

```
1num = 1
```

実行結果

```
  File "/Users/jsakai/PycharmProjects/python_programming/lesson.py", line 1
    1num = 1
     ^
SyntaxError: invalid syntax
```

1文字目以外であれば変数名に数字を入れることができます。また、あまり使わないのですが、_（アンダースコア）を変数名の最初の文字にすることもできます。

コード：c1_1_10.py　数字を最後の文字にする／_を最初の文字にする

```
num1 = 1
_num = 1
```

また、Python側ですでに使われている名前は、変数名として使えません。たとえば、あとのLessonでif文というものの使い方を解説しますが、このifという名前はPython側で予約されているため、変数名に使おうとするとSyntaxErrorになります。

コード：c1_1_11.py　予約語の変数名

```
if = 1
```

実行結果

```
  File "/Users/jsakai/PycharmProjects/python_programming/lesson.py", line 1
    if = 1
       ^
SyntaxError: invalid syntax
```

printで画面に出力しよう

画面に出力する

先ほどすでに使いましたが、printを使うと画面に値を出力（表示）できます。たとえば、print('Hi')と実行すると、Hiという文字列が出力されます。

コード：c1_1_12.py　printで出力

```
print('Hi')
```

実行結果
```
/Users/jsakai/opt/anaconda3/bin/python /Users/jsakai/PycharmProjects/python_programming/lesson.py
Hi

プロセスは終了コード 0 で終了しました
```

このように、PyCharmで実行すると、Hiという出力結果以外のものも表示されます。上に表示されているのは実行したPythonスクリプト（Pythonのファイル）の場所と名前で、下に表示されている「プロセスは終了コード0で終了しました」は、「プログラムが正常に終了した」というメッセージです。これらの表示はあまり気にしなくてかまいません。その間の出力結果だけを確認すれば大丈夫です。

複数の文字列を出力する

printの( )の中身を,（カンマ）で区切って文字列を追加すると、それぞれの文字列がスペースで区切られて出力されます。

コード：c1_1_13.py 複数の文字列を出力
```
print('Hi', 'Mike')
```

実行結果
```
Hi Mike
```

スペースではなく「,」「、」など、別の文字列で区切りたい場合は、sep=','のように区切り文字を指定してprintの()内に追加すると、指定した文字列で区切って出力されます。

コード：c1_1_14.py 区切り文字を指定する
```
print('Hi', 'Mike', sep=',')
```

実行結果
```
Hi,Mike
```

printのような命令のことを**関数**（かんすう）、( )内に書く値のことを**引数**（ひきすう）といいます。くわしくはあとのLessonで解説するので、ここではなんとなく「printを使ってこんなことができる」ということを理解してください。

終わりの文字を指定することも可能です。通常、終わりの文字は改行を意味する\n（\はバックスラッシュ）になっていますが、これを明示的に指定するには、引数にend='\n'と指定します。このprintを2つ続けて書いて実行してみると、2つの出力の間で改行が行われていることがわかります。

コード：c1_1_15.py 終わりの文字を指定する
```
print('Hi', 'Mike', sep=',', end='\n')
print('Hi', 'Mike', sep=',', end='\n')
```

実行結果
```
Hi,Mike
Hi,Mike
```

この終わりの文字の指定を、end=''のように、シングルクォートの間に何も入れない空文字列(からもじれつ)にすると、2つの出力が改行されることなく、連続して出力されます。

コード：c1_1_16.py 終わりの文字を指定する

```
print('Hi', 'Mike', sep=',', end='')
print('Hi', 'Mike', sep=',', end='')
```

実行結果

```
Hi,MikeHi,Mike
```

もし出力の最後に.(ピリオド)をつけてから改行したい場合は、end='.\n'と指定しましょう。

コード：c1_1_17.py 終わりの文字を指定する

```
print('Hi', 'Mike', sep=',', end='.\n')
```

実行結果

```
Hi,Mike.
```

数値の計算をしよう

数値の計算

数値の計算をしてみます。print(2 + 2)として出力すると、計算結果の4が出力されます。

コード：c1_1_18.py 足し算

```
print(2 + 2)
```

実行結果

```
4
```

簡単な計算を試すだけでスクリプト(ファイル)を作るのは面倒なので、ここでは**ターミナル**を開いて実行しましょう。PyCharmでターミナルを開くには、画面下部の「ターミナル」をクリックします。

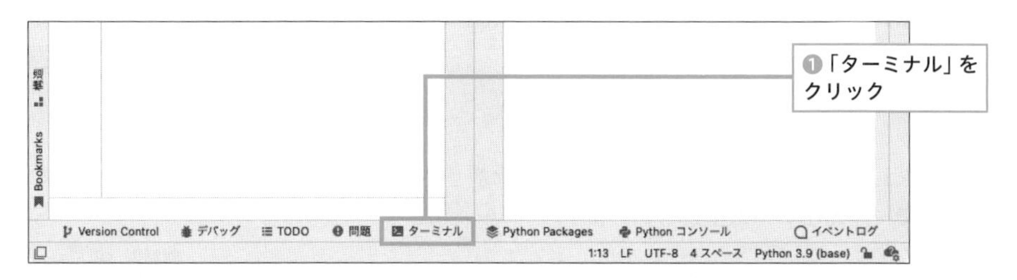

ターミナルを開いたら、pythonと入力してEnterを押しましょう。Pythonの**対話型シェル**が開きます(P.29参照)。対話型シェルで2 + 2と入力してEnterを押すと、その下にすぐ結果が表示されます。

対話型 足し算

```
>>> 2 + 2    入力してEnterを押す
4            結果が表示される
```

引き続き対話型シェルで進めていきます。今度は引き算をしてみましょう。もちろん-(マイナス) の記号を使います。

対話型 引き算

```
>>> 5 - 2
3
```

掛け算は*(アスタリスク) の記号を使います。

対話型 掛け算

```
>>> 5 * 6
30
```

Point 計算の順番

足し算や引き算と掛け算が混在している場合、計算の順番は数学と同じく、掛け算が優先されます。

対話型 計算の順番

```
>>> 50 - 5 * 6
20
```

足し算や引き算を優先させたい場合は()を使いましょう。これも数学と同じですね。

対話型 計算の順番

```
>>> (50 - 5) * 6
270
```

割り算は/(スラッシュ) の記号で表します。

対話型 割り算

```
>>> 8 / 5
1.6
```

1のような整数をtypeで表示してみると、int型であることがわかります。

対話型 整数の型

```
>>> type(1)
<class 'int'>
```

小数をtypeで確認すると、<class 'float'>と表示されます。このfloat型は、小数を含む数値型で、**浮動小数点数型**ともいいます。

対話型 小数の型

```
>>> type(1.6)
<class 'float'>
```

0.6のような小数は、はじめの0を省略して.6と書くこともできます。0を省略しても、float型として認識されます。

対話型 小数の書き方

```
>>> 0.6
0.6
```

```
>>> .6
0.6
```

17 / 3のような割り切れない計算は、コンピューターが近似値まで計算してくれます。

対話型 割り切れない割り算

```
>>> 17 / 3
5.666666666666667
```

このとき、割り算の計算結果の整数部分だけを求めたい場合は、//のようにスラッシュを2回使用します。

対話型 割り算の商を求める

```
>>> 17 // 3
5
```

割り算の余り（剰余（じょうよ））を求めたい場合、%（パーセント）を使います。

対話型 割り算の剰余を求める

```
>>> 17 % 3
2
```

5を2回かけたいというような冪乗（べきじょう）を表す際は、**のようにアスタリスクを2回使用します。たとえば、5 * 5という計算は、5を2回かけているので、5 ** 2と表すことができます。

対話型 冪乗の計算

```
>>> 5 * 5
25
>>> 5 ** 2
25
```

5を5回かける場合、掛け算だけだと何回も * 5を書くことになりますが、冪乗を使えば簡単に計算できます。

対話型 冪乗の計算

```
>>> 5 * 5 * 5 * 5 * 5
3125
>>> 5 ** 5
3125
```

対話型シェルで変数の宣言後に変数名を入力し、Enterキーを押すと値が表示されます。

対話型 対話型シェルで変数を定義する

```
>>> x = 5     ―― 変数を宣言
>>> x         ―― 変数名を入力
5
```

変数同士を計算することもできます。たとえば、xとyという2つの変数に数値を入れて作成し、2つの変数を掛け合わせるには、x * yのように書きます。

対話型 / 変数同士の計算

```
>>> x = 5
>>> x
5
>>> y = 10
>>> y
10
>>> x * y
50
```

Point 定義されていない変数

対話型シェルで、まだ作成していない変数を表示しようとするとエラーになります。

対話型 / 定義されていない変数

```
>>> a
Traceback (most recent call last):
  File "<stdin>", line 1, in <module>
NameError: name 'a' is not defined
```

対話型シェルはすぐにエラーが表示されるので、初学者でも学びやすいでしょう。トライアンドエラーを繰り返しながら進めてください。

数値を四捨五入して丸めることもできます。たとえば、pieという変数の値を小数点以下第2位までで丸めてほしい場合は、round(pie, 2) のように**round**(ラウンド)の () の中に丸めたい値と桁数を入れて実行します。

対話型 / 数値を丸める

```
>>> pie = 3.14159265358979
>>> pie
3.14159265358979
>>> round(pie, 2)
3.14
```

対話型シェルを終了するには、exit() と入力してEnterを押すか、control + Dのショートカットキー (Windowsの場合はCtrl + Zを押してからEnter) を押します。

対話型 / 対話型シェルを終了する

```
>>> exit()
```

数学関数を用いた計算

Pythonには、より複雑な計算が可能な数学関数が用意されています。まずimport mathと入力すると、math(マス)というPythonの**ライブラリ**を使えるようになります。importやライブラリについても、くわしくはあとのLessonで説明します。

コード / 数学関数を使う

```
import math
```

平方根の計算をするには**sqrt**（スクエアルート）を使います。25の平方根を求めたい場合、math.sqrt(25)のように、**math**（マス）のあとに.（ドットまたはピリオド）でつなげて書きましょう。計算結果をresultという変数に格納して表示してみます。

コード：c1_1_19.py　平方根の計算

```
import math

result = math.sqrt(25)
print(result)
```

実行結果

```
5.0
```

平方根は、「何を2回かけたらその数になるか」を求める計算なので、25の平方根として5.0が出力されます。

対数の計算も行うことができます。対数の計算とは、「底（てい）を何回かけたら真数（逆対数）になるか」を求めるものです。このような複雑な計算も、数学関数を使うと簡単に実行できます。底を2とする対数の計算はlog2を使います。真数が10のときの値を求めるには、math.log2(10)として計算します。

コード：c1_1_20.py　対数の計算

```
import math

result = math.log2(10)
print(result)
```

実行結果

```
3.321928094887362
```

mathがどのような計算ができるのかについては、ドキュメント（説明文）を読んで調べることができます。ドキュメントを表示するには、**help関数**（ヘルプ）を使います。mathのドキュメントを確認する場合には、help(math)と入力して以下のようにprintで表示しましょう。

コード：c1_1_21.py　help関数

```
import math

print(help(math))
```

help関数は、関数やライブラリの使い方がわからなくなったときに役立ちます。

1-2
文字列のさまざまな操作方法

文字列は、数値と並んで扱うことが多いデータです。文字を'(シングルクォート)や"(ダブルクォート)で囲むと文字列となります。2つの文字列を連結したり、文字列の中で特定の箇所の文字を取り出したりすることも可能です。
また、文字列には、メソッドと呼ばれる処理が多数用意されており、メソッドを用いることで文字列を大文字や小文字に変換したり、文字列を置換したりすることもできます。このLessonでは、そんな文字列のさまざまな操作方法を身につけていきましょう。

文字列の基本的な使い方を身につけよう

文字列を表示する

変数sにhelloという文字列を入れて表示してみましょう。

コード：c1_2_1.py 文字列の出力

```
s = 'hello'
print(s)
```

実行結果

```
hello
```

printに直接、文字列を入れて表示することもできます。

コード：c1_2_2.py 文字列の出力

```
print('hello')
```

実行結果

```
hello
```

文字列の囲み方

文字列は'(シングルクォート)のほか、"(ダブルクォート)でも囲めます。

コード：c1_2_3.py シングルクォートとダブルクォート

```
print('hello')
print("hello")
```

実行結果

```
hello
hello
```

"で囲んだ中に'が入る場合も問題なく表示されます。

コード：c1_2_4.py ダブルクォートの中にシングルクォート

```
print("I don't know")
```

実行結果

```
I don't know
```

ただし、'が含まれる文字列を、'で囲むことはできません。途中の'までが文字列として認識されてしまい、それより後ろの部分が何なのかPython側がわからなくなってしまうからです。

コード：c1_2_5.py シングルクォートの中にシングルクォート

```
print('I don't know')
```

実行結果

```
  File "/Users/jsakai/PycharmProjects/python_programming/lesson.py", line 1
    print('I don't know')
                 ^
SyntaxError: invalid syntax
```

こういう場合は、文字列に含まれる**'の前に\（バックスラッシュ）を入れましょう**。こうすると、そのシングルクォートは文字列を囲むものではないことを示せるので、問題なく表示されます。バックスラッシュを入れるには、optionを押しながら¥(Windowsでは¥のみ)を入力します。

コード：c1_2_6.py シングルクォートの前にバックスラッシュ

```
print('I don\'t know')
```

実行結果

```
I don't know
```

'で囲まれた中に"が入る場合は、問題なく表示されます。

コード：c1_2_7.py シングルクォートの中にダブルクォート

```
print('say "I don\'t know"')
```

実行結果

```
say "I don't know"
```

"で囲まれた中に"が入る場合はエラーになります。これも、途中の"までが文字列として認識されてしまうためです。

コード：c1_2_8.py ダブルクォートの中にダブルクォート

```
print("say "I don\'t know"")
```

実行結果

```
  File "/Users/jsakai/PycharmProjects/python_programming/lesson.py", line 1
    print("say "I don\'t know"")
                ^
SyntaxError: invalid syntax
```

この場合も、途中の"の前に\(バックスラッシュ）を入れましょう。"で囲んでいるときは、'の前にバックスラッシュを入れなくても問題ありません。

コード：c1_2_9.py ダブルクォートの前にバックスラッシュ

```
print("say \"I don't know\"")
```

実行結果

```
say "I don't know"
```

文字列の途中に改行を入れる

途中で改行を入れたい場合は、\nのように、バックスラッシュとnを組み合わせて改行を入れたい箇所に記述します。

コード：c1_2_10.py 改行

```
print('hello. \nHow are you?')
```

実行結果

```
hello.
How are you?
```

ただし、文字列の中に\nが含まれていると、意図せず改行が入ってしまうことがあります。以下の例では、Windowsのファイルパスのような文字列を出力しようとしたものの、文字列に\nが含まれてしまっているために、意図しない改行が入ってしまっています。

コード：c1_2_11.py 意図せぬ改行

```
print('C:\name\name')
```

実行結果

```
C:
ame
ame
```

これを回避するためには、文字列の囲みの前にrを記述します。このrはraw（生）を省略したもので、**rawデータ**、つまり生のままのデータを出力するという意味になります。

コード：c1_2_12.py 意図せぬ改行の回避

```
print(r'C:\name\name')
```

実行結果

```
C:\name\name
```

複数行にわたる文字列の出力

複数行にわたる文字列を出力したい場合は、**"""のようにダブルクォート3つ**で囲み、その間に文字列を記述します。こうすると、改行したい箇所に\nでわざわざ指定する必要がなく、記述したとおりに改行されて出力されます。

コード：c1_2_13.py 複数行にわたる文字列の出力

```
print("""
line1
line2
line3
""")
```

実行結果

```

line1
line2
line3

```

"""で囲んだ出力の前後にprintの処理を入れてみると、間に空白行が入っていることがわかります。

コード：c1_2_14.py 複数行にわたる文字列の出力

```
print("##########")
print("""
line1
line2
line3
""")
print("##########")
```

実行結果

```
##########

line1
line2
line3

##########
```

これは、"""を記述した行も1行としてカウントされているためです。空白行を入れたくない場合は、以下のように書く必要があります。

コード：c1_2_15.py 複数行にわたる文字列の出力

```
print("##########")
print("""line1
line2
line3""")
print("##########")
```

実行結果

```
##########
line1
line2
line3
##########
```

もっと読みやすい書き方もあります。最初の"""の直後や、最後の"""の手前の行の最後に\（バックスラッシュ）を入れると、空白行が表示されず、かつ読みやすい書き方になります。このような、**行の最後のバックスラッシュは、次の行にそのまま続くという意味**です。

コード：c1_2_16.py 複数行にわたる文字列の出力

```
print("##########")
print("""\
line1
line2
line3\
""")
print("##########")
```

実行結果
```
##########
line1
line2
line3
##########
```

文字列を連結する

文字列を、演算子を使って連続で表示するということもできます。*を使って、掛け算のように文字列の回数を指定すると、その回数だけ繰り返し表示できます。

コード：c1_2_17.py 文字列を繰り返し出力する
```
print('Hi.' * 3)
```

実行結果
```
Hi.Hi.Hi.
```

+（プラス）を使って文字列を連結することもできます。

コード：c1_2_18.py 文字列を連結する
```
print('Hi.' * 3 + 'Mike.')
```

実行結果
```
Hi.Hi.Hi.Mike.
```

ソースコードに書いた文字列や数値のことを**リテラル**といいます。文字列のリテラル同士をつなげる際は、+でつなげることもできますし、+を省略して並べるだけでも可能です。

コード：c1_2_19.py リテラル同士を連結する
```
print('Py' + 'thon')
print('Py''thon')
```

実行結果
```
Python
Python
```

ただし、文字列を変数に格納した場合は、その変数とリテラルを+なしでつなげることはできません。次は変数prefix（プレフィックス）（前置詞の意）とリテラルの'thon'を連結しようとしていますが、エラーになります。

コード：c1_2_20.py 変数とリテラルを連結する
```
prefix = 'Py'
print(prefix'thon')
```

実行結果
```
  File "/Users/jsakai/PycharmProjects/python_programming/lesson.py", line 2
    print(prefix'thon')
                ^
SyntaxError: invalid syntax
```

変数に格納された文字列をリテラルとつなげる場合は、+を使いましょう。

コード：c1_2_21.py 変数とリテラルを連結する
```
prefix = 'Py'
print(prefix + 'thon')
```

実行結果
```
Python
```


Point 複数行にわたる文字列の連結

+を省略してリテラル同士をつなげるという方法は、リテラルが長い場合に有効です。

コード：c1_2_22.py 複数行にわたる文字列の連結
```
s = ('aaaaaaaaaaaaaaaaaaaaaaaaaa'
     'bbbbbbbbbbbbbbbbbbbbbbbbbb')
print(s)
```

実行結果
```
aaaaaaaaaaaaaaaaaaaaaaaaaabbbbbbbbbbbbbbbbbbbbbbbbbb
```

長い文字列同士を1行で書こうとすると、1行が長くなって読みづらいコードになります。これを、上記のように複数行にわたって書くことで、読みやすくなります。

( )で囲まれた内側では改行が許されるため、複数行にわたっても問題ありません。( )を使わない場合は、行の最後にバックスラッシュを入れて書く必要があります。

コード：c1_2_23.py 複数行にわたる文字列の連結
```
s = 'aaaaaaaaaaaaaaaaaaaaaaaaaa'\
    'bbbbbbbbbbbbbbbbbbbbbbbbbb'
print(s)
```

実行結果
```
aaaaaaaaaaaaaaaaaaaaaaaaaabbbbbbbbbbbbbbbbbbbbbbbbbb
```

どちらの書き方でもいいのですが、( )を使うほうが見やすいため、好む人が多いようです。

文字列のインデックスとスライスを使おう

文字列のインデックス

文字列から特定の箇所を抜き出したい場合は、**インデックス**というものを指定します。インデックスとは順番を表す数字で、0からはじまります。

たとえばwordという変数にpythonという文字列を入れたとします。このwordという変数の最初の文字を表示したい場合には、word[0]のように、変数の後ろに[ ]をつけて、その中でインデックスの番号を指定します。

コード：c1_2_24.py 文字列のインデックス
```
word = 'python'
print(word[0])
```

実行結果
```
p
```

その次の文字を表示したい場合は、word[1]と指定します。

コード：c1_2_25.py 文字列のインデックス
```
word = 'python'
print(word[1])
```

実行結果
```
y
```

最後の文字を表示したい場合は、word[-1] と指定します。

コード：c1_2_26.py 文字列のインデックス
```
word = 'python'
print(word[-1])
```

実行結果
```
n
```

文字列のスライス

Pythonには**スライス**という機能もあります。これは、2つのインデックスを指定することで、その間の要素を取り出すというものです。

スライスを使って、文字列の0番目から2番目までの文字を表示してみましょう。[]の中にはじまりのインデックスを指定し、:(コロン) を間に入れてから終わりのインデックスを指定します。word[0:2] のように指定して表示してみると、0番目のpから、1番目の文字 (tの手前までの文字) が取り出せます。2番目の文字は含まれないので注意してください。

コード：c1_2_27.py 文字列のスライス
```
word = 'python'
print(word[0:2])
```

実行結果
```
py
```

2番目から4番目までの文字を表示する際には、word[2:5] と指定します。

コード：c1_2_28.py 文字列のスライス
```
word = 'python'
print(word[2:5])
```

実行結果
```
tho
```

また、はじまりや終わりのインデックスの指定は省略できます。はじまりのインデックスを省略すると、最初の文字から取得します。つまり、0を指定したときと同じです。

コード：c1_2_29.py 文字列のスライス
```
word = 'python'
print(word[0:2])
print(word[:2])
```

実行結果
```
py
py
```

終わりのインデックスを省略すると、はじまりのインデックスの文字から最後までを表示してくれます。

コード：c1_2_30.py 文字列のスライス

```
word = 'python'
print(word[2:])
```

実行結果

```
thon
```

存在しないインデックスを指定するとエラーになります。たとえば、word[100]という指定をすると、100番目のインデックスの文字は存在しないため、エラーとなってしまいます。

コード：c1_2_31.py 存在しないインデックスの指定

```
word = 'python'
print(word[100])
```

実行結果

```
Traceback (most recent call last):
  File "/Users/jsakai/PycharmProjects/python_programming/lesson.py", line 2, in
<module>
    print(word[100])
IndexError: string index out of range
```

Point 文字列の一部は書き換えられない

文字列のインデックスを指定して、一部の文字を書き換えることはできません。Pythonの文字列は、内容を変更できないデータ（イミュータブルなデータといいます）だからです。たとえば、次のように最初の文字pをjに変えるように指示するとエラーが発生します。

コード：c1_2_32.py 文字列の一部を書き換える

```
word = 'python'
word[0] = 'j'
```

実行結果

```
Traceback (most recent call last):
  File "/Users/jsakai/PycharmProjects/python_programming/lesson.py", line 2, in
<module>
    word[0] = 'j'
TypeError: 'str' object does not support item assignment
```

文字列の一部を変更したい場合は、スライスや+による連結を駆使して新しい文字列を作り、それを変数に入れましょう。

コード：c1_2_33.py 文字列の一部を書き換える

```
word = 'python'
word = 'j' + word[1:]
print(word)
```

実行結果

```
jython
```

スライスする際に、はじまりと終わりのインデックスをどちらも省略して[:]とのみ入力すると、文字列全体を取得できます。

コード：c1_2_34.py 文字列のスライス

```
word = 'python'
print(word[:])
```

実行結果

```
python
```

Point len関数

lenという関数を使うと、文字列の長さを調べることができます。lenの後ろの( )の中に、文字列の変数を入れて確認してみましょう。実行結果から、pythonの文字数は6であることがわかります。

コード：c1_2_35.py　文字列の長さを調べる

```
word = 'python'
n = len(word)
print(n)
```

実行結果

```
6
```

文字列のメソッドを使おう

PyCharmで文字列の変数を作成し、その変数名の後ろに.（ドットまたはピリオド）をつけると、一覧が表示されます。これは、文字列の**メソッド**の一覧です。

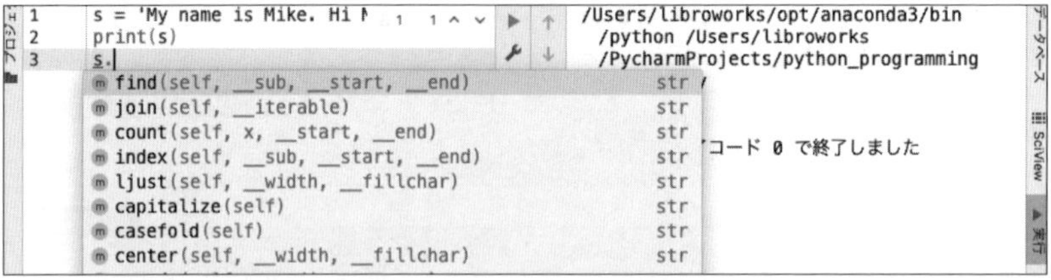

メソッドとは、変数などのあとに.をつけ、そのあとに書いて実行する命令のことです。関数に似ていますが、.の前にある変数の型と結びつけられており、変数に文字列が格納されていれば、文字列のメソッドを使用できます。

表示されるメソッドの一覧から、**startswith**（スターツウィズ）という文字列のメソッドを選んで使ってみましょう。これは、**対象の文字列が( )の中に指定した文字列ではじまっているか**を調べられるメソッドです。指定した文字ではじまっていれば結果はTrue、そうでない場合はFalseとなります。

このメソッドの結果をis_startという変数に格納し、printで表示してみましょう。

コード：c1_2_36.py　startswith()

```
s = 'My name is Mike. Hi Mike.'
is_start = s.startswith('My')
print(is_start)
```

実行結果

```
True
```

結果を確認すると、Trueであることがわかります。つまり、変数sの文字列が、メソッドで指定したMyではじまっていることを示しています。

( )の中で指定する文字列をXに変えてみると、変数sの文字列はXではじまっていないので、結果はFalseになります。

コード：c1_2_37.py　startswith()

```
s = 'My name is Mike. Hi Mike.'
is_start = s.startswith('X')
print(is_start)
```

実行結果

```
False
```

find（ファインド）メソッドを使うと、**( )の中で指定した文字列が、対象の文字列の中のどこにあるか**を調べてくれます。たとえばs.find('Mike')とすると、変数sの文字列の中で、Mikeがどこにあるかを調べられます。

コード：c1_2_38.py　find()

```
s = 'My name is Mike. Hi Mike.'
print(s.find('Mike'))
```

実行結果

```
11
```

結果は11と表示されました。これは、文字列の最初（0番目）から数えて11番目にMikeという文字列が存在しているということを示しています。

rfind（アールファインド）というメソッドは、指定した文字列の位置を後ろから探します。変数sの文字列には、後ろにもう1つMikeという文字列が存在していますが、後ろのMikeを見つけたい場合は、rfind()を使用しましょう。s.rfind('Mike')として結果をprintで表示すると、文字列の最初から数えて20番目にMikeという文字列が存在していることがわかります。

コード：c1_2_39.py　rfind()

```
s = 'My name is Mike. Hi Mike.'
print(s.rfind('Mike'))
```

実行結果

```
20
```

count（カウント）というメソッドを使うと、**指定した文字列が、何個存在するか**を調べてくれます。s.count('Mike')として実行すると、Mikeが2個含まれていることがわかります。

コード：c1_2_40.py　count()

```
s = 'My name is Mike. Hi Mike.'
print(s.count('Mike'))
```

実行結果

```
2
```

capitalize（キャピタライズ）というメソッドを実行すると、**文字列の最初の文字を大文字に、それ以外を小文字にした結果**を返します。実行した結果をprintで表示すると、大文字だったMikeやHiが、mikeやhiのように小文字で表示されます。

コード：c1_2_41.py capitalize()

```
s = 'My name is Mike. Hi Mike.'
print(s.capitalize())
```

実行結果

```
My name is mike. hi mike.
```

title(タイトル)というメソッドは、**単語の最初の文字を大文字に、それ以外を小文字にした結果**を返します。

コード：c1_2_42.py title()

```
s = 'My name is Mike. Hi Mike.'
print(s.title())
```

実行結果

```
My Name Is Mike. Hi Mike.
```

upper(アッパー)は、**すべての文字を大文字にした結果**を返します。

コード：c1_2_43.py upper()

```
s = 'My name is Mike. Hi Mike.'
print(s.upper())
```

実行結果

```
MY NAME IS MIKE. HI MIKE.
```

lower(ローワー)は、**すべての文字を小文字にした結果**を返します。

コード：c1_2_44.py lower()

```
s = 'My name is Mike. Hi Mike'
print(s.lower())
```

実行結果

```
my name is mike. hi mike.
```

replace(リプレース)メソッドは、**文字列を置換した結果**を返します。たとえば、Mikeという文字列をNancyに置換するには、s.replace('Mike', 'Nancy')として、結果をprintで表示します。

コード：c1_2_45.py replace()

```
s = 'My name is Mike. Hi Mike.'
print(s.replace('Mike', 'Nancy'))
```

実行結果

```
My name is Nancy. Hi Nancy.
```

このように、文字列には便利なメソッドが多数用意されています。コードを書いていく中で徐々に覚えていきましょう。

文字列に他の値を挿入しよう

文字列中に他の文字列や数値などを代入することもできます。ここでは対話型シェルを使うので、以前と同じようにターミナルを開き、「python」と入力してEnterを押し、対話型シェルを開いておきましょう。**format**（フォーマット）と{ }を使うことで、文字列中に数値や他の文字列を挿入できます。たとえば、「a is」という文字列に、aを挿入してみましょう。

対話型 文字列の挿入

```
>>> 'a is {}'.format('a')
'a is a'
```

formatの( )の中に記述した'a'が、{ }の部分に代入されて出力されていることがわかりますね。( )の中をほかの文字に変えると、その文字が代入されます。

対話型 文字列の代入

```
>>> 'a is {}'.format('test')
'a is test'
```

{ }の数を3つに増やし、formatの( )の中に,で区切って数値や文字列を記述すると、それぞれの{ }の位置に代入されて表示されます。数値を入れた場合も、文字列に型変換されて挿入されます。

対話型 複数の文字列の挿入

```
>>> 'a is {} {} {}'.format(1, 2, 3)
'a is 1 2 3'
```

以下のように、インデックスつきで書くこともできます。{ }の中のインデックスが、formatの( )の中の要素の順番と対応しています。( )の中に記述された最初の要素が{0}に、次の要素が{1}に……といった形で挿入されます。

対話型 インデックスによる複数の文字列の挿入

```
>>> 'a is {0} {1} {2}'.format(1, 2, 3)
'a is 1 2 3'
```

インデックスを指定しておけば、順番を変えて挿入することができます。

対話型 インデックスによる複数の文字列の挿入

```
>>> 'a is {2} {1} {0}'.format(1, 2, 3)
'a is 3 2 1'
```

以下のように、苗字と名前を1度目と2度目で順番を入れ替えて挿入することもできます。

対話型 インデックスによる複数の文字列の挿入

```
>>> 'My name is {0} {1}. Watashi wa {1} {0}.'.format('Jun', 'Sakai')
'My name is Jun Sakai. Watashi wa Sakai Jun.'
```

ただ、上のように短い文章であれば問題ないのですが、長くなってくると、どちらが苗字でどちらが名前なのかわかりにくくなってきます。

そのようなときには、インデックスの代わりに変数を使いましょう。{ }の中に変数名を書き、formatの( )の中に、name = 'Jun', family = 'Sakai'のようにして変数名を指定することで、対応する変数の位置に文字を挿入できます。

対話型 変数による複数の文字列の挿入

```
>>> 'My name is {name} {family}. Watashi wa {family} {name}.'.format(name='Jun', family='Sakai')
'My name is Jun Sakai. Watashi wa Sakai Jun.'
```

Point より使いやすいf-strings

Python 3.6より、f-strings(エフ・ストリングス)という書き方による文字列の挿入もできるようになりました。文字列のクォートの前に「f」をつけ、{ }の中に挿入する変数名を書きます。f-stringsのほうが処理も速いので、機会があればこちらを使ってみましょう。

コード：c1_2_46.py f-strings

```
a = 'a'
print(f'a is {a}')
```

実行結果

```
a is a
```

複数の文字列も挿入できます。複数の変数に一度に値を代入する方法はP.72を参照ください。

コード：c1_2_47.py f-stringsによる複数の文字列の挿入

```
x, y, z = 1, 2, 3
print(f'a is {x}, {y}, {z}')
print(f'a is {z}, {y}, {x}')
```

実行結果

```
a is 1, 2, 3
a is 3, 2, 1
```

コード：c1_2_48.py f-stringsによる複数の文字列の挿入

```
name = 'Jun'
family = 'Sakai'
print(f'My name is {name} {family}. Watashi wa {family} {name}.')
```

実行結果

```
My name is Jun Sakai. Watashi wa Sakai Jun.
```

Point 数値を文字列に型変換する

数値を文字列に型変換したい場合は、str(1)のように書きます。

対話型 文字列型への型変換

```
>>> str(1)
'1'
```

float型の小数や、Boolean型のTrueといった値も、同じように文字列に型変換できます。

対話型 文字列型への型変換

```
>>> str(3.14)
'3.14'
>>> str(True)
'True'
```

Lesson 2 入門編

データ構造

データをまとめて記憶・管理する構造を「データ構造」といいます。Pythonの代表的なデータ構造には、リスト、タプル、辞書、集合があります。これらのデータ構造がどのような特徴を持ち、どのように操作するのか、また、複数のデータ構造をどのように使い分けるべきなのかについて、具体例とともに解説していきます。

2-1 複数データを並列にまとめる

データ構造の筆頭として、まずはリストを紹介します。リストは複数のデータをまとめるもので、シーケンス型とも呼ばれます。繰り返し処理の対象となるデータを格納するために使われることが多いデータ構造です。
リストにはさまざまなデータを格納できます。数値や文字列はもちろん、リストの中にリストを入れることも可能です。また、リストのデータには順番があり、インデックスの番号を指定して特定の要素を取り出すこともできます。

リストの基本を知ろう

リストは、[]（角カッコ）で囲んで書きます。[]の中には、数字や文字列のデータをカンマで区切って入れることができます。

ターミナルを開き、次のようにリストを作成して、l（小文字のエル）という名前の変数に入れてみましょう。作成後、lとタイプすると、リストの内容が確認できます。

対話型 リストの作成

```
>>> l = [1, 20, 4, 50, 2, 1, 2]
>>> l
[1, 20, 4, 50, 2, 1, 2]
```

リストにも、文字列と同じように**インデックス**があります。l[0]と実行してみると、先頭に入っている1が出力されます。l[1]だと、20が出力されます。

対話型 インデックス

```
>>> l[0]
1
>>> l[1]
20
```

文字列のときと同じく、最後の要素を出力したい場合、l[-1]と指定しましょう。l[-2]とすると、最後から2番目が出力されます。

対話型 負のインデックス

```
>>> l[-1]
2
>>> l[-2]
1
```

これも文字列と同様に、たとえば0番目から1番目を出力するにはl[0:2]とします。この最初の0は省略できます。

対話型 スライスを試す

```
>>> l[0:2]
[1, 20]
>>> l[:2]
[1, 20]
```

2番目から4番目を表示したい場合にはl[2:5]と実行します。

対話型 スライスを試す

```
>>> l[2:5]
[4, 50, 2]
```

最後まで表示したい場合には、コロンの後ろの数字を省略します。また、最初と最後を省略すると、リスト全体が返ってきます。

対話型 スライスを試す

```
>>> l[2:]
[4, 50, 2, 1, 2]
>>> l[:]
[1, 20, 4, 50, 2, 1, 2]
```

Point 存在しないインデックスを指定するとどうなる？

lには100番目の要素がありません。そのため、これを呼び出そうとするとIndexError（インデックスエラー）が返ってきます。

対話型 IndexError

```
>>> l
[1, 20, 4, 50, 2, 1, 2]
>>> l[100]
Traceback (most recent call last):
  File "<stdin>", line 1, in <module>
IndexError: list index out of range
```

わかりやすいように、1から10までのリストを作成してみます。それに対して、n[::2]のように最後に2を置いて実行すると、1つとばしで取り出すことができます。

対話型 スライスを試す

```
>>> n = [1, 2, 3, 4, 5, 6, 7, 8, 9, 10]
>>> n
[1, 2, 3, 4, 5, 6, 7, 8, 9, 10]
>>> n[::2]
[1, 3, 5, 7, 9]
```

n[::-1]とすると、後ろからの逆順で取り出すこともできます。

対話型 スライスを試す

```
>>> n[::-1]
[10, 9, 8, 7, 6, 5, 4, 3, 2, 1]
```

リストと関数

リストもlen関数（P.50参照）が使えます。実行すると、リストの中にいくつデータが入っているのかがわかります。

対話型 len関数を試す

```
>>> len(l)
7
```

type関数でリストを確認すると、リスト型ということがわかります。

対話型 type関数を試す

```
>>> type(l)
<class 'list'>
```

文字列からリストに変換することはほとんどないと思いますが、次のようにlist()に文字列を指定すると、1文字ずつ取り出してリストに変換してくれます。

対話型 list関数を試す

```
>>> list('abcdefg')
['a', 'b', 'c', 'd', 'e', 'f', 'g']
```

リストのネスト（入れ子）

ネストさせた（入れ子にした）リストはどのようになるかを見てみましょう。aとnという2つのリストを作成し、それらを新しいリストのxに入れると、リストの中にリストが入っている状態になります。

対話型 リストのネスト

```
>>> a = ['a', 'b', 'c']
>>> n = [1, 2, 3]
>>> x = [a, n]
>>> x
[['a', 'b', 'c'], [1, 2, 3]]
```

x[0]とすると1つ目のリストが出力されます。x[1]にすると2つ目のリストが出力されます。

対話型 ネストしたリストのインデックス

```
>>> x[0]
['a', 'b', 'c']
>>> x[1]
[1, 2, 3]
```

1つ目のリストの'b'を出力したい場合は、x[0][1]と指定します。2つ目のリストの3を出力するには、同様にx[1][2]と指定しましょう。

対話型 ネストしたリストのインデックス

```
>>> x[0][1]
'b'
>>> x[1][2]
3
```

リストのデータを操作しよう

リストの操作を説明するために、aからgまでのアルファベットのリストを入れた変数sを用意します。このリストを出力すると、'a'から'g'が入っています。

対話型 リストの作成

```
>>> s = ['a', 'b', 'c', 'd', 'e', 'f', 'g']
>>> s
['a', 'b', 'c', 'd', 'e', 'f', 'g']
```

sの最初には'a'が入っています。これを書き換える場合には、そのままs[0]に代入します。文字列ではエラーになりますが、リストの場合は書き換えが可能です。書き換えたあとに確認してみると、sの最初に'X'が入っていますね。

対話型 リストの書き換え

```
>>> s[0]
'a'
>>> s[0] = 'X'
>>> s
['X', 'b', 'c', 'd', 'e', 'f', 'g']
```

sの2番目から4番目をスライスで表示すると'c', 'd', 'e'となります。これを書き換えたい場合は、リストを作って代入します。書き換えたあとで出力すると、小文字の'c', 'd', 'e'が大文字の'C', 'D', 'E'になっているのがわかります。

対話型 スライスで書き換え

```
>>> s[2:5]
['c', 'd', 'e']
>>> s[2:5] = ['C', 'D', 'E']
>>> s
['X', 'b', 'C', 'D', 'E', 'f', 'g']
```

2番目から4番目のスライスをすべて空にしたい場合は、空のリストを入れてあげます。実行すると、'c', 'd', 'e'が消えています。

対話型 空のリストを入れる

```
>>> s[2:5] = []
>>> s
['X', 'b', 'f', 'g']
```

また、s[:]とすると全体を指しますが、これに空のリストを入れてあげると、sがすべて空になります。

対話型 すべて空にする

```
>>> s[:] = []
>>> s
[]
```

メソッドによる挿入／削除

次に、メソッドを使ってリストの操作をしていきましょう。リストの最後に要素を追加したい場合には**append**(アペンド)メソッドを使います。n.append(100)と実行すると最後に100が追加されます。

対話型 append メソッド

```
>>> n = [1, 2, 3, 4, 5, 6, 7, 8, 9, 10]
>>> n.append(100)
>>> n
[1, 2, 3, 4, 5, 6, 7, 8, 9, 10, 100]
```

先頭に追加したいときには、**insert**(インサート)メソッドを使います。200を入れたい場合、先頭のインデックスが0なので、n.insert(0, 200)として実行します。

対話型 insert メソッド

```
>>> n.insert(0, 200)
>>> n
[200, 1, 2, 3, 4, 5, 6, 7, 8, 9, 10, 100]
```

リストから値を取り出したい場合は、**pop**(ポップ)メソッドを使います。先ほど最後に追加した100を取り出したい場合、n.pop()と実行してからリストの中身を確認すると、リストから100が取り出されていることがわかります。

対話型 pop メソッド

```
>>> n.pop()
100
>>> n
[200, 1, 2, 3, 4, 5, 6, 7, 8, 9, 10]
```

popメソッドでインデックスを指定することもできます。先頭の200を取り出したい場合には、インデックスの0を指定します。

対話型 最初を取り出す

```
>>> n.pop(0)
200
>>> n
[1, 2, 3, 4, 5, 6, 7, 8, 9, 10]
```

削除したい場合は**del**(デル)文を使います。del n[0]とすると最初の1が消えます。

対話型 最初を削除する

```
>>> del n[0]
>>> n
[2, 3, 4, 5, 6, 7, 8, 9, 10]
```

delは結構強力で、del nとするとnという変数そのものが消えてしまいます。この状態でnを呼び出そうとしても、定義されていない(is not defined)というエラーになってしまいます。注意して使用してください。

対話型 del文

```
>>> del n
>>> n
Traceback (most recent call last):
  File "<stdin>", line 1, in <module>
NameError: name 'n' is not defined
```

remove（リムーブ）メソッドは指定した要素をリストから探し、最初に見つけたものを消してくれます。n.remove(2)と実行すると、最初の2を消します。

対話型 removeメソッド

```
>>> n = [1, 2, 2, 2, 3]
>>> n.remove(2)
>>> n
[1, 2, 2, 3]
```

もうremoveできるものがない状態で実行するとエラーになります。

対話型 ValueError

```
>>> n.remove(2)
>>> n.remove(2)
>>> n
[1, 3]
>>> n.remove(2)
Traceback (most recent call last):
  File "<stdin>", line 1, in <module>
ValueError: list.remove(x): x not in list
```

このエラーは「もうremoveできるものがないですよ」と教えてくれており、アプリケーションを開発するときの手助けになります。このようなエラーの対処については、Lesson 4のエラーハンドリングのところで触れます。

リストの結合

次に、リストの結合をやってみましょう。aとbという2つのリストを結合する場合、新しいリストxに**a + b**として入れてあげましょう。

対話型 リストの結合

```
>>> a = [1, 2, 3, 4, 5]
>>> b = [6, 7, 8, 9, 10]
>>> a
[1, 2, 3, 4, 5]
>>> b
[6, 7, 8, 9, 10]
>>> x = a + b
>>> x
[1, 2, 3, 4, 5, 6, 7, 8, 9, 10]
```

新たなリストを作成したので、aとbのリストは変化していません。aにbのデータを付け加えたいときには、**a += b**とすると、aのリストにbの内容を結合できます。

対話型 リストの結合

```
>>> a
[1, 2, 3, 4, 5]
>>> b
[6, 7, 8, 9, 10]
>>> a += b
>>> a
[1, 2, 3, 4, 5, 6, 7, 8, 9, 10]
```

extend（エクステンド）メソッドを使用しても、同じようにリストが拡張されて結合されます。

対話型 extend メソッド

```
>>> x = [1, 2, 3, 4, 5]
>>> y = [6, 7, 8, 9, 10]
>>> x.extend(y)
>>> x
[1, 2, 3, 4, 5, 6, 7, 8, 9, 10]
```

リストのさまざまなメソッドを使おう

index（インデックス）メソッドは、**指定した要素がどのインデックスにあるか**を教えてくれます。次のコードを実行してみましょう。3という数が、リストの中で2番目のインデックスにあることがわかります。

コード：c2_1_1.py index メソッド

```
r = [1, 2, 3, 4, 5, 1, 2, 3]
print(r.index(3))
```

実行結果

```
2
```

rのリストには、末尾に2つ目の3がありますよね。リストの中の特定の場所以降を探してほしい場合には、r.index(3, 3)のようにして、3番目のインデックスから3を探してもらうように指定すると、次のように2つ目の3のインデックスが出力されます。

コード：c2_1_2.py index メソッド

```
r = [1, 2, 3, 4, 5, 1, 2, 3]
print(r.index(3, 3))
```

実行結果

```
7
```

count（カウント）メソッドを使うと、**リストの中に指定した要素がいくつ含まれているか**を数えることができます。次のように実行すると、rのリストには3が2つ含まれていることがわかります。

コード：c2_1_3.py　count メソッド

```
r = [1, 2, 3, 4, 5, 1, 2, 3]
print(r.count(3))
```

実行結果

```
2
```

if文を使って、**リストの中に指定した要素が含まれているか**を判定することもできます。リストの中に5が入っていたら「exist」(存在する) と表示させたい場合は、次のように書きます。ifの構文は次のLessonで説明するので、いまは「こんなこともできる」と覚えておいてください。

コード：c2_1_4.py　in 演算子による包含判定

```
r = [1, 2, 3, 4, 5, 1, 2, 3]
if 5 in r:
    print('exist')
```

実行結果

```
exist
```

リストのソート(並べ替え)

sort(ソート)を実行すると、リストの中身を小さい順にソートしてくれます。

コード：c2_1_5.py　sort メソッド

```
r = [1, 2, 3, 4, 5, 1, 2, 3]
r.sort()
print(r)
```

実行結果

```
[1, 1, 2, 2, 3, 3, 4, 5]
```

逆順でソートする場合には、sortのメソッドに**reverse=True**(リバース)という引数を渡します。また、**reverse**メソッドを使うことでも、順番を反転できます。

コード：c2_1_6.py　逆順のソート

```
r = [1, 2, 3, 4, 5, 1, 2, 3]
r.sort()
print(r)
r.sort(reverse=True)
print(r)
r.reverse()
print(r)
```

実行結果

```
[1, 1, 2, 2, 3, 3, 4, 5]
[5, 4, 3, 3, 2, 2, 1, 1]
[1, 1, 2, 2, 3, 3, 4, 5]
```

文字列の分割

splitメソッドを実行すると、指定した文字列で文章を区切ってリストに格納できます。以下の例では、半角スペースで区切った文章をto_splitという変数に格納し、それを分割してprintで表示しています。

コード：c2_1_7.py　split メソッド

```
s = 'My name is Mike.'
to_split = s.split(' ')
print(to_split)
```

実行結果

```
['My', 'name', 'is', 'Mike.']
```

Point　区切り文字が存在しない場合

存在しない文字列で区切ろうとすると、区切らずに文章がそのままリストに格納されます。

コード：c2_1_8.py　split メソッド

```
s = 'My name is Mike.'
to_split = s.split('!!!')
print(to_split)
```

実行結果

```
['My name is Mike.']
```

分割した文章を元に戻す場合、文字列のメソッドである**join**メソッドを使います。引数に渡したリストのデータを、文字列を使ってつなげることが可能になります。

次の例では、半角スペースで分割と結合をしています。

コード：c2_1_9.py　join メソッド

```
s = 'My name is Mike.'
to_split = s.split(' ')
print(to_split)
x = ' '.join(to_split)
print(x)
```

実行結果

```
['My', 'name', 'is', 'Mike.']
My name is Mike.
```

helpという関数を用いると、使用可能なメソッドが表示されます。たとえば、print(help(list))と実行すると、リストのメソッドが一覧で表示されるので、確認してみるのもよいでしょう。

コード：c2_1_10.py　help 関数

```
print(help(list))
```

リストのコピーに注意！

リストの代入で気をつけてほしいのは、**他の変数に代入したリストを書き換えると元のリストも書き換わってしまう**ことです。新しくiというリストを作成し、変数jに入れたとします。そしてjのリストの値を書き換えると、iのリストの値も書き変わってしまいます。

コード：c2_1_11.py　コピー(代入)

```
i = [1, 2, 3, 4, 5]
j = i
j[0] = 100
print('j =', j)
print('i =', i)
```

実行結果

```
j = [100, 2, 3, 4, 5]
i = [100, 2, 3, 4, 5]
```

C言語に触れたことがある方はわかるかと思うのですが、これは**値渡しと参照渡しの違い**によるものです。値渡しは**データを代入する際にコピー**すること、参照渡しは代入する際に**元データへの参照を渡す**ことです。リストの代入の場合は参照渡しになるため、iとjがメモリ上のアドレスで同じものを指している状態になるのです。

これを避けるためには、copy（コピー）を使います。xをcopyメソッドでコピーしたものを変数yに入れて確認してみましょう。元のリストは書き換わっていないことがわかります。

コード：c2_1_12.py　copyメソッドを試す

```
x = [1, 2, 3, 4, 5]
y = x.copy()
y[0] = 100
print('y =', y)
print('x =', x)
```

実行結果

```
y = [100, 2, 3, 4, 5]
x = [1, 2, 3, 4, 5]
```

値渡しと参照渡しの確認

文字列や整数などは値渡しなのですが、リストや辞書は参照渡しになります。このことを理解していないと、バグにつながることもあるので気をつけましょう。

id（アイディ）関数を使って整数のid（オブジェクトが持つ識別番号）を表示すると、それぞれ違うものが割り当てられているのがわかります。値渡しの場合は、変数のオブジェクトが違うidになるのです。これは、メモリ上のそれぞれ違う領域に割り当てられているということになります。

コード：c2_1_13.py　オブジェクトidの確認

```
X = 20
Y = X
Y = 5
```

```
print(id(X))
print(id(Y))
print(Y)
print(X)
```

実行結果

```
4540262992
4540262512
5
20
```

リストの場合はidが同じものになるので、オブジェクトが同じものを指しているということがわかります。

コード：c2_1_14.py　オブジェクト id の確認

```
X = ['a', 'b']
Y = X
Y[0] = 'p'
print(id(X))
print(id(Y))
print(Y)
print(X)
```

実行結果

```
4373915784
4373915784
['p', 'b']
['p', 'b']
```

リストをコピーする機会はそう多くないかもしれません。しかし、バグを起こさないために、ここでしっかり性質を理解しておきましょう。

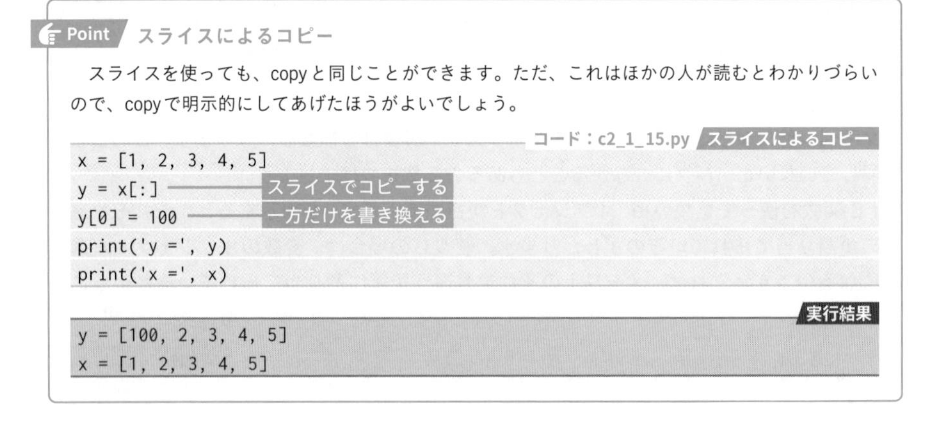

Point　スライスによるコピー

スライスを使っても、copyと同じことができます。ただ、これはほかの人が読むとわかりづらいので、copyで明示的にしてあげたほうがよいでしょう。

コード：c2_1_15.py　スライスによるコピー

```
x = [1, 2, 3, 4, 5]
y = x[:]        ― スライスでコピーする
y[0] = 100      ― 一方だけを書き換える
print('y =', y)
print('x =', x)
```

実行結果

```
y = [100, 2, 3, 4, 5]
x = [1, 2, 3, 4, 5]
```

リストの具体的な利用例

リストはどのようなときに使うのでしょうか。たとえば、乗り合いタクシーにお客さんを乗せていくゲームを想像してみてください。その座席の数をリストで表現してみます。

空のリスト[]を用意して変数seatに入れます。乗客の最小数は0人で、最大は5人と決め、それぞれ変数minとmaxに入れておきます。

対話型 空のリストの作成

```
>>> seat = []
>>> min = 0
>>> max = 5
```

このタクシーに乗れるかどうかを判定します。乗客の人数、つまりリストの長さはlen関数で調べられます。ドライバーが1人乗っているので、乗客の人数が最小の人数以上で、最大の人数未満であればよいわけです（<=による判定については、次のLessonで説明します）。判定がTrueのとき、タクシーには人がまだ乗ることができます。

対話型 乗車可能か判定

```
>>> min <= len(seat) < max
True
```

appendメソッドを使って、タクシーにお客さんを乗せていきます。乗客は'p'で表現します。1人の場合はTrueと表示されるので、まだ乗れることがわかります。

対話型 乗客を追加

```
>>> seat.append('p')
>>> min <= len(seat) < max
True
>>> len(seat)
1
```

もう1人追加しても、まだ乗れます。

対話型 乗客を追加

```
>>> seat.append('p')
>>> min <= len(seat) < max
True
>>> len(seat)
2
```

4人でもまだ乗れますが、ドライバーも入れて5人乗っている状態で、次に乗ろうとするとこれ以上乗ることができないので判定はFalseになります。

対話型 乗客を追加できない

```
>>> seat.append('p')
>>> seat.append('p')
>>> min <= len(seat) < max
```

```
True
>>> seat.append('p')
>>> min <= len(seat) < max
False
>>> len(seat)
5
```

popメソッドで1人降りると、また乗れるようになります。

対話型 乗客を降ろす

```
>>> seat.pop(0)
'p'
>>> min <= len(seat) < max
True
```

こうして、乗客が乗ったり降りたりするように、数に変動があるようなアプリケーションを作るときに、リストを使ってみましょう。

2-2

変更できないリスト？ いえ、タプルです

タプルは、リスト同様に複数のデータをまとめることができます。リストと異なるのは、あとから値を変更できないという点です。このため、中身を書き換えられたくないようなデータを格納するときは、タプルを使うとよいでしょう。
また、タプルにはアンパッキングというテクニックがあり、これを使うことで変数の中身の入れ替えなどをスムーズに行うことができます。便利なテクニックなので、あわせて覚えていきましょう。

タプルの基本を知ろう

タプルはリストと非常に似ています。タプルの場合は () で囲んで作成します。作成したタプルをtypeで確認してみると、tupleと表示されます。

対話型 タプルの作成

```
>>> t = (1, 2, 3, 4, 1, 2)
>>> t
(1, 2, 3, 4, 1, 2)
>>> type(t)
<class 'tuple'>
```

リストとの違いは、値を代入できない点です。タプルで値を代入しようとするとエラーになります。

対話型 タプルに代入

```
>>> t[0] = 100
Traceback (most recent call last):
  File "<stdin>", line 1, in <module>
TypeError: 'tuple' object does not support item assignment
```

タプルのメソッド

リストと同様にインデックスを指定したり、スライスで表示したり、またindexやcountといったメソッドを使うこともできます。

対話型 インデックスやスライス、メソッド

```
>>> t[0]
1
>>> t[-2]
1
>>> t[2:5]
(3, 4, 1)
>>> t.index(1)
```

```
0
>>> t.index(1, 1)
4
>>> t.count(1)
2
```

ただ、タプルの場合はリストと違い、indexやcountくらいしかメソッドがありません。

Point タプルにリストを入れる

タプルの値は変更できないのですが、タプルにリストを入れることはできます。タプルに入れたリストそのものは変更できませんが、そのリストの中身を書き換えることは可能です。

対話型 タプルにリストを入れる

```
>>> t = ([1, 2, 3], [4, 5, 6])
>>> t[0] = [1]
Traceback (most recent call last):
  File "<stdin>", line 1, in <module>
TypeError: 'tuple' object does not support item assignment
>>> t[0][0] = 100
>>> t
([100, 2, 3], [4, 5, 6])
```

タプルの作成方法

また、タプルの書き方ですが、( )を省略してもタプルになります。

対話型 ()を省略してタプルを作成

```
>>> t = 1, 2, 3
>>> type(t)
<class 'tuple'>
>>> t
(1, 2, 3)
```

Point カンマをつけるとタプルになる

カンマをつけた時点でタプルになるのですが、これは結構バグの原因になったりします。数値のつもりで間違ってカンマを書いてしまうとタプルになってしまうので、気をつけましょう。

対話型 カンマをつけて変数に代入

```
>>> t = 1,
>>> t
(1,)
>>> type(t)
<class 'tuple'>
```

()とすると空のタプルになりますが、(1)とするとint型になります。

対話型 ()を使ったときの挙動

```
>>> t = ()
>>> t
()
>>> type(t)
<class 'tuple'>
>>> t = (1)
>>> t
1
>>> type(t)
<class 'int'>
```

1つだけ要素が入ったタプルにしたい場合もカンマをつけて、(1,)とする必要があります。

対話型 1つだけ要素が入ったタプル

```
>>> t = (1,)
>>> t
(1,)
>>> type(t)
<class 'tuple'>
```

タプルの結合

タプルは追加や変更はできないのですが、新しいタプルを宣言すればタプル同士を足したりすることが可能です。

対話型 タプルの結合

```
>>> new_tuple = (1, 2, 3) + (4, 5, 6)
>>> new_tuple
(1, 2, 3, 4, 5, 6)
```

int型とタプルを結合することはできません。1つだけ要素が入ったタプルを作る際に間違えて(1)と書くと、タプルと結合しようとした際にエラーになります。タプルを作成する際は、カンマをつけて(1,)のようにすることを忘れないようにしてください。

対話型 タプルの結合

```
>>> new_tuple = (1) + (4, 5, 6)
Traceback (most recent call last):
  File "<stdin>", line 1, in <module>
TypeError: unsupported operand type(s) for +: 'int' and 'tuple'
>>> new_tuple = (1,) + (4, 5, 6)
>>> new_tuple
(1, 4, 5, 6)
```

タプルのアンパッキング

以下のコードを実行してみましょう。

コード：c2_2_1.py タプルのアンパッキング

```
num_tuple = (10, 20)
x, y = num_tuple
print(x, y)
```

実行結果

```
10 20
```

num_tupleの中身の10と20が、それぞれ変数xとyに代入されていることがわかります。このように、複数の変数に対しタプルの中身を展開して入れることを、**タプルのアンパッキング**といいます。

タプルは( )を省略しても作成できるので、以下のように書くことができます。これは変数宣言の際に使われます。他の言語でも複数の変数宣言をまとめて書くことができますが、Pythonの場合はタプルのアンパッキングが使われているのです。

コード：c2_2_2.py タプルのアンパッキング

```
x, y = 10, 20
print(x, y)
```

実行結果

```
10 20
```

Point 変数が多いときのアンパッキング

上記の書き方をやりすぎると、かえって読みづらいコードになってしまうので、気をつけましょう。変数が多いと、それぞれの変数がどの値に対応しているのかがわかりにくくなるからです。

コード：c2_2_3.py 変数が多いときの宣言の仕方

```
a, b, c, d, e, f = 'Mike', '1', '1', '1', 'e', 'f'
```

2つくらいの変数宣言ならよいのですが、多くの変数に対してはタプルのアンパッキングではなく、1つずつ値を入れるようにしましょう。

コード：c2_2_4.py 変数が多いときの宣言の仕方

```
a = 'Mike'
b = '1'
c = '1'
d = '1'
e = 'e'
f = 'f'
```

タプルのアンパッキングを利用すると、値の入れ替えを簡単に行うことができます。比較してみましょう。まず、変数の値を入れ替えたいとき、通常なら次のように書くと思います。

コード：c2_2_5.py 変数の入れ替え

```
i = 10
j = 20
tmp = i
i = j
j = tmp
print(i, j)
```

実行結果

```
20 10
```

上の例では入れ替えのために3行のコードを書く必要があります。ですが、アンパッキングを利用すると、次のように簡単に書くことができます。ぜひ覚えておきましょう。

コード：c2_2_6.py 変数の入れ替え

```
a = 100
b = 200
print(a, b)
a, b = b, a
print(a, b)
```

実行結果

```
100 200
200 100
```

タプルはこうやって使う

タプルは具体的にどのようなときに使うのでしょうか。ここでは、ユーザーに問題を出し、3つの選択肢から2つを答えさせるアプリケーションを考えてみます。

まず、タプルを使って選択肢の変数choose_from_threeを作ります。解答の変数はリストで作成し、選択肢の中から2つappendします。ユーザーには先に選択肢を表示し、答えたあとに解答を表示するようにします。

コード：c2_2_7.py 選択問題の作成

```
choose_from_three = ('A', 'B', 'C')

answer = []

answer.append('A')
answer.append('C')

print(choose_from_three)
print(answer)
```

実行結果

```
('A', 'B', 'C')
['A', 'C']
```

ここで、もし選択肢をリストで作成していたらどうでしょうか。

リストはあとから変更が可能です。そして、解答のリストにappendすべきところを、間違えて選択肢の変数choose_from_threeにappendしてしまったとします。すると、リストはタプルと違って変更可能なので、選択肢に解答が追加されてしまいますよね。そして選択肢をユーザーに表示するときに、追加した解答も一緒に表示されるため、ユーザーに解答がわかってしまいます。これだとクイズとして成立していませんね。

コード：c2_2_8.py 選択問題の作成（失敗例）

```
choose_from_three = ['A', 'B', 'C']

answer = []

choose_from_three.append('A')
choose_from_three.append('C')

print(choose_from_three)
```

実行結果

```
['A', 'B', 'C', 'A', 'C']
```

このようなことを防ぐためには、自分や他のプログラマーが、選択肢を間違えて書き換えられないようにしておけばよいわけです。たとえ間違えて選択肢を変更しようとしてしまっても、タプルであればappendすることはできないのでエラーになるため、バグに気づけます。

コード：c2_2_9.py 選択問題の作成

```
choose_from_three = ('A', 'B', 'C')

answer = []

choose_from_three.append('A')
choose_from_three.append('C')
```

実行結果

```
Traceback (most recent call last):
  File "/Users/jsakai/PyCharmProjects/python_programming/lesson.py", line 5, in <module>
    choose_from_three.append('A')
AttributeError: 'tuple' object has no attribute 'append'
```

2-3

キーと値をセットで記憶する辞書型

辞書型とは、キーと値（バリュー）をセットで格納するデータ構造のことです。辞書で単語を調べるとその内容を知ることができるように、キーに対して値がひもづいているのが特徴です。リストやタプルのようにインデックス番号で値を取り出すのではなく、人間が覚えやすい文字列などのキーで値を取り出すことができます。

辞書型の基本を知ろう

辞書型について説明していきましょう。英語だとdictionary（ディクショナリー）なので、そう呼ばれることも多いかもしれません。

辞書型は{ }（波カッコ）で囲みます。この{}はカーリーブラケットとも呼ばれます。ターミナルで次のように書いてみましょう。

対話型／辞書型の作成

```
>>> d = {'x': 10, 'y': 20}
>>> d
{'x': 10, 'y': 20}
```

これで、キーと値をセットにした辞書型が作成できました。

キー		値
x	·······················	20
y	·······················	20

typeで確認すると、型はdictとなっています。dictionaryの略ですね。

対話型／辞書型の確認

```
>>> type(d)
<class 'dict'>
```

辞書型の値を出力するには、次のように書きます。

対話型／辞書型の値を出力

```
>>> d['x']
10
>>> d['y']
20
```

辞書型の操作

d['x'] に値を入れる場合は、そのまま代入します。また、数値だけでなく、文字列も入れることができます。

対話型 辞書型に値を代入

```
>>> d['x'] = 100
>>> d
{'x': 100, 'y': 20}
>>> d['x'] = 'XXXX'
>>> d
{'x': 'XXXX', 'y': 20}
```

追加する際も、好きなキーを入れて代入するだけです。zというキーに、200という値を入れてみます。

対話型 辞書型に値を追加

```
>>> d['z'] = 200
>>> d
{'x': 'XXXX', 'y': 20, 'z': 200}
```

Point キーに数字を設定する

キーは文字列だけでなく数字でもかまいません。キーを数字の1として、値に10000を入れるには次のように書きます。

対話型 辞書型に値を追加

```
>>> d[1] = 10000
>>> d
{'x': 'XXXX', 'y': 20, 'z': 200, 1: 10000}
```

また、辞書型を作る際は、以下の2とおりの形で書くこともできます。

対話型 辞書型の作成

```
>>> dict(a=10, b=20)
{'a': 10, 'b': 20}
>>> dict([('a', 10), ('b', 20)])
{'a': 10, 'b': 20}
```

実際のプログラムでは上記の書き方が使われることもあります。とまどわないよう、覚えておきましょう。

辞書型のメソッドを使おう

辞書型のメソッドを見ていきましょう。例となる辞書を作成して変数dに入れておきます。help関数を利用すると、使えるメソッドの一覧を確認できます。

対話型 help関数

```
>>> d = {'x': 10, 'y': 20}
>>> d
{'x': 10, 'y': 20}
>>> help(d)
```

キーのみを確認したい場合には、**keys**(キーズ)というメソッドを使用します。

対話型 keysメソッド

```
>>> d.keys()
dict_keys(['x', 'y'])
```

値のみを見たい場合には**values**(バリューズ)メソッドを使用します。

対話型 valuesメソッド

```
>>> d.values()
dict_values([10, 20])
```

update(アップデート)メソッドを使うと、ほかの辞書型のデータを使って更新することができます。例として、dを更新するために、新たにd2という辞書型を作成してみます。更新する前のdとd2の中身は次のようになっています。

対話型 updateメソッドを試す

```
>>> d2 = {'x': 1000, 'j': 500}
>>> d
{'x': 10, 'y': 20}
>>> d2
{'x': 1000, 'j': 500}
```

dをd2で更新すると、同じキーである'x'の値はd2の値で書き換えられ、dに存在しないキーの'j'はそのまま追加されます。

対話型 updateメソッドを試す

```
>>> d.update(d2)
>>> d
{'x': 1000, 'y': 20, 'j': 500}
```

先ほど辞書型の値を出力する際には、d['x']のようにキーを指定して取得しました。これは**get**(ゲット)メソッドでも実行可能です。

対話型 getメソッド

```
>>> d['x']
1000
>>> d.get('x')
1000
```

存在しないキーをd['z']という形で取得しようとするとエラーになりますが、getメソッドでキーが見つからなかった場合は**NoneType**（ノーンタイプ）と返ってきます。

対話型 get メソッド

```
>>> d['z']
Traceback (most recent call last):
  File "<stdin>", line 1, in <module>
KeyError: 'z'
>>> r = d.get('z')
>>> type(r)
<class 'NoneType'>
```

値を取り出したい場合には、リストと同様に**pop**（ポップ）メソッドを使います。

対話型 pop メソッド

```
>>> d
{'x': 1000, 'y': 20, 'j': 500}
>>> d.pop('x')
1000
>>> d
{'y': 20, 'j': 500}
```

値を削除したい場合にはdel文も使うことができます。del d['y']というようにキーを指定して実行すると、'y'のキーと値が辞書型から削除されます。

対話型 del 文

```
>>> d
{'y': 20, 'j': 500}
>>> del d['y']
>>> d
{'j': 500}
```

これもまた、del dとしてしまうと変数そのものを消してしまうことになるので注意してください。

対話型 del 文

```
>>> del d
>>> d
Traceback (most recent call last):
  File "<stdin>", line 1, in <module>
NameError: name 'd' is not defined
```

これを回避するためには、delではなく**clear**（クリア）メソッドを使うといいでしょう。clearで削除すると、変数そのものは消えず、空の辞書型が残ります。

対話型 clear メソッド

```
>>> d = {'x': 10, 'y': 20}
>>> d.clear()
```

```
>>> d
{}
```

辞書の中に'a'というキーが含まれているかを調べるには、次のようにin（イン）を使います。含まれていればTrueが、存在しない場合はFalseが返ってきます。

対話型 キーの存在確認

```
>>> d = {'a': 100, 'b': 200}
>>> 'a' in d
True
>>> 'j' in d
False
```

辞書のコピーに注意

辞書のコピー（代入）について見ていきましょう。次のように実行してみます。

コード：c2_3_1.py 辞書のコピー（代入）

```
x = {'a': 1}
y = x
y['a'] = 1000
print(x)
print(y)
```

実行結果

```
{'a': 1000}
{'a': 1000}
```

xの辞書をyにコピーし、yの中身を書き換えました。両者の中身を確認すると、どちらも書き換わってしまっています。これはリストのコピーと同様に、参照渡しになっているためです。yに値を入れたとしても、yがxのアドレスを指しているため、yを書き換えると、同時にxも書き換わってしまうのです。

これを避けるためには、リストと同様にcopyメソッドを使用しましょう。

コード：c2_3_2.py copy メソッドを試す

```
x = {'a': 1}
y = x.copy()
y['a'] = 1000
print(x)
print(y)
```

実行結果

```
{'a': 1}
{'a': 1000}
```

辞書はこうやって使う

辞書型をどんなときに使うかについて、簡単にイメージしてみましょう。

たとえば、オンラインストアで果物を販売するページを作ることを考えてみます。このような場合、果物とその値段をセットにした辞書型で作るといいでしょう。apple（リンゴ）の値段がいくらであるかを調べたい場合には、キーで検索すればすぐにわかります。

コード：c2_3_3.py 果物の値段を辞書で作成

```
fruits = {
    'apple': 100,
    'banana': 200,
    'orange': 300
}

print(fruits['apple'])
```

実行結果

```
100
```

このように辞書型は、「商品とその価格や数量」「人の名前とその年齢」といったような、キーで何かを検索してその値を取得したい場合に役立ちます。

リストとの違い

前述のようなデータは、リストでも以下のように書くことができます。

コード：c2_3_4.py 果物の値段をリストで作成

```
l = [
    ['apple', 100],
    ['banana', 200],
    ['orange', 300]
]
```

ですが、たとえばappleの値段を知りたいと思ったときに、リストの場合だとキーで指定して値を取得するということができません。リストの先頭から検索するプログラムを自分で書かなければならないのです。

辞書型の検索はハッシュテーブルという検索に強い仕組みを使っており、値をすぐに取ってくることができます。辞書型の検索は、本にたとえると、目次を使って一気に飛ぶイメージが近いでしょう。「3章の内容を探してきて」と命令すれば、該当するページをすぐに開くことができます。

対してリストでの検索は、本を1ページ目からめくって探すようなものです。プログラムを書く際は、ハッシュテーブルを用いたほうが早いので、リストに入れて検索することは避けましょう。

2-4 データ同士の演算ができる集合

集合は、「重複した値を持たない」「インデックスを持たない」という特徴のあるデータ構造です。「2つの集合の両方に含まれているもの」や「どちらかに一方に含まれているもの」といった、数学の集合のような計算が可能です。
集合は、「2つのデータの間に共通するものを知りたい」といった場合に有効です。また、「重複した値を持たない」という特徴があることから、リストの中からデータの重複を削除する、といったことにも使えます。

集合型の基本を知ろう

集合型について見ていきましょう。数学で「集合」の勉強をしたことがあるでしょうか。まさにその集合なのですが、実際にやってみたほうが理解が早いでしょう。

集合型は、辞書型と同じく{}で次のように囲んで作ります。ターミナルで実行してみましょう。

対話型 集合の作成

```
>>> a = {1, 2, 2, 3, 4, 4, 5, 6}
>>> a
{1, 2, 3, 4, 5, 6}     ──── 重複した値がまとめられている
>>> type(a)
<class 'set'>
```

集合型が作成されました。**重複した値がすべてまとめられている**のがわかりますね。作成時に{}を使うという点は辞書型と同じですが、typeで確認した結果は集合型を表す**set**となっています。

同様にもう1つ集合を作成し、a - bとしてみましょう。

対話型 集合の差

```
>>> a
{1, 2, 3, 4, 5, 6}
>>> b = {2, 3, 3, 6, 7}
>>> b
{2, 3, 6, 7}
>>> a - b
{1, 4, 5}
```

aにあるものから、bにあるものが取り除かれているのがおわかりでしょうか。aの要素のうち、2と3と6はbにも含まれているため、それ以外の1と4と5が表示されています。

逆にb - aとすると、bにあるものからaにあるものがなくなります。このように、数学の集合のようなことが可能になっているのです。

対話型 集合の差

```
>>> b - a
{7}
```

aとbに共通して存在するものを表示する場合は&を使います。

対話型 集合の積

```
>>> a & b
{2, 3, 6}
```

Point 集合に+を使うとエラーになる

どちらかにしかないものを表示する場合はa - bだったので、「どちらにもあるもの」を表示する場合はa + bかと思われるかもしれませんが、実際はエラーが返ってきます。

対話型 +を使う

```
>>> a + b
Traceback (most recent call last):
  File "<stdin>", line 1, in <module>
TypeError: unsupported operand type(s) for +: 'set' and 'set'
```

「aまたはbのどちらかにあるもの」を表示するには、|を使いましょう。

対話型 集合の和

```
>>> a | b
{1, 2, 3, 4, 5, 6, 7}
```

「aまたはbにあるけれど、両者に重複していないもの」を求めるには、^を使います。2、3、6は重複しているので表示されません。1、4、5、7は、aまたはbのどちらかのみに含まれているので表示されています。

対話型 集合の対称差

```
>>> a ^ b
{1, 4, 5, 7}
```

集合のメソッドを使おう

集合のメソッドについて見ていきます。集合はリストなどと違ってインデックスがないので、インデックスを指定しようとするとエラーになります。

対話型 インデックス

```
>>> s = {1, 2, 3, 4, 5}
>>> s[0]
Traceback (most recent call last):
  File "<stdin>", line 1, in <module>
TypeError: 'set' object is not subscriptable
```

add(アッド)メソッドで集合にデータを追加することは可能です。集合は重複した値をすべてまとめられるので、同じデータを追加しても集合に変化はありません。

対話型 add メソッド

```
>>> s.add(6)
>>> s
{1, 2, 3, 4, 5, 6}
>>> s.add(6)
>>> s
{1, 2, 3, 4, 5, 6}
```

集合から消去する場合には remove(リムーブ)メソッドを使います。

対話型 remove メソッド

```
>>> s.remove(6)
>>> s
{1, 2, 3, 4, 5}
```

clear(クリア)メソッドを実行すると、中身が空の集合になります。対話型シェルでは、空の集合はset()と表示されます。

対話型 clear メソッド

```
>>> s.clear()
>>> s
set()
```

集合はこうやって使う

実際に集合はどのようなところで使うのでしょうか。たとえば、ソーシャルメディアで、共通の友だちを探したい場合が考えられます。このように、何かの共通点を見つけ出す際に集合を使うとよいでしょう。

自分の友だちとAさんの友だちを集合で作成し、共通の友だちを表示してみます。自分にはAさん、Cさん、Dさんという友だちが、AさんにはBさん、Dさん、Eさん、Fさんという友だちがいます。

この両者の集合に共通する部分を求めたいので、&を使って表示しましょう。共通の友人であるDさんが表示されることがわかります。

コード：c2_4_1.py 共通の友人を求める

```
my_friends = {'A', 'C', 'D'}
A_friends = {'B', 'D', 'E', 'F'}
print(my_friends & A_friends)
```

実行結果

```
{'D'}
```

また、リストを型変換して集合にすることもできます。たとえば、自分が購入した果物をリストに追加していくというアプリケーションがあったとします。このとき、買った果物の種類を知りたい場合には、重複を削除するために**set( )**を使って集合へと型変換するとよいです。

コード：c2_4_2.py リストから重複を削除する

```
f = ['apple', 'banana', 'apple', 'banana']
kind = set(f)
print(kind)
```

実行結果

```
{'apple', 'banana'}
```

重複が削除され、果物の種類が表示されたことがわかります。このように、アプリケーションの中ではリストを使っておいて、リストの中からユニークな（重複がない）ものだけを表示したいときなどに、集合への型変換がときどき使われます。

Column

エンジニアのキャリア戦略②

スキルアップの近道はコミュニケーション力

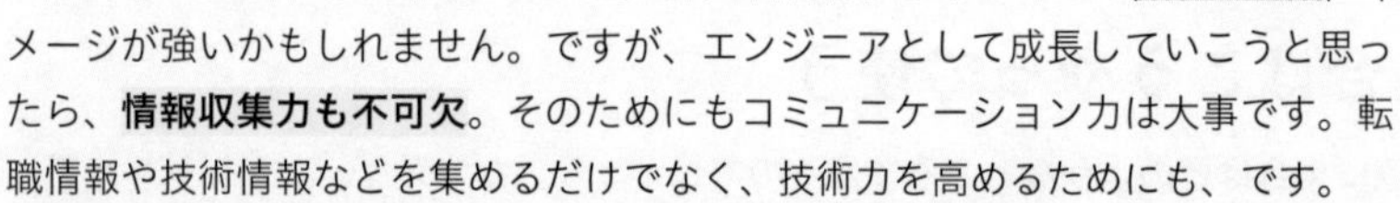

エンジニアというと、コツコツひとりで作業するイメージが強いかもしれません。ですが、エンジニアとして成長していこうと思ったら、**情報収集力も不可欠**。そのためにもコミュニケーション力は大事です。転職情報や技術情報などを集めるだけでなく、技術力を高めるためにも、です。

振り返れば、私がプログラミングを学ぼうと思ったのは学生時代。今から20年ほど前のことです。当時はYouTubeもオンライン講座もなければ、本も専門的なものばかりで、独学するには敷居があまりにも高い世界でした（そのときに困った経験が、本書の執筆やオンライン講座を始める動機ともなっています）。

そこで、サッカー部の理系の先輩や後輩に積極的に近づき、教えてもらえる環境をつくっていきました。**「いつでも・なんでも聞ける友だち」を作ることが、上達の近道**。これはITに限らず、英語でも何でも同じだと思うのです。

その後、ITを学ぶために大学院に進むと、理系出身者の中で文系出身・スポーツに打ち込んできた自分は明らかに浮いていましたが、ここでも自分から積極的に周囲と関わり、一緒に秋葉原に出かけるなど、仲良くなれるように努めました。そして教えてもらうかわりに食事をごちそうしたり、自分にできることでお返しをしたりと、少しずつ仲間と親しくなっていきました。**コミュニケーション力が高いほうが、スキルも高めやすい**。これは今もそう信じ、心がけていることの一つです。

Lesson 3

入門編

制御フロー

「順次」「分岐」「反復」というプログラムの流れのことを制御フローといいます。実際にコードを書く際は、条件によって実行する処理を変える「条件分岐」や、リストなどのデータを1つずつ取り出して処理する「繰り返し処理（反復）」は必要不可欠です。これらの処理を組み合わせることで、より複雑な処理を行うプログラムを書けるようになります。

3-1 読みやすいコードを書こう

制御フローの解説に入る前に、Pythonにおけるコメントや、1行が長くなるときの書き方について説明します。仕事でコードを書く際は、ほかのプログラマーにとって読みやすいコードを書く必要があります。構造がわかりやすくなるよう書いていくのは当然として、必要に応じてコメントによる補足説明を加えたり、長すぎる行を分割して読みやすくしたりすることも欠かせません。

コメントでコードをわかりやすくしよう

Pythonで**コメント**を書くには、行の先頭に#（ハッシュまたはシャープ）をつけます。#をつけた行は実行されません。

コード：c3_1_1.py コメント

```
print('XXXXX')
# test
print('XXXXX')
```

実行結果

```
XXXXX
XXXXX
```

複数行にわたってコメントを書く際は、#を毎回書くのも面倒です。"""（ダブルクォート3つ）で囲むと、その間の行はコメントとして認識されるため、実行されません。

コード：c3_1_2.py 複数行のコメント

```
print('XXXXX')
"""
test
test
test
test
"""
print('XXXXX')
```

「変数にどんな値が入っているのか」という説明を加えたい場合には、その行の上にコメントで記載しましょう。

コード：c3_1_3.py 変数の説明

```
# Apple price
some_value = 100
```

Point コメントの位置

コードの上ではなく後ろに、コメントで説明を記載することもできます。

コード：c3_1_4.py 変数の説明

```
some_value = 100  # Apple price
```

ただしPythonでは、このような変数に対するコメントも上に書くべきだという、コードスタイルの暗黙のルールが存在します。

長すぎる行を分割しよう

プログラムを書いていると、1行がとても長くなってしまうことがあります。長すぎる場合は、行の終わりに**\(バックスラッシュ)**を入れて分割し、+でつなぎましょう。バックスラッシュを入れずに文の途中で改行するとエラーになります。

コード：c3_1_5.py 行の分割

```
s = 'aaaaaaaaaaa' \
    + 'bbbbbbbbb'
print(s)
```

実行結果

```
aaaaaaaaaaabbbbbbbbb
```

Pythonは、上から順に1行ずつ読んで実行していく**インタープリター型**の言語です。上記の例で行末にバックスラッシュがないと、行のはじめに+が急に出てくることになるため、Python側が解釈できずエラーになってしまいます。**行末のバックスラッシュによって、その行が続いていることを示せる**ので、Pythonが行の分割を認識することが可能になります。

バックスラッシュではなく、( )で囲んで行を分割する方法もあります。これは文字列のところ(P.47)でもやりましたね。

コード：c3_1_6.py ()による行の分割

```
s = ('aaaaaaaaaaa'
    + 'bbbbbbbbb')
print(s)
x = (1 + 1 + 1 + 1 + 1 + 1 + 1
    + 1 + 1 + 1 + 1 + 1 + 1 + 1)
print(x)
```

実行結果

```
aaaaaaaaaaabbbbbbbbb
14
```

Point 1行の長さ

Pythonのコードスタイルでは、基本的に1行の長さが80文字と決められており、80文字以上になる場合は次の行に切り替えるべきだといわれています。

3-2 条件に応じて処理を分岐させよう

「数値が正のときだけ処理する」「成年と未成年を区別する」など、何かの条件で実行する処理を変えることを条件分岐といいます。ほかの言語と同様に、Pythonでも条件分岐を書く際にはif文を使います。if文やelse文、elif文を使うことで、「条件にあてはまる場合」「条件にあてはまらない場合」「その条件にはあてはまらないが、こちらの条件にはあてはまる場合」といった分岐を表せます。

if文、else文、elif文の使い方を知ろう

if文

if(イフ)文は条件分岐の基本となる構文です。たとえば「もしxが0より小さい負の数のときに、negative(ネガティブ)(「負」の意味)と表示したい場合」は、次のように書きます。if文では、ifのあとに条件の式を書き、行の最後に:をつけて、次の行以降に「条件にあてはまったときに実行したい処理」を書きます。

コード：c3_2_1.py　if文

```
x = -10

if x < 0:
    print('negative')
```

実行結果

```
negative
```

if x < 0:と書くと、「xが0より小さければ、次の行に進んで処理を実行する」という意味になります。上の例では、xに-10が入っているので、if文の条件を満たしているため、その次の行のprint('negative')が実行されます。次の例のように、xの値を10にすると、xが0より大きいので、print('negative')は実行されません。

コード：c3_2_2.py　if文の条件にあてはまらない場合

```
x = 10

if x < 0:
    print('negative')
```

実行結果

```
```

条件を満たすときに実行する処理の部分は、行頭にスペースをいくつか入れて字下げします。この字下げを**インデント**といいます。Pythonの書き方における暗黙の了解として、**ス**

ペースの数は4つがよいとされています。

else文

いま、「もしxが0より大きい場合」のような条件を指定しましたが、「そうでない場合」に行う処理を書くこともできます。これを**else**（エルス）文といいます。以下の例では、「xが0より小さい」という条件にあてはまらない場合は、else:の次行のprint('positive')を実行します（positive（ポジティブ）は「正」の意味）。

コード：c3_2_3.py　else文

```
x = 10

if x < 0:
    print('negative')
else:
    print('positive')
```

実行結果

```
positive
```

elif文

elif（エルイフ）文というものもあります。elif文は、「上の条件にはあてはまらないが、次の条件にはあてはまる場合」といった条件を書きたいときに使います。

elifはelse if（そうでなくもしも）を縮めたものです。以下の例では、一番上のif文のx < 0という条件にはあてはまらないが、elif文に記載されたx == 0（xが0に等しい）という条件にあてはまる場合、その次のprint('zero')を実行します。

コード：c3_2_4.py　elif文

```
x = 0

if x < 0:
    print('negative')
elif x == 0:
    print('zero')
else:
    print('positive')
```

実行結果

```
zero
```

このelifは好きなだけ付け加えられます。「xが10である場合」という条件を追加してみましょう。

コード：c3_2_5.py　複数のelif文

```
x = 10

if x < 0:
    print('negative')
elif x == 0:
```

```
    print('zero')
elif x == 10:
    print('10')
else:
    print('positive')
```

実行結果

```
10
```

Point 複数の条件にあてはまる場合

if文で気をつけてほしいのは、条件の分岐は上から確認していって、最初にあてはまったところが実行されるという点です。該当する条件が複数ある場合、先にあてはまった条件のみが処理されるので、順番に気をつけましょう。

コード：c3_2_6.py 複数の elif 文

```
x= 10

if x < 0:
    print('negative')
elif x == 0:
    print('zero')
elif x == 10:
    print('1000000000000')
elif x == 10:
    print('10')
else:
    print('positive')
```

最初に当てはまった条件だけが実行される

実行結果

```
1000000000000
```

if文のネスト

if文の中にif文を入れることもできます。これを**if文のネスト（入れ子）**といいます。中に入れるif文は、さらにインデントして書きます。

コード：c3_2_7.py if文のネスト

```
a = 5
b = 10

if a > 0:
    print('a is positive')
    if b > 0:
        print('b is positive')
```

さらにインデントする

実行結果

```
a is positive
b is positive
```

Point ネストしたif文のインデント

ネストしたif文を書くときに、インデントのスペースの数を5つにするとエラーになります。

コード：c3_2_8.py ネストした if 文のインデント

```
a = 5
b = 10

if a > 0:
    print('a is positive')
     if b > 0:
        print('b is positive')
```

実行結果

```
  File "/Users/jsakai/PyCharmProjects/python_programming/lesson.py", line 21
    if b > 0:
    ^
IndentationError: unexpected indent
```

他の言語ではif文で実行する処理は{ }などで囲むため、インデントは単に読みやすくするためのものでしかありません。Pythonではインデントが意味を持つため、ずれているとエラーになります。インデントがそろったきれいなコードを書かなければならないのが、Pythonの特徴なのです。

デバッガーを使って確認してみよう

プログラムが少しずつ長く複雑になってきたので、ここで**デバッガー**を使って、プログラムの動きを確認する方法を紹介しましょう。デバッガーとは、プログラムの**バグ（ミス）**を探すための機能です。

PyCharmで、行の左部分をクリックして**ブレークポイント（中止点）**を追加しましょう。虫型の［デバッグ］アイコンを押すとデバッガーが実行され、ブレークポイントのところでプログラムの実行が一時停止している状態になります。

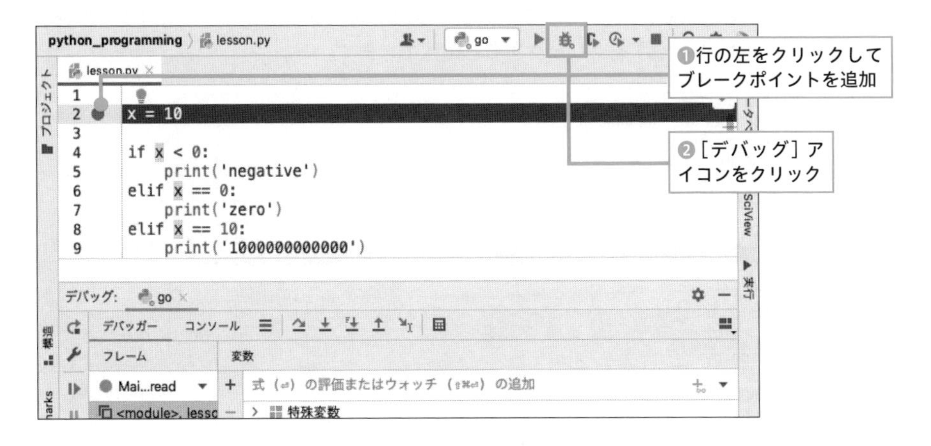

F8キーを押すか［ステップオーバー］アイコンをクリックすると、次の行に進みます。ここで2行目を見ると右に「x: 10」と表示されており、［デバッガー］の［変数］にも「x = {int}10」と表示されています。これは変数xの中身を表しています。

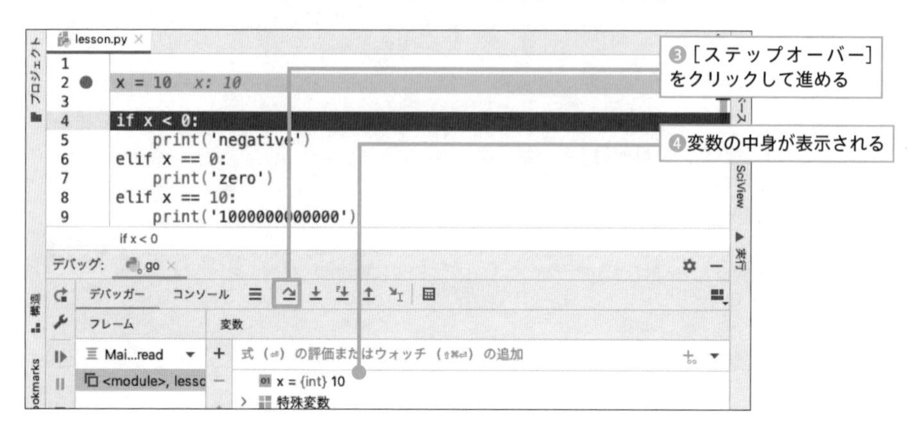

4行目で止まっている状態で、ふたたびF8を押すか［ステップオーバー］をクリックすると、6行目のelifに進みます。xが10なので、0未満である場合の処理である5行目には入らなかったわけです。

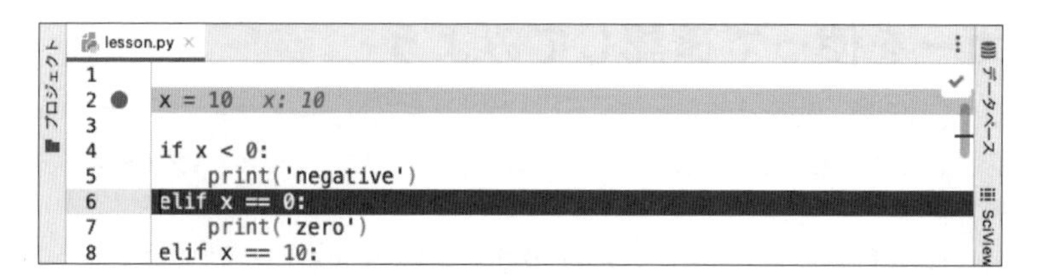

そのままF8か［ステップオーバー］で行を進めていくと、プログラムの9行目に進んでprint('1000000000000')が実行されます。デバッガーを使っているときに出力された表示は、画面下の［コンソール］をクリックすると確認できます。

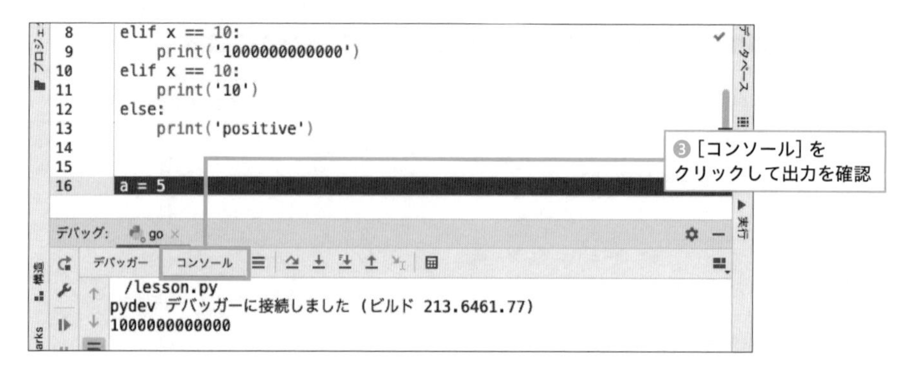

コンソールを表示しながら、さらにプログラムを進めていくと、後続のprintが表示したものもコンソールに出力されることが確認できます。

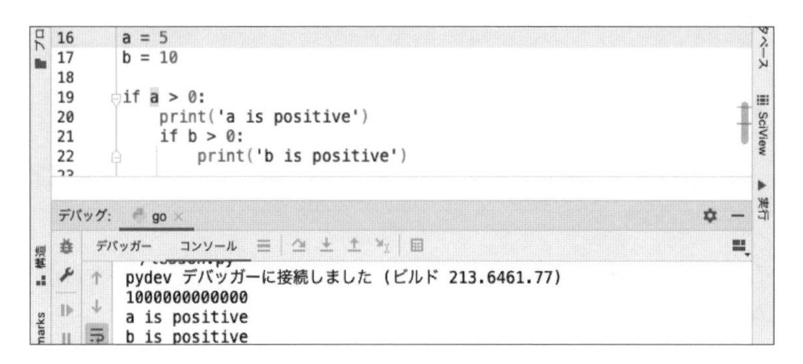

デバッガーを使うとプログラムを開発しやすくなるので、ぜひ活用しましょう。今回の例では、ブレークポイントをプログラムの先頭近くに設置しましたが、もっとあとのほうに設置してもかまいません。そうすると、ブレークポイントより前の処理が終わった状態で止まってくれるので、逐一すべての処理を確認していく手間が省けます。

比較演算子と論理演算子の使い方を知ろう

if文の条件で、<や==などの記号を使用しました。これらは**比較演算子**（ひかくえんざんし）と呼ばれるものです。また、複数の条件を組み合わせるために**論理演算子**（ろんりえんざんし）というものも使います。数学などで使われる記号も多いので、比較的わかりやすいかもしれません。

比較演算子

==は**2つの値が等しいかどうか**を判別します。2つの値が等しい場合はTrueが返ってきます。

コード：c3_2_9.py　比較演算子 ==

```
a = 1
b = 1

print(a == b)   # a が b と等しいかどうかを表示する
```

実行結果

```
True
```

!=は、==とは逆に、**2つの値が異なるかどうか**を判別します。2つの値が等しい場合はFalseが返ってきます。

コード：c3_2_10.py　比較演算子 !=

```
a = 1
b = 1
print(a != b)   # a が b と異なるかどうかを表示する
```

実行結果
```
False
```

<や>は、**2つの値の大小を比較**します。

コード：c3_2_11.py　比較演算子 <
```
a = 1
b = 2
print(a < b)  ――― aがbよりも小さいかどうかを表示する
```

実行結果
```
True
```

<=や>=は、**「以下」や「以上」を判定**するときに使用します。その値も含むという点が、上の<や>と異なるところです。

コード：c3_2_12.py　比較演算子 <=
```
a = 2
b = 2
print(a <= b)  ――― aがb以下であるかどうかを表示する
```

実行結果
```
True
```

論理演算子

andは、**2つの条件をどちらも満たす場合にTrue**を返します。次の例では、aもbもどちらも0より大きい場合に、printの処理を実行します。

コード：c3_2_13.py　論理演算子 and
```
a = 2
b = 2
if a > 0 and b > 0:  ――― a>0もb>0も真であれば真
    print('a and b are positive')
```

実行結果
```
a and b are positive
```

Point　andを使わない場合

上記のコードでandを使用しない場合は、if文をネストしないといけないので、以下のように行数が増えてしまいます。andを使ったほうが簡潔です。

コード：c3_2_14.py　andを使わない場合
```
a = 2
b = 2
# a > 0もb > 0も真であれば真
if a > 0:
    if b > 0:
        print('a and b are positive')
```

実行結果
```
a and b are positive
```

orは、**2つの条件のどちらかが満たされる場合にTrue**を返します。

コード：c3_2_15.py 論理演算子 or

```
a = 1
b = -1
# a > 0またはb > 0が真であれば真
if a > 0 or b > 0:
    print('a or b are positive')
```

実行結果

```
a or b are positive
```

Point orを使わない場合

こちらも、orを使用しないと、行数が2行から4行に増えてしまうばかりか、同じprintの処理を2回書かなくてはならず、あまり好ましくありません。

コード：c3_2_16.py orを使わない場合

```
a = 1
b = -1
# a > 0またはb > 0が真であれば真
if a > 0:
    print('a or b are positive')
elif b > 0:
    print('a or b are positive')
```

実行結果

```
a or b are positive
```

見やすいコードを書くためにも、andやorを使った書き方を覚えておきましょう。

inとnotはこうやって使う

ある値が、リストの中に入っているかを確認したい場合、**in**を使います。以下の例では、リストの変数yに変数xの値が入っているかどうかを判断しています。

コード：c3_2_17.py in

```
y = [1, 2, 3]
x = 1

if x in y:        ← yがxを含む場合
    print('in')
```

実行結果

```
in
```

反対に、リストの中に値が入っていないかを確認したい場合は、inの前に**not**を入れます。

コード：c3_2_18.py not

```
y = [1, 2, 3]
x = 1
```

```
if 100 not in y:  ───── yが100を含まない場合
    print('not in')
```

実行結果

```
not in
```

notはin以外にも使うことができます。たとえば、aとbが等しくないかどうか判別したい場合、次のように書くことができます。

コード：c3_2_19.py not

```
a = 1
b = 10

if not a == b:  ───── aとbが等しくない場合
    print('Not equal')
```

実行結果

```
Not equal
```

ただし、このような書き方は推奨されていません。値が異なるということを示すには、!=を使ったほうがわかりやすいからです。

コード：c3_2_20.py notではなく!=

```
a = 1
b = 10

if a != b:  ───── aとbが異なる場合
    print('Not equal')
```

実行結果

```
Not equal
```

ほかにも、if not a > bのように>をnotで否定して、「aがbよりも大きくない場合」という条件を表すこともできますが、それよりも単にif a < bのように書いて「aがbよりも小さい場合」という条件にしたほうがわかりやすいですよね。

notを使うと、まずnotの後ろの条件を確認したあと、それを否定するとどうなるのか、と考えなければなりません。上記のように、数値を比較する場合には、notは使わないことが多いです。

notのよくある使いどころ

では、どのようなときにnotを使うのでしょうか。たとえば、次のようなケースでは、is_okという変数にTrueというBoolean型の値を入れています。

このように変数をif文の条件に使う場合は、is_ok == Trueのように書くことなく、if文にそのまま変数名を書くことができます。is_okの値がTrueであれば、if文の中の処理を実行します。変数名を記載するだけでよいのでコードがわかりやすいため、Boolean型の変数を条件に用いる場合はこのように書くことが多いです。

コード:c3_2_21.py　Boolean 型の変数をそのまま if 文に書く

```
is_ok = True

if is_ok:      ← is_ok が True の場合
    print('hello')
```

実行結果

```
hello
```

このようなケースで、否定の条件を使いたい場合は、!=でTrueかどうかを確認するよりも、notを使って書くことが多いです。

コード：c3_2_22.py　Boolean 型の変数を not で否定する

```
is_ok = True

if not is_ok:      ← is_ok が True でない場合
    print('hello')
```

実行結果

```

```

この書き方は、最初のうちはあまり慣れないかもしれません。ですが、Pythonでアプリケーション開発をしていけば、ほかの人も同じ書き方をしているのをよく見かけるようになりますから、徐々にnotの使い方がわかるようになってくると思います。

値が入っていないことを判定するテクニック

ifによる判定式において、Pythonでよく使うテクニックを説明しましょう。先の例で説明したように、if文に式を書く代わりに、Trueという値が入った変数をそのまま書いても問題ありません。

コード：c3_2_23.py　Boolean 型の変数をそのまま if 文に書く

```
is_ok = True

if is_ok:
    print('OK!')
else:
    print('No!')
```

実行結果

```
OK!
```

Trueの代わりに、ほかの値が入っている場合でも、変数がTrueの判定になる場合があります。変数is_okに、数値の1を入れてみましょう。すると、if文の中の処理が実行されていることから、条件がTrueになっていることがわかります。

コード：c3_2_24.py　変数に数値が入っていた場合の if の判定

```
is_ok = 1

if is_ok:
```

```
    print('OK!')
else:
    print('No!')
```

実行結果

```
OK!
```

0を入れた場合はFalseとなりますが、0以外の数値が入っているとTrueになります。

コード：c3_2_25.py 変数に0が入っていた場合のifの判定

```
is_ok = 0

if is_ok:
    print('OK!')
else:
    print('No!')
```

実行結果

```
No!
```

このように、**変数に入れた数値が0かそうでないか**を判定できるのです。

コード：c3_2_26.py 変数に数値が入っていた場合のifの判定

```
is_ok = 10020

if is_ok:
    print('OK!')
else:
    print('No!')
```

実行結果

```
OK!
```

また、変数の値が文字列の場合、**空(から)の文字列**を表す''(シングルまたはダブルクォート2つ)が入っていた場合はFalseになり、何らかの文字列が入っていればTrueになります。

コード：c3_2_27.py 変数に文字列が入っていた場合のifの判定

```
is_ok = ''

if is_ok:
    print('OK!')
else:
    print('No!')
```

実行結果

```
No!
```

コード：c3_2_28.py 変数に文字列が入っていた場合のifの判定

```
is_ok = 'afdafdsafdsa'

if is_ok:
    print('OK!')
else:
    print('No!')
```

実行結果

```
OK!
```

このテクニックが一番有効に使えるのは、リストの場合でしょう。リストが空の場合はFalse、何か入っていた場合はTrueになります。

コード：c3_2_29.py　リストが空だった場合のifの判定

```
is_ok = []

if is_ok:
    print('OK!')
else:
    print('No!')
```

実行結果

```
No!
```

コード：c3_2_30.py　リストに要素が入っていた場合のifの判定

```
is_ok = [1, 2, 3, 4]

if is_ok:
    print('OK!')
else:
    print('No!')
```

実行結果

```
OK!
```

リストに要素が入っているかは、lenを使ってリストの長さが0より大きいことを調べても判定できます。しかし、先ほどのようにリストの変数を直接if文に書いたほうが、lenを使わずにすむぶんシンプルです。

コード：c3_2_31.py　lenを使ったリストの中身の判定

```
is_ok = [1, 2, 3, 4]

if len(is_ok) > 0:
    print('OK!')
else:
    print('No!')
```

実行結果

```
OK!
```

Point　Falseになる値

Falseと判定される変数の値には、数値では0のほかに0.0のようなfloat型が、文字列では''のような空の文字列があります。また、空のリスト[ ]のほかに、タプル( )や辞書型{ }、集合set( )が空の場合もFalseになります。

Noneを判定するテクニック

Pythonでは、何も値が入っていない状態を**None**(ノーン)と表します。変数は宣言するものの、値を何も入れたくない場合に、代わりにNoneを入れておきます。たとえば、変数is_emptyにNoneを代入し、help関数でどういう変数なのかを確認してみると、型はNoneTypeとなっています。

コード：c3_2_32.py　Noneをhelpで確認する

```
is_empty = None
print(help(is_empty))
```

実行結果

```
Help on NoneType object:

class NoneType(object)
 |  Methods defined here:
……後略……
```

変数がNoneであるかを調べたい場合、==でNoneと比較すれば判定できます。

コード：c3_2_33.py　==によるNoneであるかどうかの判定

```
is_empty = None

if is_empty == None:
    print('None!!!')
```

実行結果

```
None!!!
```

ただし、Pythonでは上記の書き方はあまり推奨されていません。Noneであるかどうかを判定する場合には、**is**(イズ)を使います。

コード：c3_2_34.py　isによるNoneであるかどうかの判定

```
is_empty = None

if is_empty is None:
    print('None!!!')
```

実行結果

```
None!!!
```

Noneでない場合を確認するときはnotを使います。

コード：c3_2_35.py　Noneではないことの判定

```
is_empty = None

if is_empty is not None:
    print('None!!!')
```

実行結果

```

```

isについては現段階ではくわしくわからなくてもよいのですが、少しだけ補足しておきます。たとえば、1とTrueを==で比較した場合、前の節で触れたとおり、1はTrueとして判定されるので、1 == Trueの結果はTrueになります。

コード：c3_2_36.py　==による比較

```
print(1 == True)
```

実行結果

```
True
```


ですが、これをisを使って確認すると、Falseになります。isは**オブジェクト同士が同じもの（メモリ上のまったく同じ値）かどうか**を判別しているので、1 is Trueの結果はFalseになります。また、数値や文字列などを変数に代入せずisで比較した場合、Pythonのバージョンによっては SyntaxWarning（構文上の警告）が表示されます。True is Trueと比較すると、結果はTrueになります。

コード：c3_2_37.py　isによる比較

```
print(1 is True)
print(True is True)
```

実行結果

```
/Users/jsakai/PycharmProjects/python_programming/lesson.py:1: SyntaxWarning: "is" with a literal. Did you mean "=="?
  print(1 is True)
False
True
```

NoneとNoneをisで比較するとTrueになります。少し複雑な話ですが、ここでは、**Noneであるかどうかを判定する際にはisを使う**と覚えておいてください。

コード：c3_2_38.py　isによる比較

```
print(None is None)
```

実行結果

```
True
```

3-3 繰り返し処理でデータを一気に処理しよう

リストなどのデータ構造から、1つずつ値を取り出す場合、いちいちインデックス番号を指定するのは大変です。そんなときは、繰り返し処理で一気に片付けてしまいましょう。Pythonにはwhile文とfor文という2つの繰り返し処理があります。ここでは、whlie文やfor文の使い方はもちろん、繰り返し処理と組み合わせることが多い関数についても解説します。

while文、continue文、break文の使い方を知ろう

while文

while（ワイル）文による繰り返し処理をやっていきましょう。while文は条件を満たす間、同じ処理を繰り返す文です。繰り返し処理のことを**ループ**といいます。

まず、変数countに0を代入し、countが5より小さい間はループし続けるという処理を作成します。ループの中で、countの値を出力し、さらに1を足します。実行してみると、0から4までの数値が表示されることがわかると思います。

コード：c3_3_1.py　while文

```
count = 0
while count < 5:
    print(count)
    count += 1
```

実行結果

```
0
1
2
3
4
```

countを1つずつ増やす処理は、count = count + 1のようにも書けますが、**累算代入文**（るいさんだいにゅうぶん）の**+=**を使うと、count += 1のように変数名を一度だけ書けばすむようになります。累算代入文には**+=**、**-=**、***=**、**/=**などがあり、いずれも左辺の変数の内容を変化させる働きを持ちます。

whileの行にブレークポイントを追加してデバッガーを使うと、ループの処理の様子を1回ずつ確認できます。

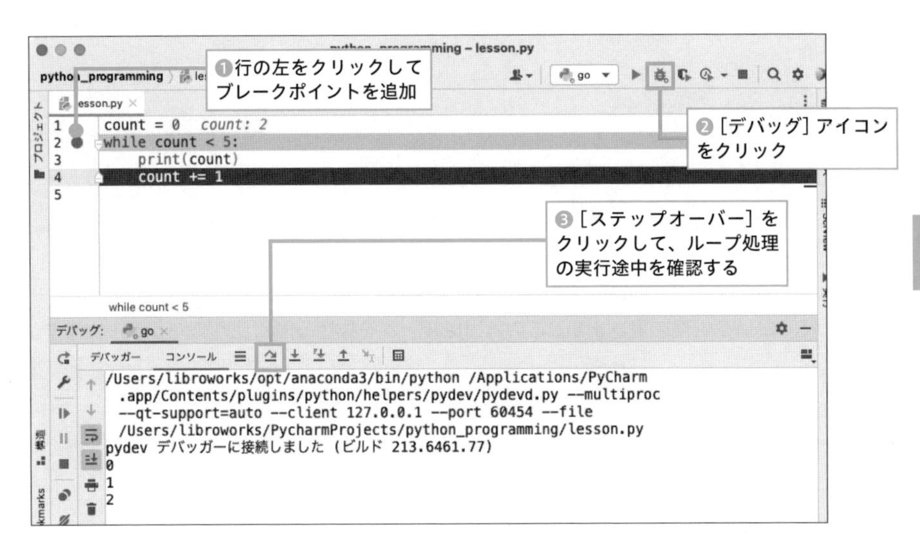

ループの中でcountに1を足し忘れると、countが0のままとなり、5より大きくなることがないため、**無限ループ**になってしまいます。そうなってしまった場合、［停止］をクリックして処理を止めましょう。

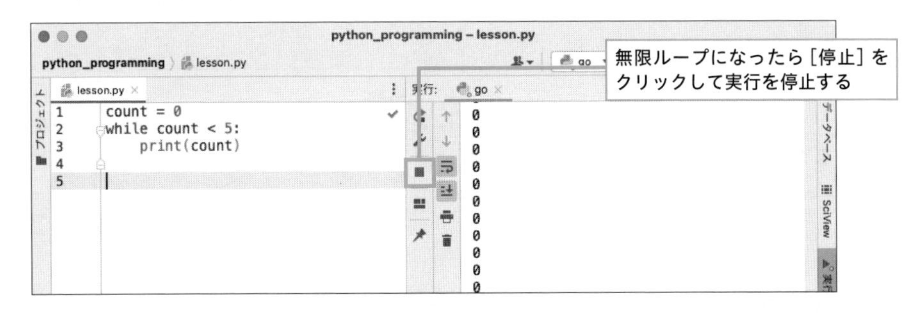

break文

ループは**break**（ブレーク）文を使って中断することができます。まず、while True:とします。これはこのままでは無限ループになってしまいます。

コード：c3_3_2.py　break文

```
count = 0
while True:
    print('XXX')
```

実行結果

```
XXX
XXX
XXX
XXX
```

```
XXX
XXX
XXX
XXX
・
・
・
```

無限ループを防ぐため、while文の中に、「もし変数countが5以上になったらwhileループを抜ける」という処理を書きます。このwhileループを抜ける際に使うのがbreak文です。

コード：c3_3_3.py　break文

```
count = 0
while True:
    if count >= 5:
        break

    print(count)
    count += 1
```

実行結果

```
0
1
2
3
4
```

デバッガーを使って確認すると、countが5になったときにbreakの行に入っているのがわかります。

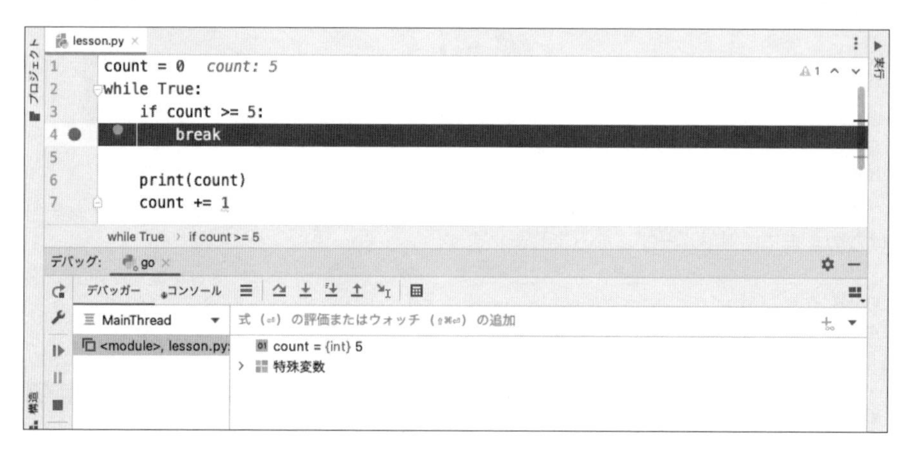

continue文

ループ内で使用する文には、**continue文**（コンティニュー）というものもあります。continue文は、実行した時点で**ループ内の後続の処理をスキップし、次のループに進みます。**

以下の例では、countが2のときはcontinue文が実行され、printの処理が行われないので、2だけが表示されません。

コード：c3_3_4.py　continue 文

```
count = 0
while True:
    if count >= 5:
        break

    if count == 2:
        count += 1
        continue ――― ループ内の後続の処理をスキップする

    print(count)
    count += 1
```

実行結果

```
0
1
3
4
```

while else文の使い方を知ろう

while文のあとにelseを書くと、whileループが終わったときに実行する処理を書くことができます。

コード：c3_3_5.py　while else 文

```
count = 0

while count < 5:
    print(count)
    count += 1
else: ――― ループが終わったら、次の処理を実行
    print('Done')
```

実行結果

```
0
1
2
3
4
Done
```

デバッガーで1行ずつ確認していくと、countが5になったときに、elseの処理に進むこ

とがわかります。

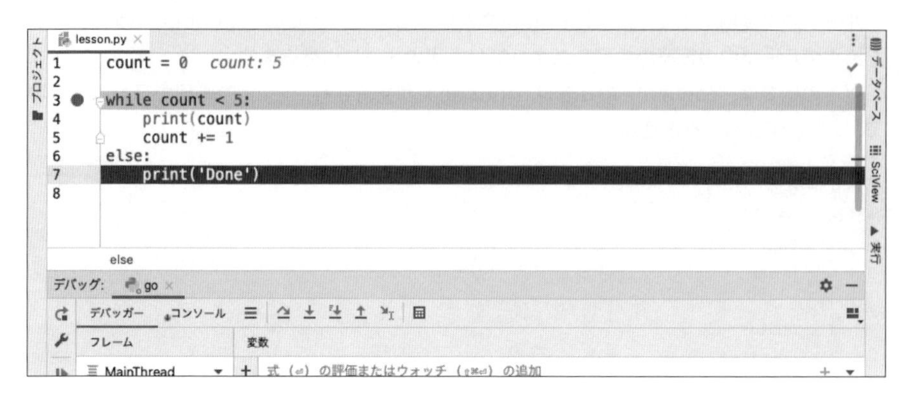

ただし、whileループの途中でbreakした場合には、elseの処理は実行されません。breakは、elseも含めて、whileループのすべてから抜けることになりますので、注意してください。

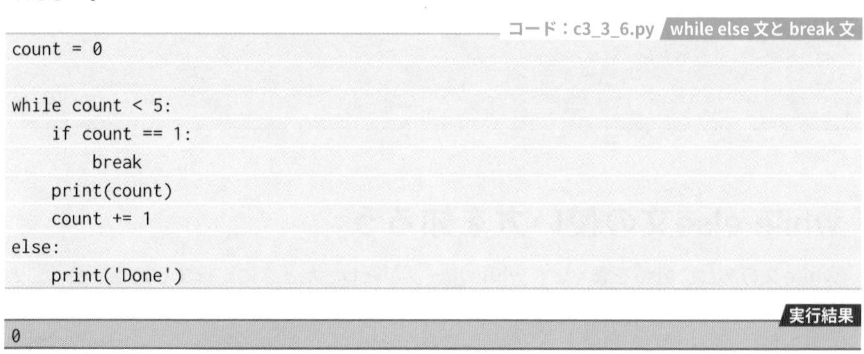

コード：c3_3_6.py　while else 文と break 文

```
count = 0

while count < 5:
    if count == 1:
        break
    print(count)
    count += 1
else:
    print('Done')
```

実行結果

```
0
```

> **Point　while else文の使いどころ**
>
> while else文はあまり使う機会がないかもしれないのですが、アプリケーションを開発していると、「whileループをbreakしたときには実行したくない処理」が出てくる場合があります。そのようなときのためにwhile else文を覚えておくとよいでしょう。

ユーザーの入力を受け取るinput関数

while文の利用例の1つに、ユーザーに何かを入力させる**対話型プログラム**があります。このときに使われるのが**input関数**（インプット）です。たとえばwhile文の中にword = input('Enter:')と書いて実行すると、コンソールにEnter:という表示が出力されます。コンソールに文字を入力すると、その文字がそのまま変数wordに格納され、while文の中の処理が実行されます。

コード：c3_3_7.py input 関数

```
while True:
    word = input('Enter:')
    if word == 'ok':
        break
    print('next')
```

このwhileループでは、変数wordがokのときにbreakしてループを抜けるので、コンソールにokを入力すると処理が終了します。

実行結果

```
Enter:ok
```

ok以外の適当な文字を入力した場合は、nextと表示されてループが継続するので、ふたたび文字が入力できるようになります。

実行結果（違う文字列を入力した場合）

```
Enter:fdsafsa
next
Enter:dfa
next
Enter:fdsfsafda
next
Enter:
```

inputで入力した内容は、数字であっても文字列となります。数値として計算などに使いたい場合は、int型やfloat型に変換する必要があります。

コード：c3_3_8.py input 関数での入力を数値として扱う

```
while True:
    word = input('Enter:')
    num = int(word)
    if num == 100:
        break
    print('next')
```

実行結果

```
Enter:1
next
Enter:100
```

このように、コンソールからの入力によって何かを行うようなプログラムでは、while文とinput関数の組み合わせを使うことが多いので、覚えておきましょう。

for文の使い方を知ろう

ループするための文には、while文のほかにfor（フォー）文があります。for文の働きを知るために、まずはwhile文でリストの要素を1つずつ表示するループを書いてみます。

リストの要素を順番に取り出すためには、インデックスを1ずつ増やす必要があります。そこで変数iに0を入れ、iがリストの変数some_listの要素の数よりも小さい間はループするようにし、iを1ずつ増やしていきます。

コード：c3_3_9.py　while文でリストの中身を取り出す

```
some_list = [1, 2, 3, 4, 5]

i = 0
while i < len(some_list):
    print(some_list[i])
    i += 1
```

実行結果

```
1
2
3
4
5
```

このような処理を、forループでは簡単に書くことができます。

コード：c3_3_10.py　for文でリストの中身を取り出す

```
some_list = [1, 2, 3, 4, 5]

for i in some_list:
    print(i)
```

実行結果

```
1
2
3
4
5
```

これは、「for文でリストの中身を1つずつ変数iに格納し、printで出力してループする」という処理です。リストから1つずつ値を取り出していく動きは、デバッガーで確認してみるとわかりやすいでしょう。

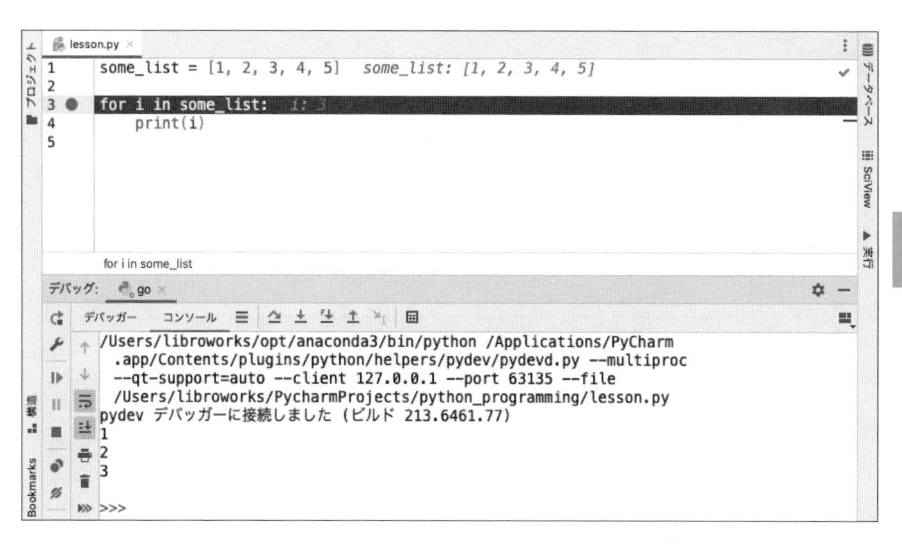

この処理におけるリストのような、**反復処理可能なデータ**を**イテレーター**といいます。イテレーターの要素をinで次々に取り出していき、要素がなくなったらその時点でループを終了できるのが、forループの強みです。

上の例ではリストを使いましたが、文字列の場合でも1つずつ取り出して処理をするということが可能です。文字列のリストでも同様です。

コード：c3_3_11.py　for文で文字列を取り出す

```
for s in 'abcde':
    print(s)

for word in ['My', 'name', 'is', 'Mike']:
    print(word)
```

実行結果

```
a
b
c
d
e
My
name
is
Mike
```

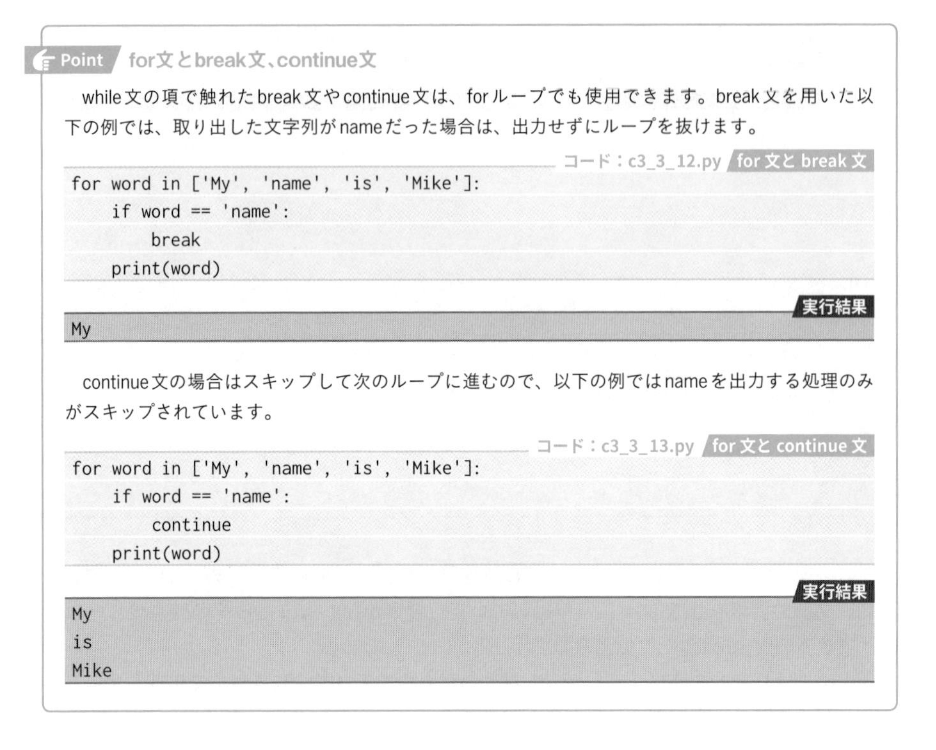

Point for文とbreak文、continue文

while文の項で触れたbreak文やcontinue文は、forループでも使用できます。break文を用いた以下の例では、取り出した文字列がnameだった場合は、出力せずにループを抜けます。

コード：c3_3_12.py　for文とbreak文

```
for word in ['My', 'name', 'is', 'Mike']:
    if word == 'name':
        break
    print(word)
```

実行結果

```
My
```

continue文の場合はスキップして次のループに進むので、以下の例ではnameを出力する処理のみがスキップされています。

コード：c3_3_13.py　for文とcontinue文

```
for word in ['My', 'name', 'is', 'Mike']:
    if word == 'name':
        continue
    print(word)
```

実行結果

```
My
is
Mike
```

for else文の使い方を知ろう

for else文も、while文のときと同様です。forループが終了したあと、elseの処理（ここではprint('I ate all.')）を実行します。

コード：c3_3_14.py　for else文

```
for fruit in ['apple', 'banana', 'orange']:
    print(fruit)
else:
    print('I ate all.')
```

実行結果

```
apple
banana
orange
I ate all.
```

これもwhile else文と同じく、breakした場合はelseの処理は実行されません。breakすると、elseも含めたforループのすべてから抜けます。

コード：c3_3_15.py　for else 文と break 文

```
for fruit in ['apple', 'banana', 'orange']:
    if fruit == 'banana':
        print('stop eating')
        break
    print(fruit)
else:
    print('I ate all.')
```

実行結果

```
apple
stop eating
```


回数が決まったループにはrange関数を使おう

決めた回数だけループをしたい場合は、for文と**range**（レンジ）関数を組み合わせて使います。たとえば、0から9までの数値を順番に出力するプログラムを書く必要があったとします。このとき、以下のようにforループで使用する数値の入ったリストを、自分で作成するのは面倒です。

コード：c3_3_16.py　数値を 1 つずつ出力する

```
num_list = [0, 1, 2, 3, 4, 5, 6, 7, 8, 9]

for i in num_list:
    print(i)
```

実行結果

```
0
1
2
3
4
5
6
7
8
9
```

このようなときはrange関数を使います。forループでinのあとにrange(10)と書くと、リストを作らなくても、インデックス0からはじまる10個の数値（0から9）を取り出してくれます。

コード：c3_3_17.py　range 関数

```
for i in range(10):
    print(i)
```

実行結果

```
0
1
```

```
2
3
4
5
6
7
8
9
```

はじまる位置を指定することもできます。range(2, 10) とすれば、2からはじまって、インデックスが10番目の数値（インデックスが0からはじまるので、10番目の数値は9）までを取り出せます。

コード：c3_3_18.py　range関数で開始位置を指定する

```
for i in range(2, 10):
    print(i)
```

実行結果

```
2
3
4
5
6
7
8
9
```

3ずつ増えるように取り出したい場合には、range(2, 10, 3) のように書きます。

コード：c3_3_19.py　range関数で数値をとばして取り出す

```
for i in range(2, 10, 3):
    print(i)
```

実行結果

```
2
5
8
```

range関数は、数値を取り出したい場合以外にも、同じ処理を複数回繰り返したいときによく使います。たとえば、同じ処理を10回繰り返したい場合は、range(10) と指定します。こうすることで、簡単に繰り返し処理を書くことができます。

コード：c3_3_20.py　range関数の活用

```
for i in range(10):
    print('hello')
```

実行結果

```
hello
hello
```

```
hello
hello
hello
hello
hello
hello
hello
hello
```


Point　rangeの数値をループ内で使わない場合

実際のアプリケーション開発では、ただ処理を10回繰り返したいだけで、iのような変数に格納した数値は使わないということがあります。そのようなときには、iのような変数名ではなく、代わりに_（アンダースコア）を用いれば、forループの中で数値を使用しないことを明示できます。こうするとコードを読む人は、「rangeの数値がループの中で使われない」ということが一目で判断できます。

コード：c3_3_21.py　range関数の活用

```
for _ in range(10):
    print('hello')
```

リストのインデックスも取り出すenumerate関数

リストからforループで要素を1つずつ取り出していく際に、インデックスの番号も利用したいこともあります。この処理を書こうとすると、自分で変数を宣言し、ループのたびに1を足していくことになります。

コード：c3_3_22.py　インデックス番号を表示する

```
i = 0
for fruit in ['apple', 'banana', 'orange']:
    print(i, fruit)
    i += 1
```

実行結果

```
0 apple
1 banana
2 orange
```

少し面倒ですよね。ここで**enumerate**（イニュームレート）関数を使うと、リストから要素を取り出す際に、インデックスの番号も同時に取り出すことが可能です。enumerate関数の中にリストを入れ、inのあとに書きましょう。また、インデックスの番号を格納する変数（ここではi）を、要素を格納する変数（ここではfruit）と一緒にfor文に書きます。取り出したインデックス番号とリストの要素を、print(i, fruit)で出力します。

コード：c3_3_23.py　enumerate関数

```
for i, fruit in enumerate(['apple', 'banana', 'orange']):
    print(i, fruit)
```

実行結果
```
0 apple
1 banana
2 orange
```

実行するとインデックス番号があわせて表示されます。このenumerate関数もよく使われるので、覚えておいてください。

複数のリストをまとめるzip関数

たとえば、「曜日のリスト」「食べ物のリスト」「飲み物のリスト」という3つのリストがあるとします。「曜日のリスト」には月曜から水曜までの曜日が入っています。「食べ物のリスト」「飲み物のリスト」には、それぞれ月曜から水曜に食べるものと飲むものが入っているとしましょう。

これらのリストを使って、「曜日とその日の食べ物、飲み物の組み合わせ」を同時に表示したいというケースを考えます。このコードを自分で書こうとすると、まずrange関数で「曜日のリスト」の長さの数だけ繰り返すforループを作り、それぞれのリストからインデックスの番号に対応した要素を取り出して表示する必要があります。しかしこれでは、変数iが何カ所も出てくるため、少し読みにくくなっています。

コード：c3_3_24.py 複数のリストから１つずつ要素を取り出す
```
days = ['Mon', 'Tue', 'Wed']
fruits = ['apple', 'banana', 'orange']
drinks = ['coffee', 'tea', 'beer']

for i in range(len(days)):
    print(days[i], fruits[i], drinks[i])
```

実行結果
```
Mon apple coffee
Tue banana tea
Wed orange beer
```

このような場合に、**zip**（ジップ）関数を使うと簡潔に書くことができます。まず、for文を書く際に、リストの要素を格納する変数（ここではday, fruit, drink）をそれぞれ宣言します。そしてinのあとにzip関数を使い、その中にリストの変数を入れます。こうすることで、それぞれのリストから、1つずつ順番に要素を取り出すことができます。

コード：c3_3_25.py zip関数
```
days = ['Mon', 'Tue', 'Wed']
fruits = ['apple', 'banana', 'orange']
drinks = ['coffee', 'tea', 'beer']

for day, fruit, drink in zip(days, fruits, drinks):
    print(day, fruit, drink)
```

実行結果
```
Mon apple coffee
Tue banana tea
Wed orange beer
```

zip関数を使うと、リストの要素をインデックスで指定するよりも、ループのたびに1つずつ要素を順番に取り出すということが直感的にわかりやすいコードになります。ぜひzip関数の使い方を覚えておきましょう。

辞書をfor文で処理する

辞書型をforループで単純に出力しようとすると、以下のようにキーのみが出力されます。

コード：c3_3_26.py 辞書を for 文で処理する
```
d = {'x': 100, 'y': 200}

for v in d:
    print(v)
```

実行結果
```
x
y
```

キーと値の両方を使用したい場合には、辞書型の**items**（アイテム）メソッドを使います。これをforループに入れると、はじめの変数（k）にキーが、2つ目の変数（v）に値が格納されます。

コード：c3_3_27.py 辞書を for 文で処理する
```
d = {'x': 100, 'y': 200}

for k, v in d.items():
    print(k, ':', v)
```

実行結果
```
x : 100
y : 200
```

辞書型のループも、使われる機会が非常に多いので、この方法を覚えておいてください。

Point　itemsの中身

ちなみに、itemsが何を返しているのかを確認してみると、リストの中にタプルが入った形になっています。これをforループで処理するとき、1回目のループで1つ目のタプルが取り出されます。このタプルがアンパッキングされて、kとvの2つの変数に格納されているのです。

コード：c3_3_28.py items() の中身を確認する
```
d = {'x': 100, 'y': 200}

print(d.items())
```

実行結果
```
dict_items([('x', 100), ('y', 200)])
```

Column

エンジニアのキャリア戦略③

おすすめのプログラミングの学び方

エンジニアを目指す方、それからエンジニアとして活躍中の方からも**「どの言語を学ぶのがよいのか？」**といった質問を受けることがあります。

それは「はじめに」でも述べたように、やはり**GAFAが使っている言語を選択する**のが一番です。逆に、そこで使われていない言語はすたれる可能性があるので避けたほうが無難でしょう。

まず本当にゼロからスタートする初心者の方は、とりあえず興味がある言語を、何でもいいので始めてみましょう。周りにプログラミングをやっている友人がいれば、同じ言語もおすすめです。わからないことがあったときに聞けますから。

プログラミング言語は、実は変数や繰り返し処理といった**基礎の部分は、どの言語もほとんど同じ**です。そのため、一つ学べば、ほかの言語も身につけやすくなり、習得スピードも上がっていきます。通常、**基礎は2、3カ月でマスターできる**ので、そのあと、「どの言語を学ぶか」を考えても遅くはありません。

一方、「何か一つ、おすすめを教えてほしい」と言われたら――、それはやはりPythonですが、手始めとしてRubyやJavaScriptもいいと思います。Rubyは開発者が日本人ということもあって日本語のドキュメントが多いので勉強しやすいと思いますし、JavaScriptは比較的、簡単です。

逆にGOなどはシリコンバレーでも流行っていて、今後も要注目の言語ですが、使用メモリが大きいため、独学の場合は避けたほうがいいかもしれません。

また、iPadで遊びながらSwiftが学べるアプリ「Swift Playgrounds」もおすすめです。SwiftはiOS、Mac、Apple TV、Apple Watch向けのアプリを開発するためにAppleが作ったプログラミング言語です。このアプリは子どもでも使っているくらいなので、気軽に試せるのではないでしょうか。

ちなみに、もし私が今、日本にいて就職活動中の学生だとしたら、まずPythonかGoを使って開発させてくれる会社に就職するでしょう。その後、Google Japanに転職できるまで力をつけ、渡米して現地企業への就職を目指すと思います。

Lesson 4 入門編

関数と例外処理

同じ処理を何度も実行したい場合に必要な関数の作成と、それに関連するさまざまなルールについて解説します。また、エラーが発生したときの例外処理についても身につけていきましょう。

4-1 何度も実行する処理の関数を作ろう

関数とは、ひとまとまりの処理に名前をつけ、何度も呼び出せるようにしたものです。これまでもPythonに用意されたprintやlenなどの関数を使ってきたと思いますが、ここでは自分で関数を定義する方法を解説していきます。
関数を定義しておくと、呼び出すだけで同じ処理を実行できるので、同じコードを繰り返し書く必要がありません。

関数を定義する方法を知ろう

関数

関数を定義する際は、最初に**def**と書きます。これは「定義する」という意味を持つdefinition(ディフィニション)の省略形です。例として、hiと表示させるsay_somethingという関数を作成してみます。defに続いて、関数名のあとに():と書いてから、次の行以降をインデントして処理を書きます。

関数を使うときは、関数名に()をつけて呼び出します。以下は関数の定義と、呼び出しの例です。

コード：c4_1_1.py 関数定義

```
def say_something():      ← 関数を定義する
    print('hi')

say_something()           ← 関数を呼び出す
```

実行結果

```
hi
```

Point 関数は呼び出しより先に定義する

関数の呼び出しを、定義よりも前に書いてしまうとエラーになります。Pythonは上から順にスクリプトを解釈していくので、関数の定義をしてから呼び出すようにしましょう。

コード：c4_1_2.py 関数定義の順番

```
say_something()
def say_something():
    print('hi')
```

実行結果

```
Traceback (most recent call last):
  File "/Users/jsakai/PycharmProjects/python_programming/lesson.py", line 1, in
<module>
    say_something()
NameError: name 'say_something' is not defined
```

関数を呼び出すときは()をつける必要があります。()をつけずに、変数のように名前だけ書くと、エラーにはなりませんが関数内の処理も実行されません。

コード：c4_1_3.py　関数の呼び出し方

```
def say_something():
    print('hi')

say_something
```

実行結果

```

```

作成した関数をtypeで確認すると、function（ファンクション）という型であることがわかります。functionは「関数」という意味です。

コード：c4_1_4.py　関数の型

```
def say_something():
    print('hi')

print(type(say_something))
```

実行結果

```
<class 'function'>
```

関数もfunction型の値（オブジェクト）なので、変数に入れてから実行することもできます。

コード：c4_1_5.py　関数を変数に入れて呼び出す

```
def say_something():
    print('hi')

f = say_something    # 変数に関数を入れる
f()
```

実行結果

```
hi
```

返り値

関数を呼び出したあと、何か値を返してほしいときは、return（リターン）を使います。

コード：c4_1_6.py　返り値

```
def say_something():
    s = 'hi'
    return s

result = say_something()
print(result)
```

実行結果

```
hi
```

前の例では、関数say_somethingの中で変数sを作成し、その値を返しています。その関数を呼び出した結果が、resultという変数に格納され、printによって出力されます。関数が返す値のことを、**返り値**(かえりち)または**戻り値**(もどりち)と呼びます。

引数

引数(ひきすう)とは、関数を呼び出す際に関数に渡す値のことです。print関数の()内に書いた値も引数です。引数によって、関数の処理に必要となるデータを渡すことができます。

引数を持つ関数を作成してみましょう。what_is_thisという関数を作成する際に、()の中にcolorという変数を入れます。このcolorが関数what_is_thisの引数になります。関数を呼び出す際にred(赤)という文字列を渡してあげると、呼び出された関数側では、()の中の変数colorにredが入った状態で処理が実行されます。

コード:c4_1_7.py 引数

```
def what_is_this(color):
    print(color)

what_is_this('red')
```

実行結果

```
red
```

引数に渡した値をそのまま使うのではなく、与えられた引数によって処理が変わるようにしてみましょう。colorがredであればtomato、greenならgreen pepper(ピーマン)を返し、それ以外であればI don't knowを返します。

コード:c4_1_8.py 引数

```
def what_is_this(color):
    if color == 'red':
        return 'tomato'
    elif color == 'green':
        return 'green pepper'
    else:
        return "I don't know"

result = what_is_this('red')
print(result)
```

実行結果

```
tomato
```

関数のメリットは、**同じ処理を実行する際に、同じコードを何度も書かなくてよい点**にあります。たとえば、上記のwhat_is_thisという関数の処理に対して、与える文字列をgreenに変更したい場合は、result = what_is_this('green')のように、引数を変えてもう一度関数を呼び出せばよいわけです。同じ処理を実行したいというときに、もし関数を作成していなければ、関数の中の処理をもう一度書かなければなりません。

Point 引数と返り値の型宣言

Lesson 1で軽く触れましたが、Python 3.6以降では変数の型を宣言できます。関数の引数の場合でも同じように宣言が可能です。以下の例では、2つの引数aとbがint型だと宣言しています。

コード：c4_1_9.py 引数の型の宣言

```
def add_num(a: int, b: int):
    return a + b
```

返り値もint型であることを宣言する場合、->という記号を使って書きます。

コード：c4_1_10.py 返り値の型の宣言

```
def add_num(a: int, b: int) -> int:
    return a + b
```

本書では、型の宣言は原則的にしませんが、もしこのような記述のコードがあっても驚かないようにしましょう。

実際に、以下のような引数も返り値もint型と宣言されている関数を呼び出してみましょう。引数にint型を渡した場合は普通に実行されます。

コード：c4_1_11.py 型が宣言された関数の呼び出し

```
def add_num(a: int, b: int) -> int:
    return a + b

r = add_num(10, 20)
print(r)
```

実行結果

```
30
```

では、引数に文字列を渡すとどうなるでしょうか。実は、この場合も普通に実行されてしまい、文字列が足された結果が返ってきます。

コード：c4_1_12.py 型が宣言された関数の呼び出し

```
def add_num(a: int, b: int) -> int:
    return a + b

r = add_num('a', 'b')
print(r)
```

実行結果

```
ab
```

このように、引数や返り値の型の宣言をすることで、ほかのプログラマーに対して「引数にint型を渡してほしい」などと伝えることができる一方、Pythonがエラーを返すことはありません。

位置引数、キーワード引数、デフォルト引数の違いは？

位置引数

関数に対して複数の値を渡したい場合、,（カンマ）で区切って書きます。次の例では、複数のメニューを引数として渡し、関数の中で表示しています。

コード：c4_1_13.py 位置引数

```
def menu(entree, drink, dessert):
    print('entree = ', entree)
    print('drink = ', drink)
    print('dessert = ', dessert)

menu('beef', 'beer', 'ice')
```

実行結果

```
entree =  beef
drink =  beer
dessert =  ice
```

引数は、渡した順番どおりに格納されます。書く位置によってどこに渡されるかが決まる引数のことを、**位置引数**といいます。位置引数の順番を間違えると、予期しない結果となってしまうため、気をつけましょう。たとえば、以下の例では、drinkという変数にiceという値が、dessertという変数にbeerが入ってしまっています。

コード：c4_1_14.py 位置引数の順番

```
def menu(entree, drink, dessert):
    print('entree = ', entree)
    print('drink = ', drink)
    print('dessert = ', dessert)

menu('beef', 'ice', 'beer')
```

実行結果

```
entree =  beef
drink =  ice
dessert =  beer
```

キーワード引数

上記のような間違いを避けるには、**キーワード引数**を活用しましょう。以下のように、引数を渡す際に「引数名=値」という形でキーワードを指定すると、順番が変わっても目的の変数に値を渡すことができます。

コード：c4_1_15.py キーワード引数

```
def menu(entree, drink, dessert):
    print('entree = ', entree)
    print('drink = ', drink)
    print('dessert = ', dessert)

menu(entree='beef', dessert='ice', drink='beer')
```

実行結果

```
entree =  beef
drink =  beer
dessert =  ice
```

位置引数とキーワード引数を混ぜて使うこともできます。最初の引数のみを位置引数で、残りの引数をキーワード引数で渡してみましょう。

コード：c4_1_16.py　位置引数とキーワード引数を混ぜて使う

```
def menu(entree, drink, dessert):
    print('entree = ', entree)
    print('drink = ', drink)
    print('dessert = ', dessert)

menu('beef', dessert='ice', drink='beer')
```

最初の引数のみを位置引数にする

実行結果

```
entree =  beef
drink =  beer
dessert =  ice
```

ただし、位置引数とキーワード引数を混ぜると、エラーになってしまう場合もあります。たとえば、以下の例では、位置引数であるbeefが2番目の変数drinkに値を格納しようとしていますが、キーワード引数であるbeerも同じくdrinkに値を格納しようとしているため、エラーが発生してしまいます。

コード：c4_1_17.py　位置引数とキーワード引数を混ぜて使う

```
def menu(entree, drink, dessert):
    print('entree = ', entree)
    print('drink = ', drink)
    print('dessert = ', dessert)

menu(dessert='ice', 'beef', drink='beer')
```

実行結果

```
  File "/Users/jsakai/PycharmProjects/python_programming/lesson.py", line 7
    menu(dessert='ice', 'beef', drink='beer')
                                   ^
SyntaxError: positional argument follows keyword argument
```

デフォルト引数

引数の種類には**デフォルト引数**というものもあります。デフォルト引数は、引数が省略された場合にデフォルトで入る値を設定できます。以下の例では、引数を省略した場合はbeef、wine、iceの3つのデフォルト値が使われます。

コード：c4_1_18.py　デフォルト引数

```
def menu(entree='beef', drink='wine', dessert='ice'):
    print('entree = ', entree)
    print('drink = ', drink)
    print('dessert = ', dessert)

menu()
```

引数を省略

実行結果

```
entree =  beef
drink =  wine
dessert =  ice
```

引数を与えた場合は、デフォルト引数の値は上書きされます。以下の例では、entreeとdrinkのデフォルト引数をそれぞれ上書きしています。

コード：c4_1_19.py デフォルト引数を上書きする

```
def menu(entree='beef', drink='wine', dessert='ice'):
    print('entree = ', entree)
    print('drink = ', drink)
    print('dessert = ', dessert)

menu(entree='chicken', drink='beer')
```

実行結果

```
entree =  chicken
drink =  beer
dessert =  ice
```

位置引数とキーワード引数を混ぜながら、デフォルト引数を使うこともできます。

コード：c4_1_20.py 位置引数とキーワード引数とデフォルト引数を混ぜて使う

```
def menu(entree='beef', drink='wine', dessert='ice'):
    print('entree = ', entree)
    print('drink = ', drink)
    print('dessert = ', dessert)

menu('chicken', drink='beer')
```

実行結果

```
entree =  chicken
drink =  beer
dessert =  ice
```

デフォルト引数でリストや辞書型を使う際の注意

リストや辞書型をデフォルト引数で扱う際には注意が必要です。例として、以下のような、デフォルト引数で空のリストを指定した関数を考えます。この関数は、xとlの2つの引数を持ち、リストであるlにxをappend（P.60）するという処理を実行します。lが渡されなかった場合は、デフォルト引数である[]が使われます。

xとlの両方の引数を渡すと、問題なく動作します。

コード：c4_1_21.py デフォルト引数に空のリストを使う

```
def sample_func(x, l=[]):
    l.append(x)
    return l

```

```
y = [1, 2, 3]
r = sample_func(100, y)
print(r)

y = [1, 2, 3]
r = sample_func(200, y)
print(r)
```

実行結果

```
[1, 2, 3, 100]
[1, 2, 3, 200]
```

4

　また、lを指定せずにデフォルト引数を使用する場合は、空のリストに1つだけ数字が追加されたものが返ってきます。

コード：c4_1_22.py　デフォルト引数に空のリストを使う

```
def sample_func(x, l=[]):
    l.append(x)
    return l

r = sample_func(100)
print(r)
```

実行結果

```
[100]
```

　では、これをもう一度同じように呼び出すとどうなるでしょうか。

コード：c4_1_23.py　デフォルト引数に空のリストを使う

```
def sample_func(x, l=[]):
    l.append(x)
    return l

r = sample_func(100)
print(r)

r = sample_func(100)
print(r)
```

実行結果

```
[100]
[100, 100]
```

　2回目の関数の実行でも、デフォルト引数である空のリストが呼び出されるはずですが、結果は上のとおり、数字が2つ入ったリストが返ってきてしまいます。

　これは、リストが参照渡しであることと関係しています。1度目にデフォルト引数が呼び出されたときは、問題なく空のリストが作成されます。ですが、2度目に呼び出されたときは、以前作成したリストのアドレスを指し示したままになっており、空のリストが作成されないのです。そのため、1度目に関数を呼び出したときのリストをそのまま使用してしまいます。

このような問題があるため、Pythonでは**リストをデフォルト引数に使うべきではない**といわれています。リストや辞書型といった、参照渡しのものをデフォルト引数に使うと、思わぬバグにつながる危険性があるので、注意しましょう。

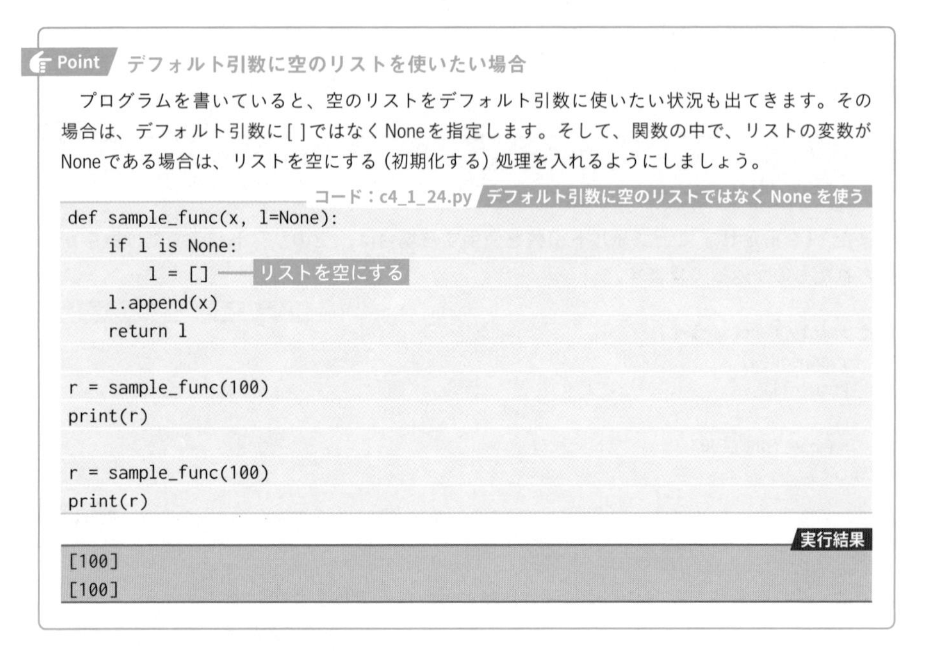

Point デフォルト引数に空のリストを使いたい場合

プログラムを書いていると、空のリストをデフォルト引数に使いたい状況も出てきます。その場合は、デフォルト引数に[ ]ではなくNoneを指定します。そして、関数の中で、リストの変数がNoneである場合は、リストを空にする（初期化する）処理を入れるようにしましょう。

コード：c4_1_24.py デフォルト引数に空のリストではなくNoneを使う

```
def sample_func(x, l=None):
    if l is None:
        l = []  ── リストを空にする
    l.append(x)
    return l

r = sample_func(100)
print(r)

r = sample_func(100)
print(r)
```

実行結果

```
[100]
[100]
```

位置引数をタプル化してまとめよう

関数に渡す引数を増やしたい場合、そのたびに関数の定義を変更するのは少し面倒です。次の例ではword、word2、word3と増やしていますが、さらにword4、word5……と増やしていくとするときりがありません。

コード：c4_1_25.py 複数の引数

```
def say_something(word, word2, word3):
    print(word)
    print(word2)
    print(word3)

say_something('Hi!', 'Mike', 'Nancy')
```

実行結果

```
Hi!
Mike
Nancy
```

こういう場合、Pythonでは、引数をまとめて渡す書き方があります。引数を*args（アーグス）のように*つきにすると、複数の引数をタプル（P.69）でまとめてくれます。argsはarguments（アーギュメンツ）（引数）の省略形です。

コード：c4_1_26.py　位置引数のタプル化

```
def say_something(*args):
    print(args)

say_something('Hi!', 'Mike', 'Nancy')
```

実行結果

```
('Hi!', 'Mike', 'Nancy')
```

タプルとして受け取った引数をforループなどで回してあげると、中身の値を1つずつ取り出して処理できます。

コード：c4_1_27.py　位置引数のタプル化

```
def say_something(*args):
    for arg in args:
        print(arg)

say_something('Hi!', 'Mike', 'Nancy')
```

実行結果

```
Hi!
Mike
Nancy
```

この書き方は、位置引数と混ぜて使うことができます。位置引数以外の引数をすべてタプルでまとめてくれます。最初の引数は必須で、残りの引数がいくつ渡されるかわからないという場合に役立つでしょう。

コード：c4_1_28.py　位置引数のタプル化

```
def say_something(word, *args):
    print('word =', word)
    for arg in args:
        print(arg)

say_something('Hi!', 'Mike', 'Nancy')
```

実行結果

```
word = Hi!
Mike
Nancy
```

Point 引数を渡す際にアンパッキングする

関数を呼び出す際にタプルやリストに*をつけるとアンパッキングした個々の値として渡すことができます。

コード：c4_1_29.py タプルの引数をタプル化する

```
def say_something(word, *args):
    print('word =', word)
    for arg in args:
        print(arg)

t = ('Mike', 'Nancy')
say_something('Hi!', *t)  ── アンパッキングする
```

実行結果

```
word = Hi!
Mike
Nancy
```

上の例では、タプルの引数をアンパッキングしてから、ふたたびタプルにしてargsに格納するという処理となっています。実用的な例ではありませんが、呼び出しの時の*でアンパッキングできることを覚えていただければと思います。

キーワード引数を辞書化してまとめよう

関数に渡すキーワード引数の数を変更したい場合は、キーワード引数の辞書化という方法があります。たとえば、以下のような関数を考えてみましょう。

コード：c4_1_30.py キーワード引数

```
def menu(entree='beef', drink='wine'):
    print(entree, drink)

menu(entree='beef', drink='coffee')
```

実行結果

```
beef coffee
```

関数の引数に**kwargs(キーワードアーグス)のように**（アスタリスク2つ）をつけることで、キーワード引数を辞書型で受け取ることができます。kwargsは「keyword arguments(キーワード アーギュメンツ)」の略です。

コード：c4_1_31.py キーワード引数の辞書化

```
def menu(**kwargs):
    print(kwargs)

menu(entree='beef', drink='coffee')
```

実行結果

```
{'entree': 'beef', 'drink': 'coffee'}
```

プログラムの中で、kwargsをforループで回すと、キーワードと引数の値をそれぞれ取り出して扱うことが可能です。

コード：c4_1_32.py キーワード引数の辞書化

```
def menu(**kwargs):
    for k, v in kwargs.items():  ← items メソッド（P.115）
        print(k, v)

menu(entree='beef', drink='coffee')
```

実行結果

```
entree beef
drink coffee
```


Point キーワード引数を辞書にして渡す

関数を呼び出す際に、あらかじめ辞書型を作ってから関数に渡すこともできます。辞書型を渡す際には、**dのように、変数の前に*（アスタリスク）を2つつけます。

こうすると、関数に渡した辞書型がキーワード引数として展開され、**kwargsで辞書化されることでふたたび辞書型として扱うことができるようになります。

コード：c4_1_33.py キーワード引数の辞書化

```
def menu(**kwargs):
    for k, v in kwargs.items():
        print(k, v)

d = {
    'entree': 'beef',
    'drink': 'ice coffee',
    'dessert': 'ice',
}
menu(**d)  ← 展開する
```

実行結果

```
entree beef
drink ice coffee
dessert ice
```

キーワード引数を辞書型で書く方法は見やすく、アプリケーション開発の場面でも使われるので、覚えておきましょう。

また、位置引数とタプル化と辞書化を組み合わせて使うこともできます。

コード：c4_1_34.py 位置引数とタプル化と辞書化

```
def menu(food, *args, **kwargs):
    print(food)
    print(args)
    print(kwargs)

menu('banana', 'apple', 'orange', entree='beef', drink='coffee')
```

実行結果

```
banana
('apple', 'orange')
{'entree': 'beef', 'drink': 'coffee'}
```

最初に渡した引数がfoodに、そのあとに渡した複数の引数がタプル化されてargsに、キーワード引数が辞書化されてkwargsに、それぞれ格納されていることがわかるかと思います。

ただし、*argsは**kwargsよりも前に書かないとエラーになるので注意してください。

コード：c4_1_35.py 位置引数とタプル化と辞書化

```
def menu(food, **kwargs, *args):
    print(food)
    print(args)
    print(kwargs)

menu('banana', 'apple', 'orange', entree='beef', drink='coffee')
```

実行結果

```
  File "/Users/jsakai/PycharmProjects/python_programming/lesson.py", line 1
    def menu(food, **kwargs, *args):
                             ^
SyntaxError: invalid syntax
```

docstringって何？

docstring（ドクストリング）は、Pythonの関数の説明を記述するための文章です。関数の説明や、引数および返り値の説明や型について記述しましょう。

Pythonで関数のdocstringを書く場合には、関数の中に"（ダブルクォート）3つで囲んで書きます。docstringの中身の書き方については、プロジェクトなどでのPythonの書き方のルールによっても異なるので、ここでは詳細な説明は省きます。

コード 関数の説明の記述

```
def example_func(param1, param2):
    """Docstring example for describing overall explanation of function.

    Args:
        param1 (int): The first parameter.
        param2 (str): The second parameter.

    Returns:
        bool: The return value. True for success, False otherwise.

    """
    print(param1)
    print(param2)
    return True
```

【訳】関数の全体的な説明の記載例
引数
返り値

記述した関数の説明は、__doc__を使用すると確認できます。

コード：c4_1_36.py 関数の説明の出力

```
def example_func(param1, param2):
    """Docstring example for describing overall explanation of function.

    Args:
        param1 (int): The first parameter.
        param2 (str): The second parameter.

    Returns:
        bool: The return value. True for success, False otherwise.

    """
    print(param1)
    print(param2)
    return True

print(example_func.__doc__)
```

実行結果

```
Docstring example for describing overall explanation of function.

    Args:
        param1 (int): The first parameter.
        param2 (str): The second parameter.

    Returns:
        bool: The return value. True for success, False otherwise.
```

また、helpで関数を確認することでも、関数の説明が表示されます。

コード：c4_1_37.py 関数の説明の出力

```
def example_func(param1, param2):
    """Docstring example for describing overall explanation of function.

    Args:
        param1 (int): The first parameter.
        param2 (str): The second parameter.

    Returns:
        bool: The return value. True for success, False otherwise.

    """
    print(param1)
    print(param2)
    return True

help(example_func)
```

実行結果

```
Docstring example for describing overall explanation of function.

    Args:
        param1 (int): The first parameter.
        param2 (str): The second parameter.

    Returns:
        bool: The return value. True for success, False otherwise.
```

docstringは、ほかのツールを使用することで、関数の説明をHTML化して読むといったことも可能です。書き方を覚えておきましょう。

4-2 関数の応用をマスターしよう

関数を使い込んでいくと、通常の関数では書き方が複雑になってしまう状況も出てきます。そのような状況のために、応用的なルールとして「関数内関数」や「クロージャー」「デコレーター」などが用意されています。難易度は少し高めですが、これらを覚えておくとよりわかりやすいコードを書くことができます。
ほかにも、1行の関数をその場で定義できる「ラムダ」や、反復処理可能なデータを用意する「ジェネレーター」についても、説明していきます。

関数内関数の書き方を知ろう

関数内関数とは、関数の中に定義された関数のことです。英語ではinner function（インナー ファンクション）といいます。まずは、以下の例を見てみましょう。

コード：c4_2_1.py　関数内関数

```
def outer(a, b):

    def plus(c, d):
        return c + d

    r = plus(a, b)
    print(r)

outer(1, 2)
```

実行結果

```
3
```

outerという関数の中に、plusという関数が定義されています。このplusのような関数が、関数内関数になります。上の例では、outerに渡されたaとbという引数を、関数内関数であるplusに渡しています。plusの中では、受け取った引数を足しあわせたものを返却しています。関数内関数は、関数の中だけで繰り返し使う処理があるような場合に作成するとよいでしょう。

関数内関数とクロージャー

関数内関数を**クロージャー**と呼ぶことがあります。高度な部類に入る技術なので、ここで完璧に理解しなくてもかまいません。アプリケーション開発で使う機会があるかもしれないので、なんとなくわかっていただければ大丈夫です。

関数outerと、その中に関数内関数innerを作成します。そして関数の返り値として、関数内関数のオブジェクトそのものを返すようにします。

コード：c4_2_2.py クロージャー

```
def outer(a, b):
    def inner():
        return a + b

    return inner

print(outer(1, 2))
```

実行結果

```
<function outer.<locals>.inner at 0x7fd5682f50d0>
```

関数outerの返り値を確認してみると、関数内関数であるinnerのオブジェクトが返ってきていることがわかるかと思います。この関数内関数の処理は、returnされた時点では実行されていません。関数outerの返り値は、実行結果であるinner()ではなく、innerのオブジェクトそのものだからです。関数内関数を実行するには、関数outerの返り値を格納し、格納したものを実行する必要があります。

以下の例では、関数outerの返り値を変数fに格納し、fを実行した結果を変数rに入れて表示しています。fに()をつけて実行すると、このときはじめてinnerが実行されます。その際、**innerの中のaとbには、関数outerを呼び出したときに渡した引数である1と2が格納されている**ので、実行結果として3が返ってきます。このようなとき、関数内関数のことを指してクロージャーといいます。

コード：c4_2_3.py クロージャー

```
def outer(a, b):
    def inner():
        return a + b

    return inner

f = outer(1, 2)
r = f()
print(r)
```

実行結果

```
3
```

クロージャーを使うと、**外側の関数に渡す引数で、関数内関数の状態を変える**ことができます。わかりにくいと思いますので、もう1つの例として、円の面積を求める処理を考えてみましょう。

関数circle_area_funcと、その関数内関数のcircle_areaを作成します。circle_areaは引数として半径であるradiusを受け取り、radiusを2回と円周率piをかけたものを返します。これが円の面積となります。関数circle_area_funcは、関数内関数を実行せずに返すようにします。

コード　円の面積を求める - クロージャーの定義

```
def circle_area_func(pi):
    def circle_area(radius):
        return pi * radius * radius
    return circle_area
```

関数circle_area_funcを実行する際に、1度目は引数piに3.14を、2度目は3.141592を渡します。それぞれの結果をca1とca2に格納しておきます。ca1とca2には、関数内関数であるcircle_areaが格納されている状態です。

コード　円の面積を求める - クロージャーを格納する

```
def circle_area_func(pi):
    def circle_area(radius):
        return pi * radius * radius
    return circle_area

ca1 = circle_area_func(3.14)
ca2 = circle_area_func(3.14159)
```

ca1やca2に引数として円の半径を渡して実行すると、円の面積を求めることができます。以下のサンプルでは、半径を10としてca1とca2を実行し、円の面積をそれぞれ算出しています。ca1を実行すると、円周率を3.14として計算した結果が出力されます。ca2を実行すると、円周率をより細かい3.141592として計算した結果が出力されます。つまり、**外側の関数に渡した引数piの状態が、関数内関数でも保持されている**のです。この働きを**変数の束縛（binding）**（バインディング）ともいいます。

コード：c4_2_4.py　円の面積を求める - 2とおりの計算を実行する

```
def circle_area_func(pi):
    def circle_area(radius):
        return pi * radius * radius
    return circle_area

ca1 = circle_area_func(3.14)
ca2 = circle_area_func(3.14159)

print(ca1(10))
print(ca2(10))
```

実行結果

```
314.0
314.159
```

これなら、先に円周率を決めてしまっているので、あとになって実行する際に円周率の数値を渡す必要がありません。

クロージャーはほかにもさまざまな使い方があるのですが、基本的な利用方法の1つとして覚えておいてください。

デコレーターで関数の前後に処理を加える

次は**デコレーター**について説明しましょう。こちらも少しわかりにくいものなので、まずデコレーターを使わずに、数字を足しあわせる簡単な関数add_numを作成し、関数の実行前と実行後にそれぞれstart、endと出力する処理を追加してみます。

コード：c4_2_5.py　関数の実行前と実行後に処理を行う

```
def add_num(a, b):
    return a + b


print('start')
r = add_num(10, 20)
print('end')

print(r)
```

- print('start') — startと出力
- r = add_num(10, 20) — 関数add_numを実行し、返り値をrに代入
- print('end') — endと出力

実行結果

```
start
end
30
```

このケースのように、**関数を実行する前後に処理を加えたいとき**には、デコレーターを使うと便利です。実際に作成してみましょう。デコレーターの関数として、print_infoを作成します。この関数は、引数として関数funcを受け取ります。

コード　デコレーターの作成

```
def print_info(func):
```

この中に、関数内関数wrapper（ラッパー）（「包むもの」の意味）を作っていきます。引数は、何でも受け取れるように*args, **kwargsとします。この処理の中で、関数print_infoが引数として受け取った関数funcに、*argsと**kwargsを渡して実行します。

コード　デコレーターの作成

```
def print_info(func):
    def wrapper(*args, **kwargs):
        result = func(*args, **kwargs)
```

その実行結果を、関数内関数wrapperの返り値として返します。このwrapperをクロージャーとするので、関数print_infoはwrapperを実行せずに返します。

コード　デコレーターの作成

```
def print_info(func):
    def wrapper(*args, **kwargs):
        result = func(*args, **kwargs)
        return result
    return wrapper
```

次に、関数内関数でfuncを実行する前後に、実行したい処理を書きます。これでデコレーターが完成しました。

コード 完成したデコレーター

```
def print_info(func):
    def wrapper(*args, **kwargs):
        print('start')
        result = func(*args, **kwargs)
        print('end')
        return result
    return wrapper
```

関数print_infoの引数に、関数add_numを渡して実行し、返り値をfに格納します。fを実行すると、add_numの処理とともに、wrapperに記述した処理が実行されていることがわかります。

コード：c4_2_6.py デコレーターの実行

```
def print_info(func):
    def wrapper(*args, **kwargs):
        print('start')
        result = func(*args, **kwargs)
        print('end')
        return result
    return wrapper

def add_num(a, b):
    return a + b


f = print_info(add_num)
r = f(10, 20)
print(r)
```

実行結果

```
start
end
30
```

ただ、このように実行するのはコードが複雑でわかりづらいかと思います。デコレーターをもっと簡単に指定するには、関数の上に@print_infoと書きます。こうすると、ただadd_numを実行するだけで、デコレーターの処理も実行されることがわかります。

コード：c4_2_7.py デコレーターの簡単な指定

```
def print_info(func):
    def wrapper(*args, **kwargs):
        print('start')
        result = func(*args, **kwargs)
        print('end')
        return result
    return wrapper

@print_info
```

```
def add_num(a, b):
    return a + b

r = add_num(10, 20)
print(r)
```

実行結果

```
start
end
30
```

はじめのうちはとまどうかもしれませんが、使っていくうちにだんだんと慣れていくはずです。ひとまず、デコレーターの書き方を覚えておきましょう。

Point デコレーターの長所

デコレーターの便利なところは、はじめにデコレーターを定義してしまえば、別の関数を作成した際にも、関数の上に@で記述するだけですむという点です。複数の関数内に同じ処理を書く必要がなくなります。Lesson 8で実践的な例をお見せするので、参考にしてください。

今度は別のデコレーターとしてprint_moreを作成してみます。関数の実行時の処理として、関数名や引数、返り値を以下のように表示させようと思います。

実行してみると、関数名や引数、返り値が表示されることがわかります。

コード：c4_2_8.py デコレーター

```
def print_more(func):
    def wrapper(*args, **kwargs):
        print('func:', func.__name__)
        print('args:', args)
        print('kwargs', kwargs)
        result = func(*args, **kwargs)
        print('result:', result)
        return result
    return wrapper

@print_more
def add_num(a, b):
    return a + b

r = add_num(10, 20)
print(r)
```

実行結果

```
func: add_num
args: (10, 20)
kwargs {}
result: 30
30
```

デコレーターを複数実行したい場合には、関数名の上に重ねて@で記述します。デコレーターprint_infoをadd_numの上に追記して実行してみましょう。@print_infoの処理であるstartとendの出力の間に、@print_moreの出力が表示されていることがわかるかと思います。

コード：c4_2_9.py　複数のデコレーター

```
def print_more(func):
    def wrapper(*args, **kwargs):
        print('func:', func.__name__)
        print('args:', args)
        print('kwargs', kwargs)
        result = func(*args, **kwargs)
        print('result:', result)
        return result
    return wrapper

def print_info(func):
    def wrapper(*args, **kwargs):
        print('start')
        result = func(*args, **kwargs)
        print('end')
        return result
    return wrapper

@print_info
@print_more
def add_num(a, b):
    return a + b

r = add_num(10, 20)
print(r)
```

実行結果

```
start
func: add_num
args: (10, 20)
kwargs {}
result: 30
end
30
```

次のように、@print_infoと@print_moreの順番を入れ替えると、今度はstartとendが間に出力されていることがわかります。複数のデコレーターを書くときは、先に実行したいデコレーターを上に書くようにしましょう。呼び出される処理の順番は、デバッガーで確認するとわかりやすいでしょう。

コード：c4_2_10.py 複数のデコレーターの順番

```
@print_more
@print_info
def add_num(a, b):
    return a + b

r = add_num(10, 20)
print(r)
```

実行結果

```
func: wrapper
args: (10, 20)
kwargs {}
start
end
result: 30
30
```

Point @を使わない複数のデコレーターの書き方

複数のデコレーターを使う処理を、@を使わない書き方で書くと、以下のようになります。デコレーターは、関数を包み込むようなイメージで考えてみてください。add_numをprint_moreで包み込み、それをprint_infoで包み込んでいるようなイメージを持つと、わかりやすいと思います。

コード：c4_2_11.py @を使わない複数のデコレーターの書き方

```
f = print_info(print_more(add_num))
r = f(10, 20)
print(r)
```

lambdaを使って関数を引数にする

lambda（ラムダ）は、短い関数を簡潔に定義して、いろいろな用途で使えるようにするテクニックです。まずlambdaを使わない例を見せます。

題材として、曜日のリストを作成します。先頭のアルファベットは大文字で記述するよう決めたのですが、あえて小文字で記述した値をいくつか入れて、間違ったデータが入ったリストにしておきます。

コード 曜日のリスト

```
l = ['Mon', 'tue', 'Wed', 'Thu', 'Fri', 'sat', 'Sun']
```

これを修正するための関数change_wordsを作成します。文字列のリストwordsと関数funcを引数として受け取り、wordsの要素をforループで1つずつfuncに渡して処理していきます。つまり、引数に渡すfuncの定義によって、文字列の処理方法が変わる関数です。

コード 文字列に関数を適用する関数

```
def change_words(words, func):
    for word in words:
        print(func(word))
```

さらに、文字列を変更するための関数sample_funcを定義します。ここでは、文字列のcapitalize()メソッド（P.51）を使って、最初の文字を大文字に変更します。変更した文字列を関数の返り値にします。

コード／文字列の語頭を大文字にする関数

```
def sample_func(word):
    return word.capitalize()
```

では、関数change_wordsを実行してみましょう。文字列のリストと、文字列を変更する関数sample_funcを引数に渡します。関数を渡すときは、**関数名の後ろに()はつけない**でください。これで関数のオブジェクトそのものが引数として渡されます。change_wordsを実行すると、曜日の文字列の語頭がすべて大文字に変更されています。

コード：c4_2_12.py／リストの要素に関数を適用する

```
l = ['Mon', 'tue', 'Wed', 'Thu', 'Fri', 'sat', 'Sun']

def change_words(words, func):
    for word in words:
        print(func(word))

def sample_func(word):
    return word.capitalize()

change_words(l, sample_func)
```

実行結果

```
Mon
Tue
Wed
Thu
Fri
Sat
Sun
```

このとき、lambdaを使うと、2行にわたって書かれているsample_funcを、次のように1行で書くことができます。

コード：c4_2_13.py／lambda

```
l = ['Mon', 'tue', 'Wed', 'Thu', 'Fri', 'sat', 'Sun']

def change_words(words, func):
    for word in words:
        print(func(word))

sample_func = lambda word: word.capitalize()  ―1行で書ける

change_words(l, sample_func)
```

実行結果

```
Mon
Tue
Wed
Thu
Fri
Sat
Sun
```

これは、lambdaのあとのwordが引数として渡されて、word.capitalize()が返り値として返ってくる関数ということを示しています。lambdaを使うとreturnを書かなくてよいため、2行ほどの簡単な関数を1行にまとめて書くことができます。

コード lambdaの書式

```
lambda 引数 : 結果を返す処理
```

また、sample_funcを定義することなく、change_wordsの**引数の中に直接書く**こともできます。

コード：c4_2_14.py lambda

```
l = ['Mon', 'tue', 'Wed', 'Thu', 'Fri', 'sat', 'Sun']

def change_words(words, func):
    for word in words:
        print(func(word))

change_words(l, lambda word: word.capitalize())
```

実行結果

```
Mon
Tue
Wed
Thu
Fri
Sat
Sun
```

lambdaを使っても、2行で定義していたものが1行になるだけではないか、と思われる方もいるかもしれません。ですが、lambdaは単純な関数を複数定義するときに使うと、よりその有効性を感じることができると思います。

たとえば、文字列を小文字にするための処理も、lowerメソッド（P.52）を使って作成したいとします。lambdaを使わず、個別に関数を定義する場合は、さらに2行を追加して新しく関数を作らなければなりません。

コード：c4_2_15.py 複数の簡単な関数を定義する

```
l = ['Mon', 'tue', 'Wed', 'Thu', 'Fri', 'sat', 'Sun']

def change_words(words, func):
```

```
    for word in words:
        print(func(word))

def sample_func(word):
    return word.capitalize()

def sample_func2(word):
    return word.lower()

change_words(l, sample_func)
change_words(l, sample_func2)
```

実行結果

```
Mon
Tue
Wed
Thu
Fri
Sat
Sun
mon
tue
wed
thu
fri
sat
sun
```

ですが、lambdaを使えばそれぞれ1行ですみます。引数に関数を渡す必要がある場合に、その関数を個別で定義せず、1行で直接書くことができるため、コードの量を減らし簡潔に書くことが可能なのです。

コード：c4_2_16.py　lambdaで簡潔に書く

```
l = ['Mon', 'tue', 'Wed', 'Thu', 'Fri', 'sat', 'Sun']

def change_words(words, func):
    for word in words:
        print(func(word))

change_words(l, lambda word: word.capitalize())
change_words(l, lambda word: word.lower())
```

実行結果

```
Mon
Tue
Wed
Thu
Fri
Sat
```

```
Sun
mon
tue
wed
thu
fri
sat
sun
```

ジェネレーターで反復可能な要素を生成する

リストや辞書などを総称して**イテレーター**（反復可能オブジェクトのこと）と呼びますが、イテレーターに対して反復処理を行う際には、あらかじめ用意された要素をforループなどで取り出していました。これに対して**ジェネレーター**は、イテレーターと同じ反復処理なのですが、要素を取り出すときにそのつど要素を生成していきます。たとえば、以下のような簡単なイテレーター（リスト）の処理を考えてみます。

コード：c4_2_17.py イテレーター

```
l = ['Good morning', 'Good afternoon', 'Good night']

for i in l:
    print(i)
```

実行結果

```
Good morning
Good afternoon
Good night
```

これと同じ処理を、ジェネレーターを使って書くと次のようになります。通常の関数のようにdefで定義して、その中に**yield**（イールド）を使って書いていきます。yieldは「産出する」などといった意味を持つ英語です。ジェネレーターにはreturnがありません。関数定義内にyieldがあるとPythonはジェネレーターであると判断します。

実行するときは、forループでinのあとに先ほど定義したジェネレーターを書きます。

コード：c4_2_18.py ジェネレーター

```
def greeting():
    yield 'Good morning'
    yield 'Good afternoon'
    yield 'Good night'

for g in greeting():
    print(g)
```

実行結果

```
Good morning
Good afternoon
Good night
```

以下の例では、ジェネレーターを変数に格納して、next関数を使って1つずつ出力しています（next関数は、イテレーターの次の要素を取得する関数です）。ジェネレーターは要素をどこまで生成したかということを覚えているので、間にほかの処理が入ったとしても問題なく次の要素を生成できます。

コード：c4_2_19.py　ジェネレーター

```
def greeting():
    yield 'Good morning'
    yield 'Good afternoon'
    yield 'Good night'

g = greeting()
print(next(g))
print('@@@@@')
print(next(g))
print('@@@@@')
print(next(g))
```

実行結果

```
Good morning
@@@@@
Good afternoon
@@@@@
Good night
```

これ以上要素がない状態でジェネレーターを呼び出すとエラーになります。

コード：c4_2_20.py　ジェネレーター

```
def greeting():
    yield 'Good morning'
    yield 'Good afternoon'
    yield 'Good night'

g = greeting()
print(next(g))
print(next(g))
print(next(g))
print(next(g))
```

実行結果

```
Good morning
Good afternoon
Good night
Traceback (most recent call last):
  File "/Users/jsakai/PycharmProjects/python_programming/lesson.py", line 12, in
<module>
    print(next(g))
StopIteration
```

理解を深めるために、もう1つcounterというジェネレーターを作成します。次の例では、デフォルト引数を10として、10回のforループの中で要素を生成しています。2つのジェネレーターを混ぜて呼び出してみましょう。

コード：c4_2_21.py ジェネレーター

```
def counter(num=10):
    for _ in range(num):
        yield 'run'

def greeting():
    yield 'Good morning'
    yield 'Good afternoon'
    yield 'Good night'

g = greeting()
c = counter()

print(next(g))
print(next(c))
print(next(c))
print(next(c))
print(next(c))
print(next(c))

print(next(g))
print(next(c))
print(next(c))
print(next(c))
print(next(c))
print(next(c))

print(next(g))
```

実行結果

```
Good morning
run
run
run
run
run
Good afternoon
run
run
run
run
run
Good night
```

上記のケースのような、反復処理の中に別の処理が入った場合でも、ジェネレーターはどこまで要素を生成したかという状態を保持してくれます。複数のジェネレーターを取り混ぜて使っても、それぞれが保持する状態が混乱することはありません。

Point ジェネレーターによって重たい処理を小分けにする

回数が100万回などとてつもなく多いループのような重たい処理を行う場合、一気に実行するとその間プログラムが応答しなくなります。これを避けるために、ジェネレーターによって重たい処理を小分けして実行させることがあります。たとえば、以下の例では、最初のyieldが呼び出された際には、その次のforループは実行されず、次にジェネレーターが呼び出された際にforループが実行されます。そのほかのforループも同様です。このように処理を小分けにするのも、ジェネレーターのよくある利用例の1つです。

コード：c4_2_22.py ジェネレーター

```
def greeting():
    yield 'Good morning'
    for i in range(1000000):
        print(i)
    yield 'Good afternoon'
    for i in range(1000000):
        print(i)
    yield 'Good night'
```

4-3 内包表記でリストをシンプルに生成しよう

タプルから要素を取り出してリストを作成したり、2つのリストを組み合わせて辞書型を作成したりしたいときもあります。このような処理を普通に書こうとすると、for文を使った繰り返し処理が必要になりますが、内包表記を使うことでよりシンプルなコードにできます。ただし、内包表記にすることでかえって読みにくいコードとなるケースもありますので、気をつけましょう。

リスト内包表記の書き方を知ろう

タプルから要素を取り出してリストを作る場合、これまで学んだ方法だけで行うと、forループでタプルの中身を1つずつ取り出していき、リストに追加していくといった処理になるでしょう。

コード：c4_3_1.py　タプルから要素を取り出してリストにする

```
t = (1, 2, 3, 4, 5)

r = []
for i in t:
    r.append(i)

print(r)
```

実行結果

```
[1, 2, 3, 4, 5]
```

リスト内包表記(ないほう)では、この処理を1行で書くことができます。[]の中に、まず上のコードで追加している変数を書き、そのあとに「for i in t」と書きます。これだけでタプルtから要素が1つずつ取り出され、リストに追加されます。

コード：c4_3_2.py　リスト内包表記

```
t = (1, 2, 3, 4, 5)

r = [i for i in t]

print(r)
```

実行結果

```
[1, 2, 3, 4, 5]
```

タプルから、たとえば偶数のみを取り出してリストに追加したい場合、if文を使った判定が必要です。内包表記を使わない方法と、内包表記で書いたものを比べて見てみましょう。内包表記では「for～in」に続けて、ifと条件式を書きます。なお、i % 2 == 0は、「iを2で割った場合の余りが0」ということで、偶数の条件式になります（P.39）。

コード：c4_3_3.py タプルから偶数の要素を取り出してリストにする

```
t = (1, 2, 3, 4, 5)

r = []
for i in t:
    if i % 2 == 0:
        r.append(i)

print(r)

r = [i for i in t if i % 2 == 0]

print(r)
```

実行結果

```
[2, 4]
[2, 4]
```

リスト内包表記は、1行で書くことができるほか、リストにappendしていくという処理がないため処理が速いともいわれています。複雑なループをリスト内包表記で書くとかえってわかりづらくなってしまうのですが、上記のような短いループのような場合には、リスト内包表記で書いてもよいでしょう。

2つのforループのリスト内包表記

2つのタプルを用意し、それぞれの要素をかけあわせたものをリストに入れるという処理は、for文のみだと次のようになります。

コード：c4_3_4.py 2つのforループでリストを作成する

```
t = (1, 2, 3, 4, 5)
t2 = (5, 6, 7, 8, 9, 10)

r = []
for i in t:
    for j in t2:
        r.append(i * j)

print(r)
```

実行結果

```
[5, 6, 7, 8, 9, 10, 10, 12, 14, 16, 18, 20, 15, 18, 21, 24, 27, 30, 20, 24, 28, 32,
36, 40, 25, 30, 35, 40, 45, 50]
```

これをリスト内包表記で書くと次のようになります。

コード：c4_3_5.py 2つのforループのリスト内包表記

```
t = (1, 2, 3, 4, 5)
t2 = (5, 6, 7, 8, 9, 10)
```

```
r = [i * j for i in t for j in t2]

print(r)
```

実行結果

```
[5, 6, 7, 8, 9, 10, 10, 12, 14, 16, 18, 20, 15, 18, 21, 24, 27, 30, 20, 24, 28, 32,
36, 40, 25, 30, 35, 40, 45, 50]
```

リスト内包表記のforは何重にもつなげることができますが、あまりつなげて書きすぎるとわかりにくくなってしまいます。コードの読みにくさは、開発スピードの遅れや思わぬバグにつながることもあります。1つのforループにif文が入るくらいであればいいのですが、forループが二重やそれ以上になる場合は、リスト内包表記を使わないほうがよいといわれています。

辞書包括表記の書き方を知ろう

曜日のリストと飲み物のリストを作成し、これらを対応させた辞書を作成してみましょう。zip関数（P.114）を用いて2つのリストから要素を取り出し、以下のように書くことができます。

コード：c4_3_6.py　2つのリストから辞書を作成する

```
w = ['mon', 'tue', 'wed']
f = ['coffee', 'milk', 'water']

d = {}
for x, y in zip(w, f):
    d[x] = y

print(d)
```

実行結果

```
{'mon': 'coffee', 'tue': 'milk', 'wed': 'water'}
```

辞書包括表記（ほうかつ）を使うと、以下のように1行で書くことができます。{ }内にキーとバリューを:（コロン）でつないで書き、そのあとにfor～in zip～を書きます。

コード：c4_3_7.py　辞書包括表記

```
w = ['mon', 'tue', 'wed']
f = ['coffee', 'milk', 'water']

d = {x: y for x, y in zip(w, f)}

print(d)
```

実行結果

```
{'mon': 'coffee', 'tue': 'milk', 'wed': 'water'}
```

集合内包表記の書き方を知ろう

集合内包表記は、リスト内包表記とほぼ同じです。まず、forループで集合（P.81）を作成してみます。

コード：c4_3_8.py　forループで集合を作成する

```
s = set()

for i in range(10):
    s.add(i)

print(s)
```

実行結果

```
{0, 1, 2, 3, 4, 5, 6, 7, 8, 9}
```

これを内包表記で書くと以下のようになります。

コード：c4_3_9.py　集合内包表記

```
s = {i for i in range(10)}
print(s)
```

実行結果

```
{0, 1, 2, 3, 4, 5, 6, 7, 8, 9}
```

また、リスト内包表記と同様に、if文を使うこともできます。

コード：c4_3_10.py　if文を使った集合内包表記

```
s = set()

for i in range(10):
    if i % 2 == 0:
        s.add(i)

print(s)

s = {i for i in range(10) if i % 2 == 0}
print(s)
```

実行結果

```
{0, 2, 4, 6, 8}
{0, 2, 4, 6, 8}
```

ジェネレーター内包表記の書き方を知ろう

forループを使って、以下のようなジェネレーターを作成してみます。

コード：c4_3_11.py　forループでジェネレーターを作成する

```
def g():
    for i in range(10):
        yield i
```

```
g = g()
print(next(g))
print(next(g))
print(next(g))
print(next(g))
print(next(g))
```

実行結果

```
0
1
2
3
4
```

これを内包表記で表してみましょう。ジェネレーターの内包表記は、() を使います。

コード：c4_3_12.py ジェネレーター内包表記

```
g = (i for i in range(10))
print(type(g))
print(next(g))
print(next(g))
print(next(g))
print(next(g))
print(next(g))
```

実行結果

```
<class 'generator'>
0
1
2
3
4
```

() を使用しているのでタプルが作成されそうですが、typeを確認してみるとタプルではなくジェネレーターになっていることがわかります。

Point 内包表記でタプルを作成する

内包表記でタプルを作成する場合は、() の前にtupleと記述する必要があります。

コード：c4_3_13.py 内包表記でタプルを作成する

```
g = tuple(i for i in range(10))
print(type(g))
print(g)
```

実行結果

```
<class 'tuple'>
(0, 1, 2, 3, 4, 5, 6, 7, 8, 9)
```

ジェネレーター内包表記にif文を使うことも可能です。ジェネレーターの要素をfor文で出力してみると、if文の条件にしたがってジェネレーターが作成されていることがわかります。

コード：c4_3_14.py　if文を使ったジェネレーター内包表記

```
g = (i for i in range(10) if i % 2 == 0)
for x in g:
    print(x)
```

実行結果

```
0
2
4
6
8
```

4

4-4 変数の有効範囲

変数には、グローバル変数とローカル変数の2種類があります。変数の有効範囲のことをスコープといい、グローバル変数は同じスクリプトの範囲内であれば有効ですが、関数の中で定義されたローカル変数は、その関数の中でのみ有効です。同じ名前のグローバル変数とローカル変数を作成するとややこしいことになるので、その点についても触れていきます。

変数の有効範囲について知ろう

まず、animalという変数を作成してみます。この変数は**グローバル変数**といって、同じスクリプト（ファイル）の範囲内であれば呼び出すことができます。

コード：c4_4_1.py グローバル変数

```
animal = 'cat'

print(animal)
```

実行結果

```
cat
```

グローバル変数は、関数の中から参照することも可能です。

コード：c4_4_2.py 関数内からグローバル変数を呼び出す

```
animal = 'cat'

def f():
    print(animal)

f()
```

実行結果

```
cat
```

しかし、関数内でグローバル変数を出力したあと、そのグローバル変数に値を入れようとすると、エラーが発生します。関数内でグローバル変数に値を入れる処理（animal = 'dog'）が、**ローカル変数**（関数の中で定義した変数）の作成となり、その前のprint(animal)が、**ローカル変数を作成する前に出力しようとしている**と見なされるためです。

コード：c4_4_3.py 関数内でグローバル変数に値を入れる

```
animal = 'cat'

def f():
    print(animal)
    animal = 'dog'
```

```
    print('after:', animal)

f()
```

実行結果

```
Traceback (most recent call last):
  File "/Users/jsakai/PycharmProjects/python_programming/lesson.py", line 10, in
<module>
    f()
  File "/Users/jsakai/PycharmProjects/python_programming/lesson.py", line 5, in f
    print(animal)
UnboundLocalError: local variable 'animal' referenced before assignment
```


関数内でグローバル変数を出力しようとしている処理を削除すれば、エラーなく実行可能です。ただし、結果を確認するとグローバル変数が書き換えられているのではなく、グローバル変数と同じ名前のローカル変数が、関数内で作成されていることがわかります。

コード：c4_4_4.py　関数内でグローバル変数に値を入れる

```
animal = 'cat'

def f():
    animal = 'dog'
    print('after:', animal)

f()
print('global:', animal)
```

実行結果

```
after: dog
global: cat
```

Point　関数内からグローバル変数を書き換える

グローバル変数のanimalを関数内から書き換えたい場合は、global animalのようにglobalをつけて宣言します。

コード：c4_4_5.py　関数内でグローバル変数に値を入れる

```
animal = 'cat'

def f():
    global animal
    animal = 'dog'
    print('local:', animal)

f()
print('global:', animal)
```

実行結果

```
local: dog
global: dog
```

ローカル変数やグローバル変数を出力する

Pythonには、関数内のローカル変数を出力するlocals()という関数があります。実行すると、関数の中で宣言された変数名とその値をセットにした辞書型で返してくれます。

コード：c4_4_6.py ローカル変数を出力する

```
def f():
    animal = 'dog'
    print('local:', locals())

f()
```

実行結果

```
local: {'animal': 'dog'}
```

ローカル変数がない状態でlocals()を実行すると、空の辞書型を返します。

コード：c4_4_7.py ローカル変数を出力する

```
def f():
    print('local:', locals())

f()
```

実行結果

```
local: {}
```

同じように、グローバル変数を出力する場合はglobals()と実行します。実行してみると、自分が作成した変数のほかにも、さまざまな変数が入っていることがわかります。これはPythonが事前に作成しているものです。

コード：c4_4_8.py グローバル変数を出力する

```
animal = 'cat'

print('global:', globals())
```

実行結果

```
global: {'__name__': '__main__', '__doc__': None, '__package__': None, '__loader__':
<_frozen_importlib_external.SourceFileLoader object at 0x7fa6b5d7fcd0>, '__spec__':
None, '__annotations__': {}, '__builtins__': <module 'builtins' (built-in)>, '__
file__': '/Users/jsakai/PycharmProjects/python_programming/lesson.py', '__cached__':
None, 'animal': 'cat'}
```

たとえば__doc__はdocstringが格納されるグローバル変数です。試しにスクリプトの最上部にdocstringを記述すると、それが__doc__に入ることがわかります。

コード：c4_4_9.py グローバル変数を出力する

```
"""
Test Test #############################
"""
animal = 'cat'

print('global:', globals())
```

実行結果

```
global: {'__name__': '__main__', '__doc__': '\nTest Test ############################\
n', '__package__': None, '__loader__': <_frozen_importlib_external.SourceFileLoader
object at 0x7f97fcd7fcd0>, '__spec__': None, '__annotations__': {}, '__builtins__':
<module 'builtins' (built-in)>, '__file__': '/Users/jsakai/PycharmProjects/python_
programming/lesson.py', '__cached__': None, 'animal': 'cat'}
```

グローバル変数の__name__もよく使われます。ここに__main__と入っていた場合、Pythonが最初にこのスクリプトを実行したという意味になります。ほかのモジュール（P.166）を呼び込んだ場合に、呼び込んだモジュールの__name__を確認しても、__main__とはなっていません。これはのちほどまた説明するので（P.193）、軽く覚えておいてください。

関数も__name__と__doc__を持っています。それらを出力すると、関数名と関数のdocstringが表示されます。また、グローバル変数の__name__を出力してみると、__main__となっています。

コード：c4_4_10.py　__name__や__doc__を出力する

```
animal = 'cat'

def f():
    """Test func doc"""
    print(f.__name__)
    print(f.__doc__)

f()
print('global:', __name__)
```

実行結果

```
f
Test func doc
global: __main__
```

_（アンダースコア）が2つ前後についている変数は、Pythonが使用している変数です。これを書き換えるというケースもないわけではないのですが、その際はPythonの動きをよく理解した上で行うようにしてください。

4-5 例外処理（エラーハンドリング）

プログラムでエラー（例外）が発生したときに実行する処理のことを「例外処理」（エラーハンドリング）といいます。エラーの種類によって異なる処理をしたり、エラーが発生しなかったときの処理を記述したりすることも可能です。また、自分で独自の例外を発生させることで、エラーの原因をわかりやすくできます。

例外処理をしてみよう

例外処理

エラーハンドリングについて見ていきましょう。例として、要素が3つのリストに対して、5番目のインデックスにアクセスしようとする処理を書いてみます。実行するとIndexErrorが発生します。

コード：c4_5_1.py　IndexError

```
l = [1, 2, 3]
i = 5
l[i]
```

実行結果

```
Traceback (most recent call last):
  File "/Users/jsakai/PycharmProjects/python_programming/lesson.py", line 3, in
<module>
    l[i]
IndexError: list index out of range
```

このエラーを処理するには、処理の前にtry:を書き、処理のあとにexcept:と書いて、その中にエラー時の処理を書きます。これを**try-except**（トライ・エクセプト）文といい、try:とexcept:の間の処理でエラーが発生した場合に、except:の後ろの処理を実行します。

try-except文を書いてから実行してみると、エラー発生時にexcept:の中に書いたprint("Don't worry")が実行され、プログラムが終了することなく処理が最後まで進んでいます。最終行のprint("last")が、問題なく実行されていることからも、プログラムが最後まで実行されていることがわかります。

コード：c4_5_2.py　エラーハンドリング

```
l = [1, 2, 3]
i = 5
try:
    l[i]
except:
```

```
    print("Don't worry")

print("last")
```

実行結果

```
Don't worry
last
```

exceptのあとにエラーの種類を書き、特定のエラーが発生した場合のみ、処理を実行することも可能です。以下の例では、IndexError（P.49）の発生時にprint("Don't worry")が実行されます。

コード：c4_5_3.py　特定のエラーの処理

```
l = [1, 2, 3]
i = 5
try:
    l[i]
except IndexError:
    print("Don't worry")
```

実行結果

```
Don't worry
```

asの後ろに変数名を書いて、except文に付け足すと、エラーの内容が変数に格納されます。こうすることで、エラーの内容を表示することが可能になります。

コード：c4_5_4.py　エラーの内容を表示

```
l = [1, 2, 3]
i = 5
try:
    l[i]
except IndexError as ex:
    print("Don't worry: {}".format(ex))
```

format（P.53）でエラー内容を挿入して表示

実行結果

```
Don't worry: list index out of range
```

IndexErrorの場合のみエラーハンドリングしている場合は、ほかの内容のエラーでは例外処理が実行されません。del lとしてlを削除したあとにリストにアクセスしようとすると、except文の処理に進むことなく、NameError（P.40）が発生します。

コード：c4_5_5.py　異なるエラーの発生

```
l = [1, 2, 3]
i = 5
del l
try:
    l[i]
except IndexError as ex:
    print("Don't worry: {}".format(ex))
```

実行結果

```
Traceback (most recent call last):
  File "/Users/jsakai/PycharmProjects/python_programming/lesson.py", line 5, in
<module>
    l[i]
NameError: name 'l' is not defined
```

NameErrorが発生した場合の処理を追加したい場合は、except文を追記します。

コード：c4_5_6.py 特定のエラーの処理

```
l = [1, 2, 3]
i = 5
del l
try:
    l[i]
except IndexError as ex:
    print("Don't worry: {}".format(ex))
except NameError as ex:
    print(ex)
```

実行結果

```
name 'l' is not defined
```

IndexErrorでもNameErrorでもないエラーが発生した際の処理を作成する場合は、except Exceptionと書きます（Exception（エクセプション）＝例外）。ただし、この書き方はあまり推奨されていません。このあと述べるような方法でエラーをキャッチしたり処理したりするほうがよいでしょう。

コード：c4_5_7.py Exception

```
l = [1, 2, 3]
i = 5
try:
    () + l
except IndexError as ex:
    print("Don't worry: {}".format(ex))
except NameError as ex:
    print(ex)
except Exception as ex:
    print("other:{}".format(ex))
```

実行結果

```
other:can only concatenate tuple (not "list") to tuple
```

Point エラーの階層

Pythonの公式ドキュメントを確認すると、エラーの階層を確認できます。

URL https://docs.python.org/ja/3/library/exceptions.html#exception-hierarchy

1番上にBaseExceptionがあり、その下にいろいろな例外が記述されています。クラスの継承のところ(P.201)でも触れますが、どんなエラーが発生するかわからない場合は、上位階層のExceptionを処理するようにすると、自分が意図しないようなエラーもキャッチして処理できます。

Exceptionに含まれないエラーには、プログラムをキーボードで中断させた際に発生するKeyboardInterruptなどがあります。ですが、プログラムの中で発生するエラーのほとんどがExceptionに含まれています。

ただ、Pythonの書き方としては、よくわからないエラーもすべてキャッチして次のコードに進むという処理はあまり推奨されていません。前述のようにExceptionをまとめてキャッチするという処理はあまり書かないようにしましょう。

finally

finally(ファイナリィ)と書くと、最後に必ず実行する処理を書くことができます。exceptでエラーをキャッチした場合はもちろん、エラーが発生しなかった場合でも、finallyに記述した処理は実行されます。

コード：c4_5_8.py　finally

```
l = [1, 2, 3]
i = 5
del l
try:
    l[i]
except IndexError as ex:
    print("Don't worry: {}".format(ex))
except NameError as ex:
    print(ex)
finally:
    print("clean up")
```

実行結果

```
name 'l' is not defined
clean up
```

また、エラーが処理されずプログラムが中断した場合でも、finallyの処理は実行されます。

コード：c4_5_9.py　finally

```
l = [1, 2, 3]
i = 5
try:
    l[i]
finally:
    print("clean up")
```

実行結果

```
clean up
Traceback (most recent call last):
  File "/Users/jsakai/PycharmProjects/python_programming/lesson.py", line 4, in
<module>
    l[i]
IndexError: list index out of range
```

else

elseと書くと、エラーが発生しなかったときのみ実行される処理を書くことができます。finallyの処理は、elseの処理のあとに実行されます。

コード：c4_5_10.py else

```
l = [1, 2, 3]
i = 5

try:
    l[0]
except IndexError as ex:
    print("Don't worry: {}".format(ex))
except NameError as ex:
    print(ex)
else:
    print("done")
finally:
    print("clean up")
```

実行結果

```
done
clean up
```

独自例外を作成してみよう

raise（レイズ）を使うと、例外を発生させることができます。以下の例では、自分でエラーメッセージを設定したIndexErrorを発生させています。

コード：c4_5_11.py raise

```
raise IndexError('test error')
```

実行結果

```
Traceback (most recent call last):
  File "/Users/jsakai/PycharmProjects/python_programming/lesson.py", line 1, in
<module>
    raise IndexError('test error')
IndexError: test error
```

エラーにはIndexErrorやNameErrorなどのクラスがありますが、このエラーのクラスを自分で作ることもできます。クラスについてはまたのちほど触れますが、Exceptionを継承したエラーは以下のようにして作成できます。エラー名はUppercaseError（大文字エラー) にしてみます。

コード 独自例外の作成

```
class UppercaseError(Exception):
    pass
```

インデントした部分にpass(パス)とだけ書くと、このエラーはExceptionと同じ機能になります。もちろん、自分で独自の機能を書くことも可能です。

作成したエラーを使ってみましょう。文字列がすべて大文字だった場合に、自分で作成したUppercaseErrorを発生させます。すべて大文字かを判定するにはisupper(イズアッパー)メソッドを使います。

コード：c4_5_12.py 独自例外を発生させる

```
class UppercaseError(Exception):
    pass

def check():
    words = ['APPLE', 'orange', 'banana']
    for word in words:
        if word.isupper():
            raise UppercaseError(word)

check()
```

実行結果

```
Traceback (most recent call last):
  File "/Users/jsakai/PycharmProjects/python_programming/lesson.py", line 12, in
<module>
    check()
  File "/Users/jsakai/PycharmProjects/python_programming/lesson.py", line 9, in
check
    raise UppercaseError(word)
__main__.UppercaseError: APPLE
```

このように、Pythonのエラーだけではなく、プログラムの中でおかしいことが発生した場合には、自分でエラーを発生させることができるのです。エラーメッセージを見ると自分たちで作ったエラーということがすぐにわかるので、開発が進めやすくなります。

自分で作ったエラーをexceptで処理することもできます。

コード：c4_5_13.py 独自例外を発生させる

```
class UppercaseError(Exception):
    pass

def check():
    words = ['APPLE', 'orange', 'banana']
    for word in words:
        if word.isupper():
            raise UppercaseError(word)

```

```
try:
    check()
except UppercaseError as exc:
    print('This is my fault. Go next')
```

実行結果

```
This is my fault. Go next
```

Point 既存の例外を発生させる

たとえば、文字列がすべて大文字のときに例外を発生させたい場合、独自の例外ではなく、ValueErrorなどのPythonの既存の例外を発生させることも可能です。

コード：c4_5_14.py 既存の例外を発生させる

```
def check():
    words = ['APPLE', 'orange', 'banana']
    for word in words:
        if word.isupper():
            raise ValueError(word)

try:
    check()
except ValueError as exc:
    print('This is my fault. Go next')
```

実行結果

```
This is my fault. Go next
```

ですが、ValueErrorはPythonのデフォルトのエラーなので、たとえばここではCheckFoodValueErrorといった名前などにすると、開発者がそのエラーを見たときに対処しやすくなります。独自のエラーを作ることで、ほかのプログラマーにとっても何のエラーなのかがわかりやすくなるのです。開発の効率も上がるでしょう。

また、関数を呼び出す側がエラーによって処理を変えることができるので、あえてエラーを書いておいてあげることも多いです。たとえば、自分のプログラムをサードパーティとして、誰かに提供するときなどですね。

Lesson 5 入門編

モジュールとパッケージ

長いコードを書くようになってくると、処理の中でほかのスクリプト（ファイル）の関数を読み込んで実行する場面が増えてきます。また、作成したPythonのスクリプトをほかの人にも使ってもらえるようにしたり、ほかの人が作ったスクリプトを利用したりすることもあります。ここでは、Pythonのスクリプトを読み込んで扱う際の手順や注意点について学んでいきましょう。

5-1 作成したパッケージをインポートしよう

Pythonの処理や定義が記述されたスクリプト（ファイル）のことを、「モジュール」といいます。また、そのモジュールを格納するディレクトリのことを「パッケージ」といいます。別のモジュールに記述された関数を呼び出すときは、インポートをしましょう。インポートの書き方はいくつかありますが、Pythonにおいて推奨される書き方とそうでない書き方があります。読みやすいインポートの書き方を覚えるようにしましょう。

コマンドライン引数の使い方を知ろう

ターミナルからPythonのスクリプトを実行する

モジュールやパッケージの話に入る前に、コマンドライン引数について解説します。

PyCharmの画面下部にある［ターミナル］をクリックしてターミナルを開き、lsコマンド（Windowsの場合はdirコマンド）でスクリプトのファイル名を確認してみましょう。作成したPythonのファイルが確認できると思います（jsakaiの部分に、ご自身のアカウント名を入れてください）。

ターミナル ファイル名の確認

```
python_programming jsakai$ ls
lesson.py
```

pwdコマンド（Windowsの場合はdirコマンドでファイル名とあわせて確認可能）で現在のフォルダーの位置を確認しましょう。

ターミナル 現在のフォルダーの確認

```
python_programming jsakai$ pwd
/Users/jsakai/PycharmProjects/python_programming
```

ターミナルからPythonのスクリプトを実行する際は、python lesson.pyのように、**pythonコマンドのあとにスクリプトのファイル名を指定して実行**します。

PyCharmでlesson.pyに処理を記述し、スクリプト名を指定して実行（もしくはPyCharmでサンプルファイルを開き、サンプルファイル名を指定して実行）してみます。

コード：c5_1_1.py printの処理を記述

```
print('test')
```

ターミナル ターミナルからPythonのスクリプトを実行する

```
python_programming jsakai$ python lesson.py
test
```

Point 実行しているスクリプトの確認

PyCharm上で実行しているスクリプトの場所は、画面上部の［実行構成の編集］をクリックすると表示される画面で［スクリプトパス］に記述されているパスです。PyCharmでスクリプトを実行する際は、ここで指定したスクリプトを実行しているため、処理としてはターミナルからpython lesson.pyのようにスクリプトを指定して実行するのと同じになります。

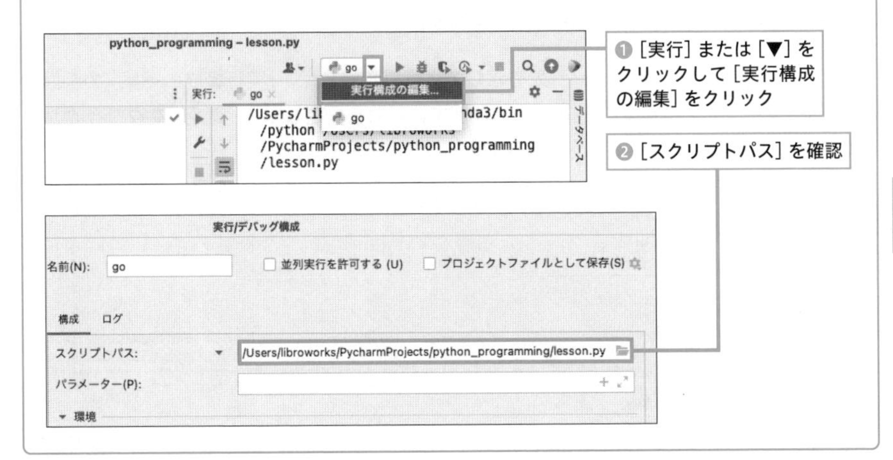

スクリプト実行時に引数を渡す

ターミナルを開き、python lesson.pyのあとにいくつか文字列を追加して実行してみましょう。こうすることで、スクリプトに引数を渡すことができます。このように、スクリプトを実行するときに渡す引数のことを、**コマンドライン引数**といいます。ただし、コマンドライン引数を渡してlesson.pyを実行してみても、先ほどと同じ結果が出力されます。

ターミナル　コマンドライン引数を渡して実行する

```
python_programming jsakai$ python lesson.py option1 option2
test
```

追加した文字列は、スクリプトに引数として渡されるのですが、現時点では引数によって変わる処理がlesson.pyの中に存在しないので、出力される結果も引数を渡さないときと同じになっています。

スクリプトにimport sysと書き、以下のようにsys.argvを確認することで、コマンドライン引数を確認できます。

コード：c5_1_2.py　引数を表示する

```
import sys

print(sys.argv)
```

上記を実行してみると、リストに引数が格納されていることがわかります。最初にスクリプト名が、それ以降に実行時の引数が格納されています。

ターミナル 引数を表示する

```
python_programming jsakai$ python lesson.py option1 option2
['lesson.py', 'option1', 'option2']
```

引数をさらに増やして確認すると、以下のようになります。

ターミナル 引数を表示する

```
python_programming jsakai$ python lesson.py option1 option2 option3
['lesson.py', 'option1', 'option2', 'option3']
```

PyCharm上でコマンドライン引数を渡して実行する場合は、[実行構成の編集] の画面で [パラメーター] に記述することで設定できます。引数を設定したら「適用」をクリックして閉じ、同様にPyCharm上で実行してみましょう。

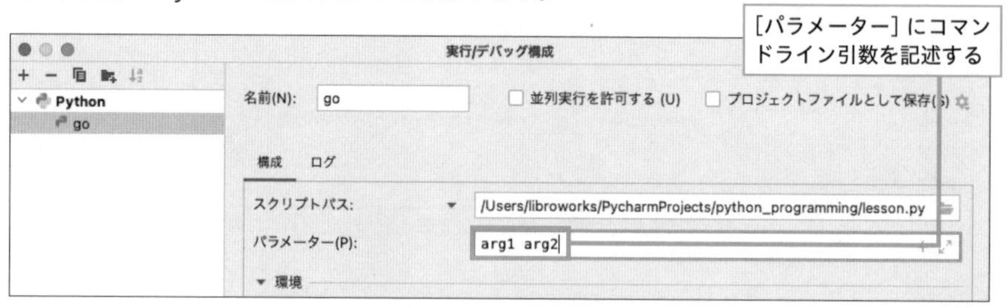

実行結果

```
['/Users/jsakai/PycharmProjects/python_programming/lesson.py', 'arg1', 'arg2']
```

どちらでも結果は同じなので、ターミナルかPyCharmか、お好きなほうを使ってコマンドライン引数を試してみてください。

プログラムの中でコマンドライン引数を扱いたい場合は、forループなどで回して取り出していくとよいでしょう。

コード：c5_1_3.py スクリプトの処理

```
import sys

for i in sys.argv:
    print(i)
```

ターミナル ターミナルから実行する

```
python_programming jsakai$ python lesson.py arg1 arg2
lesson.py
arg1
arg2
```

import文の使い方を学ぼう

PyCharmで画面左側の [プロジェクト] というタブをクリックすると、作成したスクリプトのファイルが確認できます。

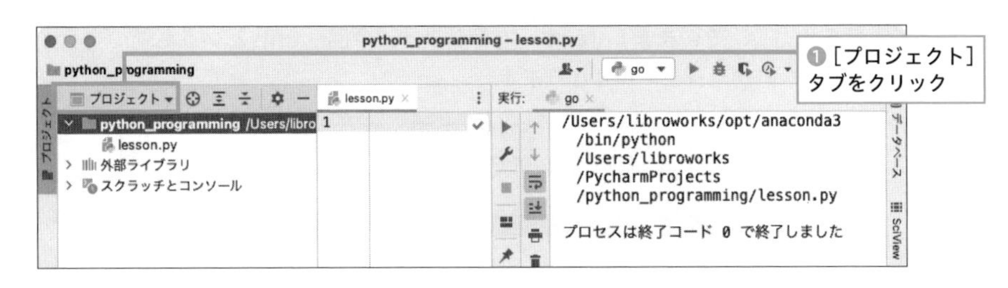

プロジェクトのフォルダー内に、まずは新しいディレクトリ（フォルダーのこと）を作っていきます。今回はlesson_packageという名前のディレクトリを作成します。これがモジュールをまとめるパッケージとなります。

プロジェクト名を右クリックし、［新規］→［ディレクトリ］の順にクリックします。

ディレクトリ名を入力し、Enterキーを押します。これで新しいディレクトリが作成されました。この中に新しくファイルを作成していきます。

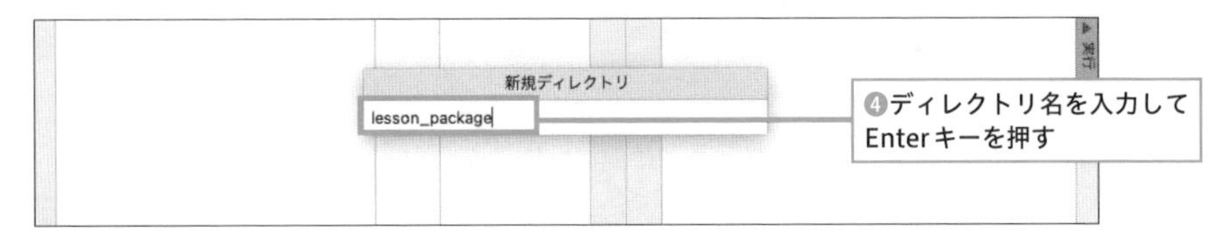

続いて、作成したディレクトリ名を右クリックし、［新規］→［Pythonファイル］の順にクリックします。

ファイル名を入力し、そのままEnterキーを押します。今回はutilsという名前のファイルを作成します。これがモジュールとなります。

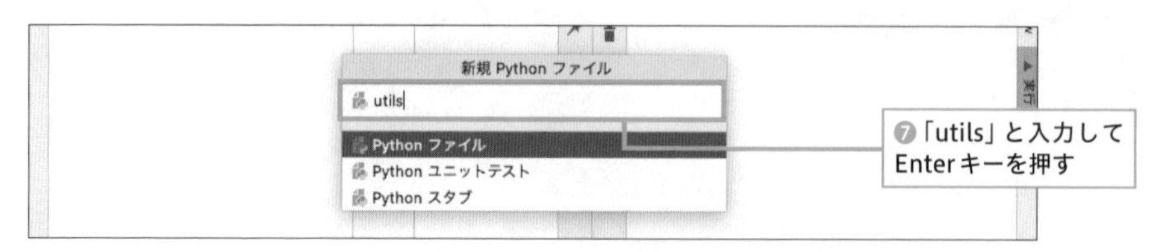

さらにもう1つ、同じディレクトリに__init__という名前のファイルを作成します。こちらは、またのちほど説明しますが（P.174）、パッケージを読み込む際に最初に読み込まれるファイルです。__init__.pyがあることで、パッケージ内のほかのファイルを読み込むことができるようになります。逆に、**__init__.pyがないとPython側がパッケージとして認識してくれない**ので注意してください。

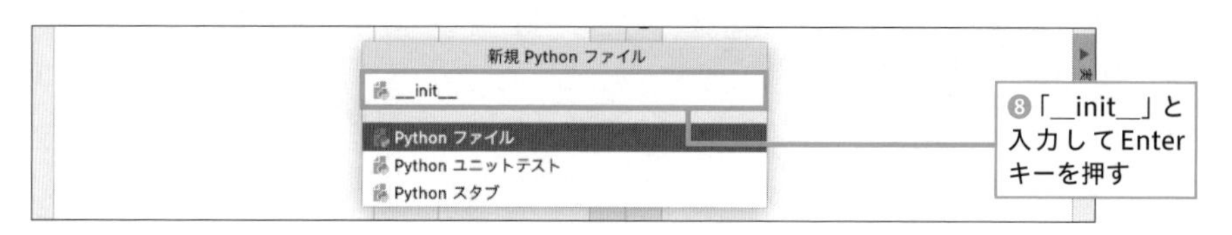

Point　Python 3.3以降は__init__.pyが不要

Python 3.3以降は、ディレクトリ内に__init__.pyを用意しなくても、パッケージとして認識されるようになりました。ただし、企業の方針として、__init__.pyは作成すると決めている場合もあり、その方針に合わせて作成しても問題ありません。

それでは、作成したファイル（utils.py）に簡単な関数を作成していきます。

コード：utils.py　関数の作成

```
def say_twice(word):
    return (word + '!') * 2
```

この関数を、lesson.pyから呼び出してみましょう。「プロジェクト」タブから確認すると、lesson_packageはlesson.pyと同じ階層のディレクトリにあることがわかります。

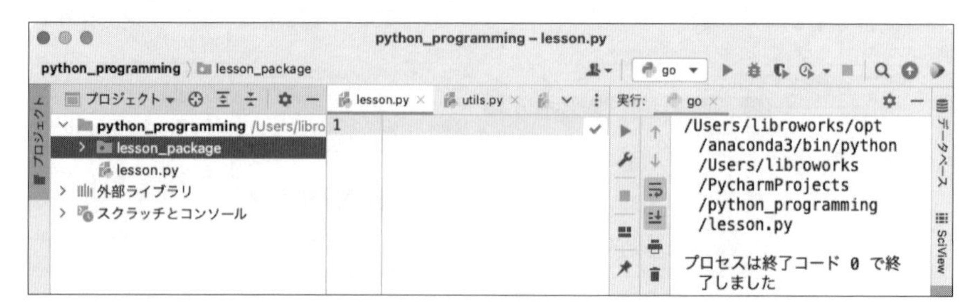

lesson.pyの画面に行き、そこでutils.pyを読み込んでみましょう。モジュールを読み込むときは、import lesson_package.utilsのように、**importのあとにパッケージ名とファイル名を.（ドット）でつないで**読み込みます。

コード　モジュールの読み込み

```
import lesson_package.utils
```

関数を実行する際は、以下のようにパッケージ名とファイル名につなげて関数を呼び出します。実行してみると、utils.pyの中の関数say_twice()の処理が呼び出されていることがわかります。

コード：c5_1_4.py　インポートした関数の呼び出し

```
import lesson_package.utils

r = lesson_package.utils.say_twice('hello')
print(r)
```

実行結果

```
hello!hello!
```

from（フロム）を使って次のようにモジュール単位でインポートすることもできます。この場合、関数はパッケージ名なしで呼び出せます。

コード：c5_1_5.py　fromを使ったモジュールの読み込み

```
from lesson_package import utils

r = utils.say_twice('hello')
print(r)
```

また、次のように関数だけをインポートすることもできます。ただ、この書き方は、関数がどこから読み込まれたものなのかがわからなくなってしまうため、あまり推奨されていません。

コード：c5_1_6.py　関数だけをインポートする

```
from lesson_package.utils import say_twice

r = say_twice('hello')
print(r)
```

import lesson_package.utilsのようにフルパスで読み込む方法や、from lesson_package import utilsのようにモジュール単位で読み込む方法であれば、say_twiceという関数がutilsというモジュールから読み込まれたことがわかります。また、lesson.pyの中でsay_twiceという同じ名前の関数が定義されていたとしてもバッティングしないという利点があります。

サードパーティのパッケージやほかのチームが作ったパッケージの場合、フルパスで読み込むことで、コードが長くなったとしても**どこで作られたパッケージかが理解しやすい**という利点があります。そのため会社によっては、フルパスで読み込むように指定されることもあります。ただし、関数を呼び出す際のコードの量が長くなるので、可能であればfromを使った読み込み方をするとよいでしょう。

asを使って違う名前で読み込む

モジュール名は変更することができます。このutilsを違う名前にしてみましょう。その際には、as（アズ）を使って以下のように書きます。

コード：c5_1_7.py　asを使って読み込む

```
from lesson_package import utils as u

r = u.say_twice('hello')
print(r)
```

utilsというモジュールがuという名前で読み込まれ、関数を呼び出せるようになっていることがわかると思います。しかし、名前を変えてしまうと、もともと**どのようなモジュールだったのかわからなくなってしまうため、asもあまり推奨されていません。**モジュール名が非合理で長い名前になってしまっている場合はasを使って名前を短くしてもよいのですが、あまり多用しないようにしましょう。

インポートするときのパスの書き方を知ろう

先ほど作成したlesson_packageの中に、もう1つtalkというディレクトリを作成し、その中にhuman.pyというファイルを作成します。また、talkの中に__init__.pyを作成するのも忘れないようにしましょう。

作成したhuman.pyに、以下のような関数を記述していきます。

コード：human.py　関数の作成

```
def sing():
    return 'sing'

def cry():
    return 'cry'
```

これをlesson.pyから読み込んで実行するには、以下のように書きます。lesson_packageからディレクトリが1つ増えていますので、lesson_package.talkのように.（ドット）でつないで読み込みましょう。

コード：c5_1_8.py　モジュールの読み込み

```
from lesson_package.talk import human

print(human.sing())
```

実行結果

```
sing
```

次に、lesson_packageの中にtoolsというディレクトリを作成します。この中に、前の節で作成したutils.pyをドラッグして入れてみましょう。すると、次のようなウィンドウが表示されるので、そのまま［リファクタリング］をクリックします。

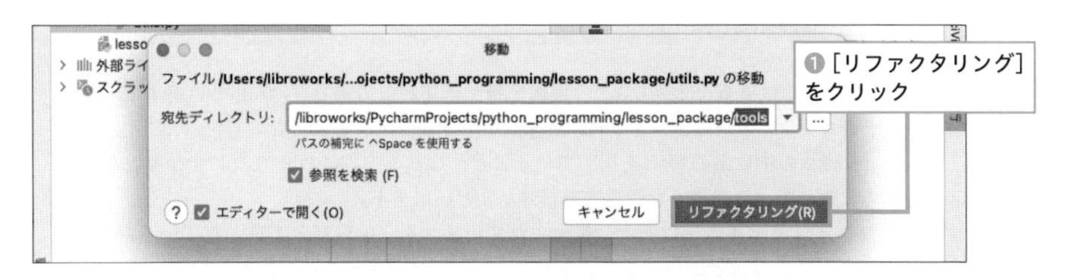

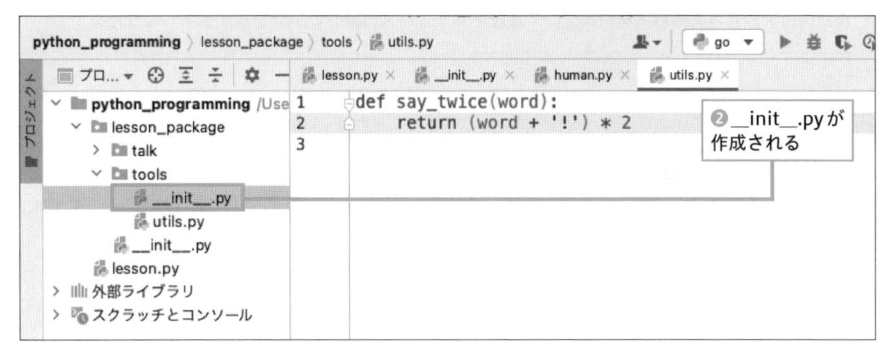

toolsのディレクトリを確認すると、PyCharmによって自動的に__init__.pyが作成されていることがわかります。また、lesson.pyにutils.pyをインポートしていた場合は、utils.pyの場所が変わったため、エラーが出ないようにimport文が自動で更新されます。

今度は、human.pyからutils.pyの関数を呼び出してみましょう。以下のように、human.pyのcry()の中で、utils.pyの関数say_twice()を呼び出してみます。

コード：human.py　モジュールの読み込みと呼び出し

```
from lesson_package.tools import utils


def cry():
    return utils.say_twice('cry')
```

この処理をlesson.pyから呼び出して実行してみると、utils.pyのsay_twice()の処理が行われていることがわかります。

コード：c5_1_9.py　関数の呼び出し

```
from lesson_package.talk import human


print(human.cry())
```

実行結果

```
cry!cry!
```

Point 相対パスによるモジュールの読み込み

human.pyからのutils.pyの読み込みは、以下のように書くこともできます。

コード：human.py 相対パスによるモジュールの読み込み

```
from ..tools import utils
```

.（ドット）を2つつなげて書くと、1つ上の階層を指します。この場合、..がhuman.pyがあるtalkというパッケージの1つ上の階層、つまりlesson_packageを表しています。なので、..toolsという表記は、lesson_packageの中にあるtoolsを指していることになります。これまでのような書き方を絶対パスと呼ぶのに対して、このような書き方を相対パスといいます。

ですが、相対パスでの記述方法はあまり推奨されていません。絶対パスで書かれている場合は、上から階層を確認していけばよいのですが、相対パスではまずファイルの場所を確認し、そこから相対的に読み込み先のパスを探していく必要があり、パスの確認に手間がかかってしまうためです。

__init__.pyとアスタリスクを使ったインポート

先ほど作成したhuman.pyを右クリックしてコピーし、同じtalkのパッケージの中にanimal.pyという名前でペーストします。

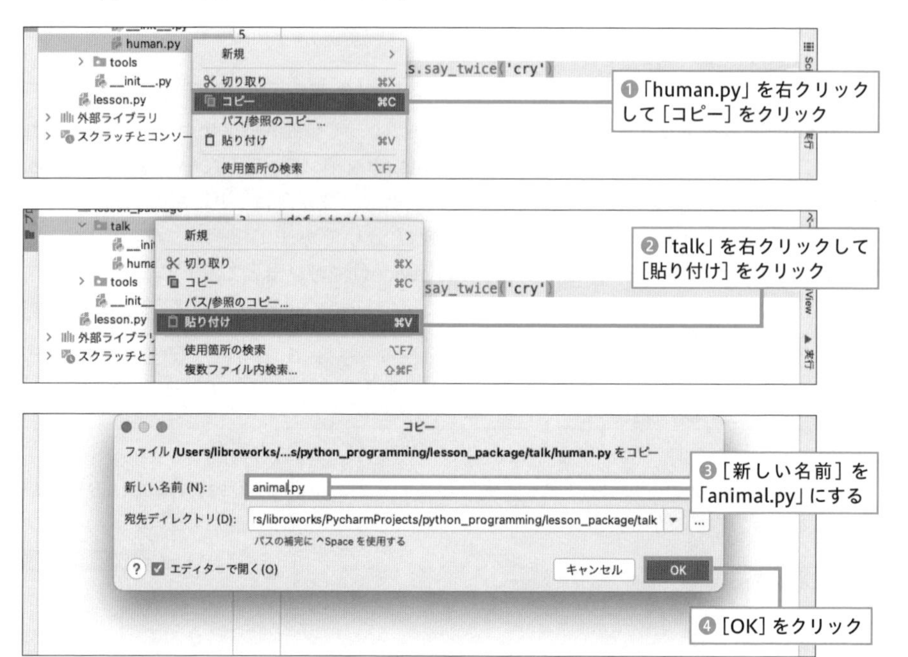

❶「human.py」を右クリックして［コピー］をクリック
❷「talk」を右クリックして［貼り付け］をクリック
❸［新しい名前］を「animal.py」にする
❹［OK］をクリック
コピー
ファイル /Users/liboroworks/...s/python_programming/lesson_package/talk/human.py をコピー
新しい名前 (N):
animal.py
宛先ディレクトリ(D):
キャンセル
OK

このanimal.pyの関数を書き換えていきます。動物なので、sing()やcry()の返り値には、何をいっているかわからない文字列を入れてみましょう。

コード：animal.py 関数の作成

```
from lesson_package.tools import utils

def sing():
    return '##fjiafiewafdafie'

def cry():
    return utils.say_twice('fjdsiafjdaofejwa')
```

talkのパッケージの中の、human.pyとanimal.pyを同時にインポートしたいときは、*（アスタリスク）を使って書くことができます。まず、import文を以下のように1行で書いてみましょう。

コード アスタリスクを使ったモジュールの読み込み

```
from lesson_package.talk import *
```

ただ、この時点ではhuman.pyやanimal.pyを読み込むことができていません。PyCharmでは、赤い波線が表示されるので、モジュールが読み込めていないことがわかります。

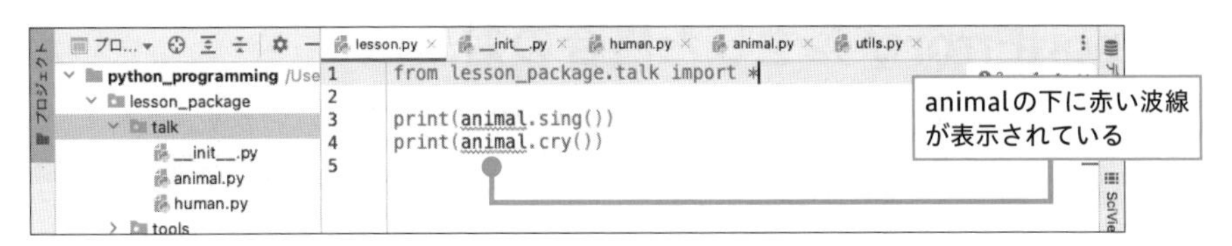

アスタリスクを使って上記のように読み込むと、まずtalkのパッケージの下にある__init__.pyが読み込まれます。ここに、__all__ = ['animal']のように、リストの中にモジュール名を記入すると、lesson.pyでモジュールが読み込めるようになります。

コード：__init__.py アスタリスクを使ったモジュールの読み込み

```
__all__ = ['animal']
```

コード：c5_1_10.py アスタリスクを使ったモジュールの読み込み

```
from lesson_package.talk import *

print(animal.sing())
print(animal.cry())
```

実行結果

```
##fjiafiewafdafie
fjdsiafjdaofejwa!fjdsiafjdaofejwa!
```

__all__のリストの中にモジュール名が記述されていない場合は、モジュールを読み込むことができずエラーになります。たとえば、以下のようにanimalだけを__all__のリストに記述した状態で、humanを呼び出そうとしてもエラーになってしまいます。

コード：__init__.py アスタリスクを使ったモジュールの読み込み

```
__all__ = ['animal']
```

コード：c5_1_11.py アスタリスクを使ったモジュールの読み込み

```
from lesson_package.talk import *

print(animal.sing())
print(animal.cry())
print(human.sing())
print(human.cry())
```

実行結果

```
Traceback (most recent call last):
  File "/Users/jsakai/PycharmProjects/python_programming/lesson.py", line 5, in
<module>
    print(human.sing())
NameError: name 'human' is not defined
##fjiafiewafdafie
fjdsiafjdaofejwa!fjdsiafjdaofejwa!
```

このアスタリスクを使った読み込み方は、どんなモジュールが読み込まれるかわかっていない状況で使うケースが多く、**あまり推奨されていません。使用はできるだけ避けましょう。**

ImportErrorが発生した場合の対処法

lesson.pyから、toolsパッケージの中のutils.pyの関数を読み込んでみます。

コード：c5_1_12.py モジュールの読み込み

```
from lesson_package.tools import utils
```

このutils.pyを最初に作成したときは、toolsパッケージではなくlesson_packageの中に配置されていました。試しにそのときのimport文を記述して実行すると、すでにutils.pyの場所が変わってしまっているため、エラーになります。

コード：c5_1_13.py モジュールの読み込み

```
from lesson_package import utils
```

実行結果

```
Traceback (most recent call last):
  File "/Users/jsakai/PycharmProjects/python_programming/lesson.py", line 1, in
<module>
    from lesson_package import utils
ImportError: cannot import name 'utils' from 'lesson_package' (/Users/jsakai/
PycharmProjects/python_programming/lesson_package/__init__.py)
```

このようにImportErrorが発生したときの処理は、以下のようにtry-except文を使って書くことができます。

コード：c5_1_14.py try-except文を使ったモジュールの読み込み

```
try:
    from lesson_package import utils
```

```
except ImportError:
    from lesson_package.tools import utils
```

このtry-except文では、tryの中でまずlesson_packageの中のutils.pyをインポートしようと試みます。インポートできずにImportErrorが発生した場合は、toolsの中のutils.pyを読み込むという処理になっています。これで、utils.pyがlesson_packageとtoolsのどちらに存在していても読み込むことができます。

Point　try-except文を使ったモジュールの読み込みの使いどころ

パッケージを提供する際、バージョンによってファイルのパスが異なることがあります。そのような場合に、どちらのバージョンでもエラーとならないようにするために、このようにImportErrorの場合のtry-except文を使うことがあります。

自分が作ったパッケージをまとめてみよう

setup.pyの作成

PyCharmには、**setup.py**という設定用スクリプトを自動で作成してくれる機能があります。このsetup.pyを利用して、自分が作成したパッケージを配布可能な形にできます。

まずは実際にsetup.pyを作成してみましょう。PyCharmの［ツール］→［setup.pyの作成］をクリックします。

情報を記述して「OK」をクリックすると、setup.pyがプロジェクトのディレクトリに作成されます。

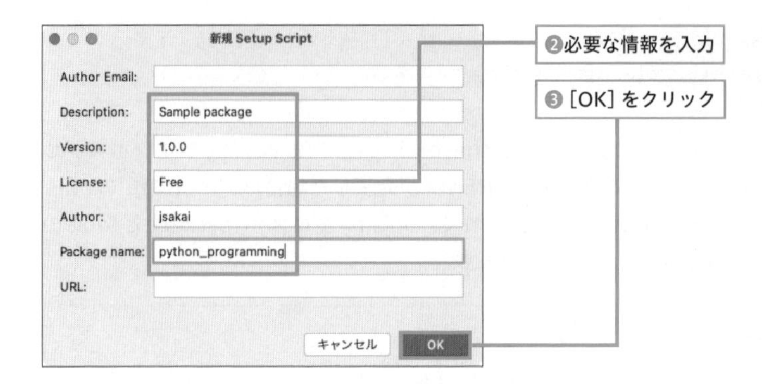

PyCharmを使っていない方や、PyCharmのバージョンにより作成できない場合は、以下のようなsetup.pyを手動で作成してみてください。

コード：setup.py 手動で作成

```
from distutils.core import setup

setup(
    name='python_programming',
    version='1.0.0',
    packages=['lesson_package', 'lesson_package.talk', 'lesson_package.tools'],
    url='',
    license='Free',
    author='jsakai',
    author_email='',
    description='Sample package'
)
```

Point setuptoolsがインポートされる場合

PyCharmのバージョンによっては、setup.pyでsetuptoolsがインポートされていることもあります。setuptoolsについてはのちほど説明しますが、もしインポートされているようなら上記のコードに合わせて書きなおしてください。

setup.pyの中では、作成するときに記述した情報がsetupという関数に渡されています。引数のpackagesの部分を見ると、作成したパッケージがひとまとめにして渡されていることがわかると思います。

パッケージを配布可能な形式にする

それでは、ここからsetup.pyを使って、パッケージを配布可能な形式にしていきましょう。まず、PyCharmで［ツール］→［setup.pyタスクの実行］をクリックします。

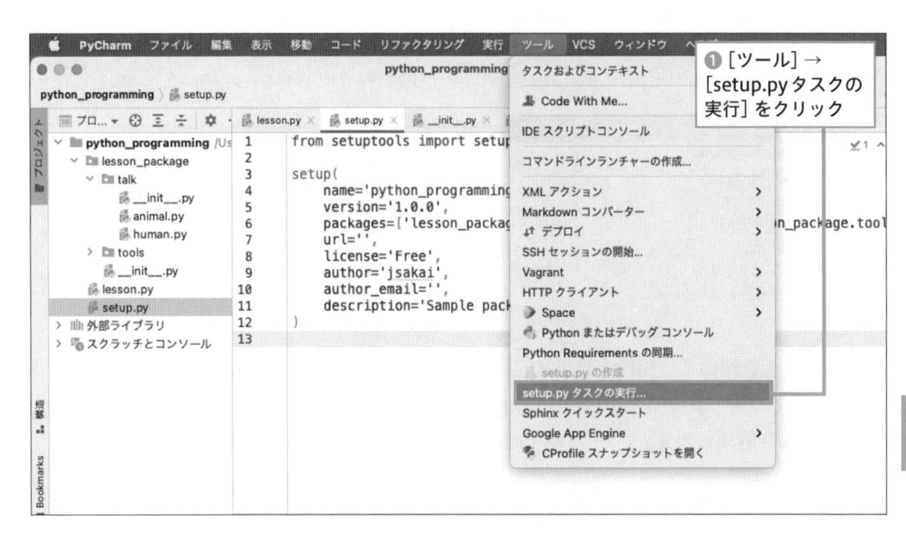

表示される一覧から［sdist］をダブルクリックし、そのまま「OK」をクリックします。sdistを実行すると、パッケージがtar.gzファイルにすることができるため、これをwebページなどに掲載することで配布が可能になります。

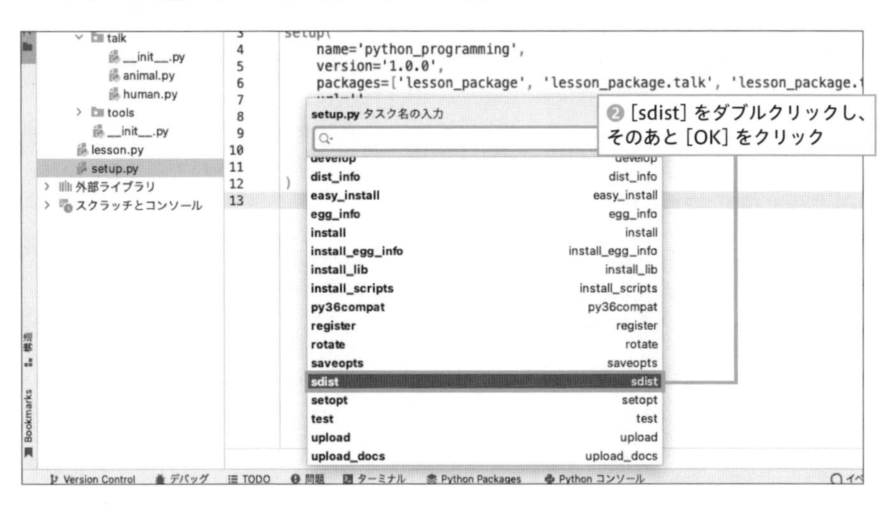

実行後、distというディレクトリが作成され、その中にパッケージをまとめて圧縮したtar.gzファイルが格納されています。

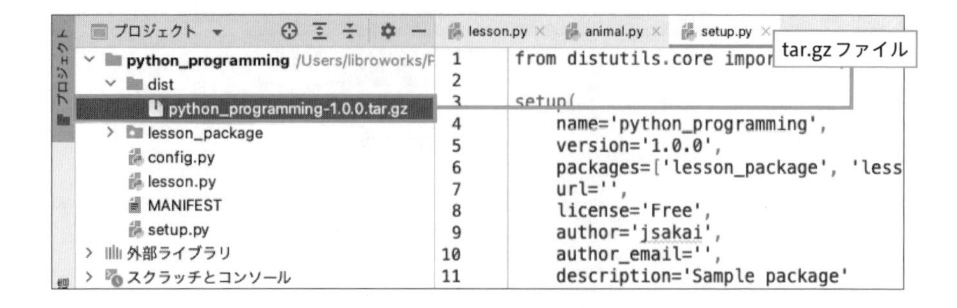

ターミナルを開いて、tar.gzファイルの中身を確認してみます。distのディレクトリまで移動し、tar zxvf python_programming-1.0.0.tar.gzのようにtarコマンドを実行してtar.gzファイルを解凍します。

ターミナル tar.gzファイルの解凍

```
python_programming jsakai$ pwd
/Users/jsakai/PycharmProjects/python_programming
python_programming jsakai$ ls
MANIFEST        config.py       lesson.py       setup.py
__pycache__     dist            lesson_package
python_programming jsakai$ cd dist
dist jsakai$ ls
python_programming-1.0.0.tar.gz
dist jsakai$ tar zxvf python_programming-1.0.0.tar.gz
```

解凍したtar.gzファイルを確認すると、プロジェクトの中身が入っていることがわかります。catコマンド（Windowsの場合はtypeコマンド）でPKG-INFOを見てみると、setup.pyを作成する際に記述した情報が確認できます。

ターミナル PKG-INFOの確認

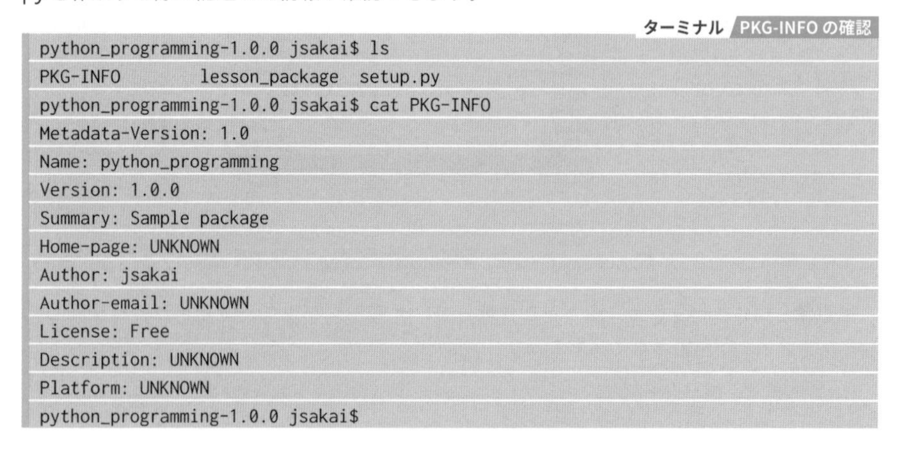

```
python_programming-1.0.0 jsakai$ ls
PKG-INFO        lesson_package  setup.py
python_programming-1.0.0 jsakai$ cat PKG-INFO
Metadata-Version: 1.0
Name: python_programming
Version: 1.0.0
Summary: Sample package
Home-page: UNKNOWN
Author: jsakai
Author-email: UNKNOWN
License: Free
Description: UNKNOWN
Platform: UNKNOWN
python_programming-1.0.0 jsakai$
```

パッケージの中身を確認していくと、作成したスクリプトが格納されていることがわかるかと思います。以下では、animal.pyの中身を確認しています。

ターミナル setup.py ファイルの確認

```
python_programming-1.0.0 jsakai$ ls
PKG-INFO        lesson_package  setup.py
python_programming-1.0.0 jsakai$ cd lesson_package
lesson_package jsakai$  ls
__init__.py     talk            tools
lesson_package jsakai$  cd talk
talk jsakai$  ls
__init__.py     animal.py       human.py
talk jsakai$  cat animal.py
from lesson_package.tools import utils

def sing():
    return '##fjiafiewafdafie'

def cry():
    return utils.say_twice('fjdsiafjdaofejwa')
talk jsakai$
```

Point ターミナルからsdistを実行する

PyCharmからではなく、ターミナルからsdistを実行することもできます。setup.pyを作成したあと、setup.pyが存在するディレクトリでpython setup.py sdistと実行します。

ターミナル ターミナルから sdist を実行する

```
python_programming jsakai$  pwd
/Users/jsakai/PycharmProjects/python_programming
python_programming jsakai$  ls
__pycache__     lesson.py       lesson_package  setup.py
python_programming jsakai$  python setup.py sdist
```

5-2 Pythonのライブラリの使い方

Pythonには、インポートしなくても使える組み込み関数が数多く存在します。これまで使ってきた組み込み関数のほかにも便利な関数はたくさん存在するので、ぜひ覚えておきましょう。また、標準ライブラリをインポートすることで、幅広い処理を行うことができるようになります。さらには、豊富に存在するサードパーティのライブラリを使用することで、Pythonでできることがさらに広がります。

すぐに使える便利な組み込み関数

Pythonの**組み込み関数**について説明していきます。実は、いままで何度も使ってきたprintも組み込み関数の1つです。組み込み関数とは、Python側が最初からインタープリターに組み込む（ビルトインする）ことで、いつでも使えるようにしている関数のことです。インポートせずにすぐに使えるという特徴があります。

print(globals())と実行すると、その中に<module 'builtins'（ビルトインズ） (built-in)>があります。このbuiltinsが組み込み関数のライブラリです。組み込み関数はインポートをしなくても使えますが、もしimport文を書くとしたらimport buitlinsと書くことになります。

コード：c5_2_1.py globals()

```
print(globals())
```

実行結果

```
{'__name__': '__main__', '__doc__': None, '__package__': None, '__loader__': <_
frozen_importlib_external.SourceFileLoader object at 0x7f95d4d7fcd0>, '__spec__':
None, '__annotations__': {}, '__builtins__': <module 'builtins' (built-in)>, '__
file__': '/Users/jsakai/PycharmProjects/python_programming/lesson.py', '__cached__':
None}
```

Point buitinsを確認する

PyCharmでbuiltinsのあとに.（ドット）を書くと、組み込み関数が候補として表示されます。このことからも、builtinsが組み込み関数のライブラリであることがわかります。

```
1  import builtins
2
3  builtins.
4        print(values, sep, end,…   builtins
         open(file, mode, buffer…   builtins
         input(__prompt)            builtins
         str                        builtins
         super                      builtins
         abs(__x)                   builtins
         aiter(__iterable)          builtins
         all(__iterable)            builtins
         anext(__i)                 builtins
         any(__iterable)            builtins
         ArithmeticError            builtins
         ^.を押すと選択した（または最初の）候補… 次のヒント
```

組み込み関数は、以下のURLにあるPythonの公式ドキュメントで確認できます。いままでに扱ったことがあるものだけでも、printやglobals、ジェネレーターで使用したnext、文字列型に変換するstrや、リストの長さを取得するlen、ほかにもrangeやzipなどがあります。

URL https://docs.python.org/ja/3/library/functions.html

sorted関数で並べ替える

組み込み関数はたくさんあるので、すべてを紹介することはできないのですが、ここではその中から**sorted**（ソーティッド）という関数を紹介します。

まず、以下のような辞書型を作成してみます。Aさん、Bさん、Cさんという3人が、それぞれ点数を持っていると考えます。この3人を、点数が高い順に並べるにはどのようにすればよいでしょうか。普通にforループで回すだけでは、そのまま出力されてしまいます。

コード：c5_2_2.py 辞書型のキーを表示する

```
ranking = {
    'A': 100,
    'B': 85,
    'C': 92
}

for key in ranking:
    print(key)
```

実行結果

```
A
B
C
```

ここで、sorted関数に辞書型をそのまま渡して表示すると、キーの順番でソートしたときのキーのリストを表示します。しかしこの場合は、キーはすでにアルファベット順に並んでいるため、そのままの順番で表示されます。

コード：c5_2_3.py キーの順番で辞書型を並べ替える

```
ranking = {
    'A': 100,
    'B': 85,
    'C': 92
}

print(sorted(ranking))
```

実行結果

```
['A', 'B', 'C']
```

バリューの値で並べ替えたい場合は、引数にkey=ranking.getと追加します。

コード：c5_2_4.py バリューの順番で辞書型を並べ替える

```
ranking = {
    'A': 100,
    'B': 85,
    'C': 92
}

print(sorted(ranking, key=ranking.get))
```

実行結果

```
['B', 'C', 'A']
```

Point **getメソッドの働き**

key=ranking.getで使っているgetは辞書型のメソッドの1つで、キーを指定するとバリューを取得してくれます（P.77）。これを使うことで、バリューで並べ替えることができるようになっています。

コード：c5_2_5.py get

```
ranking = {
    'A': 100,
    'B': 85,
    'C': 92
}

print(ranking.get('A'))
```

実行結果

```
100
```

ただし、このままでは、点数が低い順に表示されています。高い順に並べるには、引数にreverse=Trueを追加しましょう。これで、点数の高い順に並べ替えることができます。

コード：c5_2_6.py バリューが高い順に辞書型を並べ替える

```
ranking = {
    'A': 100,
    'B': 85,
    'C': 92
}

print(sorted(ranking, key=ranking.get, reverse=True))
```

実行結果

```
['A', 'C', 'B']
```

このsorted関数はよく使うので覚えておいてください。組み込み関数はPythonに触れていれば自然と慣れるものですが、ぜひ一度公式のドキュメントを眺めて「こんな関数があるんだ」と知っていただければと思います。

Pythonの標準ライブラリを使ってみよう

Pythonには、組み込み関数以外にもたくさんの便利なライブラリが標準で用意されています。**標準ライブラリ**はimport文で読み込むことで使用可能になります。標準ライブラリの一覧は、以下の公式のドキュメントで確認できます。

URL https://docs.python.org/ja/3/library/

ドキュメントを見てみるとわかりますが、標準ライブラリには非常にたくさんの種類があります。今回はその中から、よく使われるものの1つとして、**collections**（コレクションズ）というライブラリの**defaultdict**（デフォルトディクト）について説明します。

defaultdictを使用する

例として、ランダムな文字列を用意し、その中にアルファベットの各文字が含まれている数をカウントするケースを考えてみましょう。

まずは標準ライブラリを使わずに処理する方法を考えます。まず空の辞書型dを用意し、文字列sをforループで回して1文字ずつ取り出していきます。取り出した文字cをキーとして、その文字に対応するバリューd[c]に+1することで文字を数えていくという処理を作成します。ですが、これはそのまま実行するとエラーになります。

コード：c5_2_7.py 文字列に含まれるアルファベットを数える

```
s = "fdjsafiewafjdsaeiwfdafke"

d = {}
for c in s:
    d[c] += 1
print(d)
```

実行結果

```
Traceback (most recent call last):
  File "/Users/jsakai/PycharmProjects/python_programming/lesson.py", line 5, in
<module>
    d[c] += 1
KeyError: 'f'
```

これは、キーに対応するバリューがまだ辞書型に作られていない状態で、+1しようとしているためです。存在しない値に対して+1することはできません。

そこで、「取り出した文字が辞書型のキーに含まれていない場合は、そのバリューに0を入れる」という処理を加えます。これで、文字列に含まれるアルファベットの個数を表示できます。

コード：c5_2_8.py 文字列に含まれるアルファベットを数える

```
s = "fdjsafiewafjdsaeiwfdafke"

d = {}
for c in s:
    if c not in d:
```

```
        d[c] = 0
    d[c] += 1
print(d)
```

実行結果

```
{'f': 5, 'd': 3, 'j': 2, 's': 2, 'a': 4, 'i': 2, 'e': 3, 'w': 2, 'k': 1}
```

このような場合に、辞書型のsetdefaultというメソッドを用いると、値が入っているかどうかをif文で判断しなくてもよくなります。setdefaultは、キーに対応する値が入っていない場合は値を入れるというメソッドだからです。これを使って、同じような処理を以下のように書くことができます。

コード：c5_2_9.py setdefault

```
s = "fdjsafiewafjdsaeiwfdafke"

d = {}
for c in s:
    d.setdefault(c, 0)
    d[c] += 1
print(d)
```

キー（c）に対応する値がない場合は値（0）を追加する

実行結果

```
{'f': 5, 'd': 3, 'j': 2, 's': 2, 'a': 4, 'i': 2, 'e': 3, 'w': 2, 'k': 1}
```

d.setdefault(c, 0)と書くと、辞書型であるdに、文字cをキーとする値が存在しない場合は、値に0を入れるという処理になります。

では、この処理を標準ライブラリを使って書き換えていきましょう。Pythonの標準ライブラリであるcollectionsのdefaultdictを用いると、**初期値が0となるdefaultdict型**を作成してくれます。これならループのたびにsetdefaultを呼び出さなくてすみます。標準ライブラリを使う際は、モジュールをインポートする必要があります。

コード：c5_2_10.py defaultdict

```
s = "fdjsafiewafjdsaeiwfdafke"

from collections import defaultdict
d = defaultdict(int)
for c in s:
    d[c] += 1
print(d)
```

初期値が0になる

実行結果

```
defaultdict(<class 'int'>, {'f': 5, 'd': 3, 'j': 2, 's': 2, 'a': 4, 'i': 2, 'e': 3,
'w': 2, 'k': 1})
```

サードパーティのライブラリを使ってみよう

以前の節で、自身で作成したパッケージをtar.gzファイルにまとめる方法を説明しました。そのようにして作成したパッケージは、ほかの人も使うことができるように登録して公開できます。以下のPyPI（The Python Package Index）のWebページを確認すると、公開された多数のパッケージを見ることができます。

URL https://pypi.org/

パッケージはWebページ上から手動でダウンロードすることもできますが、Pythonではpipを使ったインストールが一般的です。今回はPycharmの機能を使って、**termcolor**（タームカラー）というコンソール上での出力の色を変えるパッケージをインストールします。

まず、PyCharmで「Preferences」を開きます（Windowsでは［ファイル］→［設定］）。

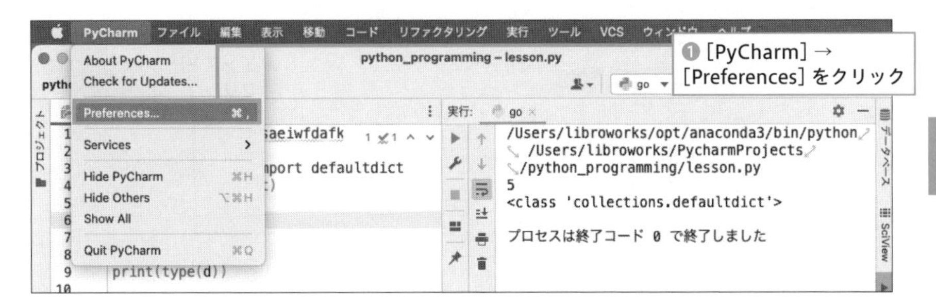

次に、［プロジェクト］の中の［Pythonインタープリター］をクリックすると、使用可能なパッケージの一覧が表示されます。パッケージを新しく追加するには、一覧の上にある「＋」をクリックしましょう。

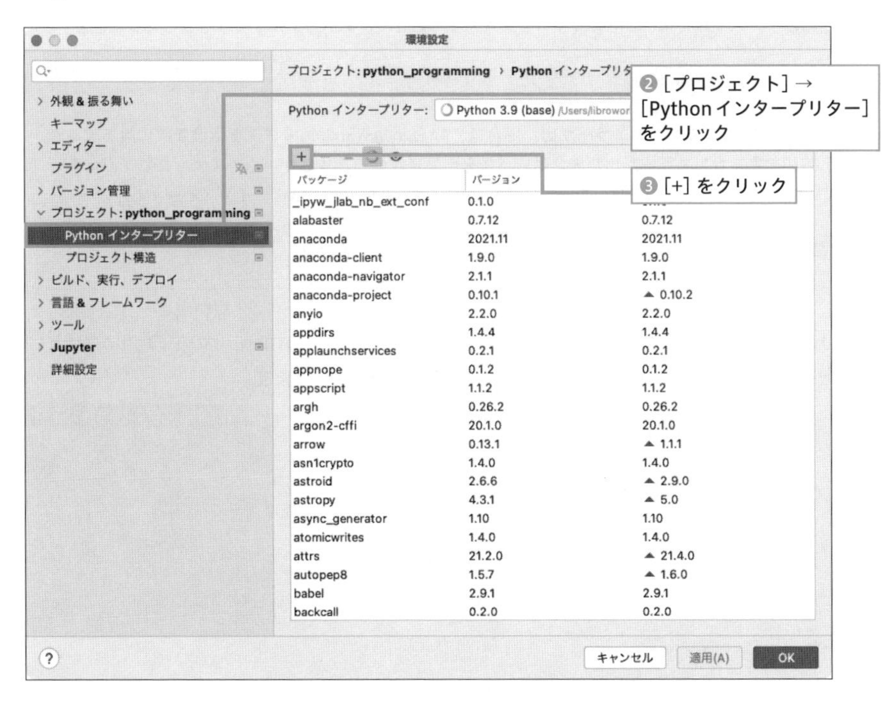

追加したいパッケージの名前を入力して選択し、左下の［パッケージのインストール］をクリックします。

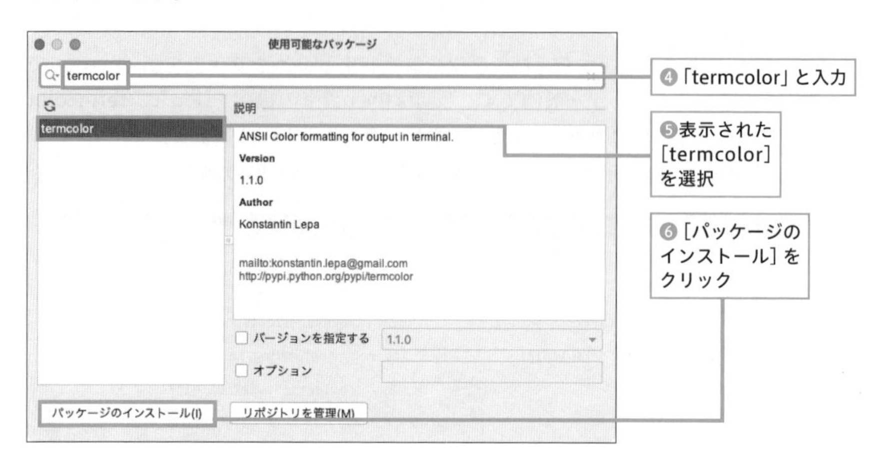

少し待つと、「正常にインストールされました」というメッセージが表示され、パッケージのインストールが完了します。

Point
コマンドによるパッケージのインストール

上記のインストールは、以下のコマンドを入力することで、ターミナルからも行うこともできます。

ターミナル　pip コマンドの実行

```
pip install termcolor
```

Windowsでpipコマンドのエラーが出た場合は、Anaconda3\Scriptsのパスを環境変数に追加する必要があります。もしエラーが出た場合は、パスを環境変数に追加するか、以下のようにして直接実行してみてください（以下の例は、Anaconda3をC:\Users\sakai\Anaconda3にインストールした場合）。

ターミナル　pip コマンドの実行

```
C:\Users\sakai\Anaconda3\Scripts\pip install termcolor
```

では、インストールしたtermcolorを使ってみましょう。termcolorの中のcoloredという関数をインポートし、次のように出力する文字の色を赤くします。

コード：c5_2_11.py　出力する文字の色を赤くする

```
from termcolor import colored

print(colored('test', 'red'))
```

実行結果

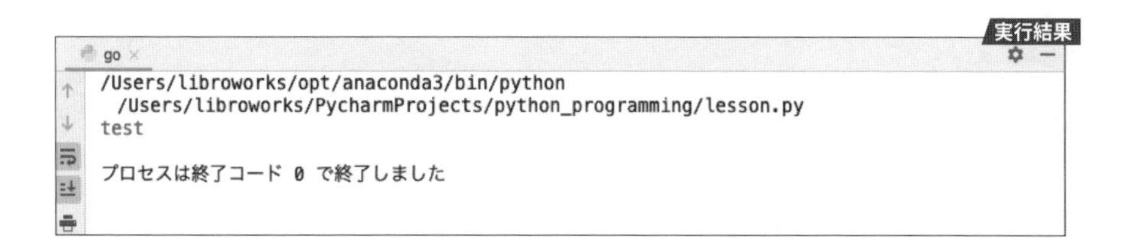

```
/Users/libroworks/opt/anaconda3/bin/python
  /Users/libroworks/PycharmProjects/python_programming/lesson.py
test

プロセスは終了コード 0 で終了しました
```

testという文字列が赤色で表示されます。関数の使い方は、help()を使うことで確認できます。

コード：c5_2_12.py　サードパーティライブラリの関数の使い方を確認する

```
from termcolor import colored

print(help(colored))
```

また、PyPIでパッケージのWebページを確認すると、バージョンアップの履歴などの情報を確認できます。パッケージの作者の方が、よりくわしい情報のページへのリンクを掲載してくれていることもあるので、PyPIのWebページからパッケージの情報を確認してみてもよいでしょう。

ライブラリをインポートするときはここに注意

インポートの順番

collectionsやsys、osといった標準ライブラリをインポートする際、,（カンマ）でつなげて以下のように書くこともできます。

コード：c5_2_13.py　複数のライブラリのインポート

```
import collections, sys, os
```

しかし、この書き方は推奨されておらず、**インポートする際は1行ずつ書いていく**のがよいといわれています。また、そのときの順番はアルファベット順に並べたほうが読みやすくなります。

コード：c5_2_14.py　複数のライブラリのインポート

```
import collections
import os
import sys
```

また、標準ライブラリと一緒にtermcolorのようなサードパーティのライブラリをインポートする際は、**標準ライブラリの下に空白行を1行空けてサードパーティのライブラリを記述**するのがよいとされています。こうすることで両者の区別がつきやすくなり、「これはサードパーティのライブラリだ」とすぐわかるようになります。

コード：c5_2_15.py　複数のライブラリのインポート

```
import collections
import os
```

```
import sys

import termcolor
```

また、同じ会社のほかのチームが作成したパッケージをインポートする際などは、サードパーティのライブラリの下にさらに空白行を入れてから記述します。ここでは、lesson_packageをほかのチームが作成したパッケージとして、サードパーティのライブラリの下でインポートしています。

コード：c5_2_16.py 複数のライブラリのインポート

```
import collections
import os
import sys

import termcolor

import lesson_package
```

自身で作成したライブラリは、さらにその下に空白行を入れて記述します。ここでは、config.pyというファイルを新たに作成してインポートしています。

コード：c5_2_17.py 複数のライブラリのインポート

```
import collections
import os
import sys

import termcolor

import lesson_package

import config
```

サードパーティのライブラリやほかのパッケージも、複数インポートする場合はそれぞれアルファベット順で並ぶように書きましょう。

ライブラリの場所

自身で作成したファイルや、ほかのチームが作成してローカルに存在しているパッケージなどは、「プロジェクト」タブから簡単に場所を確認できます。では、サードパーティのライブラリはどこに存在しているのでしょうか。

PyCharmの画面で、スクリプト内のimport文に記述されたtermcolorの部分を右クリックし、[移動] → [宣言または使用箇所] をクリックすると、サードパーティのライブラリが存在する場所に移動できます。

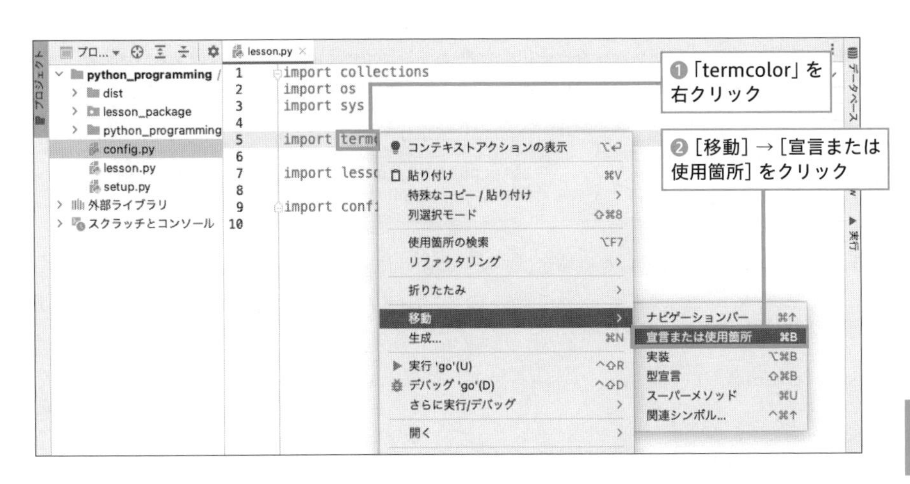

ウィンドウのタイトルバーに表示されたパスを見ると、site-packagesという場所にtermcolor.pyが存在していることがわかります。

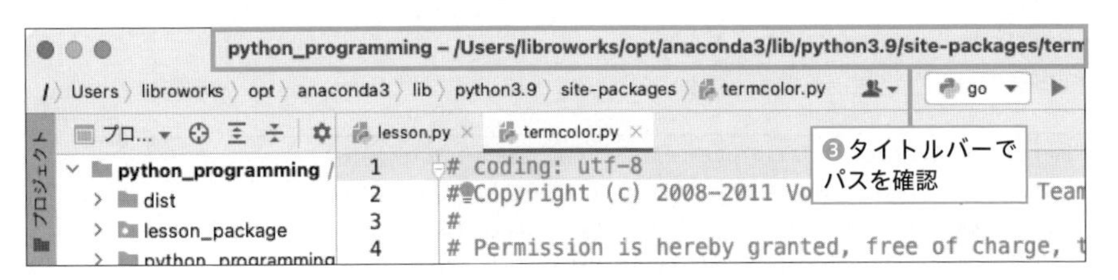

サードパーティのライブラリをインストールすると、このsite-packagesという場所に格納されます。インポートして読み込んだ際に、この場所のファイルをPython側が読みにいくようになっています。

Point　Windowsでのサードパーティのライブラリの格納場所

WindowsでAnaconda3をC:\Anaconda3にインストールした場合は、C:\Anaconda3\Lib\site-packagesにサードパーティのライブラリが格納されているはずです。

また、同じように標準ライブラリのcollectionsの格納場所を確認してみると、Python3.X（Pythonの後ろの数字はバージョンによって異なります）というフォルダーの中に直接入っていることがわかります。

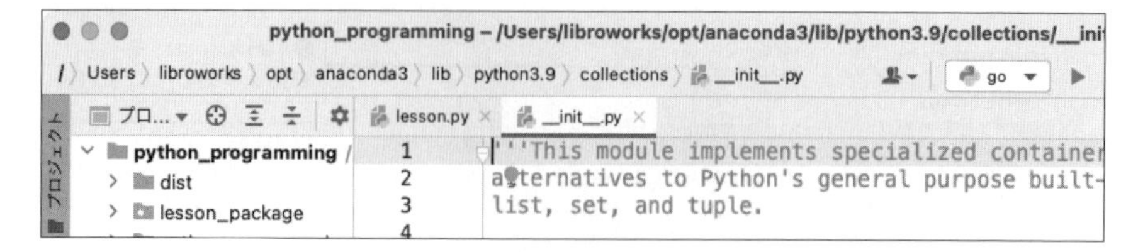

ライブラリの場所を確認したい場合は、以下のように__file__を表示しても確認できます。

コード：c5_2_18.py ライブラリの場所を出力する

```
import collections

import termcolor

import lesson_package

import config

print(collections.__file__)
print(termcolor.__file__)
print(lesson_package.__file__)
print(config.__file__)
```

実行結果

```
/Users/jsakai/anaconda3/lib/python3.6/collections/__init__.py
/Users/jsakai/anaconda3/lib/python3.6/site-packages/termcolor.py
/Users/jsakai/PycharmProjects/python_programming/lesson_package/__init__.py
/Users/jsakai/PycharmProjects/python_programming/config.py
```

また、sys.pathを表示すると、Python側がパッケージを読み込む際に参照する場所を確認できます。この中にない場所にパッケージを配置しても、Python側はそれを読み込むことができないので、注意してください。

コード：c5_2_19.py Python側がパッケージを読み込む場所を表示

```
import sys

print(sys.path)
```

実行結果

```
['/Users/jsakai/PycharmProjects/python_programming', '/Users/jsakai/PycharmProjects/
python_programming', '/Users/jsakai/anaconda3/lib/python36.zip', '/Users/jsakai/
anaconda3/lib/python3.6', '/Users/jsakai/anaconda3/lib/python3.6/lib-dynload', '/
Users/jsakai/anaconda3/lib/python3.6/site-packages', '/Users/jsakai/opt/anaconda3/
lib/python3.6/site-packages/aeosa', '/Users/jsakai/anaconda3/lib/python3.6/site-
packages/pyandoc-0.0.1-py3.6.egg']
```

パッケージを読み込む際は、ローカルで作成したパッケージが優先されてしまいます。標準ライブラリやサードパーティのライブラリと同じ名前のライブラリをローカルに作成してしまうと、そちらが優先されて読み込まれてしまうので、気をつけてください。

スクリプトが読み込まれるときの注意点

lesson.pyでprint(__name__)と実行すると、__main__と表示されます。以前も少し触れましたが、これはスクリプトがPython側で実行しているメインのスクリプトだということを示しています。

コード：c5_2_20.py　__name__の表示
```
print(__name__)
```

実行結果
```
__main__
```

では、lesson.pyと同じディレクトリのconfig.pyというスクリプトで、同様に__name__を出力してみるとどうなるでしょうか。config.pyで__name__を出力する処理を書き、lesson.pyでインポートします。インポートした際、その中に実行できる処理があると、インポートしたタイミングで実行されます。

lesson.pyを実行してみると、config.pyでのnameが__main__ではなく、ファイル名であるconfigとなっていることがわかります。

コード：config.py　__name__の出力
```
print('config:', __name__)
```

コード：c5_2_21.py　config.pyの読み込み
```
import config

print('lesson:', __name__)
```

実行結果
```
config: config
lesson: __main__
```

ここにprint関数が書かれていると、**このモジュールがインポートされたときに実行されてしまう**点には注意が必要です。たとえば、lesson_packageのtalkパッケージの中にあるanimal.pyで、print関数を使ってanimal.pyの関数の実行結果と__name__を表示する処理が以下のように記述されていたとします。このprintの処理は、animal.pyを読み込んだタイミングで実行されてしまいます。

コード：animal.py　printの処理を記述
```
def sing():
    return '##fjiafiewafdafie'

print(sing())
print('animal:', __name__)
```

コード：c5_2_22.py　animal.pyの読み込み
```
import lesson_package.talk.animal

print('lesson:', __name__)
```

実行結果

```
##fjiafiewafdafie
animal: lesson_package.talk.animal
lesson: __main__
```

スクリプトを作成した本人はテスト用にprintの処理を書いていたつもりで、インポートされただけで処理が実行されてしまうとは意図していなかったかもしれません。

このような、インポートされただけで処理が実行されてしまうのを防ぐためには、以下のように **__name__が__main__かどうかを判断する処理** を入れる必要があります。__name__が__main__であれば、このスクリプトは直接実行されたものだとわかりますし、そうでなければ、インポートされたスクリプトであることがわかります。こうしたif文の書き方は、Pythonのコードを読んでいるとよく見かけるはずです。

コード：animal.py　__name__の出力

```
def sing():
    return '##fjiafiewafdafie'

if __name__ == '__main__':
    print(sing())
    print('animal:', __name__)
```

実行結果

```
lesson: __main__
```

また、lesson.pyのファイルがほかのファイルから読み込まれる可能性もあると思います。なので、読み込まれた際に意図せぬ処理が実行されないようにするには、mainという関数の中に処理を書き、__name__が__main__だった場合にmain関数を実行するという書き方をするとよいでしょう。

コード：c5_2_23.py　main関数を使った書き方

```
def main():
    lesson_package.talk.animal.sing()

if __name__ == '__main__':
    main()
```

この講義の中では、学習しやすくするためにあえてこの書き方はしていませんでした。しかし、単純に1つのプログラムファイルでプログラムが動くかどうかを確かめるような簡単なテストスクリプトであれば問題ありませんが、実際に開発を行う場合には、必ず上記のような書き方をするようにしてください。

Lesson 6 入門編

オブジェクトとクラス

Pythonは、いわゆる「オブジェクト指向」という考えに則したプログラミング言語です。これは、オブジェクトという対象に対してその属性となる値や、動作となるメソッドがひもづいているという考え方です。オブジェクト指向に欠かせないのが、クラスです。実は、これまでに登場した数値型や文字列型もクラスの1つです。ここでは、そんなクラスの扱い方について学んでいきましょう。

6-1 クラスとメソッド

クラスとは、データの振る舞いを決定づける型のようなものです。たとえば、これまで扱ってきたクラスには、文字列や数値、リストや辞書型などがあります。クラスは、値を格納する変数のほかに、メソッドを持ちます。文字列のcapitalizeや、リストのsortなどがメソッドです。クラスを用いるプログラミングのことを、オブジェクト指向と呼びます。

クラスを作成しよう

クラスの例として、Pythonの文字列クラスを見てみましょう。文字列のメソッドであるcapitalizeを右クリックして［移動］→［宣言または使用箇所］をクリックしていくと、文字列のクラスstrを確認できます。**class strとあるように、文字列はクラスで、capitalizeは文字列クラスの中のメソッド**ということです。

コード：c6_1_1.py 文字列のクラスとメソッドの確認

```
s = 'fdsfsafiefa'
print(s.capitalize())
```

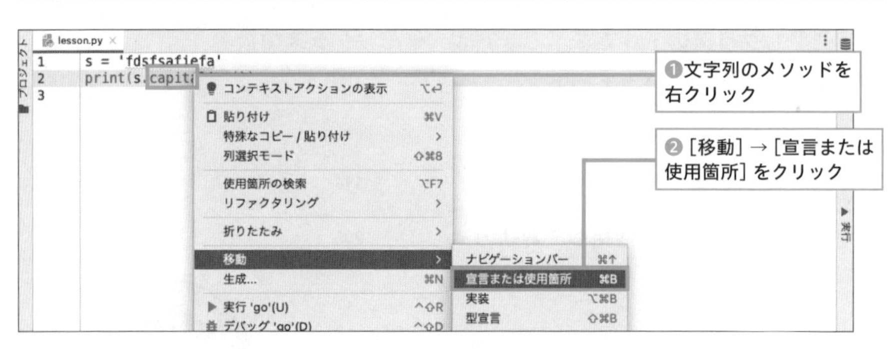

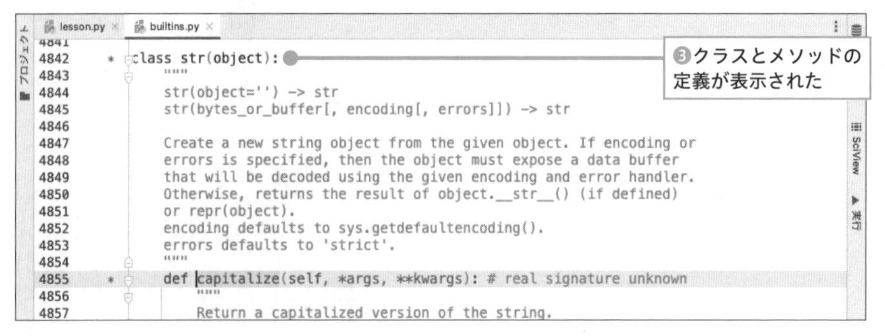

それではさっそく、クラスを作っていきましょう。Personというクラスを以下のように作成します。クラスを作成する際、クラス名のあとの()の中にはobjectと書きます。

コード クラス
```
class Person(object):
```

Point クラス定義の書き方

クラスを定義する際、Python2ではクラス名のあとに(object)を書かなければならなかったのですが、Python3では書かなくてもかまいません。

コード クラスの書き方
```
class Person:
```

また、()だけをつけて書くこともできます。

コード クラスの書き方
```
class Person():
```

ただ、Python2の名残で、objectを書いたほうがいいという考えもあります。objectを書くと、あとで出てくるクラスの継承(P.201)で、ベースのクラスとして使えるようになります。本書ではそのように書いています。

続いて、この中にメソッドを書いていきます。関数定義と同じくdefを使いますが、メソッド名のあとの()の中の引数には**self**(セルフ)と書きます。このselfはオブジェクト自身を指しており、メソッドを作成する際に最初の引数として記述する必要があります。

コード メソッド
```
class Person(object):
    def say_something(self):
        print('hello')
```

このメソッドを実行してみましょう。まず、Personというクラス名に()をつけて呼び出し、変数personに格納することでPersonクラスのオブジェクトを作成します。その後、personからメソッドを呼び出してみましょう。

コード：c6_1_2.py メソッドの実行
```
class Person(object):
    def say_something(self):
        print('hello')

person = Person()            オブジェクトを作成
person.say_something()       オブジェクトからメソッドを呼び出す
```

実行結果
```
hello
```

このように、personというオブジェクトがあり、そこにメソッドという動作がひもづいているという書き方は、関数のような動作のみで処理を書いていくよりも、直感的でわかりやすいのではないかと思います。また、このようなオブジェクトを意識した考えのことを**オブジェクト指向**といいます。

クラスが初期化されるときの処理を作成しよう

クラスを初期化する際の処理は、**__init__**(イニット)というメソッドの中で定義します。

コード：c6_1_3.py 初期化処理

```
class Person(object):
    def __init__(self):
        print('First')

person = Person()
```

実行結果

```
First
```

上記のコードではただpersonというオブジェクトを作成しただけですが、__init__の中の処理が実行されていることがわかります。このようにオブジェクトが作成されたタイミングで、初期化の処理である__init__が実行されます。

次は、オブジェクトが初期化されるときに引数を渡すようにしてみましょう。__init__の引数として、selfの後ろにnameと追記します。この引数として受け取ったnameをself.nameに入れ、オブジェクトがそのデータを持ち続けるようにします。このself.nameのような、オブジェクト自身が持っている変数のことを、**インスタンス変数**といいます。

コード：c6_1_4.py 初期化処理

```
class Person(object):
    def __init__(self, name):
        self.name = name
        print(self.name)

person = Person('Mike')  ― 引数として名前を渡す
```

実行結果

```
Mike
```

上記のように、personのオブジェクトを作成する際に名前を渡すと、__init__メソッド内の処理で表示され、self.nameに引数の名前が代入されていることがわかります。

__init__が引数nameを取るようにした場合は、オブジェクトを作る際に引数を渡さないとエラーになります。これは関数の場合と同じです。

コード：c6_1_5.py 初期化時に引数を渡す

```
class Person(object):
    def __init__(self, name):
        self.name = name
        print(self.name)

person = Person()  ― 引数を渡さない
```

実行結果

```
Traceback (most recent call last):
  File "/Users/jsakai/PycharmProjects/python_programming/lesson.py", line 6, in
<module>
```

```
    person = Person()
TypeError: __init__() missing 1 required positional argument: 'name'
```

関数の引数と同様に、必ず引数を渡すようにするか、以下のようにデフォルト引数を指定して省略可能にしましょう。

コード：c6_1_6.py　初期化処理にデフォルト引数を設定する

```
class Person(object):
    def __init__(self, name='Default'):
        self.name = name
        print(self.name)

person = Person()
```

self.nameは__init__の中、つまりオブジェクト作成時点で値を保持するため、その後でほかのメソッドからself.nameを呼び出すこともできます。

コード：c6_1_7.py　オブジェクトの変数を呼び出す

```
class Person(object):
    def __init__(self, name):
        self.name = name

    def say_something(self):
        print('I am {}. hello'.format(self.name))

person = Person('Mike')
person.say_something()
```

実行結果

```
I am Mike. hello
```

また、selfを使うと、メソッドの中から自分自身のメソッドを呼び出すこともできます。

コード：c6_1_8.py　自分自身のメソッドを呼び出す

```
class Person(object):
    def __init__(self, name):
        self.name = name

    def say_something(self):
        print('I am {}. hello'.format(self.name))
        self.run(10)  ――― そのオブジェクト自身のメソッドを呼び出す

    def run(self, num):
        print('run' * num)  ――― メソッドに渡されたnumに入っている数だけ繰り返し表示する

person = Person('Mike')
person.say_something()
```

実行結果

```
I am Mike. hello
runrunrunrunrunrunrunrunrunrun
```

Point メソッドにはselfが必要

クラスのメソッドは、必ずselfを引数に持つように書きます。selfとはオブジェクト自身を指しており、これを渡さなければオブジェクトに値を保持したり、自身の値やメソッドにアクセスしたりすることができないためです。

ただし、クラスのメソッドを呼び出す際はselfを渡す必要はなく、その次の引数から渡していきます。最初のうちはとまどうかもしれませんが、だんだんと慣れてくるかと思います。

オブジェクトの最後に実行される処理を作成しよう

オブジェクトが作成されたときに最初に実行される__init__の処理のことを、**コンストラクタ**といいます。それに対して、最後に実行される処理のことを**デストラクタ**といいます。デストラクタは__del__を使って書きます。

コード デストラクタ

```
class Person(object):
    def __init__(self, name):
        self.name = name

    def __del__(self):
        print('good bye')
```

デストラクタは、オブジェクトがもう使われなくなったタイミングで呼び出されます。以下の処理では、print('##########')のあとにはコードがなく、オブジェクトがもう使われないので、printの処理が実行されたあとにデストラクタの処理が実行されています。

コード：c6_1_9.py デストラクタ

```
class Person(object):
    def __init__(self, name):
        self.name = name

    def __del__(self):
        print('good bye')

person = Person('Mike')
print('##########')
```

実行結果

```
##########
good bye
```

Point　明示的にデストラクタを呼び出す

明示的にデストラクタを呼び出したい場合には、delを使ってオブジェクトを消します。こうすることで、好きなタイミングでデストラクタを呼び出すことができます。

コード：c6_1_10.py　明示的にデストラクタを呼び出す（実行部分のみ抜粋）

```
person = Person('Mike')
del person
print('##########')
```

実行結果

```
good bye
##########
```

クラスを継承しよう

継承は既存のクラスを引き継いで新たなクラスを作るものです。まずCarというクラスを作成します。クラスを定義する際にpassと書くと、何もしないクラスを作成できます。

コード　pass

```
class Car(object):
    pass
```

Carクラスを継承して、MyCarクラスを作成してみます。クラスを継承して新たにクラスを作成するには、()の中にobjectではなくCarと書きます。クラスを継承すると、継承元となったクラスの機能を継承できます。元のCarというクラスが持っていた機能を、MyCarが引き継いで拡張するイメージです。

コード：c6_1_11.py　クラスの継承

```
class Car(object):
    pass

class MyCar(Car):
    pass
```

Carのメソッドは、Carを継承したMyCarも使うことができます。Carにrunというメソッドを作成し、CarとMyCarの両方のオブジェクトで実行してみましょう。

コード：c6_1_12.py　継承したメソッドの実行

```
class Car(object):
    def run(self):
        print('run')

class MyCar(Car):
    pass

car = Car()
car.run()
```

```
my_car = MyCar()
my_car.run()
```

実行結果

```
run
run
```

もう1つ、Carを継承したクラスであるAdvancedCarを作成し、その中にauto_runというメソッドを作成していきます。このAdvancedCarも、Carが持っているメソッドを実行できますし、AdvancedCarの中に書かれたメソッドも実行可能です。

コード：c6_1_13.py クラスの継承

```
class Car(object):
    def run(self):
        print('run')

class AdvancedCar(Car):
    def auto_run(self):
        print('auto run')

advanced_car = AdvancedCar()
advanced_car.run()
advanced_car.auto_run()
```

実行結果

```
run
auto run
```

このように、クラスの継承を使うと、継承元のクラスが持つベースとなる機能を継承し、継承した先のクラスでそれぞれが持つ独自のメソッドを書いていくことができます。

継承を使わない場合は、同じメソッドをそれぞれのクラスに書かなければならないので、コードが煩雑になってしまいます。継承を使うことによって、ベースとなる機能を継承元のクラス（この場合はCar）にまとめて書くことができるので、コードが非常にきれいになります。

継承元のメソッドを上書きして実行しよう

メソッドのオーバーライド

継承元のメソッドを、継承先のクラスで再度定義することで処理を上書きできます。これを**メソッドのオーバーライド**（上書きのこと）といいます。以下の例では、継承元のrunというメソッドを、継承先のMyCarとAdvancedCarでそれぞれオーバーライドし、その処理が継承先のクラスで定義されたものになっていることを確認しています。

コード：c6_1_14.py メソッドのオーバーライド

```
class Car(object):
    def run(self):
        print('run')

class MyCar(Car):
    def run(self):
        print('fast')

class AdvancedCar(Car):
    def run(self):
        print('super fast')

car = Car()
car.run()
print('##########')
my_car = MyCar()
my_car.run()
print('##########')
advanced_car = AdvancedCar()
advanced_car.run()
```

実行結果

```
run
##########
fast
##########
super fast
```

superで継承元のメソッドを呼び出す

まず、継承元のクラスの__init__で、引数の値を変数modelに設定するよう定義します。継承先のクラスでオブジェクトを作成し、変数modelの値をそれぞれ呼び出してみましょう。メソッドと同じように、インスタンス変数も.(ドット)を使って呼び出すことができます。

コード：c6_1_15.py 親クラスで__init__を定義する

```
class Car(object):
    def __init__(self, model=None):
        self.model = model

class MyCar(Car):
    pass

class AdvancedCar(Car):
    pass

my_car = MyCar('sedan')
print(my_car.model)
advanced_car = AdvancedCar('SUV')
print(advanced_car.model)
```

実行結果

```
sedan
SUV
```

次に、AdvancedCarで__init__をオーバーライドしてみましょう。AdvancedCarの場合は、enable_auto_runというBoolean型の変数を初期化時に設定する処理を入れることにします。ただし、オーバーライドすると継承元の__init__は実行されなくなるため、AdvancedCarの中でもself.model = modelのような継承元のクラスと同じ処理を書かなければいけなくなります。

コード：c6_1_16.py __init__のオーバーライド

```
class AdvancedCar(Car):
    def __init__(self, model='SUV', enable_auto_run=False):
        self.model = model
        self.enable_auto_run = enable_auto_run
```

同じ処理の記述を避けるには、AdvancedCarのinitの中で、継承元であるCarのメソッドを**super**（スーパー）を使って呼び出すようにします。継承元のメソッドを呼び出すには、superのあとに.（ドット）をつなげて以下のように記述します。

コード：c6_1_17.py superを使った継承元クラスのメソッドの実行

```
class Car(object):
    def __init__(self, model=None):
        self.model = model

class AdvancedCar(Car):
    def __init__(self, model='SUV', enable_auto_run=False):
        super().__init__(model)
        self.enable_auto_run = enable_auto_run
```

superは継承元のクラスを指しているので、.（ドット）でつないでいくことで継承元のクラスのメソッドを使うことができます。こうすることで、同じ処理をもう一度書く必要がなくなります。

6-2 クラスをもっと活用してみよう

クラスの基本に続いて、応用的な機能を見ていきましょう。たとえばプロパティを使うと、クラスの持つ変数をオブジェクトの外から書き換えられないようにすることができます。そのほかにも、クラス変数や抽象メソッド、特殊メソッドなど、クラスやメソッドが便利になる使い方を解説していきます。

プロパティの使い方を知ろう

プロパティ

オブジェクトの持つ変数は、次のようにクラスの外から書き換えることが可能です。

コード：c6_2_1.py　オブジェクトの変数を書き換える

```
class Car(object):
    def __init__(self, model=None):
        self.model = model

class AdvancedCar(Car):
    def __init__(self, model='SUV', enable_auto_run=False):
        super().__init__(model)
        self.enable_auto_run = enable_auto_run

advanced_car = AdvancedCar('SUV')
advanced_car.enable_auto_run = True   # クラスの外から変数を書き換える
print(advanced_car.enable_auto_run)
```

実行結果

```
True
```

ただ、オブジェクトの変数を勝手に書き換えられたくないという場合もあります。そんなときには、**プロパティ**を使いましょう。プロパティを使うには、次のように変数の前に_（アンダースコア）をつけます。ただ、これだけだとまだ書き換えることは可能です。

コード：c6_2_2.py　オブジェクトの変数に_をつける

```
class Car(object):
    def __init__(self, model=None):
        self.model = model

class AdvancedCar(Car):
    def __init__(self, model='SUV', enable_auto_run=False):
        super().__init__(model)
```

```
        self._enable_auto_run = enable_auto_run    変数の前に _ をつける

advanced_car = AdvancedCar('SUV')
advanced_car._enable_auto_run = True
print(advanced_car._enable_auto_run)
```

実行結果

```
True
```

続いてクラスの変数を返すだけのメソッドを定義し、その上に**@property**というデコレーターを加えます。こうすることで、enable_auto_runがプロパティとなり、読み込みはできるが変更はできない状態になります。

enable_auto_runはメソッドのように定義されていますが、@propertyをつけることにより、()なしで変数のように呼び出せます。

コード：c6_2_3.py @propertyを使う

```
class Car(object):
    def __init__(self, model=None):
        self.model = model

class AdvancedCar(Car):
    def __init__(self, model='SUV', enable_auto_run=False):
        super().__init__(model)
        self._enable_auto_run = enable_auto_run

    @property
    def enable_auto_run(self):
        return self._enable_auto_run

advanced_car = AdvancedCar('SUV')
print(advanced_car.enable_auto_run)
```

実行結果

```
False
```

enable_auto_runがプロパティとなっている状態で、値を設定しようとするとエラーになります。

コード：c6_2_4.py プロパティに値を設定する（抜粋）

```
……前略……
advanced_car = AdvancedCar('SUV')
advanced_car.enable_auto_run = True
```

実行結果

```
Traceback (most recent call last):
  File "/Users/jsakai/PycharmProjects/python_programming/lesson.py", line 15, in
<module>
    advanced_car.enable_auto_run = True
AttributeError: can't set attribute
```

セッター

@propertyがついた定義のことを、**プロパティのゲッター**と呼びます。このプロパティに値を設定できるようにしたい場合は、**プロパティのセッター**を作成します。以下の例では、AdvancedCarクラスの中にenable_auto_runのセッターを作成しています。@のあとにプロパティ名と.setterをつけたデコレーターを書きます。

コード　セッターの作成（抜粋）

```
    @enable_auto_run.setter
    def enable_auto_run(self, is_enable):
        self._enable_auto_run = is_enable
```

セッターがある状態でadvanced_car.enable_auto_run = Trueのように値を入れようとすると、セッターの引数に値が渡され、クラス内の変数に設定されます。

コード：c6_2_5.py　セッターの使用（抜粋）

```
advanced_car = AdvancedCar('SUV')
advanced_car.enable_auto_run = True
print(advanced_car.enable_auto_run)
```

実行結果

```
True
```

ここで、次のような疑問をいだいた方もいるかもしれません。「値を書き換えたいのならば、どうして普通の変数を使わず、このようなプロパティとセッターを作成するのだろう？」と。プロパティとセッターは、**特定の条件に合致したときにだけ書き換え可能にしたい**、といった場合に役立ちます。

たとえば、セッターの処理の中に、パスワードが特定の値の場合のみ書き換え可能という条件を入れてみます。パスワードは__init__で設定し、書き換え時にパスワードが異なる場合はエラーを発生させるようにします。

コード：c6_2_6.py　セッターの使い方（抜粋）

```
class AdvancedCar(Car):
    def __init__(self, model='SUV',
                 enable_auto_run=False,
                 passwd='123'):  # パスワードを設定
        super().__init__(model)
        self._enable_auto_run = enable_auto_run
        self.passwd = passwd

    @property
    def enable_auto_run(self):
        return self._enable_auto_run

    @enable_auto_run.setter
    def enable_auto_run(self, is_enable):
        if self.passwd == '456':  # 456の場合のみ書き換え可能にする
            self._enable_auto_run = is_enable
```

```
        else:
            raise ValueError

advanced_car = AdvancedCar('SUV', passwd='456')
advanced_car.enable_auto_run = True
print(advanced_car.enable_auto_run)
```

実行結果

```
True
```

このように、代入時に何らかのチェックをしたい場合に、プロパティとセッターを組み合わせて使います。

変数にアンダースコアをつける

プロパティを作る際に、クラス内部では名前の先頭に_（アンダースコア）をつけた変数を使っていましたが、アンダースコアつきの変数名（以下の場合は_enable_auto_run）がわかっていれば、プロパティを回避して変数を直接利用することもできてしまいます。

コード：c6_2_7.py　_をつけた変数にアクセスする

```
class Car(object):
    def __init__(self, model=None):
        self.model = model

class AdvancedCar(Car):
    def __init__(self, model='SUV', enable_auto_run=False):
        super().__init__(model)
        self._enable_auto_run = enable_auto_run

    @property
    def enable_auto_run(self):
        return self._enable_auto_run

advanced_car = AdvancedCar('SUV')
print(advanced_car._enable_auto_run)
```

実行結果

```
False
```

これを完全に隠して値を参照できないようにするには、**先頭のアンダースコアを2つ**にします。こうすると、値を参照しようとした場合でもエラーになります。

コード：c6_2_8.py　__をつけた変数にアクセスする（抜粋）

```
class AdvancedCar(Car):
    def __init__(self, model='SUV', enable_auto_run=False):
        super().__init__(model)
        self.__enable_auto_run = enable_auto_run

    @property
```

```
    def enable_auto_run(self):
        return self.__enable_auto_run

advanced_car = AdvancedCar('SUV')
print(advanced_car.__enable_auto_run)
```

実行結果

```
Traceback (most recent call last):
  File "/Users/jsakai/PycharmProjects/python_programming/lesson.py", line 15, in
<module>
    print(advanced_car.__enable_auto_run)
AttributeError: 'AdvancedCar' object has no attribute '__enable_auto_run'
```

ただし、アンダースコアを2つにした状態でも、クラス内で呼び出すことは可能です。以下の例では、runメソッド内で__enable_auto_runを利用しています。

コード：c6_2_9.py　__をつけた変数にクラス内からアクセスする

```
class Car(object):
    def __init__(self, model=None):
        self.model = model

class AdvancedCar(Car):
    def __init__(self, model='SUV', enable_auto_run=False):
        super().__init__(model)
        self.__enable_auto_run = enable_auto_run

    @property
    def enable_auto_run(self):
        return self.__enable_auto_run

    def run(self):
        print(self.__enable_auto_run)
        print('super fast')

advanced_car = AdvancedCar('SUV')
advanced_car.run()
```

実行結果

```
False
super fast
```

Point　@propertyを使う場合、使わない場合

アンダースコアが1つの変数は、オブジェクトの変数を外部から書き換えてほしくないことを示すときに、@propertyと組み合わせて使いましょう。アンダースコアがない変数は、外部から書き換え可能なものとして扱う場合に使います。このあたりのオブジェクト指向の考え方は、開発をやりながら学んでいっていただければと思います。

Point アンダースコアつきの変数を使うときの注意点

クラス内で変数を作成していなくても、外部から変数を追加して値を入れることは可能です。次の例ではクラスTのオブジェクトを作成し、外部からnameとageという変数を追加しています。

コード：c6_2_10.py　オブジェクトにあとから変数を追加する

```
class T(object):
    pass

t = T()
t.name = 'Mike'
t.age = 20
print(t.name, t.age)
```

実行結果

```
Mike 20
```

そのため、アンダースコアが2ついた変数の場合は注意が必要です。先ほど説明したように、アンダースコアが2ついた変数は、外からアクセスすることができません。

アンダースコアが2つの変数がすでにクラスの中にある状態で、外部から同じ名前の変数に値を入れようとすると、すでに存在する変数にはアクセスできないため、新しい変数が作成されてしまいます。これは、予期しないエラーにつながる恐れがあります。

コード：c6_2_11.py　__をつけた変数に値を入れる

```
class Car(object):
    def __init__(self, model=None):
        self.model = model

class AdvancedCar(Car):
    def __init__(self, model='SUV', enable_auto_run=False):
        super().__init__(model)
        self.__enable_auto_run = enable_auto_run

    @property
    def enable_auto_run(self):
        return self.__enable_auto_run

advanced_car = AdvancedCar('SUV')
advanced_car.__enable_auto_run = 'XXXXXXXXXX'
print(advanced_car.__enable_auto_run)
```

実行結果

```
XXXXXXXXXX
```

このようにアンダースコアが2ついた変数の挙動は他と異なるため、外部からは利用しないようにしましょう。

例外処理とダックタイピング

Carクラスに、以下のようなrideメソッドを作成します。オブジェクトpersonを受け取り、そのpersonのメソッドdriveを実行します。

コード 受け取ったオブジェクトのメソッドを実行する

```
class Car(object):
    def ride(self, person):
        person.drive()
```

rideメソッドに渡すオブジェクトを作成するために、Personのクラスとメソッドを以下のように定義します。driveメソッドでは、自身のageという変数を参照し、18歳以上 (>= 18) であれば実行可能、そうでない場合は「No drive（運転禁止）」エラーを返すようにします。

コード Person クラスと drive メソッドの作成

```
class Person(object):
    def __init__(self, age=1):
        self.age = age

    def drive(self):
        if self.age >= 18:
            print('ok')
        else:
            raise Exception('No drive')
```

また、Personを継承したBabyとAdultというクラスを作成します。それぞれ、18歳以上かどうかで__init__の処理を分岐させ、Babyは18歳未満、Adultは18歳以上という条件を満たさない場合はエラーを返してオブジェクトを作成できないようにしています。

コード Baby クラスと Adult クラスの作成

```
class Baby(Person):
    def __init__(self, age=1):
        if age < 18:
            super().__init__(age)
        else:
            raise ValueError

class Adult(Person):
    def __init__(self, age=18):
        if age >= 18:
            super().__init__(age)
        else:
            raise ValueError
```

実際にオブジェクトを作成し、処理を実行していきます。carのrideメソッドに次のようなbabyを渡すと、babyのdriveメソッドが実行され、babyオブジェクトのageが18未満であるためエラーとなります。

コード：c6_2_12.py　babyを渡したdriveメソッド（実行部分のみ抜粋）

```
baby = Baby()
car = Car()
car.ride(baby)
```

実行結果

```
Traceback (most recent call last):
  File "/Users/jsakai/PycharmProjects/python_programming/lesson.py", line 31, in <module>
    car.ride(baby)
  File "/Users/jsakai/PycharmProjects/python_programming/lesson.py", line 3, in ride
    person.drive()
  File "/Users/jsakai/PycharmProjects/python_programming/lesson.py", line 13, in drive
    raise Exception('No drive')
Exception: No drive
```

rideメソッドにadultを渡した場合は、adultオブジェクトのageが18以上であるため、driveメソッドでエラーにならず実行できます。

コード：c6_2_13.py　adultを渡したdriveメソッド（実行部分のみ抜粋）

```
adult = Adult()
car = Car()
car.ride(adult)
```

実行結果

```
ok
```

このような、メソッドの振る舞いを中心にして記述していくオブジェクト指向のコードの書き方を、**ダックタイピング**と呼びます。

抽象クラスの使い方を学ぼう

もしかしたら、前の節で「どうしてdriveのメソッドをPersonのクラスで定義したんだろう？」と思った方がいるかもしれません。継承元のPersonクラスで分岐させる処理を作成しなくても、継承先のBabyやAdultでそれぞれdriveを定義して、次のように書けばよいからです。

コード　継承先のクラスにそれぞれdriveメソッドを作成（クラスの定義部分のみ抜粋）

```
class Person(object):
    def __init__(self, age=1):
        self.age = age

class Baby(Person):
    def __init__(self, age=1):
        if age < 18:
            super().__init__(age)
        else:
            raise ValueError
```

```
    def drive(self):
        raise Exception('No drive')

class Adult(Person):
    def __init__(self, age=18):
        if age >= 18:
            super().__init__(age)
        else:
            raise ValueError

    def drive(self):
        print('ok')
```

AdultとBabyのそれぞれのクラスでオブジェクトを作成し、driveメソッドを実行した結果は、以下のとおりダックタイピングでの結果と同様になります。

コード：c6_2_14.py　adultでdriveメソッドを実行(実行部分のみ抜粋)

```
adult = Adult()
adult.drive()
```

実行結果

```
ok
```

コード：c6_2_15.py　babyでdriveメソッドを実行(実行部分のみ抜粋)

```
baby = Baby()
baby.drive()
```

実行結果

```
Traceback (most recent call last):
  File "/Users/jsakai/PycharmProjects/python_programming/lesson.py", line 28, in
<module>
    baby.drive()
  File "/Users/jsakai/PycharmProjects/python_programming/lesson.py", line 14, in
drive
    raise Exception('No drive')
Exception: No drive
```

しかしこの書き方だと、AdultやBabyのクラスでdriveのメソッドの実装をプログラマーが忘れてしまうと、driveメソッドを実行できないのでエラーになってしまいます。

コード：c6_2_16.py　メソッドがないとエラーになる

```
class Person(object):
    def __init__(self, age=1):
        self.age = age

class Adult(Person):
    def __init__(self, age=18):
```

```
        if age >= 18:
            super().__init__(age)
        else:
            raise ValueError

adult = Adult()
adult.drive()
```

実行結果

```
Traceback (most recent call last):
  File "/Users/jsakai/PycharmProjects/python_programming/lesson.py", line 13, in
<module>
    adult.drive()
AttributeError: 'Adult' object has no attribute 'drive'
```

上記のようなメソッドの実装し忘れをPythonで防ぎたい場合、**抽象クラス**を使います。抽象クラスというのは、そのまま使うことはできず、継承されて使うことを前提としたクラスのことです。クラスを定義する際に、()の中にmetaclass=abc.ABCMetaと書くことで、そのクラスが抽象クラスであることを示せます。

コード 抽象クラス

```
import abc

class Person(metaclass=abc.ABCMeta):
    def __init__(self, age=1):
        self.age = age
```

継承元クラスのメソッドに@abc.abstractmethodをつけると、そのメソッド（ここではdrive）を継承先のクラスで必ず実装するように指定できます。この状態で継承先のクラスのオブジェクトを生成しようとしたときに、driveメソッドがないというエラーになります。

コード：c6_2_17.py 継承先のクラスで抽象メソッドをオーバーライドしないとエラー

```
import abc

class Person(metaclass=abc.ABCMeta):
    def __init__(self, age=1):
        self.age = age

    @abc.abstractmethod
    def drive(self):
        pass

class Adult(Person):
    def __init__(self, age=18):
        if age >= 18:
            super().__init__(age)
        else:
```

```
            raise ValueError

adult = Adult()
```

実行結果

```
Traceback (most recent call last):
  File "/Users/jsakai/PycharmProjects/python_programming/lesson.py", line 18, in
<module>
    adult = Adult()
TypeError: Can't instantiate abstract class Adult with abstract method drive
```

Point 抽象クラスの使用について

Pythonの抽象クラスは、バージョン3.4で追加された比較的新しいものです。そのため、抽象クラスを使うかどうかはチームの意向にもよって異なります。特に使う必要がなければ、Pythonでは抽象クラスの使用は避けたほうがよいといわれています。抽象クラスはJavaの概念からきて新たに追加されたもので、Pythonでは使用しなくても同じような実装ができるため、Javaの思想を入れずに、Pythonic（Pythonらしい、Pythonの特長を活かした）書き方をするのがよいと考えられているのです。

多重継承で複数の機能を持ったクラスを作ろう

PersonとCar、2つのクラスの機能をあわせ持つクラスPersonCarRobotを作成したい場合は、,（カンマ）でつないで複数のクラスを継承します。これを**多重継承**といいます。このクラスは、PersonとCarのメソッドを両方使うことができます。また、PersonCarRobot独自のメソッドも定義可能です。

コード：c6_2_18.py　多重継承

```
class Person(object):
    def talk(self):
        print('talk')

class Car(object):
    def run(self):
        print('run')

class PersonCarRobot(Person, Car):
    def fly(self):
        print('fly')

person_car_robot = PersonCarRobot()
person_car_robot.talk()
person_car_robot.run()
person_car_robot.fly()
```

実行結果

```
talk
run
```

```
fly
```

継承した2つの継承元クラスに、同じ名前のメソッドがあった場合はどうなるのでしょうか。Personクラスにもrunメソッドを作成し、PersonCarRobotでrunメソッドを実行すると、以下のようにPersonクラスのrunメソッドの処理が実行されます。

コード：c6_2_19.py 多重継承の順番

```
class Person(object):
    def talk(self):
        print('talk')

    def run(self):
        print('person run')

class Car(object):
    def run(self):
        print('car run')

class PersonCarRobot(Person, Car):
    def fly(self):
        print('fly')

person_car_robot = PersonCarRobot()
person_car_robot.run()
```

実行結果

```
person run
```

これは、クラスの継承時に、**左側にあるクラスのメソッドを優先**して実行するためです。PersonCarRobot(Person, Car)という順番で継承しているので、左側にあるPersonのメソッドが呼ばれたということになります。継承の順番を逆にすると、Carのrunメソッドが呼ばれます。

コード：c6_2_20.py 多重継承の順番(抜粋)

```
class PersonCarRobot(Car, Person):
    def fly(self):
        print('fly')
```

実行結果

```
car run
```

Point 多重継承の注意点

多重継承は、同名のメソッドが存在すると、継承の順番で挙動が変わってしまいます。予期せぬバグにつながりかねないため、可能であれば多重継承を使わないような設計にできたほうがいいでしょう。ただし、開発をしていると、多重継承を使わなければならないケースもあります。その場合でも、副作用を念頭に置いて使う必要があるということです。

クラス変数で値を共有しよう

Personクラスを作成し、オブジェクトを2つ作成したとします。

コード：c6_2_21.py オブジェクト間で共通するインスタンス変数

```
class Person(object):
    def __init__(self, name):
        self.kind = 'human'
        self.name = name

    def who_are_you(self):
        print(self.name, self.kind)

a = Person('A')
a.who_are_you()
b = Person('B')
b.who_are_you()
```

実行結果

```
A human
B human
```

このkindという変数を、どのオブジェクトでも同じにしたいとき、**クラス変数**というものを使うと、値を共有できます。クラス変数を作成するには、以下のようにクラスのインデント内で変数を宣言します。クラスのメソッド内で利用するときは、インスタンス変数と同様にself.kindのように呼び出します。

コード：c6_2_22.py クラス変数

```
class Person(object):
    kind = 'human'

    def __init__(self, name):
        self.name = name

    def who_are_you(self):
        print(self.name, self.kind)

a = Person('A')
a.who_are_you()
b = Person('B')
b.who_are_you()
```

実行結果

```
A human
B human
```

ただし、リストのような値を変更していくものをクラス変数に設定する場合には、注意が必要です。

コード：c6_2_23.py リストのクラス変数

```
class T(object):
    words = []

    def add_word(self, word):
        self.words.append(word)

c = T()
c.add_word('add 1')
c.add_word('add 2')

d = T()
d.add_word('add 3')
d.add_word('add 4')

print(c.words)
```

実行結果

```
['add 1', 'add 2', 'add 3', 'add 4']
```

クラス変数は、異なるオブジェクトで値の操作をしても、同じ変数を参照しているため、思いもしない挙動になる恐れがあります。異なるオブジェクト間でも同じクラスであれば、クラス変数は共有されることを覚えておいてください。

異なるオブジェクトでリストが共有されるのを避けるためには、__init__ で空のリストを入れるようにしましょう。これなら、オブジェクトごとに異なるリストになります。

コード：c6_2_24.py クラス変数の初期化

```
class T(object):
    words = []

    def __init__(self):
        self.words = []

    def add_word(self, word):
        self.words.append(word)

c = T()
c.add_word('add 1')
c.add_word('add 2')

print(c.words)

d = T()
d.add_word('add 3')
d.add_word('add 4')

print(d.words)
```

実行結果
```
['add 1', 'add 2']
['add 3', 'add 4']
```

ただし、このように個別に__init__で初期化するなら、そもそもクラス変数にせず、通常のインスタンス変数でもいいはずです。クラス変数は、複数のオブジェクトで共有する前提で使うようにしましょう。

クラスメソッドとスタティックメソッドを使おう

クラスメソッド

クラスpersonを作成し、それぞれ2つの方法で変数に格納してみます。aにはいままでと同様()をつける形で、bには()をつけずに代入し、それぞれprintで表示してみます。

コード：c6_2_25.py　クラスの定義と利用
```
class Person(object):
    kind = 'human'

    def __init__(self):
        self.x = 100

a = Person()
print(a)
b = Person
print(b)
```

実行結果
```
<__main__.Person object at 0x7fa2002f8f10>
<class '__main__.Person'>
```

この両者の表示の違いは、aにはオブジェクトとして格納されており、bにはクラスそのものが入っていることを表しています。aではオブジェクトの中のインスタンス変数を呼び出すことができますが、bでは呼び出すことができず、エラーになります。

コード：c6_2_26.py　インスタンス変数の呼び出し（実行部分のみ抜粋）
```
a = Person()
print(a.x)
```

実行結果
```
100
```

コード：c6_2_27.py　インスタンス変数の呼び出し（実行部分のみ抜粋）
```
b = Person
print(b.x)
```

実行結果
```
Traceback (most recent call last):
  File "/Users/libroworks/PycharmProjects/python_programming/lesson.py", line 8, in
<module>
    print(b.x)
AttributeError: type object 'Person' has no attribute 'x'
```

ですが、クラスそのものの状態でもクラス変数は呼び出すことができます。

コード：c6_2_28.py クラス変数の呼び出し(実行部分のみ抜粋)

```
a = Person()
print(a.kind)
b = Person
print(b.kind)
```

実行結果

```
human
human
```

ただ、このクラス変数を返すメソッドwhat_is_your_kindを作成して呼び出すと、aでは実行できますが、bではエラーになります。これは、bがオブジェクトではないため、自分自身のオブジェクトを指すselfをwhat_is_your_kindメソッドの引数として指定することができず、self.kindを呼び出すことができないためです。

コード クラスの定義(抜粋)

```
class Person(object):
    kind = 'human'

    def __init__(self):
        self.x = 100

    def what_is_your_kind(self):
        return self.kind
```

コード：c6_2_29.py オブジェクトからメソッドを実行(実行部分のみ抜粋)

```
a = Person()
print(a.what_is_your_kind())
```

実行結果

```
human
```

コード：c6_2_30.py クラスからメソッドを実行(実行部分のみ抜粋)

```
b = Person
print(b.what_is_your_kind())
```

実行結果

```
Traceback (most recent call last):
  File "/Users/libroworks/PycharmProjects/python_programming/lesson.py", line 11, in
<module>
    print(b.what_is_your_kind())
TypeError: what_is_your_kind() missing 1 required positional argument: 'self'
```

オブジェクトとして生成される前でもメソッドにアクセスできるようにするためには、@classmethodをつけて**クラスメソッド**を作成します。クラスメソッドは、オブジェクトを生成する前でも使用できるようにするため、ほかのメソッドと異なり引数にselfを取りません。代わりに、クラスを表すclsを指定します。

コード：c6_2_31.py　クラスメソッド

```
class Person(object):
    kind = 'human'

    def __init__(self):
        self.x = 100

    @classmethod
    def what_is_your_kind(cls):
        return cls.kind

a = Person()
print(a.what_is_your_kind())

b = Person
print(b.what_is_your_kind())
```

実行結果

```
human
human
```


クラスメソッドを使うと、bでもメソッドが実行できることがわかると思います。

Point　クラスメソッドの実行方法

Person.kindやPerson.what_is_your_kindのように、クラス名のあとにドットでつないで書く形でも、クラス変数やクラスメソッドを呼び出すことができます。

コード：c6_2_32.py　クラスメソッド（実行部分のみ抜粋）

```
print(Person.kind)
print(Person.what_is_your_kind())
```

実行結果

```
human
human
```

スタティックメソッド

@staticmethodをつけて作成したメソッドは、引数にselfもclsも取りません。このメソッドを**スタティックメソッド**といいます。

コード：c6_2_33.py　スタティックメソッド

```
class Person(object):

    @staticmethod
    def about():
        print('about human')

Person.about()
```

実行結果

```
about human
```

また、スタティックメソッドは引数を取ることもできます。

コード：c6_2_34.py 引数を取るスタティックメソッド

```
class Person(object):

    @staticmethod
    def about(year):
        print('about human {}'.format(year))

Person.about(1999)
```

実行結果

```
about human 1999
```

Point スタティックメソッドの使い方

スタティックメソッドは、クラスのデータにアクセスすることがなく、クラスとの関連性が薄いので、クラスの外側に関数として作成しても問題はありません。

コード：c6_2_35.py 関数として定義

```
def about(year):
    print('about human {}'.format(year))

class human(object):
    pass

about(1999)
```

しかし、クラスに関連があるような処理であることを示したい場合は、スタティックメソッドとして作成する理由も出てきます。使う機会はあまり多くはないかもしれませんが、このような書き方ができることも覚えておくとよいかと思います。

特殊メソッドを使おう

__init__は**特殊メソッド**と呼ばれるメソッドの1つです。前後に_（アンダースコア）が2つついているものを特殊メソッドといい、特別な意味を持ちます。ここでは、主要な特殊メソッドをいくつか紹介します。

__str__はオブジェクトの文字列表現を返すメソッドで、特殊メソッドの中でもよく使われます。何かのオブジェクトをprint関数の引数にすると、__str__メソッドの結果を返します。

コード：c6_2_36.py __str__

```
class Word(object):
    def __init__(self, text):
        self.text = text

    def __str__(self):
```

```
        return 'word!!!!!!'

w = Word('test')
print(w)
```

実行結果

```
word!!!!!!
```

__len__ は変数の長さを返します。文字列やリストの長さをlen関数で調べられるのは、それらの__len__メソッドを内部的に呼び出しているからです。それ以外のオブジェクトで長さを返したい場合は、独自の__len__メソッドを定義します。次のWordクラスでは、クラスが持つ変数textの長さを返すようにしています。

コード：c6_2_37.py　__len__

```
class Word(object):
    def __init__(self, text):
        self.text = text

    def __len__(self):
        return len(self.text)

w = Word('test')
print(len(w))
```

実行結果

```
4
```

__add__ は、そのクラスのオブジェクトが足し合わされたときに実行される特殊メソッドです。引数にもう1つのオブジェクトを取り、それらが足し合わされたときの処理を決めます。以下の例では、w + w2という処理を実行すると、w2が引数のwordに入り、addの処理の結果を返します。これも、本来であればw.text.lower() + w2.text.lower()としなければならないところを、特殊メソッドによってw + w2のように簡単に記述できるようになります。

コード：c6_2_38.py　__add__

```
class Word(object):
    def __init__(self, text):
        self.text = text

    def __add__(self, word):
        return self.text.lower() + word.text.lower()

w = Word('TEST')
w2 = Word('############')
print(w + w2)
```

実行結果

```
test############
```

__eq__ では、クラスが==で比較されたときの処理を記述できます。自分で定義したクラスの2つのオブジェクトを単純に==で比較すると、Falseが返ってきます。これは、オブジェクトのidが異なるためです。

コード：c6_2_39.py オブジェクトの比較

```
class Word(object):
    def __init__(self, text):
        self.text = text

w = Word('test')
w2 = Word('test')
print(w == w2)
print(id(w))
print(id(w2))
```

実行結果

```
False
140511277018848
140511277018656
```

ところが、特殊メソッドの__eq__によって比較方法を定義すれば、w == w2という比較の式で等しいかどうかを比較できるようになります。

コード：c6_2_40.py __eq__

```
class Word(object):
    def __init__(self, text):
        self.text = text

    def __eq__(self, word):
        return self.text.lower() == word.text.lower()

w = Word('test')
w2 = Word('test')
print(w == w2)
```

実行結果

```
True
```

Lesson 7 入門編

ファイル操作とシステム

ほかのチームとやりとりする場合など、ファイルを介してデータのやりとりをすることもよくあります。プログラムの実行結果をファイルに書き出したり、ファイルの中身を読み込んでプログラムで処理をしたりと、ファイルの操作はプログラムを作る上で欠かせません。このLessonでは、テキストファイルはもちろん、CSVファイルや、tarファイルやzipファイルのような圧縮ファイルの扱い方をはじめとして、ファイルの操作方法やその活用について解説していきます。

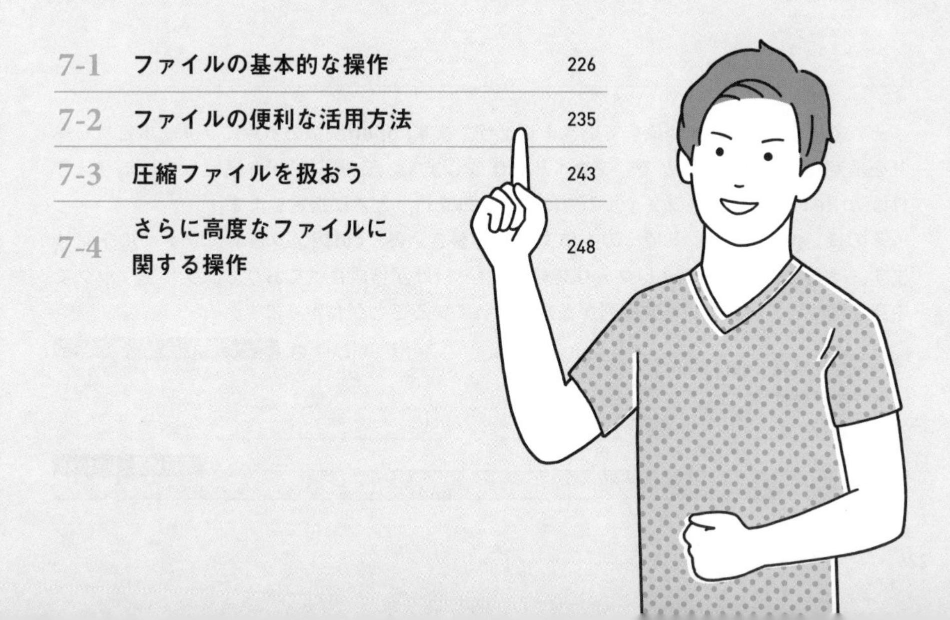

7-1 ファイルの基本的な操作

ファイルの操作は、まずopenを使ってファイルを開くことからはじまります。このopenにはモードと呼ばれる引数があり、書き込み用に開くか読み込み用に開くかを決定します。ファイルの読み込み／書き込みでは、一気に全部を読み込んだり、1行ずつ順に読み込んだり、読み込み位置をずらしたりと、必要に応じて使いわけることができます。

ファイルを作成しよう

これからプログラムでtest.txtというテキストファイルを作成します。その前に、PyCharmの［プロジェクト］タブを開いてください。そうすると、現在のPythonのファイルが表示されます。実行するスクリプトのファイル（ここではlesson.py）と同じディレクトリに、test.txtが存在しないことをあらかじめ確認しておいてください。test.txtが存在した場合は、この先のプログラムで中身を書き換えることになるので注意してください。

ファイルがないことを確認

それでは、ファイルを作成していきましょう。まず、**open**関数の引数にファイル名とモードを指定して実行することで、ファイルを作成します。モードは'w'を指定しましょう。これはwriteの省略形で、ファイルの中に書き込みを行うときに指定します。

その後、**write**メソッドでその中に文字列を書き込み、**close**メソッドでファイルを閉じます。すると、左側のディレクトリを見るとtest.txtが作成されており、ダブルクリックで中身を開くと、testという文字列が書き込まれていることがわかります。

コード：c7_1_1.py ファイルを作成して書き込む

```
f = open('test.txt', 'w')
f.write('test')
f.close()
```

実行結果 - test.txt

```
test
```

ここからはPyCharm上で同時にlesson.pyとtest.txtを確認しながら進めたいので、PyCharm上で開いたtest.txtのタブを右クリックして［下に分割］をクリックします。すると、画面が上下に分割され、2つのファイルを同時に表示できます。

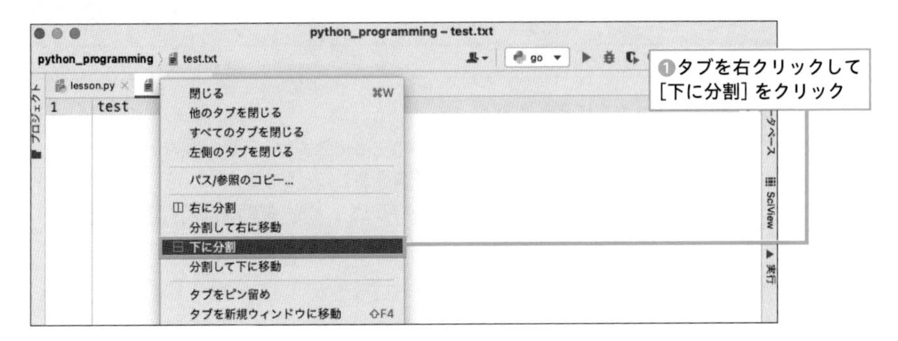

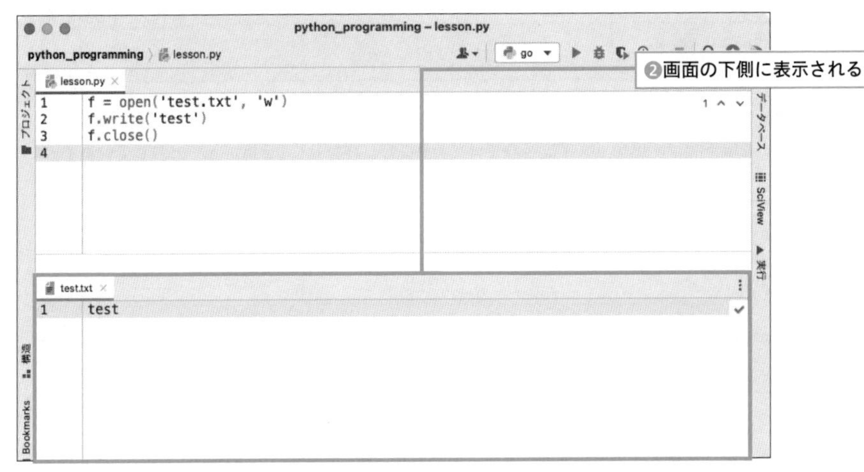

writeに渡す文字列を書き換えて再度実行すると、test.txtの中身が書き換わります。このように、もともとtest.txtが存在する場合は、中身を上書きしてしまうので気をつけてください。

コード：c7_1_2.py ファイルを作成して書き込む

```
f = open('test.txt', 'w')
f.write('Test')
f.close()
```

実行結果 - test.txt

```
Test
```

書き換えるのではなく追記する場合は、openの引数で'a'のモードを指定します。これは追加するという意味のappendの省略形です。読み込むときは'r'のモードを指定します。これはまたのちほど使います。

コード：c7_1_3.py ファイルを作成して書き込む

```
f = open('test.txt', 'a')
f.write('Test')
f.close()
```

実行結果 - test.txt

```
TestTest
```

Point print関数でもファイルに書き込める

ファイルに文字列を書き込むときは、print関数を使うこともできます。引数にfile=fのようにして書き込み先のファイルを指定すると、指定した文字列を書き込むことができます。

コード：c7_1_4.py ファイルを作成して書き込む

```
f = open('test.txt', 'w')
f.write('Test\n')
print('I am print', file=f)
f.close()
```

実行結果 - test.txt

```
Test
I am print
```

print関数は、これまでに使用してきたさまざまな出力方法で、そのままファイルに書き込むことが可能です。以下では、区切り文字を半角ではなく#にし、終わりに!を指定して出力しています。

コード：c7_1_5.py ファイルを作成して書き込む

```
f = open('test.txt', 'w')
f.write('Test\n')
print('My', 'name', 'is', 'Mike', sep='#', end='!', file=f)
f.close()
```

実行結果 - test.txt

```
Test
My#name#is#Mike!
```

ただし、本Lessonの解説ではprintではなくwriteを使っていきます。writeのほうがオブジェクトにメソッドを使って書き込んでいるということがわかりやすいですし、一般的にもwriteを使うほうが多いためです。

with文を使ってファイルを開こう

ファイルをopenで開いたら、最後に必ずcloseする必要があります。開いたままにしてしまうとそのぶんメモリを使ってしまうので、ファイルを使い終わったら必ずcloseするようにしましょう。

ただ、これは忘れてしまうこともあるかと思います。そんなときには**with**（ウィズ）文を使いましょう。with文を使うには、ファイルをopenする際に、行のはじめにwithと記述します。そして、行の終わりにas f:のように書き加えます。このfは開いたファイルを入れる変数なので、どのような名前でもかまいません。

その後、openの下の処理にインデントを入れて、以下のように記載しましょう。

コード：c7_1_6.py　with文でファイルをopenする

```
with open('test.txt', 'w') as f:
    f.write('Test')
```

実行結果 - test.txt

```
Test
```

このように書くことで、closeの処理を書かなくても、インデントの中の処理が終わったら最後にfをcloseしてくれます。closeを書く必要がなく、ファイルを閉じ忘れることがないので、ファイル操作の際はwith文を使うのがよい書き方とされています。

ファイルの内容を読み込もう

まず、以下のように複数行の文字列を、lesson.pyのファイルに書き込みます。

コード：c7_1_7.py　ファイルを用意する

```
s = """\
AAA
BBB
CCC
DDD
"""

with open('test.txt', 'w') as f:
    f.write(s)
```

実行結果 - test.txt

```
AAA
BBB
CCC
DDD
```

このファイルを読み込んでいきます。読み込む際は、引数のモードに'r'を指定してファイルをopenしましょう。ファイルを読み込む際にもwith文を使用できます。**read**メソッドを使用することで、ファイルの内容をすべて読み込むことができます。読み込んだ内容を以下のようにprintで表示してみましょう。

コード：c7_1_8.py　ファイルを読み込む

```
with open('test.txt', 'r') as f:
    print(f.read())
```

実行結果

```
AAA
BBB
CCC
DDD
```

ファイルの内容を1行ずつ読み込んでいくことも可能です。以下の例では、whileループの中で**readline**(リードライン)メソッドを使って1行ずつ読み込み、読み込む行がなくなったら、breakでループを抜けるという処理を実行しています。

コード：c7_1_9.py ファイルを1行ずつ読み込む

```
with open('test.txt', 'r') as f:
    while True:
        line = f.readline()
        print(line)
        if not line:
            break
```

実行結果

```
AAA

BBB

CCC

DDD
```

読み込んだ内容を1行ずつ出力してみると、途中に空き行が入ります。これはprint関数が出力の際に入れる改行と、ファイルの中に含まれる改行が出力されているためです。

printで表示する際に改行を入れないようにするには、以下のようにend=''を引数に入れることで、終わりの文字を空文字にしましょう。

コード：c7_1_10.py ファイルを1行ずつ読み込む

```
with open('test.txt', 'r') as f:
    while True:
        line = f.readline()
        print(line, end='')
        if not line:
            break
```

実行結果

```
AAA
BBB
CCC
DDD
```

ファイルの内容を、2文字ずつといったチャンク（かたまり）ごとに読み込むことも可能です。この読み込み方は、ネットワークのプログラムでパケット（通信データのひとかたまり）を読み込む際などによく使います。readメソッドの引数で読み込む文字数を指定します。

コード：c7_1_11.py ファイルをチャンクごとに読み込む

```
with open('test.txt', 'r') as f:
    while True:
```

```
        chunk = 2
        line = f.read(chunk)
        print(line)
        if not line:
            break
```

実行してみると、2文字ずつ（改行文字も含む）読み込まれて表示されていることがわかります。

実行結果

```
AA
A

BB
B

CC
C

DD
D
```


ファイル内の位置を移動しよう

まず、test.txtが以下の状態であるとします。このファイルを読み込んでいきます。

コード test.txt

```
AAA
BBB
CCC
DDD
```

tell（テル）メソッドを使うと、現在ファイル内のどの場所を指し示しているかがわかります。最初の状態では、ファイルの先頭から移動していないので、最初を示す0が返されます。

コード：c7_1_12.py ファイルの現在位置を確認する

```
with open('test.txt', 'r') as f:
    print(f.tell())
```

実行結果

```
0
```

次のように、f.read(1)と実行すると、ファイルの現在の位置から1文字だけ読み込むことができます。実行結果を見ると、最初にはファイルの先頭の文字であるAが表示されています。

コード：c7_1_13.py ファイルの現在位置を確認する

```
with open('test.txt', 'r') as f:
    print(f.tell())
    print(f.read(1))
```

実行結果

```
0
A
```

seek（シーク）メソッドを使うと、ファイルの中の特定の場所に移動できます。f.seek(5)と実行してから、0から数えて5番目の文字（改行も1文字と数える）を表示します。この場合は、2行目の2つ目のBが表示されます。

コード：c7_1_14.py seek

```
with open('test.txt', 'r') as f:
    f.seek(5)
    print(f.read(1))
```

実行結果

```
B
```

f.seek(14)の位置に移動しread(1)を表示すると、最後のDが表示されます。f.seek(15)を実行してから文字を読み込んだ場合は、最後のDのあとの改行文字が表示されます（printの改行も合わせて2行の改行が入っています）。また、そのあとで5番目の文字に戻って読み込むということもできます。なお、Windowsの場合は改行コードが2文字分になるため、複数行の文字列をファイルに書き込む際（P.229）に「with open('test.txt', 'w', newline='\n') as f:」のようにして引数のnewlineを指定することで改行コードがLFのtest.txtを作成してから、seekで移動すると、以下と同じ結果になります。

コード：c7_1_15.py seek

```
with open('test.txt', 'r') as f:
    f.seek(14)
    print(f.read(1))
    f.seek(15)
    print(f.read(1))
    f.seek(5)
    print(f.read(1))
```

実行結果

```
D



B
```

このように、seekを使うと、特定の場所の文字を出力したり、ファイルの前方に戻って読みなおしたりすることができます。使う機会はそう多くないかもしれませんが、覚えておきましょう。

書き込みと読み込みを同時に行いたいとき

モードを'w'に指定してファイルをopenし、書き込みをしたあとで内容を確認するために読み込もうとするとエラーになります。

コード：c7_1_16.py　'w'でopenしたファイルを読み込む

```
s = """\
AAA
BBB
CCC
DDD
"""
with open('test.txt', 'w') as f:
    f.write(s)
    print(f.read())
```

実行結果

```
Traceback (most recent call last):
  File "/Users/jsakai/PycharmProjects/python_programming/lesson.py", line 9, in
<module>
    print(f.read())
io.UnsupportedOperation: not readable
```

しかし、読み込みのためにモードを'r'にしてopenし直すのは面倒です。書き込みと読み込みを同時に行いたい場合は、モードを'w+'と指定してopenしましょう。こうすることで、書き込みと読み込みの操作をどちらも行うことができます。

コード：c7_1_17.py　'w+'でopen(ファイル処理部分のみ抜粋)

```
with open('test.txt', 'w+') as f:
    f.write(s)
    print(f.read())
```

ただし、上記のようにwriteで書き込みをしたあとで、readでファイルを読み込もうとすると、何も表示されません。これは、書き込みをしたあとはファイルの位置が最後になってしまっているためです。そのため、f.seek(0)のように実行して、ファイルの位置を先頭に戻す必要があります。

コード：c7_1_18.py　'w+'でopen(ファイル処理部分のみ抜粋)

```
with open('test.txt', 'w+') as f:
    f.write(s)
    f.seek(0)
    print(f.read())
```

実行結果

```
AAA
BBB
CCC
DDD
```

Point ファイルを'w+'で開くときの注意点

'w+'でファイルをopenした場合、新たな内容を書き込むモードでファイルを開くため、ファイルを開いた直後は中身は空となっています。そのため、'w+'でファイルを開いた直後にreadなどで読み込もうとすると、中身が空なので何も読み込まれません。

'r+'を指定してファイルをopenすると、読み込みと書き込みを同時に行うことができます。以下の処理では、ファイルを読み込んだあとにseekで位置を先頭に移動し、ふたたび書き込みを行っています。

コード：c7_1_19.py 'r+'でopen(ファイル処理部分のみ抜粋)

```
with open('test.txt', 'r+') as f:
    print(f.read())
    f.seek(0)
    f.write(s)
```

実行結果

```
AAA
BBB
CCC
DDD
```

Point ファイルを'r+'で開くときの注意点

'r+'でファイルをopenしたときは、最初にファイルを読み込むことができないとエラーになります。存在しないファイルを指定した場合などはご注意ください。

コード：c7_1_20.py 'r+'でopen(ファイル処理部分のみ抜粋)

```
with open('test2.txt', 'r+') as f:
    print(f.read())
    f.seek(0)
    f.write(s)
```

実行結果

```
Traceback (most recent call last):
  File "/Users/jsakai/PycharmProjects/python_programming/lesson.py", line 7, in
<module>
    with open('test2.txt', 'r+') as f:
FileNotFoundError: [Errno 2] No such file or directory: 'test2.txt'
```

7-2 ファイルの便利な活用方法

ファイルの基本的な操作方法を学んだあとは、その活用方法について見ていきましょう。
定型的な文章にテンプレートファイルを使う方法、表形式データのCSVファイルの読み書き、さらにPythonでディレクトリ（フォルダー）の作成／削除や、ファイルのパターン検索などを行う方法も解説します。

テンプレートを使って文章を作ってみよう

テンプレートの使い方

まず、$（ドルマーク）ではじまる部分を含んだ、以下のような文字列sを作成します。テンプレートを使うと、この$ではじまる部分に文字列を代入して使うことが可能となります。

コード テンプレートとなる文字列の作成

```
s = """\
Hi $name.
$contents
Have a good day
"""
```

Template（テンプレート）関数は、標準ライブラリの**string**（ストリング）をインポートすることによって使用可能になります。この関数に文字列sを渡して実行し、返り値を変数tに格納します。これで、tがテンプレートとなりました。

コード テンプレートを使って文章を作成

```
import string

s = """\
Hi $name.
$contents
Have a good day
"""

t = string.Template(s)
```

substitute（サブスティテュート）メソッドの引数に、$ではじまる部分に代入する文字列を以下のように指定します。substituteの返り値を表示してみると、文字列の中の$nameと$contentsが置き換わっていることが確認できます。

コード：c7_2_1.py テンプレートを使って文章を作成

```
import string

s = """\
Hi $name.
$contents
Have a good day
"""

t = string.Template(s)
contents = t.substitute(name='Mike', contents='How are you?')
print(contents)
```

実行結果

```
Hi Mike.
How are you?
Have a good day
```

テンプレートの活用方法

文字列の一部に他のデータを挿入する操作は、以前説明したformatメソッドやf-stringを使ってもできます。しかし、Template関数を使った方法は、**元となる文字列を読み込み専用にできる**というメリットがあります。

たとえば上記の例で文字列sを直接扱っていると、誰かが誤ってsに別の文字列を代入してしまう恐れがあります。しかし、Template関数を使った方法では、Templateの返り値であるtを操作していくので、元となる文字列sを変更してしまうことがありません。

この手法は、ほかのチームが作成した文章を扱うような場合に有効です。たとえば、先ほどの元となる文字列が、デザイナーチームが作成したテキストファイルの場合などです。lesson.pyと同じ階層にdesignというディレクトリを作成し、その中にemail_template.txtというテキストファイルを配置します。このテキストファイルには、テンプレートとなる文字列を記載しておきます。

コード email_template.txt

```
Hi $name.
$contents
Have a good day
```

このテキストファイルをopenで開き、readで読み込んだ内容をTemplateの引数に渡します。これをsubstituteで操作すると、テキストファイルの内容をテンプレートとした文章が作成されることが確認できます。

コード：c7_2_2.py テキストファイルをテンプレートとして読み込む

```
import string

with open('design/email_template.txt') as f:
    t = string.Template(f.read())
```

```
contents = t.substitute(name='Mike', contents='How are you?')
print(contents)
```

実行結果

```
Hi Mike.
How are you?
Have a good day
```

このように、テンプレートとなる文章をテキストファイルにして読み込み専用という形で扱うことによって、プログラマーが誤って文章を書き換えてしまうことがなくなります。このようなテンプレートの使い方をぜひ覚えておきましょう。

Point　with文の中の変数

with文の中で宣言された変数は、with文のインデントの外でも使用できます。先ほどの例では、with文の中で作成された変数tを、その外側でも使用しています。

CSVファイルを操作しよう

CSVファイルへの書き込み

CSVとは、カンマ区切りのテキストファイルのことです。表形式のデータの記録に使われ、Excelなどの表計算ソフトでも開くことができます。これからtest.csvという名前のCSVファイルを作成していこうと思います。**csv**という標準ライブラリをインポートし、ファイルを'w'モードでopenします。

コード　CSVファイルを作成する

```
import csv

with open('test.csv', 'w') as csv_file:
```

Point　WindowsでCSVファイルをopenする

WindowsでCSVファイルをopenする場合は、改行の文字コードが\r\nとなってしまうため、CSV読み込みの際に2行改行されてしまいます。そのため、以下のようにnewline=''を入れて、CSVファイルをopenしてください。

コード　Windowsの場合

```
with open('test.csv', 'w', newline='') as csv_file:
```

まず、ヘッダー(見出し)部分としてfieldnamesをリストで作成します。続いて、CSVに書き込むためのオブジェクトを作成していきます。**DictWriter**(ディクトライター)関数の第1引数にCSVファイル、第2引数にfieldnamesを渡して実行します。作成したオブジェクトで**writeheader**(ライトヘッダー)メソッドを実行すると、CSVファイル(test.csv)が作成されます。

コード：c7_2_3.py CSVファイルを作成する

```
import csv

with open('test.csv', 'w') as csv_file:
    fieldnames = ['Name', 'Count']
    writer = csv.DictWriter(csv_file, fieldnames)
    writer.writeheader()
```

この段階でCSVファイルを開いてみると、fieldnamesの部分がカンマ区切りで書き込まれています。

実行結果 - test.csv

```
Name,Count
```

データ部分を書き込んでいくには、**writerow**（ライトロウ）メソッドに辞書型のデータを渡します。以下のように実行すると、NameとCountの列にそれぞれ値が書き込まれていることがわかります。

コード：c7_2_4.py CSVファイルを作成する

```
import csv

with open('test.csv', 'w') as csv_file:
    fieldnames = ['Name', 'Count']
    writer = csv.DictWriter(csv_file, fieldnames)
    writer.writeheader()
    writer.writerow({'Name': 'A', 'Count': '1'})
    writer.writerow({'Name': 'B', 'Count': '2'})
```

実行結果 - test.csv

```
Name,Count
A,1
B,2
```

Point　CSVファイルをExcelで開く

Excelをインストールしている場合、フォルダー内のCSVファイルをダブルクリックすると、Excelで開くことができます。また、Macではターミナルでopen csvと実行することで、CSVファイルをExcelで開くことが可能です。PyCharm上でダブルクリックした場合は、PyCharmの画面で開かれます。

CSVファイルの読み込み

次にCSVファイルの読み込みを行います。rモードでファイルをopenし、**DictReader**（ディクトリーダー）関数の引数にCSVファイルを渡して読み込んでいきます。読み込んだ内容をforループで表示します。それぞれの行のNameとCountの中身を表示するには、以下のように実行します。

コード：c7_2_5.py　CSVファイルを読み込む

```
import csv

with open('test.csv', 'w') as csv_file:
    fieldnames = ['Name', 'Count']
    writer = csv.DictWriter(csv_file, fieldnames)
    writer.writeheader()
    writer.writerow({'Name': 'A', 'Count': '1'})
    writer.writerow({'Name': 'B', 'Count': '2'})

with open('test.csv', 'r',) as csv_file:
    reader = csv.DictReader(csv_file)
    for row in reader:
        print(row['Name'], row['Count'])
```

実行結果

```
A 1
B 2
```

さまざまなファイル操作を試そう

標準ライブラリの**os**をインポートし、さまざまなファイル操作を実行してみましょう。

ファイルの存在確認

exists（イグジスツ）を使うことで、ファイルが存在するかどうかを確認できます。ファイルが存在する場合はTrueが返ってきます。

コード：c7_2_6.py　ファイルの存在を確認する

```
import os

print(os.path.exists('test.txt'))
```

実行結果

```
True
```

ファイルかどうかを確かめる場合は、**isfile**（イズファイル）を使います。ファイルの場合はTrueが返ってきます。

コード：c7_2_7.py　ファイルかどうかを確認する

```
print(os.path.isfile('test.txt'))
```

実行結果

```
True
```

ディレクトリ（フォルダー）かどうかを確かめる場合は、**isdir**（イズディレクトリ）を使います。ディレクトリの場合はTrueが返ってきます。

コード：c7_2_8.py　ディレクトリかどうかを確認する

```
print(os.path.isdir('design'))
```

実行結果

```
True
```

ファイル名の変更

ファイルの名前を変更したい場合は、**rename**（リネーム）を使用します。

コード：c7_2_9.py ファイル名を変更する

```
os.rename('test.txt', 'renamed.txt')
```

シンボリックリンクやディレクトリ、ファイルの作成

symlink（シムリンク）を使うと、シンボリックリンクのファイルを作成できます。シンボリックリンクは、Linuxを操作したことがある人であれば親しみがあるかもしれません。イメージとしては、Windowsにおけるショートカットファイルのようなものです。

シンボリックリンクのファイルは、リンク元のファイルとリンクしており、開くと同じ内容になっています。シンボリックリンクのファイルに対して書き換えを行うと、リンク元のファイルの内容も変更されます。

コード：c7_2_10.py シンボリックリンクを作成する

```
os.symlink('renamed.txt', 'symlink.txt')
```

ディレクトリを作成する際は、**mkdir**（メイクディレクトリ）を使います。

コード：c7_2_11.py ディレクトリを作成する

```
os.mkdir('test_dir')
```

ディレクトリを削除するには、**rmdir**（リムーブディレクトリ）を使います。

コード：c7_2_12.py ディレクトリを削除する

```
os.rmdir('test_dir')
```

pathlib（パスリブ）というライブラリをインポートして、以下のように**touch**（タッチ）を実行すると、中身が空のファイルを簡単に作成できます。

コード：c7_2_13.py 中身が空のファイルを作成する

```
import pathlib

pathlib.Path('empty.txt').touch()
```

ファイルを削除するには、**remove**（リムーブ）を使います。

コード：c7_2_14.py ファイルを削除する

```
import os

os.remove('empty.txt')
```

ファイルやディレクトリの列挙

listdir（リストディレクトリ）を使うと、ディレクトリの中にどのようなディレクトリがあるかを調べることができます。以下の例では、まずmkdirでtest_dirの中にtest_dir2というディレクトリを作成しています。そして、listdirでtest_dirの中を確認しています。

コード：c7_2_15.py　ディレクトリの中のディレクトリを調べる

```
import os

os.mkdir('test_dir')
os.mkdir('test_dir/test_dir2')
print(os.listdir('test_dir'))
```

実行結果

```
['test_dir2']
```

glob（グロブ）というライブラリをインポートすると、**glob**関数を利用できます。これは、ディレクトリの中にあるファイルを列挙するものです。以下の例では、test_dir2の中にpathlibでempty.txtを作成し、test_dir2の中を確認しています。'test_dir/test_dir2/*'のように、引数に*（アスタリスク）を使うと、ディレクトリの中に存在するすべてのファイルを調べられます。

コード：c7_2_16.py　ディレクトリの中のファイルを調べる

```
import pathlib
import glob

pathlib.Path('test_dir/test_dir2/empty.txt').touch()
print(glob.glob('test_dir/test_dir2/*'))
```

実行結果

```
['test_dir/test_dir2/empty.txt']
```

高度なファイル操作

shutil（エスエッチユーティル）というライブラリをインポートすることで使用可能になる**copy**（コピー）を実行すると、ファイルをコピーできます。以下の例では、test_dir/test_dir2/empty.txtをコピーしてtest_dir/test_dir2/empty2.txtを作成しています。

コード：c7_2_17.py　ファイルをコピー

```
import shutil
import glob

shutil.copy('test_dir/test_dir2/empty.txt', 'test_dir/test_dir2/empty2.txt')
print(glob.glob('test_dir/test_dir2/*'))
```

実行結果

```
['test_dir/test_dir2/empty.txt', 'test_dir/test_dir2/empty2.txt']
```

前ページで説明したrmdirは、ディレクトリの中身が空の場合のみ削除できます。ディレクトリを中身ごと削除したい場合は、shutilの**rmtree**（リムーブツリー）を使用します。ただし、ディレクトリを誤って指定してしまうと中身ごとすべて消えてしまうので、扱いには細心の注意を払うようにしましょう。

コード：c7_2_18.py ディレクトリの中身ごと削除

```
import shutil

shutil.rmtree('test_dir')
```

この節で扱ったライブラリを使うと、ファイル名を書き換えたり、シンボリックリンクを作成したりと、さまざまな操作が可能です。また、これらのライブラリ名で検索すると、たいていのファイル操作を実現する方法が調べられます。ぜひライブラリの名前を覚えておき、活用してください。

7-3 圧縮ファイルを扱おう

ファイルを外部とやりとりする際は、圧縮ファイルを使ってファイルサイズを小さくしたり、複数のファイルを1つにまとめたりするのが一般的です。圧縮ファイルにはzipやtarなどの形式があり、これらもPythonで読み書きすることができます。これらの処理には標準ライブラリのtarfileやzipfileなどのモジュールを使用します。

tarファイルの圧縮と展開をしよう

圧縮してtarファイルを作成する

tarは、LinuxやMacで使われるファイルの圧縮方法です。Windowsではzip形式でファイルやフォルダーをひとまとめにすることがよくありますが、それと似ています。

tarfile（ターファイル）のライブラリをインポートすることで、tarファイルを扱えるようになります。例として、以下のようにtest_dir、test.txt、sub_dir、sub_test.txtといったディレクトリやファイルをいくつか作成し、それらをtarファイルにしてまとめてみましょう。

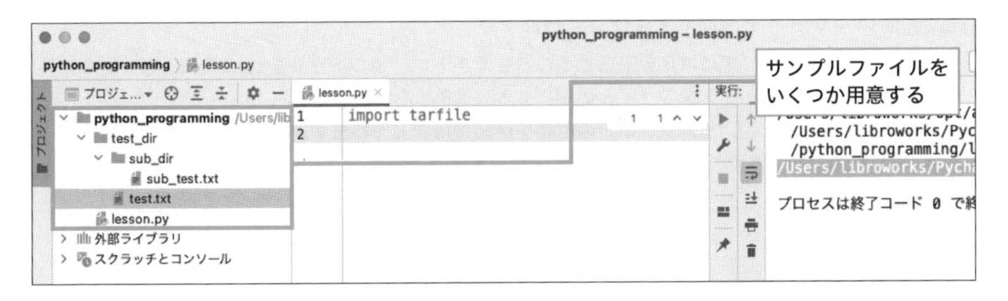

まず、with文で、作成するtarファイルの名前を指定してopenします。このとき、tarファイルとしてまとめるほかに、gzという圧縮も行う必要があるため、モードをw:gzと指定します。その後、with文の中でaddを使って対象とするディレクトリを指定すると、tarファイルにまとめることができます。

コード：c7_3_1.py　tarファイルを作成

```
import tarfile

with tarfile.open('test.tar.gz', 'w:gz') as tr:
    tr.add('test_dir')
```

tarファイルを展開する

前述の処理を実行して作成されたtarファイルを、ターミナルで開いてみましょう。以下の例では、Macでtarコマンドを実行し、ディレクトリを/tmpに指定（Windowsの場合はその他の存在するディレクトリを指定）してtarファイルを展開しています。

ターミナル tarファイルを展開

```
python_programming jsakai$ tar zxvf test.tar.gz -C /tmp
x test_dir/
x test_dir/sub_dir/
x test_dir/sub_dir/sub_test.txt
x test_dir/test.txt
```

tarファイルをPythonのスクリプトで展開するには、モードをr:gzとしてtarファイルをopenします。その後、**extractall**（エクストラクトオール）メソッドを実行することでtarファイルを展開できます。以下では、test_tarというディレクトリを引数で指定し、その中にtarファイルを展開しています。

コード：c7_3_2.py tarファイルを展開

```
import tarfile

with tarfile.open('test.tar.gz', 'r:gz') as tr:
    tr.extractall('test_tar')
```

Point tarファイルを展開せずに中身を確認する

tarファイルを展開せずに中身を確認することもできます。tarファイルをopenしたあと、さらにwith文を重ね、extractfileでtarファイルの中にあるファイルを指定します。

以下の例では、指定したtarファイルの中身をreadで確認しています。b'sub'のように、バイト列でファイルの中身が表示されることがわかると思います。

コード：c7_3_3.py tarファイルの中身を確認

```
import tarfile

with tarfile.open('test.tar.gz', 'r:gz') as tr:
    with tr.extractfile('test_dir/sub_dir/sub_test.txt') as f:
        print(f.read())
```

実行結果

```
b'sub'
```

zipファイルの圧縮と展開をしよう

圧縮してzipファイルを作成する

zipファイルを扱う際は、**zipfile**（ジップファイル）というライブラリをインポートします。

まずは、ディレクトリを圧縮してzipファイルを作成してみます。tarファイルと同様に、まずはwith文を書いていきましょう。with文の中で、**write**（ライト）メソッドを使ってディレクトリやファイルを書き込んでいきます。

コード：c7_3_4.py zip ファイルを作成

```
import zipfile

with zipfile.ZipFile('test.zip', 'w') as z:
    z.write('test_dir')
    z.write('test_dir/test.txt')
```

zip ファイルの場合、ディレクトリだけではなく、その中身まで指定する必要があります。ディレクトリのみをwriteで指定した場合は、中のファイルやディレクトリは含まれず、空のディレクトリが圧縮されるだけになってしまうので、注意してください。

実行すると、zip ファイルが作成されます。これを展開してみましょう。Windowsの場合は、zip ファイルをデスクトップなどの移動してからダブルクリックすることで展開できます。Macの場合は、ターミナルでunzip コマンドでもzip ファイルを展開することが可能です。以下では、zzzというディレクトリを指定してzip ファイルを展開しています。

ターミナル zip ファイルを展開(Mac)

```
python_programming jsakai$ unzip test.zip -d zzz
Archive:  test.zip
   creating: zzz/test_dir/
 extracting: zzz/test_dir/test.txt
python_programming jsakai$
```

展開してみると、write コマンドで指定したものだけがzip ファイルの中に含まれていることがわかると思います。

しかし、ディレクトリの中身を逐一指定していくのは面倒です。対象のディレクトリやファイルを一気に指定したい場合は、globをインポートすることで次のように書くことができます。

コード：c7_3_5.py zip ファイルを作成

```
import zipfile
import glob

with zipfile.ZipFile('test.zip', 'w') as z:
    for f in glob.glob('test_dir/**', recursive=True):
        print(f)
        z.write(f)
```

実行結果

```
test_dir/
test_dir/sub_dir
test_dir/sub_dir/sub_test.txt
test_dir/test.txt
```

test_dir/**のように、アスタリスクを2つつけることで、test_dirの中のディレクトリをすべて**recursive（再帰的）**（リカーシブ／さいきてき）に確認していくことができます。今回の例ではtest_dirの下に

subsub_dirやsubsub.txtといったディレクトリやファイルがあるので、それらがfor文とglobによって取得されます。

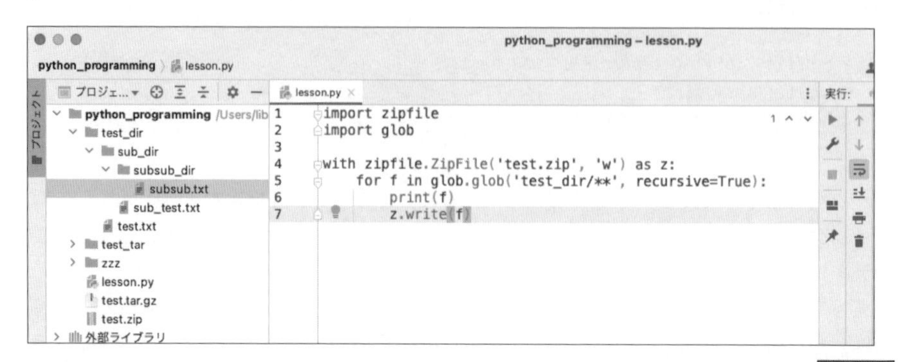

実行結果

```
test_dir/
test_dir/sub_dir
test_dir/sub_dir/subsub_dir
test_dir/sub_dir/subsub_dir/subsub.txt
test_dir/sub_dir/sub_test.txt
test_dir/test.txt
```

こうして作成したzipファイルをターミナルで展開すると、test_dir配下のディレクトリやファイルがすべてzipファイルに含まれていることがわかります。

ターミナル　zipファイルを展開

```
python_programming jsakai$ unzip test.zip -d zzz
Archive:  test.zip
   creating: zzz/test_dir/
   creating: zzz/test_dir/sub_dir/
   creating: zzz/test_dir/sub_dir/subsub_dir/
  extracting: zzz/test_dir/sub_dir/subsub_dir/subsub.txt
  extracting: zzz/test_dir/sub_dir/sub_test.txt
  extracting: zzz/test_dir/test.txt
```

zipファイルを展開する

zipファイルをPythonの処理で展開するときは、モードをrに指定してzipファイルをopenし、**extractall**（エクストラクトオール）でディレクトリを指定して展開します。以下の例では、zzz2というディレクトリにzipファイルを展開しています。

コード：c7_3_6.py　zipファイルを展開

```
import zipfile

with zipfile.ZipFile('test.zip', 'r') as z:
    z.extractall('zzz2')
```

tarファイルとzipファイルの扱い方は、コードが似ています。あわせて覚えてください。

Point **zipファイルを展開せずに中身を確認する**

zipファイルを展開せずに一部のファイルの中身を確認したい場合は、以下のようにして確認できます。ファイルの中身がバイト型で格納されているため、結果の先頭に「b」がつきます。

コード：c7_3_7.py　zipファイルの中身を確認

```
import zipfile

with zipfile.ZipFile('test.zip', 'r') as z:
    with z.open('test_dir/test.txt') as f:
        print(f.read())
```

実行結果

```
b'test'
```

7-4 さらに高度なファイルに関する操作

Lesson7の最後に、ファイルに関するさらに高度な処理を3つ紹介しましょう。「一時ファイル／一時ディレクトリ」は処理中でだけ一時的にファイルを作成するものです。「subprocess」はターミナルのコマンドをPythonから実行します。日付時刻ライブラリの「datetime」はバックアップファイルの作成管理に役立ちます。

一時ファイルを活用しよう

一時ファイルの作成

tempfile（テンプファイル）というライブラリをインポートし、その**TemporaryFile**（テンポラリーファイル）関数を使うと、Python側がI/Oバッファの上に一時ファイルを作成してくれるので、実際にファイルを作成することなくファイルを扱うことができます。

まず、一時ファイルを作成し、書き込んでからその内容を読み込んでみましょう。ここで作成されたファイルは一時的なものとなるので、処理が終わったらPythonが自動的に消去してくれます。

コード：c7_4_1.py　処理終了後に消去される一時ファイルを作成

```
import tempfile

with tempfile.TemporaryFile(mode='w+') as t:
    t.write('hello')
    t.seek(0)
    print(t.read())
```

実行結果

```
hello
```

I/Oバッファの上に作成するのではなく、実際に一時ファイルを作成したい場合には、**NamedTemporaryFile**（ネームドテンポラリーファイル）関数を使い、引数でdelete=Falseを指定します。以下の例では、こうして作成した一時ファイルをopenで開き、書き込んでから読み込んでいます。また、作成した一時ファイルのパスを、print(t.name)で表示しています。

コード：c7_4_2.py　処理終了後も残る一時ファイルを作成

```
import tempfile

with tempfile.NamedTemporaryFile(delete=False) as t:
    print(t.name)
    with open(t.name, 'w+') as f:
        f.write('test\n')
```

```
        f.seek(0)
        print(f.read())
```

実行結果

```
/var/folders/mc/5t6ffvt172lc_r2g3n5wb9nh0000gn/T/tmpyvp11x1p
test
```

実行すると、一時ファイルのパスと、ファイルの中身が表示されます。このパスのファイルを、ターミナルでcatコマンドを実行して確認してみましょう。

ターミナル　一時ファイルの中身を確認

```
python_programming jsakai$ cat /var/folders/mc/5t6ffvt172lc_r2g3n5wb9nh0000gn/T/tmpyvp11x1p
test
```

Point　Windowsではtypeコマンドを使う

Windowsの場合はcatコマンドではなくtypeコマンドを使います。ホームディレクトリのAppDataの下にC:\Users\sakai\AppData\Local\Temp\tmp9tv2ldikのような形で一時ファイルが作成されているはずです。その場合はtype C:\Users\sakai\AppData\Local\Temp\tmp9tv2ldikと実行すると、一時ファイルの中身を確認することができます。

一時ディレクトリの作成

ファイルのみならず、一時的なディレクトリを作成することも可能です。この一時ディレクトリは、中でファイルを作成し圧縮するなどといった活用をすることもできます。

コード：c7_4_3.py　処理終了後に消去される一時ディレクトリを作成

```
import tempfile

with tempfile.TemporaryDirectory() as td:
    print(td)
```

実行結果

```
/var/folders/mc/5t6ffvt172lc_r2g3n5wb9nh0000gn/T/tmp68rc_hxc
```

ここで、TemporaryDirectoryの定義を見てみると、**mkdtemp**（メイクディーテンプ）で一時的なディレクトリを作成していることがわかります。

/ Users 〉 libroworks 〉 opt 〉 anaconda3 〉 lib 〉 python3.9 〉 tempfile.py

lesson.py ×　tempfile.py ×

```
778      def __init__(self, suffix=None, prefix=None, dir=None):
779          self.name = mkdtemp(suffix, prefix, dir)
780          self._finalizer = _weakref.finalize(
781              self, self._cleanup, self.name,
782              warn_message="Implicitly cleaning up {!r}".format(self))
```

このmkdtempを使用すると、実際に一時的なディレクトリを作成することができます。mkdtempで一時ディレクトリを作成し、そのパスを表示してみましょう。

コード：c7_4_4.py 処理終了後も残る一時ディレクトリを作成

```
import tempfile

with tempfile.TemporaryDirectory() as td:
    print(td)

temp_dir = tempfile.mkdtemp()
print(temp_dir)
```

実行結果

```
/var/folders/mc/5t6ffvt172lc_r2g3n5wb9nh0000gn/T/tmpmd9geghl
/var/folders/mc/5t6ffvt172lc_r2g3n5wb9nh0000gn/T/tmp059zrs5_
```

ターミナルから、このディレクトリの存在を確認してみましょう。Macの場合はlsコマンド、Windowsの場合はdirコマンドで確認しましょう。lsコマンドの場合、-alのオプションをつけることで、名前に.（ドット）がついた隠しディレクトリや、詳細な情報を確認できます。

ターミナル 一時ディレクトリの確認

```
python_programming jsakai$ ls /var/folders/mc/5t6ffvt172lc_r2g3n5wb9nh0000gn/T/tmpmd9geghl
ls: /var/folders/mc/5t6ffvt172lc_r2g3n5wb9nh0000gn/T/tmpmd9geghl: No such file or directory
python_programming jsakai$ ls -al /var/folders/mc/5t6ffvt172lc_r2g3n5wb9nh0000gn/T/tmp059zrs5_
total 0
drwx------    2 jsakai  staff    64 Feb  3 14:23 .
drwx------@ 157 jsakai  staff  5024 Feb  3 14:23 ..
```

確認してみると、TemporaryDirectoryの中で作成したディレクトリは存在しないのに対して、mkdtempで作成したディレクトリはコマンドによって存在が確認できることがわかると思います。

tempfileはテスト用のファイルやディレクトリなど、必要なくなったら消去したいファイルが必要なケースでよく使われます。プログラムが複雑になるほどそのようなケースも増えてくるので、覚えておいてください。

Pythonでターミナルのコマンドを実行しよう

リストを使ったコマンドの実行

標準ライブラリの**subprocess**（サブプロセス）を使うと、ターミナル用のコマンドをPython上で実行できます。以下のように、**run**（ラン）関数の引数として、リストの中に実行したいコマンドを入れます。実行すると、コマンドの実行結果が表示されます。

コード：c7_4_5.py コマンドの実行

```
import subprocess

subprocess.run(['ls'])
```

実行結果

```
__pycache__
lesson.py
test.tar.gz
```

ls -alのようにコマンドにオプションを追加するには、それも引数のリストに追加しましょう。Windowsの場合は、dir /ahコマンドを指定し、コマンドプロンプトからスクリプトを実行することで隠しファイルを表示できますが、引数に後述するshell=Trueを指定する必要があります。

コード：c7_4_6.py オプションを指定したコマンドの実行

```
import subprocess

subprocess.run(['ls', '-al'])
```

実行結果

```
total 32
drwxrwxrwx   7 jsakai  staff   224 Feb  3 16:24 .
drwxr-xr-x   3 jsakai  staff    96 Jan  7 19:28 ..
-rw-r--r--@  1 jsakai  staff  6148 Feb  2 19:03 .DS_Store
drwxr-xr-x   8 jsakai  staff   256 Feb  3 16:22 .idea
drwxr-xr-x   2 jsakai  staff    64 Feb  2 18:52 __pycache__
-rw-r--r--   1 jsakai  staff    48 Feb  3 16:24 lesson.py
-rw-r--r--   1 jsakai  staff   304 Feb  2 20:23 test.tar.gz
```

Point osによるコマンドの実行

以前は、標準ライブラリのosを使ってコマンドを実行することもありましたが、現在では推奨されていません。subprocessのほうが多くの機能を備えているので、原則的にsubprocessを使うようにしましょう。

コード：c7_4_7.py osライブラリを使ったコマンドの実行

```
import os

os.system('ls')
```

shell=Trueを使ったコマンドの実行

run関数の引数に**shell=True**（シェル）を指定すると、リストを使わずに文字列のコマンドを実行できます。ただしこの実行方法はより高度な処理が行える反面、Linuxやshellにくわしい人でないと難しい部分があります。実行したいコマンドがシンプルなものなら、リストを使う方法をおすすめします。

コード：c7_4_8.py shell=Trueを用いたコマンドの実行

```
import subprocess

subprocess.run('ls -al', shell=True)
```

実行結果

```
total 32
drwxrwxrwx   7 jsakai  staff   224 Feb  3 16:24 .
drwxr-xr-x   3 jsakai  staff    96 Jan  7 19:28 ..
-rw-r--r--@  1 jsakai  staff  6148 Feb  2 19:03 .DS_Store
drwxr-xr-x   8 jsakai  staff   256 Feb  3 16:22 .idea
drwxr-xr-x   2 jsakai  staff    64 Feb  2 18:52 __pycache__
-rw-r--r--   1 jsakai  staff    55 Feb  3 16:24 lesson.py
-rw-r--r--   1 jsakai  staff   304 Feb  2 20:23 test.tar.gz
```

shell=Trueを使う場合、以下のように **|（パイプ）** を使うこともできます。パイプは**コマンドの結果を別のコマンドに渡す**テクニックです。以下の例では、lsコマンドの結果を絞り込んで表示するgrepコマンドに渡し、「test」を含む名前だけを表示しています。

コード：c7_4_9.py パイプラインの実行

```
import subprocess

subprocess.run('ls -al | grep test', shell=True)
```

実行結果

```
-rw-r--r--  1 jsakai  staff   304 Feb  2 20:23 test.tar.gz
```

Point shell=Trueの注意点

shell=Trueでコマンドを実行する方法は、シェルインジェクション（危険なコマンドで不正な処理をすること）の危険性があります。たとえば、コマンドにrm -rfのようなすべてのファイルを削除するというコマンドを簡単に組み込むことができてしまいます。セキュリティ面での危険があるので、推奨されていません。

shell=Trueを指定した状態で存在しないコマンドを実行した場合、処理は途中で止まりません。以下の例ではlsaという存在しないコマンドを実行しているため、「command not found」というエラーが返されています。しかしプログラムは止まらずに、そのあとのprintが実行されます。

コード：c7_4_10.py コマンド実行時のエラー

```
import subprocess

subprocess.run('lsa', shell=True)
print('###')
```

実行結果

```
/bin/sh: lsa: command not found
###
```

コマンドの返り値を変数に格納してリターンコードを表示してみると、コマンドが存在しない場合は127と表示されていることわかります。**リターンコードが0以外の場合は、コマンドが正常に終了していない**のです。

コード：c7_4_11.py コマンド実行時のエラー

```
import subprocess

r = subprocess.run('lsa', shell=True)
print(r.returncode)
```

実行結果

```
/bin/sh: lsa: command not found
127
```

正常に終了するコマンドを実行すると、リターンコードが0になります。これを用いることで、リターンコードに応じて適宜Exceptionを発生させるような処理を書くこともできるでしょう。また、runの引数にcheck=Trueと指定することで、コマンドでエラーとなった場合にPython側でExceptionを発生させることができます。

コード：c7_4_12.py コマンド実行時のエラー

```
import subprocess

subprocess.run('lsa', shell=True, check=True)
```

実行結果

```
/bin/sh: lsa: command not found
Traceback (most recent call last):
  File "/Users/jsakai/PycharmProjects/python_programming/lesson.py", line 3, in
<module>
    subprocess.run('lsa', shell=True, check=True)
  File "/Users/jsakai/opt/anaconda3/lib/python3.9/subprocess.py", line 528, in run
    raise CalledProcessError(retcode, process.args,
subprocess.CalledProcessError: Command 'lsa' returned non-zero exit status 127.
```

このようにshell=Trueを指定した方法は運用が難しい面があるのですが、コマンドをリストに格納する方法なら、実行したコマンドでエラーが起きた場合はPythonでExceptionが発生します。そのため、リストに格納する方法のみ覚えてもらえば問題ありません。

コード：c7_4_13.py コマンド実行時のエラー

```
import subprocess

subprocess.run(['lsa'])
```

実行結果

```
Traceback (most recent call last):
  File "/Users/jsakai/PycharmProjects/python_programming/lesson.py", line 3, in
<module>
    subprocess.run(['lsa'])
  File "/Users/jsakai/opt/anaconda3/lib/python3.9/subprocess.py", line 505, in run
    with Popen(*popenargs, **kwargs) as process:
  File "/Users/jsakai/opt/anaconda3/lib/python3.9/subprocess.py", line 951, in __
init__
    self._execute_child(args, executable, preexec_fn, close_fds,
  File "/Users/jsakai/opt/anaconda3/lib/python3.9/subprocess.py", line 1821, in _
execute_child
```

```
    raise child_exception_type(errno_num, err_msg, err_filename)
FileNotFoundError: [Errno 2] No such file or directory: 'lsa'
```

Point Popenを使ったパイプラインの実行

コマンドをリストに格納する方法で、パイプを使ったコマンドの実行をするには、Popenを使います。引数にstdout=subprocess.PIPEを指定することで、コマンドの出力結果をパイプに渡すことができます。この返り値を変数p1に格納します。

その次に実行するコマンドを、同じようにPopenで書いていきます。その際、引数でstdin=p1.stdoutとすることで、p1の出力結果を次のコマンドに渡すことが可能です。この返り値をp2に格納します。

コード：c7_4_14.py Popenを使ったパイプラインの実行

```
import subprocess

p1 = subprocess.Popen(['ls', '-al'], stdout=subprocess.PIPE)
p2 = subprocess.Popen(['grep', 'test'], stdin=p1.stdout, stdout=subprocess.PIPE)
p1.stdout.close()
output = p2.communicate()[0]
print(output)
```

実行結果

```
b'-rw-r--r--  1 jsakai  staff   304 Feb  2 20:23 test.tar.gz\n'
```

その後、p1.stdout.closeを実行し、p2.communicate()[0]とすることでコマンドの実行結果を取得できます。これなら、シェルインジェクションの危険を避けながら、パイプを扱うことができるようになります。ただ、この方法は上級者向けなので、あまり理解できずとも問題ありません。

時間にまつわるライブラリとバックアップファイル

datetimeの使い方

現在の時間を表示するには、標準ライブラリの**datetime**（デートタイム）の**now**（ナウ）を利用します。**isoformat**（アイエスオーフォーマット）を使うと、ISOという国際規格で定められた形式で表示することも可能です。

コード：c7_4_15.py 時間の表示

```
import datetime

now = datetime.datetime.now()
print(now)
print(now.isoformat())
```

実行結果

```
2022-02-03 16:54:19.128107
2022-02-03T16:54:19.128107
```

strftime（エスティーアールエフタイム）を使うと、表示形式をある程度自分で設定できます。strftimeの引数に含まれる%dは日付、%mは月、%yは西暦の下2桁を表します。西暦をすべて表示したい場合は%Yとします。%Hは時間、%Mは分、%Sは秒、%fはマイクロ秒（100万分の1秒）を意味します。

コード：c7_4_16.py 時間の表示

```
import datetime

now = datetime.datetime.now()
print(now.strftime('%d/%m/%y-%H%M%S%f'))
```

実行結果

```
03/02/22-170042835827
```

年月日だけを表示したい場合は、**today**（トゥデイ）で日付を取得し、isoformatで表示するか、strftimeで日付の書式のみを指定します。

コード：c7_4_17.py 年月日の表示

```
import datetime

today = datetime.date.today()
print(today)
print(today.isoformat())
print(today.strftime('%d/%m/%y'))
```

実行結果

```
2022-02-03
2022-02-03
03/02/22
```

datetime.timeを使うと、自分で好きな時刻を作成できます。時分秒などを引数で設定してみましょう。

コード：c7_4_18.py 任意の時刻の表示

```
import datetime

t = datetime.time(hour=1, minute=10, second=5, microsecond=100)
print(t)
print(t.isoformat())
print(t.strftime('%H%M%S%f'))
```

実行結果

```
01:10:05.000100
01:10:05.000100
011005000100
```

日付・時刻の計算

時間の計算をしたい場合には、**timedelta**（タイムデルタ）を使います。たとえば、1週間前の時間を表示したい場合には、以下のようにtimedeltaの引数にweeks=-1と指定し、その返り値dと時間を+で足しあわせます。

コード：c7_4_19.py 時間の計算

```
import datetime
```

```
now = datetime.datetime.now()
print(now)
d = datetime.timedelta(weeks=-1)
print(now + d)
```

実行結果

```
2022-02-03 17:19:14.394696
2022-01-27 17:19:14.394696
```

あるいは、weeks=1としてnow - dという引き算をすることでも、上記と同様に1週間前の時間を表示できます。

コード：c7_4_20.py 時間の計算

```
import datetime

now = datetime.datetime.now()
print(now)
d = datetime.timedelta(weeks=1)
print(now - d)
```

実行結果

```
2022-02-03 17:21:06.497406
2022-01-27 17:21:06.497406
```

weeksのほかにも、daysやhours、minutes、seconds、microsecondsを指定できます。1年前の時間を確認したい場合は、days=365としてnow - dを表示しましょう。

コード：c7_4_21.py 時間の計算

```
import datetime

now = datetime.datetime.now()
print(now)
d = datetime.timedelta(days=365)
print(now - d)
```

実行結果

```
2022-02-03 17:24:01.325565
2021-02-03 17:24:01.325565
```

timeの使い方

timeをインポートして、time.sleepを実行すると、指定した秒数の間は何もしないで処理を待つということができます。以下のようにして実行してみると、最初の#####が表示されて2秒経ってから次の#####が表示されると思います。

コード：c7_4_22.py sleep

```
import time

print('#####')
```

```
time.sleep(2)
print('#####')
```

実行結果

```
#####
#####
```

time.time() を実行すると、**エポックタイム**というものを表示できます。これは、1970年1月1日0時0分0秒からの経過秒数を示しています。

コード：c7_4_23.py　エポックタイム

```
import time

print(time.time())
```

実行結果

```
1643877046.6011572
```

バックアップファイルの作成

時間を取得する処理は、ファイルのバックアップなどに使用できます。以下の例では、test.txtというファイルに書き込みを行う前に、ファイルが存在していた場合はファイル名に時刻を追記した形でコピーを作成しています。

コード：c7_4_24.py　時間をファイル名に含んだバックアップファイルの作成

```
import os
import shutil
import datetime

now = datetime.datetime.now()

file_name = 'test.txt'

if os.path.exists(file_name):
    shutil.copy(file_name, "{}.{}".format(
        file_name, now.strftime('%Y_%m_%d_%H_%M_%S')))

with open(file_name, 'w') as f:
    f.write('test')
```

実行してみると、test.txtがない状態では新しくファイルが作成され、すでにtest.txtが存在しているときはファイルをコピーしてバックアップを作成します。このようにdatetimeは使う機会が多いので、ぜひ覚えておいてください。

Column

エンジニアのキャリア戦略④

成功するエンジニアの共通点

シリコンバレーには素晴らしいエンジニアがたくさんいますが、彼らには一つ、共通点があります。それは「キャリア構築力」に優れていること。キャリアを自主的にデザインし、**「そのためには何が必要か？」を逆算して、構築していく力**を持っているのです。ただ、これは**意識すれば、実は誰にでもできること**で、特別な力が必要なものではないと思っています。

たとえば、時代を先読みして「FinTechに必要な技術を身につけたい」と思っても、今いる社内で職場に関係のない技術を習得するのは、なかなか難しいものです。忙しいですし、最先端の分野だけに独学にも限界があるでしょう。

となると、手っ取り早く確実なのは、転職して学ぶことです。環境の力は大きいもので、スポーツでもプログラミングでも、やはり周りに優秀な人がいるとスキルは伸びやすくなります。アメリカであればGAFAやシリコンバレーの上場企業など、優秀なエンジニアが集まる企業に転職する人はやはり伸びやすいのです。

自分が今いる会社は10年後、20年後、どうなっているのか？　今、やっていることをやり続けていって大丈夫なのか？　そうしたことを冷静に考えて、「居場所を変えたほうがいい」と判断したら、その方向へ動いていきましょう。

そのためにも、ふだんからスキルアップを心がけ、適切な資格を取得し、**「自分がどういうスキルを持っているか」を言語化**して伝えられるようにしておくことが大切です。チャンスが来たときには、いつでも提出できるように履歴書・経歴書もブラッシュアップさせておきましょう。

日本では「ヘッドハンターに好条件を示されたから」「友人から誘われたから」「大企業だから」などといった理由で転職を決める人が、比較的多いように感じます。それよりも、**徹底して「自分」を軸に据えて、「どこへ行ったら、自分のスキルが上がるか？」を意識**したほうがいいと思うのです。少しの意識の違いが1年後、3年後、時とともに大きな差になっていく。それが、エンジニアの世界だと感じています。よかったら、今日から意識してみてくださいね。

Lesson 8 演習編

簡単なアプリケーションの作成にチャレンジ！

これまでのLessonで、Pythonの基本は学び終わりました。ここで、復習の意味も兼ねて、簡単なアプリケーションを作成してみましょう。学んだことを身につけるには、まず手を動かしてみることです。もちろん、最初からうまく作れるということはないと思います。不安なところがあれば、前に戻って確認してみてください。それを繰り返していくことで、さらに知識が定着していくことでしょう。

8-1 アプリケーションを作ってみよう

まず、ここで作成するアプリケーションの概要を説明します。先に仕様を見ながら、どのようにプログラム化していくかイメージしていってみてください。次の節以降の解説で、その答え合わせをしてみましょう。「どのようにやればいいのか」を自分で考えることが、プログラムを身につける上で非常に重要となってきます。最初はコードがきれいでなくてもかまわないので、まずは挑戦してみることが大切です。

実際にアプリケーションを作ってみよう

レストランをおすすめするアプリケーション「Roboter」

それでは、作成するアプリケーションの内容について説明していきます。今回作るのは、ユーザーからレストランの好みを収集し、そのデータを元におすすめのレストランを教えてくれるというアプリケーションです。ここでは、このアプリケーションを**Roboter**(ロボター)と呼ぶことにします。

このアプリケーションには2つの機能があります。**「ユーザーに好きなレストランを質問し、その結果をCSVファイルに記録する」**機能と、**「CSVファイルに記録されたレストランの情報を元に、ユーザーにレストランをおすすめする」**機能です。

アプリケーションがユーザーに対して「どのレストランが好きか」と質問し、回答の内容をCSVファイルに記録していきます。同じレストランが回答された場合は、その名前のレストランの数字を+1していきます。

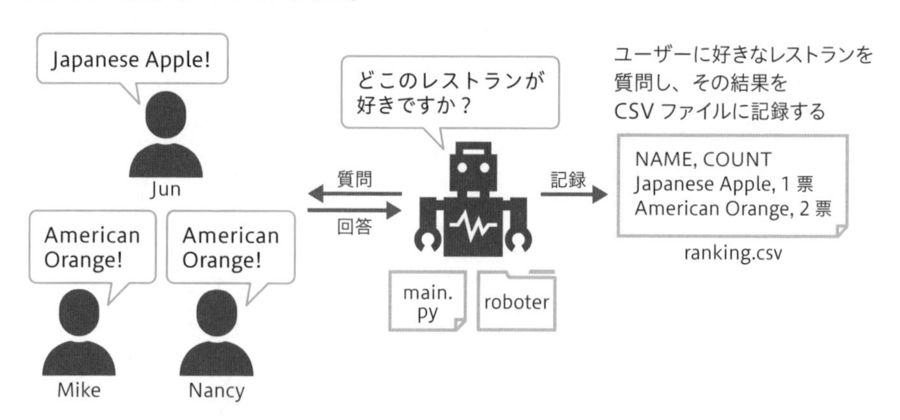

CSVファイルにレストランの情報が記録された状態でアプリケーションを実行すると、ユーザーに好きなレストランを質問する前に、CSVファイルの中で最も票数の多いレスト

ランをおすすめしてくれます。また、レストランをおすすめしたあとは、そのレストランが好きかどうかユーザーに尋ねます。このときの回答がNoだった場合、CSVファイルに他のレストランのデータがあれば、それをおすすめするようにします。

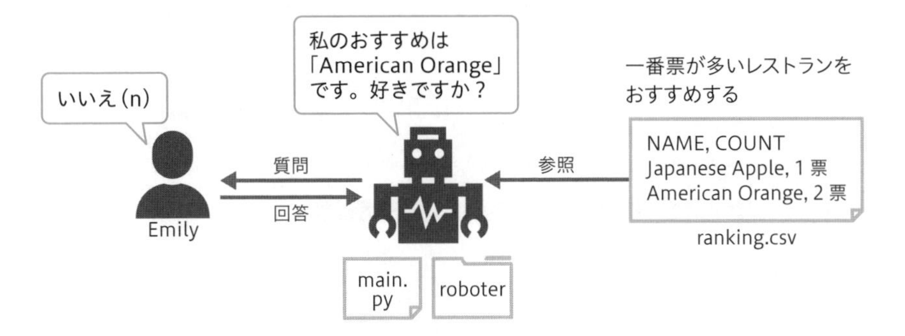

アプリケーションをはじめて実行した段階では、まだユーザーに好きなレストランを質問していないので、CSVファイルが存在しません。そのときはレストランをおすすめせず、好きなレストランを質問する処理のみを行います。

アプリケーションを起動した際には、ユーザーに名前をたずねるようにします。この名前はあとのメッセージ表示でも使うようにしましょう。以上の内容をまとめると、このアプリケーションは次のような処理の流れになっています。

「Roboter」のフローチャート

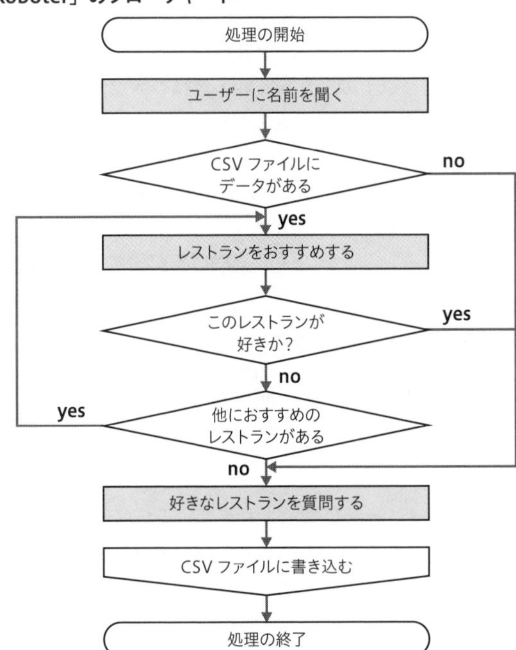

アプリケーションのファイル構成

roboterというパッケージに主要な処理をまとめ、main.pyでインポートして呼び出していく構成とします。以下のように、roboterパッケージと同じディレクトリにmain.pyがあり、ターミナルからpython main.pyと実行することでアプリケーションが動くような形です。

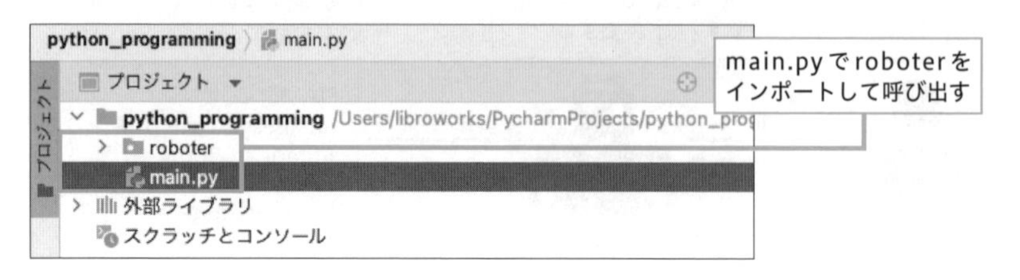

ユーザーの好きなレストランを記録する機能

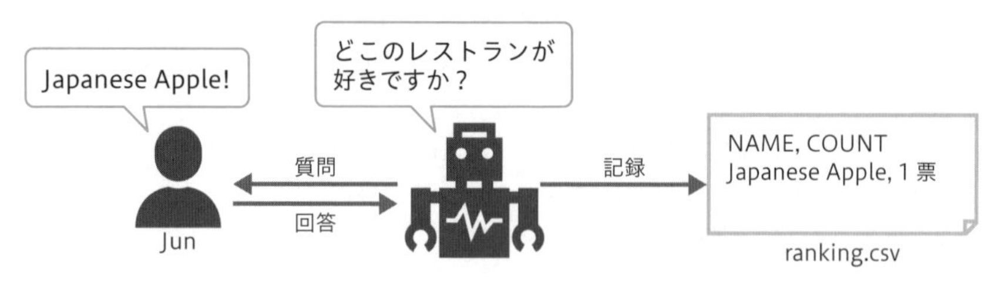

それでは、実際にアプリケーションがどのような動きをするのかを見ていきます。以下の説明を参考にして、同じような動きをするアプリケーションを作ってみてください。

まずpython main.pyとして実行すると、以下のような名前を尋ねるメッセージが出力されます（表示する文言はどのようなものでもかまいません）。出力後、アプリケーション側はユーザーに名前を尋ねるメッセージを表示し、入力を受け付ける状態になります。ここでは、ターミナルに「Jun」と入力してみます。この名前は、その後の好きなレストランを質問するときや処理終了時のメッセージ表示で使用しています。

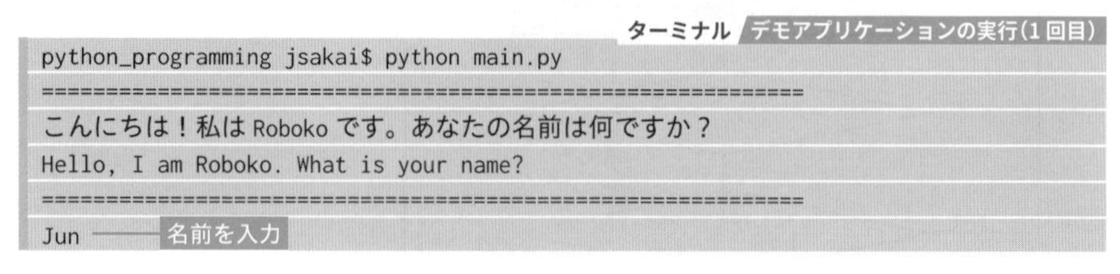

続いて、好きなレストランを尋ねるメッセージが表示されます。ここでは、「Japanese Apple」という名前のレストランを入力してみます。すると、メッセージが表示され、処理が終了します。

ターミナル　デモアプリケーションの実行(1回目)

```
============================================================
Jun さん。どこのレストランが好きですか？
Jun, which restaurants do you like?
============================================================
Japanese Apple ── レストラン名を入力
============================================================
Roboko: Jun さん。ありがとうございました。
Roboko: Thank you so much, Jun!

良い一日を！さようなら。
Have a good day!
============================================================
```

また、このときアプリケーション側でCSVファイルを作成しています。処理終了後にcatコマンドでCSVファイルの中身を確認してみると、入力した「Japanese Apple」というレストランの名前と、そのカウントが1であることが記述されています。このカウントは、同じレストランの名前が入力されるたびに+1されていくようにしましょう。

ターミナル　CSVファイルの確認

```
python_programming jsakai$ cat ranking.csv
NAME,COUNT
Japanese Apple,1
```

おすすめのレストランを表示する機能

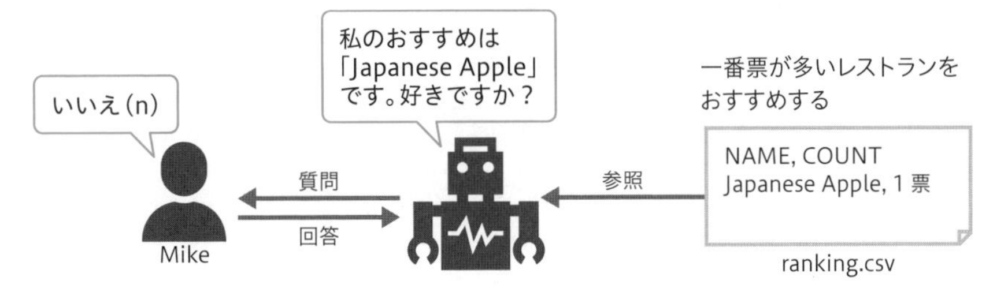

もう一度アプリケーションを起動し、名前をMikeとします。すると、Roboterがおすすめのレストランを表示してくれます。先ほど入力した「Japanese Apple」の名前とともに、このレストランが好きかどうかを尋ねてきます。このレストランの情報は、CSVファイルから読み込んで取得しています。ターミナルにYesまたはNoを入力して答えましょう。このときの入力は、小文字でyesまたはnoと入力した場合や、省略して1文字でyまたはnと入力した場合でもエラーにならないようにしてください。ここではnoと入力します。

ターミナル　デモアプリケーションの実行(2回目)

```
python_programming jsakai$ python main.py
============================================================
こんにちは！私は Roboko です。あなたの名前は何ですか？
```

```
Hello, I am Roboko. What is your name?
=============================================================
Mike ――― 名前を入力
=============================================================
私のオススメのレストランは、Japanese Apple です。
I recommend Japanese Apple restaurant.

このレストランは好きですか？ [Yes/No]
Do you like it? [y/n]
=============================================================
no ――― No と入力
```

その後、好きなレストランをたずねてきます。ここでは「American Orange」と入力すると、処理終了後にCSVファイルに入力したデータが追加されていることが確認できます。

ターミナル デモアプリケーションの実行(2回目)

```
=============================================================
Mike さん。どこのレストランが好きですか？
Mike, which restaurants do you like?
=============================================================
American Orange ――― レストラン名を入力
=============================================================
Roboko: Mike さん。ありがとうございました。
Roboko: Thank you so much, Mike!

良い一日を！さようなら。
Have a good day!
=============================================================

python_programming jsakai$ cat ranking.csv
NAME,COUNT
Japanese Apple,1
American Orange,1
```

そのほかの仕様について

おすすめのレストランが複数ある場合、「このレストランは好きですか？」という質問に対してユーザーがYesと回答した場合にはそれ以上おすすめは表示せず、Noと回答した場合にはさらに別のレストランを表示していくようにします。たとえば、「American Orange」が2票、「Japanese Apple」が1票という状態では、Roboterは最初に「American Orange」をおすすめとして表示し、それに対してユーザーがNoと回答した場合はその次の「Japanese Apple」をおすすめとして表示します。Yesと回答した場合は、「Japanese Apple」は表示せず、ユーザーに好きなレストランを質問する処理に進むようにしましょう。

また、好きなレストランをユーザーに質問した際、ユーザーからの入力が小文字だった場合は、単語の頭を大文字にしてCSVファイルに記録するようにします。たとえば、ユーザーが「american orange」と小文字で入力した場合は、「American Orange」というように、

1文字目が大文字になるようにしてCSVファイルに書き込むようにします。そうしないと、同じレストランの名前で表記の仕方が違った場合、違うレストランとしてカウントされてしまうからです。

以上が、作成するアプリケーションの仕様になります。このほかに、表示する文言を開発者が自由に変更できるように汎用的にしてみるのもよいかもしれません。また、CSVファイルの保存先を変更できるようにしたりと、Roboterの開発者が使いやすいようなコードにしてみるのもよいかと思います。ただ、最初はそこまでしなくとも、まずは動くことを目的として作成していただければと思います。

また、動くプログラムが完成したあとは、自分なりにカスタマイズしてみたり、汎用性を持たせるために使いやすくしていったり、コードを読みやすくしていったりしてもよいでしょう。

8-2 コードを読もう

アプリケーションの仕様を把握したところで、今度は私の作成したサンプルコードについて解説していきます。他の人が書いたコードを読むことも大切な経験です。なぜそのような書き方になっているのか、プログラマーの意図を考えながらコードを読んでいきましょう。また、今回のアプリケーションは「MVCモデル」という考え方にそって実装します。MVCモデルは、実際の開発でも目にすることが多いので、ここで概要を理解しておいてください。

サンプルコードを展開しよう

アプリケーションの仕様を見て、実際のプログラムをイメージできたでしょうか。開発に正解はありません。また、チームや会社内でも多少の違いはあります。しかし、どの人が見てもわかりやすくきれいに書くということが重要になってきますので、プログラムを書く際には、ぜひ他の人にわかりやすく書くということを心がけてください。

ここでは私の作成したコードを例にして、アプリケーションの構造を解説していきます。P.10を参照してダウンロードしてください。ダウンロードしたファイルを展開し、その中に含まれるroboterというパッケージをPyCharmのプロジェクトのディレクトリ（これまでlesson.pyなどを配置していた場所）に配置します。

Point　setuptoolsを使用したsetup.py

サンプルコードに同梱しているsetup.pyを使うと、サードパーティのライブラリと同じようにインストールが可能です。同梱しているREADME.txtにsetup.pyを使ってインストールする方法を記載しています。ただしこの方法でインストールすると、使っている環境によってはライブラリのディレクトリ構成が複雑になってしまう可能性があります。今回はroboterのパッケージを移動するという方法をおすすめします。

また、同梱のsetup.pyは、P.178で紹介したsdistを実行するためのdistutilsではなく、setuptoolsを使用しています。setuptoolsのほうがよりさまざまな機能を使うことができます。たとえば、distutilsではパッケージを指定する際にリストで記述していましたが、setuptoolsではfind_packageを使って自動的にPythonのファイルを見つけてパッケージングしてくれるという機能があります。また、install_requiresを指定することで、setup.pyを使ったインストール時に一緒に必要なライブラリをインストールすることも可能です。

また、このsetup.pyでは、インポートする際に,（カンマ）でつないで記述されている部分があります。この書き方はあまりよくないと以前お話ししたのですが、setup.pyはプログラムとして使うことはなくセットアップの用途に限られるため、慣例的にカンマを使って書かれることが多いです。

次の項からコードの中身を簡単に説明していきますが、その前に一度ダウンロードしたコードをザッと読んでみてください。「なぜ、このように書いたのか」と考えてみるだけでもよい練習になりますし、「自分だったらこういうふうに書く」というアイデアも出てきます。他の人のコードを読み、そこに込められた意図を知るということは、とても効果的な学習法です。他の人のコードを読むことに慣れるという意味でも、一とおり目を通していただければと思います。

アプリケーションのディレクトリ構造を見てみよう

Roboterは**main.py**を実行することで起動します。このmain.pyの中は以下のようになっています。

コード：main.py Roboterの起動

```
import roboter.controller.conversation
roboter.controller.conversation.talk_about_restaurant()
```

roboterパッケージの中のcontrollerのconversetion.pyをインポートして、その中の関数である**talk_about_restaurant**（トーク・アバウト・レストラン）を呼び出していますね。main.pyの内容はこれだけです。

roboterパッケージの中には、controllerのほかにも、modelsやviewsというディレクトリがあります。このディレクトリ構造は、**MVCモデル**に基づいています。MVCモデルではアプリケーションの内部構造を、表示などのUI処理を担当する**views**（ビューズ）、データの処理を担当する**models**（モデルズ）、viewsとmodelsを制御する処理を担当する**controller**（コントローラー）の3つに分けます。機能を分割してプログラムを把握しやすくすることを目指しており、Webフレームワークでよく用いられる考え方です。また、roboterパッケージの中にはtemplatesというディレクトリもあります。これは、viewsで使う画面に表示するメッセージのテンプレートを格納するディレクトリです。

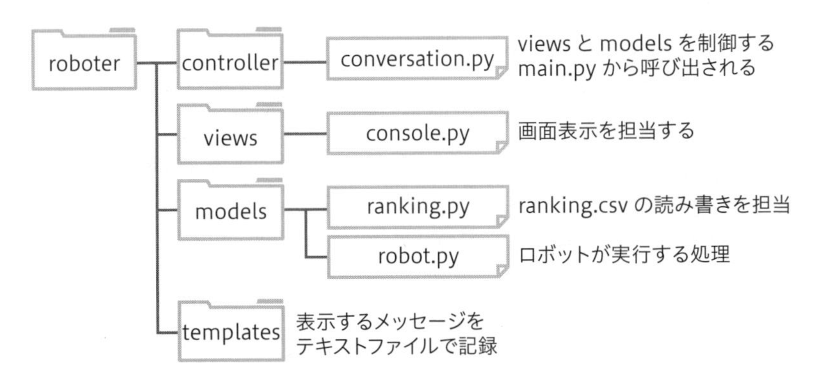

画面表示を担当するviews

viewsの中には、templatesディレクトリのファイルを利用して画面に表示するという処理が記述されています。今回のアプリケーションでは、ターミナルに文字を表示する部分の処理を担っています。

templates内のファイルでは、ロボットやユーザーの名前を差し込めるよう、テキストのテンプレート（P.235参照）を使っています。たとえば、以下のgood_by.txtでは、画面に表示するメッセージにあとから文字列を入れられるように$robot_nameや$user_nameと記述しています。

コード good_by.txt

```
$robot_name: $user_name さん。ありがとうございました。
$robot_name: Thank you so much, $user_name!

良い一日を！さようなら。
Have a good day!
```

実際のデータ処理を担当するmodels

modelsの中には、**robot.py**と**ranking.py**の2つのファイルがあります。robot.pyには、ロボットが実行する処理が記述されています。たとえば、ユーザーにおすすめのレストランの名前を教えてくれる**recommend_restaurant**（レコメンド・レストラン）メソッドや、好きなレストランを尋ねる**ask_user_favorite**（アスク・ユーザー・フェイバリット）メソッドといった処理が記述されています。また、RestaurantRobotクラスの初期化処理（__init__）では、self.ranking_model = ranking.RankingModel()として、RankingModelクラスのオブジェクトを作成しています。このRankingModelクラスは、CSVファイルのデータを表現したクラスです。

コード：robot.py RestaurantRobotクラスより抜粋

```
class RestaurantRobot(Robot):

    def __init__(self, name=DEFAULT_ROBOT_NAME):
        super().__init__(name=name)
        self.ranking_model = ranking.RankingModel()
```

RankingModelクラスが記述されているranking.pyを見てみると、CSVファイルを読み書きする処理が定義されています。CSVファイルを読み取る**load_data**（ロード・データ）メソッドや、内容を書き込んで保存する**saveメソッド**（セーブ）などです。

コード：ranking.py load_dataメソッド

```
    def load_data(self):
        with open(self.csv_file, 'r+') as csv_file:
            reader = csv.DictReader(csv_file)
            for row in reader:
                self.data[row[RANKING_COLUMN_NAME]] = int(
                    row[RANKING_COLUMN_COUNT])
        return self.data
```

viewsとmodelsを制御するcontroller

controllerの処理は、viewsとmodelsを制御する役割を持っており、どのような流れでプログラムを動かしていくかが書かれています。conversation.pyに書かれているコードを上から読んでいくと、「あいさつする」「おすすめする」「好みを聞く」といった全体の流れがなんとなく把握できるはずです。

コード：conversation.py 全体の流れ

```
from roboter.models import robot

def talk_about_restaurant():
    restaurant_robot = robot.RestaurantRobot()
    restaurant_robot.hello()                         あいさつする
    restaurant_robot.recommend_restaurant()          レストランをおすすめする
    restaurant_robot.ask_user_favorite()             好きなレストランを聞く
    restaurant_robot.thank_you()                     お礼をいう
```

このようにMVCモデルに基づいてディレクトリを構成し、ファイルを配置していくと、どのディレクトリにどのような処理が入っているのかすぐにわかるという利点があります。

画面に表示する処理のコードを見てみよう

それでは、画面にメッセージを表示する部分の処理から見ていきましょう。画面表示を担当するviewsの処理は、ユーザーから見える部分の処理なので、まずはここから理解していくのがわかりやすいと思います。

最初に実行するmain.pyでは、controllerのconversation（カンバセーション）モジュールをインポートし、talk_about_restaurant関数を実行しています。このtalk_about_restaurantから、あいさつのメッセージを表示したりレストランをおすすめしたりといった、Roboterのすべての処理が呼び出されています。

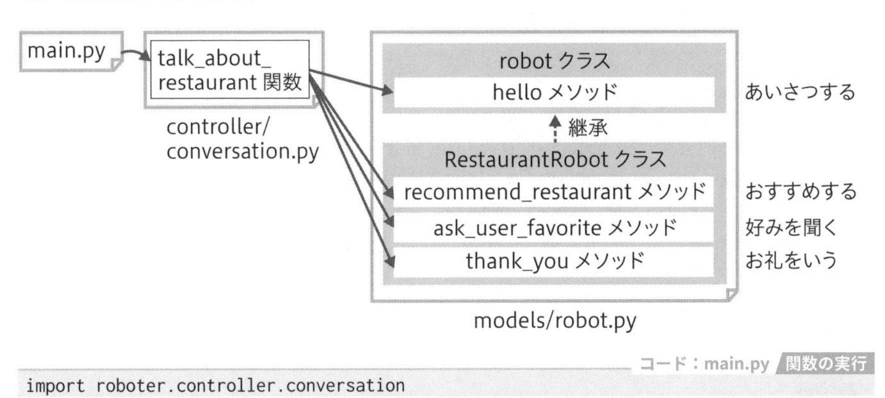

コード：main.py 関数の実行

```
import roboter.controller.conversation
roboter.controller.conversation.talk_about_restaurant()
```

このmain.pyで呼び出されている、conversation.pyの**talk_about_restaurant関数**の処理の中身を見てみましょう。すると、以下のようにアプリケーションが実行する処理の流れにそってコードが並んでいることがわかります。

コード：conversation.py 処理の中身

```
from roboter.models import robot


def talk_about_restaurant():
    restaurant_robot = robot.RestaurantRobot()  ── RestaurantRobotのオブジェクトを作成
    restaurant_robot.hello()  ── あいさつする
    restaurant_robot.recommend_restaurant()  ── レストランをおすすめする
    restaurant_robot.ask_user_favorite()  ── 好きなレストランを聞く
    restaurant_robot.thank_you()  ── お礼をいう
```

Point PyCharmで関数の定義部分をすばやく開く

PyCharmでは、関数名を右クリックして［移動］→［宣言または使用箇所］をクリックするか、関数名にカーソルを合わせた状態でcommand＋Bキー（Windowsの場合はCtrl＋Bキー）を押すと、該当する処理をすぐに開くことができます。複数のファイルを読むときに便利です。

talk_about_restaurant関数でRestaurantRobotのオブジェクトが作成され、その**hello**（ハロー）メソッドが実行されています。このhelloメソッドは、RestaurantRobotクラスの継承元であるRobotクラスで定義されています。

コード：robot.py Robotクラス

```
class Robot(object):

    def __init__(self, name=DEFAULT_ROBOT_NAME, user_name='',
                 speak_color='green'):
        self.name = name
        self.user_name = user_name
        self.speak_color = speak_color

    def hello(self):
        while True:
            template = console.get_template('hello.txt', self.speak_color)
            user_name = input(template.substitute({
                'robot_name': self.name}))

            if user_name:
                self.user_name = user_name.title()
                break
```

Point RobotクラスとRestaurantRobotクラス

RestaurantRobotクラスは、ベースとなるRobotクラスを継承しています。あいさつをするhelloメソッドといった、基本的なロボットの機能はRobotクラスに持たせていますが、他の機能についてはRestaurantRobotの中で実装しています。

そして、このhelloの中でゲット・テンプレート**get_template**関数を実行して、templatesディレクトリのhello.txtから文章を読み込んでいます。このget_template関数は、viewsの中のconsole.pyで定義されていて、robot.pyのコードを見渡してみると複数の箇所で使用されていることがわかると思います。

テンプレートファイルの場所を取得する処理

helloメソッドの中で呼び出している、get_template関数の定義を見てみましょう。この関数でtemplatesディレクトリのhello.txtを読み込み、その内容を使って画面にあいさつを表示しています。

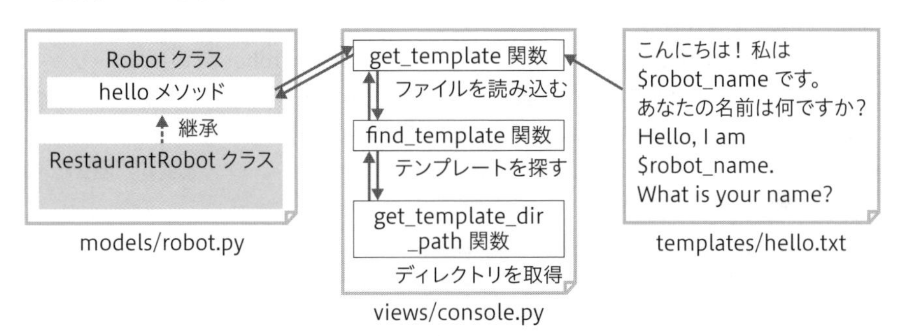

get_template関数で画面表示に必要なテンプレートファイルを読み込むには、テンプレートファイルの場所を特定する必要があります。その処理を担当するのが、テンプレートファイルの場所を探すファインド・テンプレート**find_template**関数と、テンプレートファイルが格納されているディレクトリを取得するゲット・テンプレート・ディーアイアール・パス**get_template_dir_path**関数です。

それではまず、ropot.pyのhelloメソッドから順番に見てみましょう。ここでget_template関数を、第一引数に'hello.txt'を渡して実行しています。この引数はテンプレートファイルの名前となっています。

コード：robot.py　hello メソッド

```
    def hello(self):
        while True:
            template = console.get_template('hello.txt', self.speak_color)
```

続いてconsole.pyのget_template関数を見てみます。先ほど引数に指定した'hello.txt'がtemplate_file_pathとして渡され、さらにfind_template関数に渡されています。

コード：console.py　get_template 関数

```
def get_template(template_file_path, color=None):

    template = find_template(template_file_path)
    with open(template, 'r', encoding='utf-8') as template_file:
        contents = template_file.read()
        contents = contents.rstrip(os.linesep)
```

```
    contents = '{splitter}{sep}{contents}{sep}{splitter}{sep}'.format(
        contents=contents, splitter="=" * 60, sep=os.linesep)
    contents = termcolor.colored(contents, color)
    return string.Template(contents)
```

Point わかりやすい関数名をつけよう

console.pyの関数名を見ていくと、処理の内容がある程度想像できると思います。このように関数が何をしているか、わかりやすい名前をつけることも大切です。

find_template関数の定義には、指定されたファイル名を元にテンプレートファイルを探しにいく処理が書かれています。テンプレートのファイル名はrobot.pyのhelloメソッドから引数で'hello.txt'と指定されていますが、そのディレクトリは指定されていないため、get_template_dir_path関数でディレクトリの場所を求めています。

コード：console.py find_template 関数

```
def find_template(temp_file):

    template_dir_path = get_template_dir_path()
    temp_file_path = os.path.join(template_dir_path, temp_file)
    if not os.path.exists(temp_file_path):
        raise NoTemplateError('Could not find {}'.format(temp_file))
    return temp_file_path
```

さらに続けてget_template_dir_path関数を見ていきましょう。

コード：console.py get_template_dir_path 関数

```
def get_template_dir_path():

    template_dir_path = None
    try:
        import settings
        if settings.TEMPLATE_PATH:
            template_dir_path = settings.TEMPLATE_PATH
    except ImportError:
        pass

    if not template_dir_path:
        base_dir = os.path.dirname(os.path.dirname(os.path.abspath(__file__)))
        template_dir_path = os.path.join(base_dir, 'templates')

    return template_dir_path
```

get_template_dir_path関数では、まずtry文の中でsettings.pyをモジュールとしてインポートし、その中を確認してsettings.TEMPLATE_PATHが存在する場合は、テンプレートファイルの場所として変数template_dir_pathに設定しています。template_dir_path

に値を設定できなかった場合は、ベースディレクトリ（パッケージのトップレベルの場所）にあるtemplatesというディレクトリをテンプレートファイルが格納されている場所として指定する処理になっています。

サンプルコードにはsettings.pyが存在しないため、settings.TEMPLATE_PATHの値からtemplate_dir_pathを設定することができません。そのため、ベースディレクトリにあるtemplatesディレクトリをテンプレートファイルの場所として指定します。

settings.pyでファイルのパスを設定する

少し話はそれますが、もしsettings.pyが存在した場合はどうなるでしょうか。試しにsettings.pyでテンプレートファイルの場所を指定しましょう。このアプリケーションのsettings.pyの記述方法は、サンプルコードに同梱のREADME.txtからも確認できます。

コード README.txt より settings.py について抜粋

```
オプション： 保存する CSV やテンプレート先を変更する場合は、settings.py に以下の値を入れる
# vim settings.py
CSV_FILE_PATH = '/tmp/test.csv'
TEMPLATE_PATH = '/tmp/templates/'

# settings.py ファイルを作成した場合は、変更しない場合の Default は以下に設定する
CSV_FILE_PATH = None
TEMPLATE_PATH = None
```

上記のとおり、settings.pyにはCSV_FILE_PATHとTEMPLATE_PATHの2つの設定値を持たせることができます。また、ファイルの場所を変更しない場合は、Noneを指定するとsetting.pyで指定しなかったときと同じ場所を指定するようになります。

Point configparser

標準ライブラリのconfigparser（P.310参照）を使うと、デフォルト値の設定が可能です。

ここで、ベースディレクトリにsettings.pyを作成し、内容を次のように記述します。

コード 設定の記述

```
CSV_FILE_PATH = '/tmp/test.csv'
TEMPLATE_PATH = '/tmp/templates/'
```

これで、テンプレートのファイルの格納場所を/tmp/templates/に変更できます。この場所にテンプレートファイルのhello.txtを配置して、テキストを編集するvimコマンドを使って適当な文字列を入れてみます（Windowsの場合はメモ帳などのテキストエディタで編集する）。

ターミナル /tmp/templates/ にテンプレートファイルを作成

```
python_programming jsakai$ cd /tmp
tmp jsakai$ mkdir templates
tmp jsakai$ cd templates
templates jsakai$ ls
templates jsakai$ cp ~/PycharmProjects/python_programming/roboter/templates/hello.
txt .
templates jsakai$ ls
hello.txt
templates jsakai$ vim hello.txt        vim コマンドで hello.txt を編集
templates jsakai$ pwd
/tmp/templates
templates jsakai$ ls
hello.txt
templates jsakai$ cat hello.txt        cat コマンドで hello.txt を確認
fdafjdoafjdiafjdioafjdioafjdafjai      vim コマンドで追加した文字列
こんにちは！私は $robot_name です。あなたの名前は何ですか？
Hello, I am $robot_name. What is your name?
templates jsakai$
```

この状態でmain.pyを実行すると、/tmp/templates/に作成したテンプレートファイルに追記した文字列が出力に含まれていることが確認できると思います。

実行結果

```
==============================================================
fdafjdoafjdiafjdioafjdioafjdafjai
こんにちは！私は Roboko です。あなたの名前は何ですか？
Hello, I am Roboko. What is your name?
==============================================================
```

settings.pyでの設定をNoneにすると、プロジェクトのベースディレクトリ内のtemplatesのテンプレートファイルを参照するようになります。

コード：settings.py 設定の記述

```
CSV_FILE_PATH = '/tmp/test.csv'
TEMPLATE_PATH = None
```

実行結果

```
==============================================================
こんにちは！私は Roboko です。あなたの名前は何ですか？
Hello, I am Roboko. What is your name?
==============================================================
```

このように設定を変更できるということも、get_template_dir_path関数の処理を読んでいくとわかるようになっています。

Point settings.pyを使う理由

テンプレートファイルの格納先の設定を変更しなくても、templatesディレクトリの中のファイルを直接書き換えればいいのではないか、と思う方もいるかもしれません。ですが、pipコマンドでのインストールや、setup.pyを使用したインストールの場合、サードパーティのライブラリ用ディレクトリにtemplatesディレクトリが格納されてしまいます。そうなると、パッケージの一部を書き換えることになってしまいます。それは避けるべきです。

また、パッケージがバージョンアップされた場合に、templatesディレクトリが違うものに置き換わってしまう可能性もあります。そのため、今回のサンプルコードではsettings.pyで設定を変更できる仕様にしているのです。

テンプレートファイルの内容を読み込んで画面に表示する処理

get_template_dir_path関数の処理が完了すると、find_template関数の処理にテンプレートファイルのディレクトリのパスが受け渡されます。find_template関数では、受け渡されたディレクトリの中に、引数として指定された'hello.txt'が存在するかどうかを確認し、存在する場合はそのパスを返します。

コード：console.py find_template関数

```
def find_template(temp_file):

    template_dir_path = get_template_dir_path()    # テンプレートのディレクトリ取得
    temp_file_path = os.path.join(template_dir_path, temp_file)
    if not os.path.exists(temp_file_path):    # テンプレートの存在を確認
        raise NoTemplateError('Could not find {}'.format(temp_file))
    return temp_file_path    # テンプレートのファイルパスを返す
```

find_template関数の返り値をget_template関数で受け取り、そのファイルをopenして内容を読み込んでいます。読み込んだ内容の前後に「=」を60回付け足し、termcolor.coloredで色を指定しています（このときの色は、Robotクラスの__init__のデフォルト引数に指定されているgreenが使用されています）。

コード：console.py get_template関数

```
def get_template(template_file_path, color=None):

    template = find_template(template_file_path)
    with open(template, 'r', encoding='utf-8') as template_file:
        contents = template_file.read()
        contents = contents.rstrip(os.linesep)
        contents = '{splitter}{sep}{contents}{sep}{splitter}{sep}'.format(
            contents=contents, splitter="=" * 60, sep=os.linesep)
        contents = termcolor.colored(contents, color)
        return string.Template(contents)
```

get_template関数の返り値をRobotクラスのhelloメソッドが受け取り、input関数でメッセージを画面に表示します。

コード：robot.py Robot クラスの hello メソッド

```
    def hello(self):
        while True:
            template = console.get_template('hello.txt', self.speak_color)
            user_name = input(template.substitute({
                'robot_name': self.name}))  ── inputでメッセージを画面に表示

            if user_name:
                self.user_name = user_name.title()
                break
```

　このようにしてメソッド／関数の処理を追っていくと、helloメソッド→get_template関数→find_template関数→get_template_dir_path関数という順番で実行される、テンプレートを読み込んで画面に表示するまでの流れがわかるかと思います。

データを処理するコードを見てみよう

　それでは、画面にあいさつを表示する処理に続いて、CSVファイルからデータを読み込む部分の処理について見ていきましょう。

　conversation.pyのtalk_about_restaurant関数を見ると、あいさつをするhelloメソッドの次は、レストランをおすすめする**recommend_restaurant**（リコメンド・レストラン）メソッドが呼び出されていることがわかります。

コード：conversation.py talk_about_restaurant 関数

```
def talk_about_restaurant():
    restaurant_robot = robot.RestaurantRobot()  ── RestaurantRobotのオブジェクトを作成
    restaurant_robot.hello()  ── あいさつする
    restaurant_robot.recommend_restaurant()  ── レストランをおすすめする
    restaurant_robot.ask_user_favorite()  ── 好きなレストランを聞く
    restaurant_robot.thank_you()  ── お礼をいう
```

　このrecommend_restaurantメソッドがどのような処理をしているのか、見ていきましょう。

　処理の最初でranking_modelというオブジェクトが**get_most_popular**（ゲット・モスト・ポピュラー）メソッドを呼び出していますね。このranking_modelはRankingModelクラスのオブジェクトで、RestaurantRobotのオブジェクトが作成されるときに一緒に作成されます。

コード：robot.py recommend_restaurant メソッド（抜粋）

```
    @_hello_decorator
    def recommend_restaurant(self):
        """Show restaurant recommended restaurant to the user."""
        new_recommend_restaurant = self.ranking_model.get_most_popular()
        if not new_recommend_restaurant:
            return None
```

Point デコレーター：@_hello_decorator

recommend_restaurantメソッドなどに付加されているデコレーター@_hello_decoratorは、ユーザーの名前が入力されていない状態でrecommend_restaurantメソッドなどが呼び出された場合に、処理を実行する前にhelloメソッドを呼び出してユーザー名を聞き、入力させるデコレーターとなっています。

コード：robot.py　_hello_decorator

```
def _hello_decorator(func):
    def wrapper(self):
        if not self.user_name:
            self.hello()
        return func(self)
    return wrapper
```

CSVファイルからデータを読み込む際の処理の流れ

RankingModelクラスの**get_most_popular**メソッドは、CSVファイルのデータの中で一番カウントが多いレストランを返す処理になっています。

では、CSVファイルのデータはどうやって読み込んでいるのかというと、同じくRankingModelクラスのget_csv_file_pathメソッドでCSVファイルの場所を取得し、load_dataメソッドでデータを読み込んでいます。こうして読み込んだデータを使って、get_most_popularメソッドで一番人気のレストランを取得しているのです。

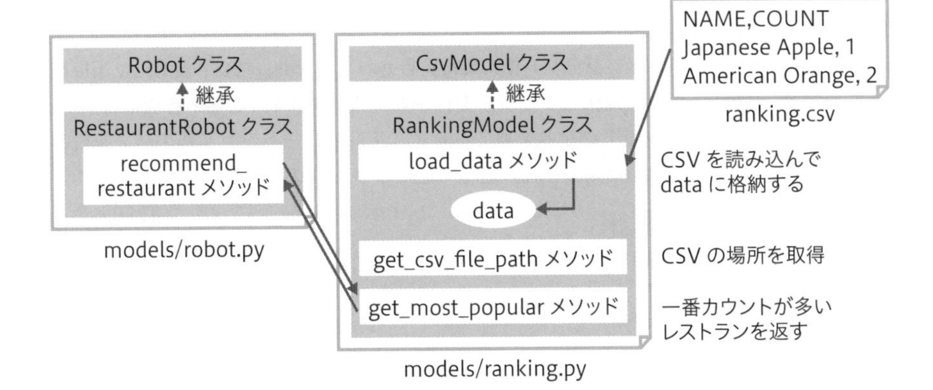

それでは、CSVファイルからデータを読み込む部分の処理から見ていきましょう。はじめに、**RankingModel**（ランキングモデル）クラスが記述されているranking.pyを見てみます。このRankingModelクラスは、CsvModelクラスを継承して作成されています。この2つのクラスの__init__の処理によって、CSVファイルのデータを読み込む処理が実行されています。これらが行っている処理を、「CSVファイルの場所を取得する処理」と「CSVファイル

を読み込む処理」の2つに分けて次の項で説明します。

コード：ranking.py CsvModelクラスの__init__

```
class CsvModel(object):
    """Base csv model."""
    def __init__(self, csv_file):
        self.csv_file = csv_file
        if not os.path.exists(csv_file):          ── CSVファイルの存在を確認
            pathlib.Path(csv_file).touch()        ── CSVファイルがない場合はtouchで作成
```

コード：ranking.py RankingModelクラスの__init__

```
class RankingModel(CsvModel):                     ── CsvModelを継承
    def __init__(self, csv_file=None, *args, **kwargs):
        if not csv_file:
            csv_file = self.get_csv_file_path()   ── CSVファイルの場所を取得
        super().__init__(csv_file, *args, **kwargs)   ── CsvModelの__init__を実行
        self.column = [RANKING_COLUMN_NAME, RANKING_COLUMN_COUNT]
        self.data = collections.defaultdict(int)  ── 変数dataをdefaultdict型で作成
        self.load_data()                          ── CSVファイルからデータを読み込む
```

Point　CsvModelクラスの継承

今回は、名前とカウントのカラムを持ったCSVファイルを扱うクラスとしてRankingModelを作成していますが、もしほかのデータ構造が必要になった場合は、CsvModelクラスを継承して新たに作成すればよいわけです。そのため、ほかのデータ構造にも共通する基本的な処理についてはCsvModelクラスの中で定義しています。

CSVファイルの場所を取得する処理

RankingModelクラスのオブジェクト作成時に実行される__init__では、変数csv_fileの値がない場合に**get_csv_file_path**（ゲット・シーエスブイ・ファイル・パス）メソッドが実行され、CSVファイルの場所を取得します。このget_csv_file_pathメソッドの定義を見てみると、テンプレートファイルのパスを読み込むときと同じように、settings.pyを読み込んでCSVファイルのパスを設定しています。

コード：ranking.py get_csv_file_pathメソッド

```
    def get_csv_file_path(self):
        """Set csv file path.

        Use csv path if set in settings, otherwise use default
        """
        csv_file_path = None
        try:
            import settings
            if settings.CSV_FILE_PATH:            ── setting.pyからCSV_FILE_PATHを取得する
                csv_file_path = settings.CSV_FILE_PATH
        except ImportError:
            pass

        if not csv_file_path:                     ── setting.pyから取得できなかった場合はデフォルトの場所
```

```
            csv_file_path = RANKING_CSV_FILE_PATH
        return csv_file_path
```

以下のようにsettings.pyでCSV_FILE_PATHを設定している場合、そのパスにCSVファイルが保存されます。

コード：settings.py　CSVファイルの場所を設定する場合

```
CSV_FILE_PATH = '/tmp/test.csv'
TEMPLATE_PATH = None
```

もしsettings.pyが存在しない場合や、settings.pyにNoneと記述されていた場合は、デフォルトの場所としてRANKING_CSV_FILE_PATHが設定されます。この値にはrainking.py の上部で定義されているranking.csvが使用され、プロジェクトのベースディレクトリにあるこの名前のCSVファイルを探しにいくようになります。

コード：ranking.py　定義されているデフォルトのCSVファイルのパス

```
RANKING_CSV_FILE_PATH = 'ranking.csv'
```

CSVファイルを読み込む処理

get_csv_file_pathメソッドでCSVファイルの場所を取得したあとは、CsvModelクラスの__init__メソッドの処理が呼び出されます。ここでCSVファイルが存在しない場合はtouchでファイルが作成されます。

その後load_dataというメソッドを実行し、CSVファイルを読み込んでdefaultdict型(P.186)の変数dataに格納しています。これで読み込み処理は完了です。

コード：ranking.py　load_dataメソッド

```
    def load_data(self):
        with open(self.csv_file, 'r+') as csv_file:
            reader = csv.DictReader(csv_file)    ――― CSVファイルを読み込む
            for row in reader:
                self.data[row[RANKING_COLUMN_NAME]] = int(
                    row[RANKING_COLUMN_COUNT])    ――― 読み込んだ内容を変数dataに格納
        return self.data
```

一番カウントが多いレストランを返す処理

読み込んだCSVファイルのデータを使って、一番カウントが多いレストランを取得していきましょう。**get_most_popularメソッド**では、読み込んだdataをカウントが多い順に並べて、最も多いものを返しています。ただし、そのレストランの名前がnot_listの中に含まれている場合は、それを除いて処理します。これは、一度おすすめとして表示したレストランをもう一度表示しないようにするためです。すでに表示したレストランはnot_listの中に格納していくようになっています。このnot_listはrecommend_restaurantメソッドから引数として渡されます。

コード：ranking.py　get_most_popularメソッド

```
    def get_most_popular(self, not_list=None):
```

```
        if not_list is None:
            not_list = []

        if not self.data:
            return None

        sorted_data = sorted(self.data, key=self.data.get, reverse=True)
        for name in sorted_data:
            if name in not_list:  ── not_list に名前があるか確認
                continue ── すでにおすすめしていたらおすすめしない（次のデータを参照）
            return name
```

Point PyCharmで文字列をハイライト表示

PyCharmで、変数名を選択した状態でcommand＋Fキー（WindowsではCtrl+F）を押して検索すると、文字列がハイライト表示されるため、どの場所で使われているかを簡単に確認できます。

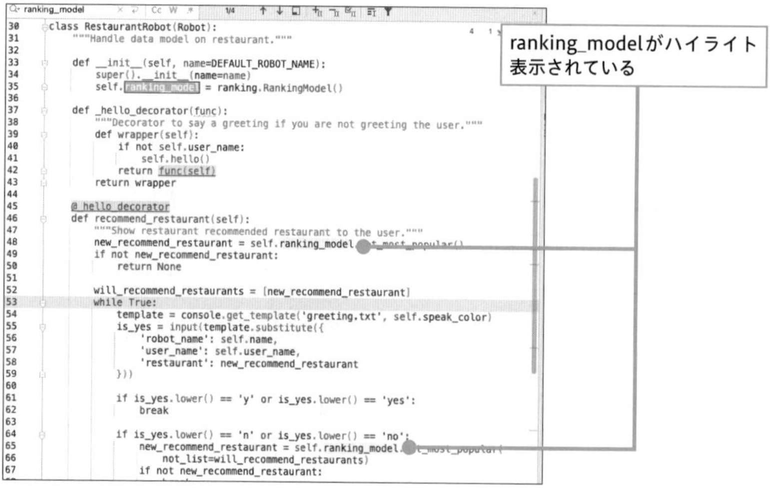

```
30  class RestaurantRobot(Robot):
31      """Handle data model on restaurant."""
32
33      def __init__(self, name=DEFAULT_ROBOT_NAME):
34          super().__init__(name=name)
35          self.ranking_model = ranking.RankingModel()
36
37      def _hello_decorator(func):
38          """Decorator to say a greeting if you are not greeting the user."""
39          def wrapper(self):
40              if not self.user_name:
41                  self.hello()
42              return func(self)
43          return wrapper
44
45      @_hello_decorator
46      def recommend_restaurant(self):
47          """Show restaurant recommended restaurant to the user."""
48          new_recommend_restaurant = self.ranking_model.get_most_popular()
49          if not new_recommend_restaurant:
50              return None
51
52          will_recommend_restaurants = [new_recommend_restaurant]
53          while True:
54              template = console.get_template('greeting.txt', self.speak_color)
55              is_yes = input(template.substitute({
56                  'robot_name': self.name,
57                  'user_name': self.user_name,
58                  'restaurant': new_recommend_restaurant
59              }))
60
61              if is_yes.lower() == 'y' or is_yes.lower() == 'yes':
62                  break
63
64              if is_yes.lower() == 'n' or is_yes.lower() == 'no':
65                  new_recommend_restaurant = self.ranking_model.get_most_popular(
66                      not_list=will_recommend_restaurants)
67                  if not new_recommend_restaurant:
```

ranking_modelがハイライト表示されている

CSVファイルにレストランのデータが存在しない場合

さて、これでCSVファイルから一番カウントが多いレストランを取得することができました。しかし、アプリケーションを最初に実行した際はCSVファイルにデータが存在していないため、おすすめのレストランを取得することができません。そのときはどうなるのでしょうか。recommend_restaurantメソッドの続きを見てみましょう。

コード：robot.py　recommend_restaurantメソッド（抜粋）

```
    @_hello_decorator
    def recommend_restaurant(self):
        """Show restaurant recommended restaurant to the user."""
```

```
        new_recommend_restaurant = self.ranking_model.get_most_popular()
        if not new_recommend_restaurant:  ── get_most_popularの返り値を確認
            return None  ── データがなければNoneを返す
```

get_most_popularメソッドはデータが存在しなければNoneを返します。その場合、recommend_restaurantメソッドは画面に何も出力せず、次の処理のask_user_favoriteメソッドに進みます。つまり、CSVファイルにまだレストランのデータがなく、おすすめのレストランがない場合は、おすすめを表示せずにそのまま好きなレストランを尋ねる処理へと進むというわけです。

CSVファイルにレストランのデータが存在する場合

アプリケーションを実行してレストラン名を入力し、CSVファイルにデータが存在する状態にしてからもう一度アプリケーションを実行してみてください。今度はデータが存在しているので、recommend_restaurantメソッドでおすすめのレストランが表示されます。

ターミナル　Roboterの実行

```
=============================================================
こんにちは！私はRobokoです。あなたの名前は何ですか？
Hello, I am Roboko. What is your name?
=============================================================
Jun  ── 名前を入力
=============================================================
私のオススメのレストランは、Japanese Orangeです。  ── おすすめが表示される
I recommend Japanese Orange restaurant.

このレストランは好きですか？ [Yes/No]
Do you like it? [y/n]
=============================================================
```

recommend_restaurantメソッドでは、get_most_popularメソッドで取得したレストランの名前を、will_recommend_restaurantsという変数にリストとして格納します。これは、複数のレストランのおすすめを表示する際に、一度表示したレストランを表示しないようにするため、すでにおすすめとして表示したレストランを保持しておく必要があるからです。

コード：robot.py　recommend_restaurantメソッド（前半）

```
    @_hello_decorator
    def recommend_restaurant(self):
        new_recommend_restaurant = self.ranking_model.get_most_popular()
        if not new_recommend_restaurant:
            return None

        will_recommend_restaurants = [new_recommend_restaurant]  ── リストで格納
```

その後、おすすめのレストランをテンプレートにしたがって表示し、ユーザーからyesま

たはnoの入力を受け付けます。入力がyesであればbreakでループを抜けて、ユーザーに好きなレストランを質問する処理に進みます。noであれば、もう一度get_most_popularメソッドでカウントが多いレストランを取得します。このとき、すでに表示したレストランは省きたいので、引数のnot_listにwill_recommend_restaurantsを渡します。

コード：robot.py recommend_restaurantメソッド(後半)

```
        while True:
            template = console.get_template('greeting.txt', self.speak_color)
            is_yes = input(template.substitute({   ―― inputでユーザーにおすすめを表示
                'robot_name': self.name,
                'user_name': self.user_name,
                'restaurant': new_recommend_restaurant
            }))

            if is_yes.lower() == 'y' or is_yes.lower() == 'yes':   ―― 入力がyesの場合
                break   ―― おすすめを終了する

            if is_yes.lower() == 'n' or is_yes.lower() == 'no':   ―― 入力がnoの場合
                new_recommend_restaurant = self.ranking_model.get_most_popular(
                    not_list=will_recommend_restaurants)   ―― もう一度レストランを取得
                if not new_recommend_restaurant:
                    break   ―― おすすめがなければ終了
                will_recommend_restaurants.append(new_recommend_restaurant)
```

get_most_popularメソッドを実行した結果、これ以上おすすめのレストランがなかった場合はbreakしておすすめする処理を終了します。おすすめがまだ存在する場合はwhileループでもう一度ユーザーにおすすめを表示しますが、その前にwill_recommend_restaurantsに今回おすすめしたレストラン名を追加しています。これで次のループでは、そのレストラン名はおすすめされなくなるのです。

好きなレストランを質問する処理

レストランをおすすめする処理が終了したあとは、ユーザーが好きなレストランを質問する**ask_user_favorite**（アスク・ユーザー・フェイバリット）メソッドの処理に進みます。

コード：conversation.py talk_about_restaurant関数

```
def talk_about_restaurant():
    restaurant_robot = robot.RestaurantRobot()   ―― RestaurantRobotのオブジェクトを作成
    restaurant_robot.hello()   ―― あいさつする
    restaurant_robot.recommend_restaurant()   ―― レストランをおすすめする
    restaurant_robot.ask_user_favorite()   ―― 好きなレストランを聞く
    restaurant_robot.thank_you()   ―― お礼をいう
```

ask_user_favoriteメソッドの処理を見ていきましょう。テンプレートを読み込んだあと、その文章を出力してユーザーの入力をinputで待ちます。

コード：robot.py ask_user_favorite メソッド

```
@_hello_decorator
def ask_user_favorite(self):
    while True:
        template = console.get_template(
            'which_restaurant.txt', self.speak_color)  ← テンプレートを読み込む
        restaurant = input(template.substitute({
            'robot_name': self.name,
            'user_name': self.user_name,
        }))
        if restaurant:
            self.ranking_model.increment(restaurant)  ← increment メソッドの実行
            break
```

inputでユーザーが入力した文字列は変数restaurantに格納されます。それをranking_modelオブジェクトのincrementメソッドの引数に渡し、カウントを増やします。その後、saveメソッドでCSVファイルに書き込みます。Windowsの場合は、引数のnewlineを指定して改行が2行にならないようにしましょう（P.237）。

コード：ranking.py increment メソッド

```
def increment(self, name):
    self.data[name.title()] += 1  ← 入力されたレストランのカウントを増やす
    self.save()  ← save メソッドの実行
```

コード：ranking.py save メソッド

```
def save(self):
    with open(self.csv_file, 'w+') as csv_file:
        writer = csv.DictWriter(csv_file, fieldnames=self.column)
        writer.writeheader()

        for name, count in self.data.items():
            writer.writerow({  ← CSV ファイルにデータを書き込む
                RANKING_COLUMN_NAME: name,
                RANKING_COLUMN_COUNT: count
            })
```

ask_user_favoriteメソッドの処理が終了したら、最後にthank_youメソッドを呼び出すことでお礼のメッセージを表示し、アプリケーション全体の実行が完了します。

コード：robot.py thank_you メソッド

```
@_hello_decorator
def thank_you(self):
    """Show words of appreciation to users."""
    template = console.get_template('good_by.txt', self.speak_color)
    print(template.substitute({
        'robot_name': self.name,
        'user_name': self.user_name,
    }))
```

以上、サンプルコードの解説をしてきました。今回のプログラムはあくまで参考ですので、もし「もっとこうしたほうがよいのではないか」という点があれば、自分なりにカスタマイズしてみてください。

アプリケーション全体のコードは非常に難しかったと思いますが、コードの中身は、いままでのLessonで学んだ技術で書くことができるアプリケーションになっています。ただし、プログラミング初心者の方がいきなりこうしたコードを書くことは難しいと思いますし、まだ理解できなくても心配しないでください。プログラミングの経験を積めば積むほど、アプリケーションの設計・構築は徐々に理解できるようになります。このLessonでは、アプリケーション設計でよく使われるMVCモデルに基づいたコードの配置、ファイル名、わかりやすい関数名などのアプリケーション全体の設計ポイントが理解できれば十分かと思います。

次のLessonからは、このサンプルコードを用いて、Pythonのコードスタイルについて説明していきます。

Column

エンジニアのキャリア戦略⑤

プログラマーに数学は必要？

先に答えを言ってしまうと、「小学生レベルの計算ができれば、まず大丈夫！」でしょう。高度な機械学習、AIや画像処理、セキュリティ関連の開発などにはアルゴリズムや数式を使いますが、それ以外ではほとんど使う機会はないのが現状だからです。

むしろ、高度な数学を駆使するプログラマーたちが作り出すライブラリを組み合わせて活用し、開発していく需要のほうがはるかに大きいのです。1対9くらいの差があります。

もちろん、その1割の職はかなり報酬が高く待遇もいいので、数学を勉強してそこをねらう手もあると思います。私の知人もクレジットカード会社でハッカーなどに対応するセキュリティエンジニアをしていますが、1日3時間くらい働いて年収5,500万円だそうです。

「自分がどちらに進みたいのか」を考えて、選ぶのがいいと思います。

とはいえ、プログラマーには、数学が好きで得意な人が多いのも事実。私も文学部出身ですが、小学校時代、算数が好きでした。算数・数学は論理的に思考していって解答を導き出すものですが、そういうロジカルな思考プロセスが好きな人はプログラミングに向いているようです。

Lesson 9 応用編

コードスタイル

コードの書き方は1つではありません。Pythonは人による書き方の違いが少ない言語といわれていますが、それでもコードにはたくさんの書き方があるのです。では、そんな数多くの書き方の中から、どのようにして1つを選ぶべきなのでしょうか。その基準の1つとなるのが「読みやすさ」です。アプリケーションの開発はチームで行うため、ほかの人が読んでもわかりやすいコードでなければなりません。ここでは、Pythonの読みやすいコードの書き方、すなわちコードスタイルについて学んでいきましょう。

9-1 Pythonのコードスタイル

カンマやスペース、改行の方法に至るまで、Pythonには読みやすいコードの書き方というものがあります。こうしたコードスタイルを定めたものをPEP8といい、この規則にしたがってコードを書いていくことが、読みやすいコードの第一歩となります。「コードの書き方の規則をすべて覚えるのは大変」と心配している方も大丈夫です。コードスタイルをチェックしてくれるツールを使ってコードを書いていけば、自然と読みやすいコードを書くことができます。

コードスタイルをチェックするツールを使おう

まずは、以下の3つのコマンドをターミナルから実行し、コードスタイルをチェックするツールである**「pycodestyle（パイコードスタイル）」「flake8（フレークエイト）」「pylint（パイリント）」**をインストールしましょう。

ターミナル　pip コマンドによるインストール

```
pip install pycodestyle
pip install flake8
pip install pylint
```

次に、PyCharmの［Preferences］を開き、［エディター］の［インスペクション］から、［PEP8のコーディング規約違反］と［PEP8の命名規則違反］にチェックが入っている状態で［OK］をクリックしてください（Windowsでは［ファイル］→［設定］）。

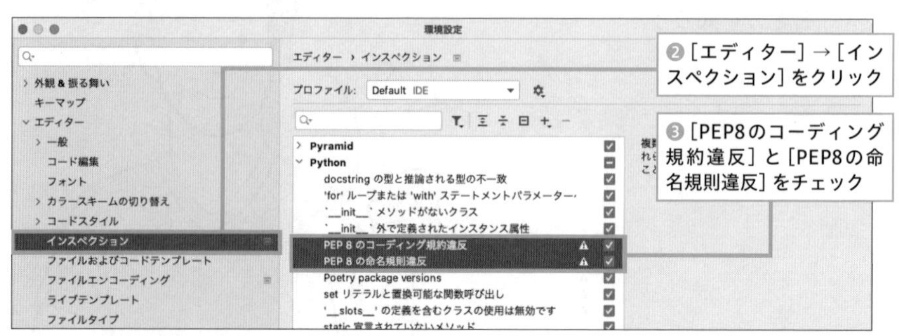

　この設定を有効にすると、PEP8というPythonのコーディング規約に違反している場合に、PyCharmが画面に表示して教えてくれます。たとえば以下では、辞書型の,（カンマ）の前にスペースが入った状態になっていますが、この部分に対してカーソルを重ねると、PEP8に違反していることが表示されます。PEP8では、「カンマの前にスペースを入れない」という規約があるからです。

　次に、pycodestyleとflake8を使ってみましょう。main.pyが以下のような状態で、ターミナルでpycodestyle main.pyとflake8 main.pyを実行します。

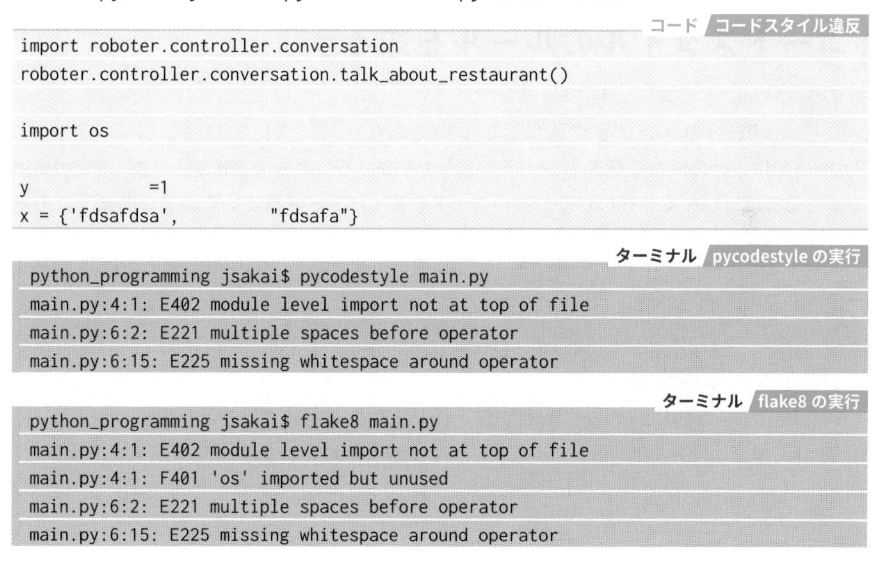

コード　コードスタイル違反

```
import roboter.controller.conversation
roboter.controller.conversation.talk_about_restaurant()

import os

y           =1
x = {'fdsafdsa',          "fdsafa"}
```

ターミナル　pycodestyle の実行

```
python_programming jsakai$ pycodestyle main.py
main.py:4:1: E402 module level import not at top of file
main.py:6:2: E221 multiple spaces before operator
main.py:6:15: E225 missing whitespace around operator
```

ターミナル　flake8 の実行

```
python_programming jsakai$ flake8 main.py
main.py:4:1: E402 module level import not at top of file
main.py:4:1: F401 'os' imported but unused
main.py:6:2: E221 multiple spaces before operator
main.py:6:15: E225 missing whitespace around operator
```

　flake8によるチェックでは、pycodestyleで挙げられた点のほかに、「'os' imported but unused」（'os'はインポートされているが使用されていない）という点も指摘されています。pycodestyleが少し軽めのチェックで、flake8はもう少し厳しい観点によるチェックになります。

　また、pylintでは、さらに細かくチェックすることが可能です。

ターミナル pylintの実行

```
python_programming jsakai$ pylint main.py
************* Module main
main.py:1:0: C0114: Missing module docstring (missing-module-docstring)
main.py:4:0: C0413: Import "import os" should be placed at the top of the module (wrong-import-position)
main.py:6:0: C0103: Constant name "y" doesn't conform to UPPER_CASE naming style (invalid-name)
main.py:4:0: W0611: Unused import os (unused-import)
main.py:4:0: C0411: standard import "import os" should be placed before "import roboter.controller.conversation" (wrong-import-order)

-----------------------------------
Your code has been rated at 0.00/10
```

どのツールを基準にするかは会社によって異なりますが、大まかなコードスタイルは、これらのツールを用いることで自分で身につけていくことが可能です。まずは、みなさんが作ったスクリプトを、これらのツールでチェックしてみてください。「関数名はわかりやすく命名する」などといった、ツールではチェックできない部分もあります。それらについては、少しあとでお話ししていきます。

コードスタイルのルールを知ろう

行の終わりにセミコロンはつけない

まずは、PEP8のシンタックスなどについてのルールについてお話ししていきます。Pythonでは、行の終わりを表す; (セミコロン) をつけることもできます。ただし、Pythonではセミコロンがなくてもわかりやすいコードを書くべきとされているので、あまりこの書き方は使わないようにしましょう。

コード 行の終わりにセミコロンをつける

```
x = 1;
y = 2;
```

行の長さは80文字以内に

1行は80文字以内に納めるべきです。それ以上長くなるときは、改行を入れましょう。PyCharmでは、文字数の目安として縦のラインが引かれています。このラインを調整し、越えないようにコードを書きましょう。

```
python_programming 〉 lesson.py
lesson.py
1    x = 1;
2    y = 2;
3
4    x = 'aaaaaaaaaaaaaaaaaaaaaaaaaaaaaaaaaaaaaaaaaaaaaaaaaaaaaaaaaaaaaaaaaaaaaa'
5
```

縦のラインの位置を動かすには、[Preferences] をクリックし、[エディター] → [コードスタイル] の順に開き、[次でハードラップ] の設定値を変更しましょう。

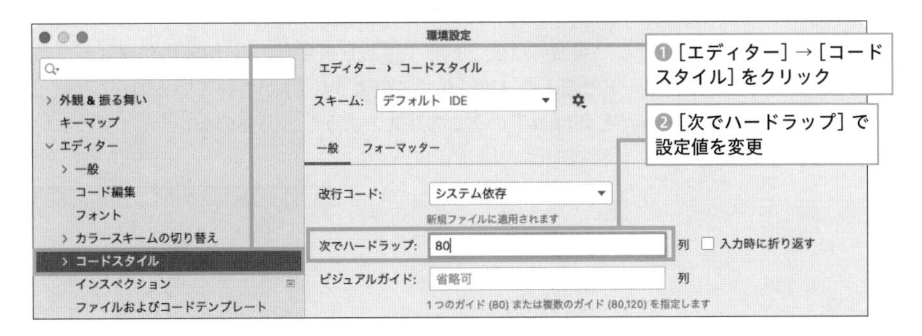

ここで、1行が長くなる例として引数を複数持つ関数を考えてみます。以下のような長い引数名はめったにないと思いますが、引数が複数になることによって1行が80文字を超えてしまうことはよくあります。その場合は、引数の()の中で改行しましょう。その際、引数の先頭（ここではxの位置）がそろうようにインデント（字下げ）します。

コード 1行が長くなる場合

```
def test_func(x, y, z,
              fdksafjdsafjdaifjdiajfidajfdilafjdlafjdaifid='test'):
```

なお、関数の中のdocstringやコメントにURLを載せる場合などは、80文字を超えてもOKとされています。URLを改行してしまうと、コピーして貼り付けにくくなってしまうためです。

コード コメントにURLを記載する場合

```
def test_func(x, y, z,
              fdksafjdsafjdaifjdiajfidajfdilafjdlafjdaifid='test'):
    """

    :param x:
    :param y:
    :param z:
    :param fdksafjdsafjdaifjdiajfidajfdilafjdlafjdaifid:
    :return:

    See details at http://sakaijunappspot.com/document//fdasafdsafdsafdsafdsafdsafsa
fdsafdsafdsafafdafdafda
    """
```

if文の条件における()の使い方

if文で複数の論理演算子を用いる条件を書く場合、( )を使って論理演算の順番を指定することがあります。論理演算の処理順がわかりやすくなるからです。

コード if文の条件における()の使い方

```
if (x and y) or (x or y):
    print('exist')
```

ただし、()を使う必要がない場合には使うべきではありません。Pythonの処理としては問題なく動くのですが、コードを読んだ人が「なぜこのような()がついているのか」と迷ってしまいます。ですので、たとえば以下の2つのif文のような、必要のない()は使わないようにしましょう。

コード if文の条件における()の使い方(悪い例)

```
if (x and y):
    print('exist')

if (x):
    print('exist')
```

インデントはスペース4つで

インデントは半角のスペース4つで書きましょう。PyCharmの場合は、改行すると自動でスペース4つのインデントが入るようになっています。

こちらも、PyCharmで設定を変更できます。[Preferences](または[環境設定])画面の[エディター]→[コードスタイル]→[Python]を開くと、Tabキーを押したときに挿入するスペースの数や、インデントのスペースの数が設定可能です。Windowsの場合は[設定]を開きます。

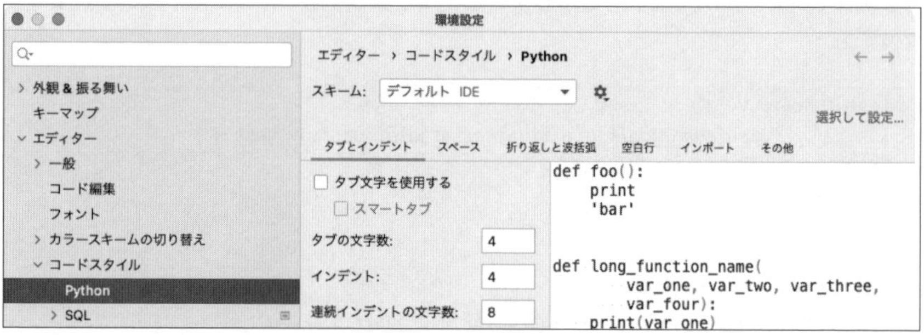

スペースの数は2つでもPythonの処理としては問題ないのですが、4つのほうがコードがきれいに見えるといわれているので、4つにしましょう。

また、以下のように辞書型の中で改行するような場合でも、インデントを4つにするように心がけてください。

コード 辞書型の中のインデント

```
x = {
    'test': 'sss'
}
```

コロンやカンマの後ろのスペース

辞書型を1行で書く場合、:（コロン）の後ろに1つだけスペースを入れます。それ以外の、たとえば最初の{の後ろなどにはスペースは入れません。

コード コロンの後ろのスペース

```
x = {'test': 'sss'}
```

関数の引数を書く場合も、,（カンマ）の後ろにスペースを入れるようにします。

コード カンマの後ろのスペース

```
def test_func(x, y, z):
```

以下のように変数を入れ替えるときも、カンマの後ろにスペースを入れます。

コード カンマの後ろのスペース

```
x, y = y, x
```

演算子の前後のスペース

=（イコール）や+（プラス）といった演算子の前後には、スペースを1つずつ空けます。

コード 演算子の前後のスペース

```
x = y
x + y
```

ただし、関数宣言の際にデフォルト引数やキーワード引数を書く際は、イコールの前後にはスペースを空けずに書きます。

コード 演算子の前後のスペース

```
def test_func(x, y, z='test'):
```

複数の変数を宣言する際、他の言語ではイコールの位置をそろえて以下のように書くことがあります。

コード イコールの位置をそろえる

```
x      = 100
yyyyyy = 200
```

ですが、この書き方ですと、名前の長さが異なる変数が追加されたときに、他の変数もあわせてスペースの数を調整しなければならなくなります。これは面倒ですよね。

コード 演算子の前後のスペース

```
x      = 100
yyyyyy = 200
zzzzzzzzzzzz = 300
```

Pythonではイコールの位置をそろえようとするのではなく、イコールの前後にスペースを1つだけ空けて書くようにしましょう。

コード 演算子の前後のスペース

```
x = 100
yyyyyy = 200
zzzzzzzzzzzz = 300
```

行間の空け方

グローバルで宣言された関数やクラスの間は、2行ずつ空けるようにしましょう。例として、Lesson8で扱ったサンプルコードを見ていきます（本文には記載されていませんが、ダウンロードできるサンプルファイルには入っています）。

コード：console.py 関数やクラスの行間

```
class NoTemplateError(Exception):
    """No Template Error"""


def find_template(temp_file):
    """Find for template file in the given location.

    Returns:
        str: The template file path

    Raises:
        NoTemplateError: If the file does not exist.
    """
    template_dir_path = get_template_dir_path()
    temp_file_path = os.path.join(template_dir_path, temp_file)
    if not os.path.exists(temp_file_path):
        raise NoTemplateError('Could not find {}'.format(temp_file))
    return temp_file_path


def get_template(template_file_path, color=None):
```

クラス定義内のメソッドの間は、1行ずつ空けるようにします。

コード：robot.py メソッドの行間

```
class RestaurantRobot(Robot):
    """Handle data model on restaurant."""

    def __init__(self, name=DEFAULT_ROBOT_NAME):
        super().__init__(name=name)
        self.ranking_model = ranking.RankingModel()

    def _hello_decorator(func):
        """Decorator to say a greeting if you are not greeting the user."""
        def wrapper(self):
            if not self.user_name:
                self.hello()
            return func(self)
        return wrapper

    @_hello_decorator
    def recommend_restaurant(self):
```

また、importの下は2行空けるようにします。

コード：robot.py　importの下の行間

```
"""Defined a robot model """
from roboter.models import ranking
from roboter.views import console


DEFAULT_ROBOT_NAME = 'Roboko'
```

シングルクォートとダブルクォート

文字列を書く際に、シングルクォートとダブルクォートのどちらを使用するかは、企業によって分かれるところです。

1つの書き方としては、基本的にシングルクォートを用いるようにし、文字列の中にシングルクォートが含まれる場合のみ、ダブルクォートを用いるというものがあります。こうすると、ダブルクォートで文字列が書かれている場合には、その中にシングルクォートが含まれるということがすぐにわかります。

コード　シングルクォートとダブルクォート

```
print('fdsfsafaf')
print("fdsf'safaf")
```

また、formatメソッドを使うときに、「この文字列に代入する処理を行う」ことをわかりやすくするために、ダブルクォートを用いる書き方もあります。普段はシングルクォートを使い、特殊なときだけダブルクォートを用いるようにすると、プログラマーにとってもわかりやすいですよね。

コード　シングルクォートとダブルクォート

```
"fdfafada {} fdsfdadfa".format('test')
```

ただし、これらの書き方については意見の分かれるところなので、原則的には企業のルールにしたがってください。

クラスや関数などの命名規則

クラス名は、いわゆる**キャメルケース**で書きます。単語の頭を大文字にして、_（アンダースコア）を使わずにつないでいく書き方です。キャメルとは英語でラクダのことで、大文字の部分がラクダのコブのように見えることに由来しています。

コード：robot.py　クラス名

```
class RestaurantRobot(Robot):
```

対して、関数名については、スネークケースで書きます。小文字の単語をアンダースコアでつなぐようにして書いていきます。アンダースコアが入ることによって、単語の区切りがわかりやすくなっています。この書き方はヘビのように見えるため、スネークケースと呼ばれています。

コード：robot.py 関数名

```
    def recommend_restaurant(self):
```

Lesson8のサンプルコードでは使っていませんが、プロパティを作る際は、メソッド名のようにget_user_nameといった処理を表す言葉としては書かず、そのまま変数名のようにuser_nameのようにして書きましょう。また、returnするものには、アンダースコアをつけて書きます。

コード プロパティ名

```
    @property
    def user_name(self):
        return self._user_name
```

グローバル変数は、すべて大文字にして、単語をアンダースコアでつないで書いていきます。グローバル変数の値は書き換えられたくないので、わかりやすく大文字を使うことで、グローバル変数であることを明示的にします。こうすることで、プログラマーが間違ってグローバル変数を書き換えてしまい、挙動が変わってプログラムを壊してしまう危険性を減らすことができます。

コード：robot.py グローバル変数

```
DEFAULT_ROBOT_NAME = 'Roboko'
```

9-2 さらにくわしくPythonの書き方を知ろう

前節ではスペースの入れ方などといったPEP8のコードスタイルの部分について触れましたが、この節ではもう少しくわしく、Pythonをどのように書くべきかについて見ていきます。筆者の経験の中で身につけたものもありますが、多くの現場で通じるはずです。

データ型に関するヒント、注意点

文字列の連結の書き方

2つの文字列を連結したいときは、formatを使って以下のように書くことができます。

コード 文字列の連結（悪い例）

```
word = 'hello'
word2 = '!'

new_word = '{}{}'.format(word, word2)
```

ですが、これは+を使ったほうが直感的でわかりやすくなります。単に文字列を合成するのみの場合は、formatは使わなくてもかまいません。

コード 文字列の連結

```
new_word = word + word2
```

ただ連結するだけではなく、ほかの文字列が入る場合は、formatを使ったほうがわかりやすいでしょう。

コード 文字列の連結

```
new_word = '{}$$$$${}!!!!! '.format(word, word2)
new_word = word + '$$$$$' + word2 + '!!!!!'
```

次に、forループで1つずつ文字列を足しあわせていく場合を考えてみます。以下の例では、forループのたびにリストから取り出した文字列をformatで整形し、long_wordに足しあわせています。

コード 文字列の連結（悪い例）

```
long_word = ""
for word in ['adsaf', 'dafa', 'dsfda']:
    long_word += "{}fdadfdsa".format(word)

print(long_word)
```

実行結果
```
adsaffdadfdsadafafdadfdsadsfdafdadfdsa
```

この書き方は、ループのたびに新しい変数を作成してメモリ上で文字列を連結するという処理になっており、あまりよい書き方とはされていません。

このような処理を書くときは、ループの中でリストの変数にappendで文字列を格納していくようにします。そして、ループが終わったあとで、空の文字列に対してjoinを使って以下のように書くと、ループの中でリストに格納された文字列をすべて連結できます。メモリ管理上、こちらのほうが都合がよいのです。

コード 文字列の連結
```
long_word = []
for word in ['adsaf', 'dafa', 'dsfda']:
    long_word.append("{}fdadfdsa".format(word))

new_long_word = ''.join(long_word)
print(new_long_word)
```

実行結果
```
adsaffdadfdsadafafdadfdsadsfdafdadfdsa
```

リスト内包表記

こちらも復習なのですが、リスト内包表記は長くなる場合には使わないようにしましょう。無理やり使おうとすると、かえってコードが読みにくくなってしまいます。

コード リスト内包表記
```
x = [(i, x, y) for i in [1, 2, 3] for x in [1, 2, 3] for y in [1, 2, 3]]
```

辞書型

辞書型で、キーが含まれているかどうかを判断したいときは、以下のようにkeysを使っても使わなくても書くことができます。

コード 辞書型のキーの存在確認
```
d = {'key1': 'value', 'key2': 'value2'}
if 'key1' in d.keys():
    print('test')

if 'key1' in d:
    print('test')
```

わざわざkeysを使わなくても書くことができるので、使わない書き方をするようにしましょう。無駄なメソッドを呼ぶことがないため、処理も高速になります。

また、辞書型を展開するとき、以下のように短い変数名を使うのは、あまりよい書き方ではありません。テストで確認する場合など、2行くらいの処理の場合はよいのですが、forループの中で別の処理を書く必要がある場合、kやvといった変数名では、それが何を示しているのかわかりにくくなってしまうからです。

コード 辞書型の変数名

```
for k, v in d.items():
    print(k, v)
```

そのため、実際のコードでは以下のようなわかりやすい名前をつけるようにしましょう。こうすることで、forループの中の処理が長くなったとしても、変数名の意味がわからなくなることがありません。

コード 辞書型の変数名

```
for name, count in ranking.items():
    print(name, count)
```

リストの初期化

Lesson 8のサンプルコードをダウンロードし、その中にあるranking.pyのget_most_popularを見てみると、not_listのデフォルト引数がNoneになっていることがわかると思います。

コード：ranking.py get_most_popularのデフォルト引数

```
    def get_most_popular(self, not_list=None):
```

以前もお話ししましたが、このデフォルト引数をnot_list=[]のようにして初期化してしまうと、リストが参照渡しであるため問題が起こります。そのため、get_most_popularではデフォルト引数をNoneとして、その下の処理でnot_listがNoneの場合は初期化するようにしています。

コード：ranking.py リストの初期化

```
        if not_list is None:
            not_list = []
```

値の存在確認

また、以下のdataのような、値の中身が空か確認する処理は、notを使わない場合ではself.data == {}のように書きます。しかし、これはnotを使うほうがわかりやすいでしょう。

コード：ranking.py notを使った存在確認

```
        if not self.data:
            return None

        if self.data == {}:
            return None
```

制御構文など「文」に関するヒント、注意点

インポートの注意点

インポートする際は、複数のライブラリをカンマでつなげて書かないようにしましょう。

コード importの書き方(悪い例)

```
import collections, csv, os
```

標準ライブラリやサードパーティのライブラリをインポートする際は、アルファベット順に並べて書きます。その際、標準ライブラリ、サードパーティのライブラリ、ローカルにあるパッケージ、ローカルのファイルの間は、それぞれ1行空けるようにします。

コード import

```
import os
import sys

import flask

import roboter.controller.conversation

import settings
```

また、以下のように関数のみをインポートしてしまうと、関数がどのパッケージに所属するのかがわからなくなってしまうため、避けるようにしましょう。

コード import

```
from roboter.controller.conversation import talk_about_restaurant
```

インポートする際は、以下のようにモジュールごとインポートするケースもあります。

コード import

```
import roboter.controller.conversation
```

以下の形式でインポートするとモジュール名のみで利用できるようになります。利用時はパッケージ名を省略できるのでコードが短くなりますが、コードが長くなってインポート部分が見えない箇所でコーディングをしていると、conversationが実際はどのパッケージに所属するのかわからなくなってしまう恐れがあります。

コード import

```
from roboter.controller import conversation
```

ただし、フルパスで読み込むか、モジュールで読み込むかについては、企業によってもルールが変わってくるところなので、所属組織に合わせるのがベターでしょう。

if文やelse文を1行で書く

if文やelse文は、インデントを使わずに1行で書くこともできます。この書き方についても、企業によって「1行で書いてもよい」といわれていたり、「必ず2行にする」と定められていたりとルールが異なるので、そちらにしたがってください。筆者個人としては、インデントを使って2行で書くほうが、条件にあてはまったときに中の処理に入っていく流れがイメージしやすいと考えています。

コード if文の書き方

```
if x:
    print('exit')
else:
    print('else')

if x: print('exit')
else: print('else')
```

代入文にifやelseを使うこともできます。たとえば以下の例では、もしyの値が存在していればxにそのまま1を代入し、そうでなければ2を代入するという処理になります。

コード 代入文の if と else

```
y = None
x = 1 if y else 2
print(x)
```

実行結果

```
2
```

yに値が入っている場合は1が代入されます。

コード 代入文の if と else

```
y = 'fdsafdsafas'
x = 1 if y else 2
print(x)
```

実行結果

```
1
```

この書き方も、企業によって使われる場合と使われない場合があります。

例外処理

Lesson 4でもお話ししましたが（P.160）、例外処理を書くときは、次のようにすべてのExceptionをまとめて処理しないようにしましょう。

コード Exception（悪い例）

```
    try:
        roboter.controller.conversation.talk_about_restaurant()
    except Exception as exc:
        print(exc)
```

独自の例外を作成する際は、以下のようにExceptionを継承して書きます。このように、自分で作成した例外をraiseするようにすれば、例外の処理を自分で作成できますし、クラスの名前が例外処理に表示されるので、どのファイルでエラーが発生したかがわかりやすくなります。このあたりも、Lesson 4の例外処理の解説をもう一度復習していただければわかるかと思います。

コード Exception

```
class MainError(Exception):
    pass

def main():
    try:
        roboter.controller.conversation.talk_about_restaurant()
        raise MainError
```

関数に関するヒント、注意点

main関数の作成

Lesson 8のサンプルコードでは、main.pyを以下のように書いていますが、実はあまりよくない書き方です。

コード：main.py main 関数を作成しない

```
import roboter.controller.conversation
roboter.controller.conversation.talk_about_restaurant()
```

メインで実行するスクリプトは、main関数を使って書くようにしましょう。そうすることで、このスクリプトが最初に呼び出す処理であるということがわかります。そうしないと、main.pyが他のモジュールから呼び出された際に、処理が実行されてしまいます。

コード：main.py main 関数を作成する

```
import roboter.controller.conversation

def main():
    roboter.controller.conversation.talk_about_restaurant()

if __name__ == '__main__':
    main()
```

ジェネレーター

ジェネレーターが使用可能な場合は、forループで回すよりもメモリの効率がよいため、積極的に使うようにしましょう。下記のforループと、その次のジェネレーターはともに同じ実行結果となります。同じことができる場合は、ジェネレーターのほうが処理が速いということを覚えておいてください。

コード 通常の for ループ

```
def t():
    num = []
    for i in range(10):
        num.append(i)
    return num

for i in t():
    print(i)
```

コード yieldを利用

```
def t():
    for i in range(10):
        yield i

for i in t():
    print(i)
```

実行結果

```
0
1
2
3
4
5
6
7
8
9
```

lambda

以下のtest_funcやtest_func2のような関数の処理は、lambdaを使って書くことができます。lambdaを使うと、関数を定義する必要がないので、コードを簡潔にできます。以下の2つのコードは、どちらも同じ結果になります。

コード 通常の関数定義を利用

```
def other_func(f):
    print(f(10))

def test_func(x):
    return x * 2

def test_func2(x):
    return x * 5

other_func(test_func)
other_func(test_func2)
```

コード lambdaを利用

```
def other_func(f):
    print(f(10))

other_func(lambda x: x * 2)
other_func(lambda x: x * 5)
```

実行結果

```
20
50
```

ただし、処理が複雑な場合にlambdaを使おうとすると、かえってわかりにくいコードになってしまうので注意しましょう。

クロージャー

以下のようなクロージャーの処理があるとします。baseを呼び出した時点でxに10を格納し、実行する際にそれぞれyの値を渡して結果を表示しています。

コード クロージャー

```
def base(x):
    def plus(y):
        return x + y
    return plus

plus = base(10)
print(plus(10))
print(plus(30))
```

実行結果

```
20
40
```

この処理を、以下のような別の方式で書いてみます。上記との違いは、クロージャーをplusに格納するときに値を渡さず、クロージャーの中で使用する変数をiというグローバル変数で定義している点です。

コード クロージャー

```
i = 0
def add_num():
    def plus(y):
        return i + y
    return plus

i = 10
plus = add_num()
print(plus(10))
print(plus(30))
```

実行結果

```
20
40
```

後者の形式だと、途中でグローバル変数iの値を書き換えた場合に処理の結果が変わってしまいます。

コード クロージャー

```
i = 0
def add_num():
    def plus(y):
```

```
        return i + y
    return plus

i = 10
plus = add_num()
print(plus(10))
i = 100
print(plus(30))
```

実行結果

```
20
130
```

クロージャーを使うときは、plus = base(10) のように、変数を渡して呼び出すようにすると、途中で書き換えられることがありません。隠蔽(いんぺい)されたグローバル変数のように扱えるので、もし機会があれば使ってみてください。

デコレーター

最後にデコレーターの書き方についてです。robot.pyのrecommend_restaurantには、以下のようにしてデコレーターが付加されています。

コード デコレーター

```
    @_hello_decorator
    def recommend_restaurant(self):
```

これは、@を使わずに、以下のように書くこともできます。

コード デコレーター

```
    recommend_restaurant = _hello_decorator(recommend_restaurant)
```

ただし、これは古い書き方です。古いコードにはこのような@を使わない書き方が残っているかもしれないのですが、いまは使われないので注意してください。

そのほかのヒント、注意点

ファイルのopenではwith文を使う

Lesson 7でもお話ししましたが、ファイルをopenする際は、特に理由がない限りwith文を使うようにしてください。これは、ファイルのcloseを忘れることを防ぐためです。以下のコードは、サンプルコードのranking.pyにおけるopenの例です。

コード：ranking.py ファイルの open

```
    def save(self):
        """Save data to csv file."""
        # TODO (jsakai) Use locking mechanism for avoiding dead lock issue
        with open(self.csv_file, 'w+') as csv_file:
            writer = csv.DictWriter(csv_file, fieldnames=self.column)
            writer.writeheader()
```

TODOコメント

TODOコメントとは、あとでコードに変更を加えるつもりのときに残すコメントのことです。

コード：ranking.py TODOコメント
```
        # TODO (jsakai) Use locking mechanism for avoiding dead lock issue
```

TODOコメントは**#のあとにスペースを1つ空けてTODOと書きます**。その後に、またスペースを1つ空けて、()の中に企業内で自分を示すユニークな文字列を記載します(たとえば、メールアドレスの@より前の部分などがよいでしょう)。こうすると、企業内で誰が書いたのかがわかるため、あとでコメントを書いた人に質問するときなどに便利です。また、ほかの企業と合同でのプロジェクトや、オープンソースのプロジェクトの場合は、メールアドレスをそのまま書くとよいでしょう。

コードの中で、あとで変更したい部分がある場合には、ほかの誰かに書き換えられてしまわないように、上記のような形式でTODOコメントを残しましょう。そうすれば、該当する部分を書き換える前に、TODOコメントを書いた人と相談できます。

docstringを書いてPylintでチェックしよう

グローバルで開発されているプロジェクトにコミットしたい場合は、コメントやdocstringを英語で書かなければなりません。その際は、Google翻訳などを使って英語の文章を作成してもよいでしょう。私自身、日本で生まれて日本で育ったため、英語で困ることもありますが、Google翻訳などのツールがあるので助かっています。実際に仕事でも活用しています。

docstring

docstringの書き方について、console.pyを参考に見ていきます。まず、ファイルの最上部には、このファイルがどのようなことをしているのかを書きます。docstringはシングルクォートではなくダブルクォート3つで囲んで書いていきます。

コード：console.py docstring
```
"""Utils to display to be returned to the user on the console."""
```
【訳】コンソールでユーザーに表示するためのユーティリティー

関数の下には、関数の説明や返り値を書いていきます。

コード：console.py docstring
```
def get_template_dir_path():
    """Return the path of the template's directory.

    Returns:
        str: The template dir path.
    """
```
【訳】テンプレートのディレクトリのパスを返す

次に、ranking.pyを見てみます。クラスやメソッドについても同様に説明を書いていきます。

コード：ranking.py docstring

```
def get_template_dir_path():
class RankingModel(CsvModel):
    """Definition of class that generates ranking model to write to CSV"""
```

【訳】生成したランキングモデルをCSVに書き込むクラスの定義

コード：ranking.py docstring

```
    def get_csv_file_path(self):
        """Set csv file path.

        Use csv path if set in settings, otherwise use default
        """
```

【訳】CSVファイルのパスを設定する

【訳】settingsファイルの中に設定されたCSVのパスを使うが、もし設定されていない場合はデフォルトのパスを使用する

メソッドに引数や返り値がある場合は、その説明も書きましょう。

コード：ranking.py docstring

```
    def get_most_popular(self, not_list=None):
        """Fetch the data of the top ranking.

        Args:
            not_list (list): Excludes the name on the list.

        Returns:
            str: Returns the data of the top ranking
        """
```

【訳】最も高いランキングのデータを取得する

Args: 引数

【訳】リストにある名前は除外する

Returns: 返り値

【訳】最も高いランキングのデータを返す

Pylintでコードをチェックする

Pylintでコードをチェックしてみましょう。ターミナルを開いてディレクトリを移動し、ranking.pyに対してPylintを実行します。

ターミナル pylintの実行

```
models jsakai$ pylint ranking.py
************* Module ranking
ranking.py:66:9: W0511: TODO (jsakai) Use locking mechanism for avoiding dead lock issue (fixme)
ranking.py:16:0: R0205: Class 'CsvModel' inherits from object, can be safely removed from bases in python3 (useless-object-inheritance)
ranking.py:16:0: R0903: Too few public methods (0/2) (too-few-public-methods)
ranking.py:26:4: W1113: Keyword argument before variable positional arguments list in the definition of __init__ function (keyword-arg-before-vararg)
ranking.py:41:12: C0415: Import outside toplevel (settings) (import-outside-toplevel)
ranking.py:34:4: R0201: Method could be a function (no-self-use)

-----------------------------------
Your code has been rated at 8.93/10
```

実行すると、TODOコメントの内容や、コードの改善（リファクタリング）が可能な箇所が表示されます。

「ranking.py:16:0: R0903: Too few public methods (0/2) (too-few-public-methods)」の指摘について見てみましょう。R0903のように、Rではじまる番号で表示されているのが、リファクタリングの提案です。このメッセージは、「メソッド数が少ないクラスが定義されている」という内容になっています。この指摘の対象となっている16行目を見てみると、以下のCsvModelが定義されている箇所であることがわかります。

コード：ranking.py CsvModelの定義

```
class CsvModel(object):
    """Base csv model."""
    def __init__(self, csv_file):
        self.csv_file = csv_file
        if not os.path.exists(csv_file):
            pathlib.Path(csv_file).touch()
```

このクラスは、基底クラスとして定義しており、継承した先でメソッドを作成していくという使い方なので、私の設計としては問題ありません。このように、Pylintはリファクタリングの余地がある部分を表示してくれますが、必ずしもしたがう必要があるとは限らないのです。

Pylintを使うと、docstringの書き忘れも指摘してくれます。ranking.pyの中の一部のdocstringを削除した状態でもう一度Pylintを実行すると、そのことが指摘されます。

ターミナル pylintの実行

```
models jsakai$ pylint ranking.py
************* Module ranking
ranking.py:62:9: W0511: TODO (jsakai) Use locking mechanism for avoiding dead lock issue (fixme)
ranking.py:16:0: R0205: Class 'CsvModel' inherits from object, can be safely removed from bases in python3 (useless-object-inheritance)
ranking.py:16:0: R0903: Too few public methods (0/2) (too-few-public-methods)
ranking.py:26:4: W1113: Keyword argument before variable positional arguments list in the definition of __init__ function (keyword-arg-before-vararg)
ranking.py:34:4: C0116: Missing function or method docstring (missing-function-docstring)
ranking.py:37:12: C0415: Import outside toplevel (settings) (import-outside-toplevel)
ranking.py:34:4: R0201: Method could be a function (no-self-use)


------------------------------------------------------------------
Your code has been rated at 8.75/10 (previous run: 8.93/10, -0.18)
```

「ranking.py:34:4: C0116: Missing function or method docstring (missing-function-docstring)」という表示が増えていることがわかるかと思います。C0116のようにCではじまる番号となっていますが、このCはconventionの意味で、Pythonのコーディング規約にしたがっていないときに表示されます。

Pylintの基準は厳しいので、すべて解決できない場合もあります。たとえば、以下のようなシンプルなメソッドを定義してみます。このメソッドは、数字を足し合わせるものであることが誰の目から見ても明らかかと思います。なので、わざわざdocstringを書く必要性は薄いでしょう。書いたとしても、メソッドの内容は明らかなので、あまり意味のないドキュメントになってしまいます。

コード docstringを書かないメソッド

```
def add_num(self, x, y):
    return x + y
```

このようなメソッドにもPylintはエラーを出してくるので、すべての指摘にしたがう必要がない場合もあります。

Pylintよりもチェックが厳しくないpycodestyleやflake8では、ranking.pyにはエラーを指摘しません。目的に応じてツールを使いわけてください。

ターミナル pycodestyleとflake8の実行

```
models jsakai$ pycodestyle ranking.py
models jsakai$ flake8 ranking.py
models jsakai$
```

以上、Pythonの書き方についてお話ししてきました。スペースの空け方や改行の入れ方については、多くの企業で共通しているのですが、リスト内包表記やデコレーターなどの書き方については、いろいろな書き方があり、企業によって異なることもあるかと思います。

もし、新しく参加したプロジェクトなどで、コードの書き方を変えたい場合には、チーム内の承諾を得てから行うようにしてください。もしかしたら、古い書き方を用いる理由があるかもしれません。よりよい書き方がある場合には、まずチーム内で提案してから進めていくのがよい開発です。ぜひ、これまで解説したコードスタイルの考え方を開発に活かしていってください。

文章のようにPythonを書こう

一番きれいで読みやすいコードとは、たとえドキュメントがまったく書かれていなくても、Pythonのコードを読むだけでどんな処理になるかがわかるコードです。Pythonのコード自体が設計書のドキュメントだといえるぐらい、読むだけで他の人が理解できるコード作成を心がけましょう。

英語も日本語も言語ですが、Pythonも言語なのです。英語の文章を書くように、Pythonのコード自体も他の人が読む文章のようにわかりやすく書きましょう。

日本では、開発前や開発後に、設計書やドキュメント作成へと多大な時間をかける傾向が多いです。一方で、アメリカではアジャイル開発といった方式も使われ、あまり設計書やドキュメントに時間をかけないで開発を開始するケースもよくあります。Googleなどでも3ページぐらいの簡単な設計書だけで、コードを書きはじめることがあるといわれていますが、コード自体がきれいに書かれているので、ドキュメントがなくてもコードをざっと見ただけで、何を開発しているかがわかるそうです。

Pythonのインデントの強制も、コードがきれいに見えるように書かせるためでもあるので、ぜひPythonic（Python的）なプログラマーを目指してください。

Column

エンジニアのキャリア戦略⑥

海外を目指そう

日本のエンジニアは総じて優秀で、**アメリカに来れば年収が5倍、10倍になるだろう**と、「はじめに」で述べました。正直なところ、新しい仕事に対しても、**同じタイミングで始めたなら、日本人は世界的に見ても優秀**だと思います。

あとは実際に、アプライ（応募）するかどうかです。インドやベトナムからもアプライしてくる若者たちがいますが、彼らは経済的に学校で学ぶ余裕がなかったりします。それではどうするかというと、**YouTubeやオンライン講座で独学**するのだそうです。あとは飛び込んで、実地で鍛えていくというわけです。

また、海外就職というと、「語学力がないから無理」といったことを言う方もいますが、エンジニアには**世界共通のプログラミング言語という強い武器**がありますから、それほど心配しなくても、と思います。

私自身は環境の力を利用して、英語力を上げていきました。初めて就職した会社で受けたTOEICスコアは300点台。そこでまず実行したのは、外国人のいるシェアハウスに引っ越すことでした。さらにアメリカへ一人旅をし、強制的に話す環境に身を置きました。結果、帰国後に受けたTOEICスコアは500点台へ。ところが、そこから伸び悩みました。英語の勉強というものをしたことがないので、やり方がわからないのです。そこでもう、いよいよ渡米してしまおうと決めました。

渡米後は文字どおり体当たりで身につけていった感じで、失敗もたくさんしました。仕事で仲良くなった友人宅に遊びに行く途中、道に迷って電話したところ、Where are you?と聞かれているのにWho are you?にしか聞こえなくて、ずっとI'm Jun!と言い続けているうちに、怒り出されてしまったこともありました。それでもその後、無事にビザも取れ、永住権も得て問題なく仕事ができていますから、ある程度は思い切った決断も大切かと思うのです。

Lesson 10 応用編

コンフィグとロギング

ここでは、アプリケーションの設定ファイルを扱う「コンフィグ」と、動作に関する情報を記録しておく「ロギング」について解説します。コンフィグは各種設定値をスクリプト外に出すことで、アプリケーションをカスタマイズしやすくします。ロギングは障害発生時の解決に役立つものです。いずれも本格的なアプリケーション開発に役立つものです。

10-1 設定ファイルのさまざまな形式

接続先のサーバーのIPアドレスやポート番号など、アプリケーションに必要な設定値は別のファイルにまとめて記述することも多いです。以前、設定値を記述したスクリプトをインポートして読み込む方法について触れましたが、Pythonではほかにも設定ファイルを読み書きする手段が用意されています。ここでは、設定ファイルを扱う標準ライブラリとして、configparserとyamlを説明します。

ここから応用編

基礎が終わり、これから応用に入っていきます。応用編では、それぞれのトピックを細かく掘り下げると説明がとても長くなってしまうので、それぞれの分野におけるクイックスタートのような形で解説してきます。興味がない分野があれば、スキップしていただいてかまいません。気になるトピック中心に確認してください。さまざまな分野に触れるので大変かもしれませんが、応用編も頑張って学んでいきましょう！

configparserを使って設定ファイルを読み書きしよう

標準ライブラリの**configparser**（コンフィグパーサー）を使うと、以下のような形式の設定ファイルに対して読み書きを行うことができるようになります。

コード：config.ini 設定ファイル

```
[DEFAULT]
debug = True

[web_server]
host = 127.0.0.1
port = 80

[db_server]
host = 127.0.0.1
port = 3306
```

DEFAULTやweb_serverといったセクションに分け、設定値をキーとバリューのような組み合わせで書いていきます。MySQLといったパッケージの設定もこのような形で書かれており、configparserによって読み書きすることが可能です。

configparserを使って設定ファイルに書き込む方法を説明しましょう。まずconfigparserのオブジェクトを作成したあと、辞書型で値を設定し、ファイルをopenしてから内容を**write**(ライト)メソッドで書き込みます。

コード：c10_1_1.py configparserで書き込む

```
import configparser

config = configparser.ConfigParser()
config['DEFAULT'] = {
    'debug': True
}
config['web_server'] = {
    'host': '127.0.0.1',
    'port': 80
}
config['db_server'] = {
    'host': '127.0.0.1',
    'port': 3306
}
with open('config.ini', 'w') as config_file:
    config.write(config_file)
```

実行すると、冒頭のような設定ファイルが作成されます。

この設定ファイルを読み込む際は、**read**(リード)メソッドを使います。値を取得するには、まず設定ファイルで[]の中に記述されているセクション名を指定し、その次に読み込みたい設定値の名前を指定します。config['web_server']のようにセクション名のみを指定した場合は、そのセクションの名前が表示されます。

コード：c10_1_2.py configparserで読み込む

```
import configparser

config = configparser.ConfigParser()
config.read('config.ini')
print(config['web_server'])
print(config['web_server']['host'])
print(config['web_server']['port'])

print(config['DEFAULT']['debug'])
```

実行結果

```
<Section: web_server>
127.0.0.1
80
True
```

yaml形式で書かれた設定ファイルを読み書きしよう

設定ファイルを、次のような**yaml形式**(ヤムル)で作成することも可能です。

コード：config.yml　yaml形式の設定ファイル

```
web_server:
  host: 127.0.0.1
  port: 80
db_server:
  host: 127.0.0.1
  port: 3306
```

標準ライブラリのyamlをインポートして、yamlファイルに書き込んでいきましょう。以下を実行すると、config.ymlが作成されます。

コード：c10_1_3.py　yamlファイルに書き込む

```
import yaml

with open('config.yml', 'w') as yaml_file:
    yaml.dump({
        'web_server': {
            'host': '127.0.0.1',
            'port': 80
        },
        'db_server': {
            'host': '127.0.0.1',
            'port': 3306
        }
    }, yaml_file)
```

yamlファイルを読み込む場合は、**load**（ロード）メソッドを使います。このとき、yamlファイルを読み込んだdataは辞書型になっています。

コード：c10_1_4.py　yamlファイルを読み込む

```
import yaml

with open('config.yml', 'r') as yaml_file:
    data = yaml.load(yaml_file, Loader=yaml.FullLoader)
    print(data)
    print(type(data))
    print(data['web_server']['host'])
    print(data['web_server']['port'])
    print(data['db_server']['host'])
    print(data['db_server']['port'])
```

実行結果

```
{'db_server': {'host': '127.0.0.1', 'port': 3306}, 'web_server': {'host':
'127.0.0.1', 'port': 80}}
<class 'dict'>
127.0.0.1
80
127.0.0.1
3306
```

Point yamlのスタイル

ライブラリのバージョンによっては、yamlファイルが下記のような形式になる場合があります。この形式をフロースタイルと呼びます。

コード：config2.yml フロースタイル

```
db_server: {host: 127.0.0.1, port: 3306}
web_server: {host: 127.0.0.1, port: 80}
```

その場合は、以下のようにdumpメソッドの引数に、default_flow_style=Falseを指定します。こうすることで、冒頭のようなブロックスタイルのyamlファイルを作成できます。yamlはブロックスタイルで使われることが多いです。

コード：c10_1_5.py ブロックスタイルで書き込む

```
with open('config2.yml', 'w') as yaml_file:
    yaml.dump({
        'web_server': {
            'host': '127.0.0.1',
            'port': 80
        },
        'db_server': {
            'host': '127.0.0.1',
            'port': 3306
        }
    }, yaml_file, default_flow_style=False)
```

10

10-2

ロギングの基本と適切な書き方

アプリケーションを開発するときは、ロギングの処理もあわせて書いていくことがほとんどです。ログを解析してアプリケーションの利用状況を調べたり、障害発生時に原因を究明したりするなど、ロギングはさまざまな場所で必要とされます。また、ログの書き方にもコツがあり、ここではそこについてもあわせて解説していきます。

ロギングの基本を身につけよう

ロギングをするには、標準ライブラリの**logging**をインポートします。ログを書き出す関数はいくつかあります。それらを実行してみると、ロギングを5回行っているのに対して、表示されるのは3つとなっています。

コード：c10_2_1.py ロギング

```
import logging

logging.critical('critical')
logging.error('error')
logging.warning('warning')
logging.info('info')
logging.debug('debug')
```

実行結果

```
CRITICAL:root:critical
ERROR:root:error
WARNING:root:warning
```

これは、デフォルトがそうなっているためです。Pythonには**ログレベル**というものがあります。ログレベルは高い順からCRITICAL、ERROR、WARNING、INFO、DEBUGとなっており、設定されたログレベルより下のログは表示されません。デフォルトのログレベルはWARNINGとなっているため、WARNING以上のレベルのログのみが表示されているのです。

basicConfigメソッドを使ってログレベルをDEBUGに設定し、再度同じように実行してみると、INFOやDEBUGのログも表示されます。

コード：c10_2_2.py ログレベルの変更

```
import logging

logging.basicConfig(level=logging.DEBUG)

logging.critical('critical')
logging.error('error')
```

```
logging.warning('warning')
logging.info('info')
logging.debug('debug')
```

実行結果

```
CRITICAL:root:critical
ERROR:root:error
WARNING:root:warning
INFO:root:info
DEBUG:root:debug
```

INFOのログレベルはアプリケーションで情報を得たいときに、DEBUGは開発中のみに使います。開発中はログレベルをDEBUGにしておき、実際に運用する際にはログレベルをINFOに設定するといった利用法も一般的です。

ログの整形

ログを読みやすく表示したい場合は、現在ではformatを使います。

コード：c10_2_3.py　formatを使ったログの書き方

```
import logging

logging.basicConfig(level=logging.INFO)

logging.info('info {}'.format('test'))
```

実行結果

```
INFO:root:info test
```

ただしPython2では、%sを使った整形もよく使われていました。

コード：c10_2_4.py　%を使ったログの書き方

```
import logging

logging.basicConfig(level=logging.INFO)

logging.info('info %s' % ('test'))
logging.info('info %s %s' % ('test', 'test2'))
```

実行結果

```
INFO:root:info test
INFO:root:info test test2
```

%sの部分に代入する文字列は、タプルではなく、以下のようにカンマで並べて書くこともできます。

コード：c10_2_5.py　%を使ったログの書き方

```
import logging

logging.basicConfig(level=logging.INFO)

logging.info('info %s %s', 'test', 'test2')
```

実行結果

```
INFO:root:info test test2
```

%sを使った書き方は古いものなのですが、このコードをすべてformatを使って書き換えるのは大変です。そのためロギングにおいては、%sを使った書き方があってもそのままにしておいてもよいといわれており、コードスタイルでも許容されています。

ログをファイルに出力する

ログをファイルに出力したい場合は、basicConfigの中でfilenameを指定します。実行するとファイルが作成され、中にログの内容が書き込まれています。

コード：c10_2_6.py ファイルにログを出力

```
import logging

logging.basicConfig(filename='test.log', level=logging.INFO)

logging.info('info %s %s', 'test', 'test2')
```

実行結果 - test.log

```
INFO:root:info test test2
```

ロギングのフォーマットを設定しよう

現在のログの形式は、以下のようになっています。

コード：c10_2_7.py ログを出力

```
import logging

logging.basicConfig(level=logging.INFO)

logging.info('info %s %s', 'test', 'test2')
```

実行結果

```
INFO:root:info test test2
```

このINFO:root:info test test2というログ出力を見ていきます。最初のINFOはログレベルを表しており、その後に:（コロン）を挟んで表示されるrootは**ロガー**の名前です。ロガーについては次の項でくわしく説明しますが、ログを出力するオブジェクトのことです。さらにもう1つコロンを挟んで、logging.infoの引数に指定したinfo test test2というメッセージが表示されます。このように特に何も設定しなければ、ログは上記のような「**(ログレベル):(ロガーの名前):(メッセージ)**」というフォーマットで表示されます。

このログのフォーマットは、変更できます。次のようにフォーマットとなる文字列formatterを作成して、baseConfigの引数に指定してからログ出力を実行すると、ログの表示が変わります。

コード：c10_2_8.py ログのフォーマットを変更

```
import logging

formatter = '%(levelname)s:%(message)s'
logging.basicConfig(level=logging.INFO, format=formatter)

logging.info('info %s %s', 'test', 'test2')
```

実行結果

```
INFO:info test test2
```

出力されたログを確認すると、formatterで%(levelname)sと指定したところにログレベルであるINFOが、%(message)sと指定したところにメッセージのinfo test test2が表示されています。ロガーは表示されません。

ログレベルやメッセージの内容以外の情報をログに出力することもできます。たとえば、%(asctime)sと指定すると時間を表示できます。

コード：c10_2_9.py ログのフォーマットを変更

```
import logging

formatter = '%(asctime)s:%(message)s'
logging.basicConfig(level=logging.INFO, format=formatter)

logging.info('info %s %s', 'test', 'test2')
```

実行結果

```
2022-02-10 20:39:11,232:info test test2
```

Point ログのフォーマットの属性

フォーマットで使用できる属性は、Python公式ドキュメントの以下のページで確認できます。もしログに付け加えたい情報があれば、ドキュメントを参考にしてカスタマイズしてみてください。

https://docs.python.org/ja/3/library/logging.html#logrecord-attributes

ロガーを作成してロギングしよう

getLogger（ゲットロガー）メソッドを使うことで**ロガー**というログを使い分けるオブジェクトを作成できます。ロガーを作ると、処理の種類ごとにログレベルなどを設定できるようになります。getLoggerの引数には__name__を指定します。これがロガーの名前となり、ログに出力されます。

作成後、このロガーにsetLevelを使って個別にログレベルを設定してみましょう。ここではDEBUGを指定します。その後、ロガーでDEBUGのログを出力すると、内容が表示されていることがわかると思います。basicConfigのログレベルはINFOを指定しているので、ロガーで個別に設定したログレベルが反映されているということになります。

コード：c10_2_10.py ロガーの作成

```
import logging

logging.basicConfig(level=logging.INFO)

logger = logging.getLogger(__name__)
logger.setLevel(logging.DEBUG)
logger.debug('debug')
```

実行結果

```
DEBUG:__main__:debug
```

上記のログ出力を確認すると、ロガーの名前として変数__name__の中身である__main__が出力されています。試しにgetLoggerの引数を変更してみると、ログの表示も変わることがわかります。

コード：c10_2_11.py ロガーの名前を変更する

```
import logging

logging.basicConfig(level=logging.INFO)

logger = logging.getLogger('main')
logger.setLevel(logging.DEBUG)
logger.debug('debug')
```

実行結果

```
DEBUG:main:debug
```

ロガーを作成するときのコツ

getLoggerの引数には、__name__を渡すのがよいやり方とされています。試しに、新たにlogtest.pyというファイルを作成しましょう。logtest.pyの中でロガーを作成し、do_somethingというINFOでログを出力するだけの関数も定義しておきます。

コード：logtest.py モジュール内のロガー

```
import logging

logger = logging.getLogger(__name__)

def do_something():
    logger.info('from logtest')
```

このlogtest.pyをlesson.pyでインポートして、do_something関数を実行してみます。

コード：c10_2_12.py インポートしたモジュールのロガー

```
import logging

import logtest

logging.basicConfig(level=logging.INFO)
```

```
logging.info('info')
logtest.do_something()
```

実行結果

```
INFO:root:info
INFO:logtest:from logtest
```

logging.infoでログを出力すると、ロガーの名前はrootになります。対して、logtest.pyのロガーの出力を見ると、モジュール名であるlogtestが表示されていることがわかります。

ここで、logtest.pyの処理にDEBUGのログ出力を加えてから、もう一度lesson.pyを実行してみましょう。すると、DEBUGのメッセージは表示されません。これは、ログレベルの設定がlogging.basicConfig(level=logging.INFO)でINFOと設定されているためです。

コード：logtest.py　モジュール内で異なるログレベルの出力

```
import logging

logger = logging.getLogger(__name__)

def do_something():
    logger.info('from logtest')
    logger.debug('from logtest debug')
```

実行結果

```
INFO:root:info
INFO:logtest:from logtest
```

logtest.pyのロガーでログレベルをDEBUGに設定すると、DEBUGの出力も表示されることがわかります。

コード：logtest.py　モジュール内で異なるログレベルの設定

```
import logging

logger = logging.getLogger(__name__)
logger.setLevel(logging.DEBUG)

def do_something():
    logger.info('from logtest')
    logger.debug('from logtest debug')
```

実行結果

```
INFO:root:info
INFO:logtest:from logtest
DEBUG:logtest:from logtest debug
```

lesson.pyにも以下のようにロガーを作成してロギングしてみましょう。__main__と出力されているため、どの処理のログなのかがわかりやすくなります。また、ログレベルの設定がロガーごとに異なっていることもわかります。

コード：c10_2_13.py ロガーの作成

```
import logging

import logtest

logging.basicConfig(level=logging.INFO)

logger = logging.getLogger(__name__)
logger.info('from main')

logtest.do_something()
```

実行結果

```
INFO:__main__:from main
INFO:logtest:from logtest
DEBUG:logtest:from logtest debug
```

Point 処理ごとにロガーを作成する

アプリケーションの開発を行う際は、最初にメインとして実行する処理でlogging.basicConfigによってログレベルを設定し、その後はロガーを作成してログ出力をしていくのが基本となります。処理によっては、ファイルにログを出力したり、パスワードのような情報はロギングしないようにしたりと、個別のログ設定が必要になってくる場合があります。そのため、Webサーバー関連とそれ以外のように処理ごとにロガーを作成し、それぞれでカスタマイズしていくのがよいやり方といわれています。

ハンドラーでログの出力先を設定しよう

ログをファイルに出力するといった出力先の設定を行うには、**ハンドラー**を作成してロガーに渡す必要があります。

以下の例では、logtest.pyの処理において、まず**FileHandler**(ファイルハンドラー)でログ出力先をlogtest.logとするハンドラーを作成しています。その後、**addHandler**(アッドハンドラー)メソッドでハンドラーをロガーに渡しています。この状態で、do_something関数の中で、ロガーを用いた場合とそうでない場合とでログ出力を行ってみましょう。

コード：logtest.py ハンドラーでログの出力先をファイルに設定

```
import logging

logger = logging.getLogger(__name__)
logger.setLevel(logging.DEBUG)

h = logging.FileHandler('logtest.log')
logger.addHandler(h)

def do_something():
    logging.info('from logtest info')
```

```
    logger.info('from logtest')
    logger.debug('from logtest debug')
```

このlogtest.pyの処理を、lesson.pyから呼び出して実行してみます。

コード：c10_2_14.py　logtest.py の do_something を実行

```
import logging

import logtest

logging.basicConfig(level=logging.INFO)
logger = logging.getLogger(__name__)
logger.info('from main')
logtest.do_something()
```

実行結果 - コンソール

```
INFO:__main__:from main
INFO:root:from logtest info
INFO:logtest:from logtest
DEBUG:logtest:from logtest debug
```

実行結果 - logtest.log

```
from logtest
from logtest debug
```

コンソールには、すべてのログ出力が表示されています。対して、logtest.logの中身を確認してみると、logtest.pyでハンドラーを設定したロガーによる出力だけがファイルに書き込まれていることがわかります。

Point　さまざまなハンドラー

ハンドラーの種類は、Pythonの公式ドキュメントで詳細を確認できます。
https://docs.python.org/ja/3/library/logging.handlers.html
前述のFileHandlerのほかにも、画面に出力するStreamHandler、ネットワーク越しにログを書き込むSocketHandler、Linuxなどで使われることの多いSyslogを扱うSyslogHandler、ログをメールで送信できるSMTPHandlerなど、たくさんの種類があります。

フィルタを使ってログ出力の条件を設定しよう

パスワードをはじめとした機密情報はログ出力するべきではありません。**フィルタ**を使うと、たとえばログに「password」といった文字列が含まれる場合など、特定の条件でログを出力しないようにする設定が可能です。

フィルタを使うには、**logging.Filter**（ロギング フィルター）を継承したクラスを作成し、**filter**（フィルター）メソッドをオーバーライド（上書き、再定義のこと）していきます。filterメソッド内の処理では、ログのメッセージに「password」という文字列が含まれているかをチェックし、含まれていなければTrue、含まれている場合はFalseを返すようにします。ログのメッセージはrecord.getMessageで取得できます。

このフィルタをロガーに**addFilter**（アッドフィルター）メソッドで設定すると、「password」という文字列が含まれるログは出力されなくなります。

コード：c10_2_15.py フィルタを適用したロガーでログ出力

```
import logging

logging.basicConfig(level=logging.INFO)


class NoPassFilter(logging.Filter):
    def filter(self, record):
        log_message = record.getMessage()
        return 'password' not in log_message


logger = logging.getLogger(__name__)
logger.addFilter(NoPassFilter())
logger.info('from main')
logger.info('from main password = "test"')
```

実行結果

```
INFO:__main__:from main
```

ログの設定ファイルを作成しよう

ロガーの設定をファイルとして作成しておき、それを読み込んで使うこともできます。ログの設定ファイルを読み込む際は、**logging.config**（ロギングコンフィグ）の**fileConfig**（ファイルコンフィグ）関数で設定ファイルを指定します。

コード ログの設定ファイルを読み込む

```
import logging.config

logging.config.fileConfig('logging.ini')
```

一例ですが、ログの設定ファイルは以下のような形となっています。

コード：logging.ini ログの設定ファイル例

```
[loggers]
keys=root,simpleExample

[handlers]
keys=streamHandler

[formatters]
keys=formatter

```

```
[logger_root]
level=WARNING
handlers=streamHandler

[logger_simpleExample]
level=DEBUG
handlers=streamHandler
qualname=simpleExample
propagate=0

[handler_streamHandler]
class=StreamHandler
level=DEBUG
formatter=formatter
args=(sys.stderr,)

[formatter_formatter]
format=%(asctime)s %(name)-12s %(levelname)-8s %(message)s
```

この設定ファイルの中身について簡単に見ていきます。よりくわしく知りたい方は公式のドキュメントを参照してください。

[loggers]に使用するロガーの名前を書いていきます。rootはトップレベルのロガーです。getLoggerでロガーの名前を指定すると、そのロガーを使うことができます。[handlers]と[formatters]ではそれぞれハンドラーとフォーマッタの名前を記述します。

これらの[loggers]、[handlers]、[formatters]の名前の記述に基づいて、それぞれの設定を記述していきます。[logger_root]はrootのロガーの設定、[logger_simpleExample]はsimpleExampleの設定になります。ロガーの設定には、ログレベルやハンドラーなどの情報を記述していきます。handlersやformattersで記述したハンドラーやフォーマッタの設定についても、[handler_streamHandler]や[formatter_fomatter]でそれぞれ書いていきます。

Point loggingライブラリの変数や関数の名前

ロギングの処理におけるsimpleExampleやstreamHandlerという変数名や、loggingライブラリのgetLogger関数など、ログで使われている変数名や関数名はキャメルケースとなっています。これは、loggingライブラリがもともと別の会社によって作られていたという経緯があるためです。

この状態で、ログを出力してみましょう。logging.iniの設定において、トップレベルのロガーであるrootのログレベルがWARNINGとなっているため、WARNING以上のログのみが出力されます。

コード：c10_2_16.py ログの設定ファイルを読み込んで使用する

```
import logging.config

logging.config.fileConfig('logging.ini')
logger = logging.getLogger(__name__)

logger.debug('debug message')
logger.info('info message')
logger.warning('warning message')
logger.error('error message')
logger.critical('critical message')
```

実行結果

```
2022-02-14 13:22:36,685 __main__     WARNING  warning message
2022-02-14 13:22:36,685 __main__     ERROR    error message
2022-02-14 13:22:36,685 __main__     CRITICAL critical message
```

ここで、ロガーを作成するときに名前をsimpleExampleにすると、logging.iniで記述されたsimpleExampleのログレベルなどの設定が反映されます。

コード：c10_2_17.py ロガーの名前をsimpleExampleにして作成（抜粋）

```
logger = logging.getLogger('simpleExample')
```

実行結果

```
2022-02-14 13:26:56,173 simpleExample DEBUG    debug message
2022-02-14 13:26:56,173 simpleExample INFO     info message
2022-02-14 13:26:56,173 simpleExample WARNING  warning message
2022-02-14 13:26:56,173 simpleExample ERROR    error message
2022-02-14 13:26:56,173 simpleExample CRITICAL critical message
```

ログの設定を辞書型で行う

ログの設定は辞書型で書くことも可能です。会社によっては、設定ファイルをfileConfigで読み込むのではなく、setting.pyのようなファイルに**dictConfig**（ディクトコンフィグ）を記述するルールとなることもあります。

コード：c10_2_18.py ログの設定を辞書型で行う

```
import logging.config

logging.config.dictConfig({
    'version': 1,
    'formatters': {
        'sampleFormatter': {
            'format': '%(asctime)s %(name)-12s %(levelname)-8s %(message)s'
        }
    },
    'handlers': {
        'sampleHandlers': {
            'class': 'logging.StreamHandler',
```

```
            'formatter': 'sampleFormatter',
            'level': logging.DEBUG
        }
    },
    'root': {
        'handlers': ['sampleHandlers'],
        'level': logging.WARNING
    },
    'loggers': {
        'simpleExample': {
            'handlers': ['sampleHandlers'],
            'level': logging.DEBUG,
            'propagate': 0
        }
    }
})
logger = logging.getLogger('simpleExample')

logger.debug('debug message')
logger.info('info message')
logger.warning('warning message')
logger.error('error message')
logger.critical('critical message')
```

実行結果

```
2022-02-14 13:48:15,479 simpleExample DEBUG    debug message
2022-02-14 13:48:15,479 simpleExample INFO     info message
2022-02-14 13:48:15,479 simpleExample WARNING  warning message
2022-02-14 13:48:15,479 simpleExample ERROR    error message
2022-02-14 13:48:15,479 simpleExample CRITICAL critical message
```


これでロギングの基本的な部分をひととおり説明しました。細かい設定については触れていませんが、ここでは基本的な利用方法を理解してもらえば問題ありません。より細かい設定が必要となったら、公式のドキュメントなどを参照してください。

ロギングの実践的な書き方を学ぼう

ログを辞書型で出力する

ログの書き方としては、文字列で出力する方法と、辞書型を使う方法があります。

コード：c10_2_19.py　ログを辞書型で出力する

```
import logging

logger = logging.getLogger(__name__)

logger.error('Api call is failed')
```

```
logger.error({
    'action': 'create',
    'status': 'fail',
    'message': 'Api call is failed'
})
```

実行結果

```
Api call is failed
{'action': 'create', 'status': 'fail', 'message': 'Api call is failed'}
```

ログ解析のソフトウェアでは、辞書型のキーとバリューを元に検索や分析が可能です。そのため、ログを辞書型で出力し、ログ解析のソフトに渡すという形で使うことがあります。

どこにロギング処理を書けばよいのか

ロギングの処理をどこに書いていくかは、センスや経験によって分かれるところでもあります。どこにログ出力があればトラブルシューティングのときに助かるかという知識があれば、ロギングの処理を書く際に役立ちます。そのため、システム障害などの対応の経験があるプログラマーのほうが、適切なロギング処理を書けるようです。

ロギングの書き方の例として、Lesson 8で作成したRoboterというデモアプリケーションの一部にログ出力の処理を追加していきます。ranking.pyを開き、まずはロガーを作成します。

コード：ranking.py ロガーの作成（冒頭部分を抜粋）

```
import collections
import csv
import logging
import os
import pathlib


logger = logging.getLogger(__name__)
```

ここで、ranking.pyの中のsaveメソッド（CSVファイルに書き込みを行う処理）について考えてみましょう。ここにロギングを追加する場合、書き込みが成功したらinfoでメッセージを出力するというのが一般的な考えです。

コード：ranking.py saveメソッドにロギングを追加

```
    def save(self):
        """Save data to csv file."""
        # TODO (jsakai) Use locking mechanism for avoiding dead lock issue
        with open(self.csv_file, 'w+') as csv_file:
            writer = csv.DictWriter(csv_file, fieldnames=self.column)
            writer.writeheader()

            for name, count in self.data.items():
                writer.writerow({
```

```
                RANKING_COLUMN_NAME: name,
                RANKING_COLUMN_COUNT: count
            })
        logger.info({
            'action': 'save',
            'status': 'success'
        })
```

ただし、書き込み成功時のロギングだけだと、処理の途中にシステム障害などで書き込み処理が行われなかった場合、ログが出力されません。書き込みの途中で処理が中断した場合、ファイルが破損してしまう恐れがあるので、saveメソッドが呼び出されたかどうかを判断できる必要があります。

そこで、以下のようにsaveメソッドの最初にもロギングを追加しましょう。こうすることで、障害が起きた際に、saveメソッドの処理が中断されたかどうかがわかるようになります。

コード：ranking.py　saveメソッドで処理開始時にロギングを追加

```
    def save(self):
        """Save data to csv file."""
        # TODO (jsakai) Use locking mechanism for avoiding dead lock issue
        logger.info({
            'action': 'save',
            'status': 'run'
        })
        with open(self.csv_file, 'w+') as csv_file:
            writer = csv.DictWriter(csv_file, fieldnames=self.column)
            writer.writeheader()

            for name, count in self.data.items():
                writer.writerow({
                    RANKING_COLUMN_NAME: name,
                    RANKING_COLUMN_COUNT: count
                })
        logger.info({
            'action': 'save',
            'status': 'success'
        })
```

さらに、CSVファイルの内容や、引数があればその内容もロギングすると、その内容が原因でsaveメソッドが失敗した場合に、ログから原因を判断できるようになります。データ保存のようにシステムにおいて重要で、トラブルが起きたら困る処理には、なるべく多くの情報をログに出力するようにしましょう。

コード：ranking.py　ログに出力する情報の追加（処理開始時）

```
    def save(self, force=True):
        """Save data to csv file."""
        # TODO (jsakai) Use locking mechanism for avoiding dead lock issue
        logger.info({
            'action': 'save',
            'csv_file': self.csv_file,
            'force': force,
            'status': 'run'
        })
```

コード：ranking.py　ログに出力する情報の追加（処理終了時）

```
        logger.info({
            'action': 'save',
            'csv_file': self.csv_file,
            'force': force,
            'status': 'success'
        })
```

エラー時のロギング

console.pyのfind_templateの処理には、エラーをraiseしている部分があります。処理が終了した原因を分析するために、こうしたエラーの処理の部分でも、ロギングをする必要があります。

コード：console.py　エラー時のロギング

```
def find_template(temp_file):
    """Find for template file in the given location.

    Returns:
        str: The template file path

    Raises:
        NoTemplateError: If the file does not exist.
    """
    template_dir_path = get_template_dir_path()
    temp_file_path = os.path.join(template_dir_path, temp_file)
    if not os.path.exists(temp_file_path):
        logger.critical({
            'action': 'read',
            'status': 'fail',
            'message': 'temp file does not exist'
            })
        raise NoTemplateError('Could not find {}'.format(temp_file))
    return temp_file_path
```

以上、ロギングの書き方について見てきました。ロギングは自分の開発を助けるためだけではなく、実際にシステムやアプリケーションを運用している中でトラブルが起きた際に、ログを解析して原因を解消できるように、書き方や書く場所を考えて行う必要があります。そのため、トラブル対応をしたことがある人とない人で、どの部分にロギングをするかが変わってきます。また、システムやアプリケーションによっても、どこでロギングするかは変わってくるでしょう。経験値によって変わる部分も大きいですが、ここで説明した観点に気をつけてロギングするようにしましょう。

10-3 ログをメールで送信しよう

Pythonの標準ライブラリを使えば、メールの送信も簡単に行うことができます。emailライブラリのmessageとsmtpライブラリをインポートし、送信先などの情報を入力して送信しましょう。また、SMTPHandlerというハンドラーを使うことで、ログの内容をメールで送信することもできます。ただし、プログラムが誤ってメールを大量に送信してしまう可能性もあるので、注意してください。

メールを送信しよう

メールを送信するには、**emailライブラリのmessage**と、**smtp**ライブラリをインポートする必要があります。

コード メール送信に必要なライブラリ

```
from email import message
import smtplib
```

次に、メールを送るために必要な情報を設定していきます。ここでは、Outlook.comのアドレスにメールを送る際の手順を紹介します。まず、メールを送信する際に必要なSMTPサーバーの情報を入力します。Outlook.comの場合は、サーバー名とポート番号を以下のとおりに設定しましょう。

コード SMTPサーバーの情報

```
smtp_host = 'smtp-mail.outlook.com'
smtp_port = 587
```

続いて、送信元および送信先のメールアドレスを設定していきます。以下のコードではダミーの文字列を使用していますが、実際にメールを送信する際はみなさんのメールアドレスやパスワードを記述してください。今回は、送信元と送信先のアドレスを同じものにしています。

コード 送信元と送信先のメールアドレス

```
from_email = 'test@example.com'
to_email = 'test@example.com'
```

次に、Outlook.comにサインインするためのユーザーネームとパスワードを設定します。このユーザーネームはメールアドレスと同じです。

コード メールを送信するためのユーザーネームとパスワード

```
username = 'test@example.com'
password = 'feiwafjdafjeiwaf'
```

Point configファイルから情報を読み込む

メールアドレスなどの情報は、config.pyなどのファイルに記述して以下のように読み込んでもかまいません。

コード config.py

```
from_email = 'test@example.com'
to_email = 'test@example.com'
username = 'test@example.com'
password = 'feiwafjdafjeiwaf'
```

コード config ファイルから情報を読み込む

```
import config

from_email = config.from_email
to_email = config.to_email
username = config.username
password = config.password
```

必要な情報を設定したら、**message.EmailMessage**(メッセージ イーメールメッセージ)関数でオブジェクトを作成し、メールの中身を作っていきます。**set_content**(セット・コンテント)メソッドでメールの本文を作成し、msg['Subject']にメールの件名、msg['From']に送信元、msg['To']に送信先をそれぞれ設定します。

コード メールの内容を作成する

```
msg = message.EmailMessage()
msg.set_content('Test email')
msg['Subject'] = 'Test email sub'
msg['From'] = from_email
msg['To'] = to_email
```

メールの内容を作成したら、さっそく送信しましょう。まず、smtplib.SMTPにSMTPサーバーの名前とポート番号を渡し、SMTPサーバーと通信するためのオブジェクトを作成します。その後、通信する前にehloを実行する必要があります。次に、セキュアな通信とするためにstarttlsを実行したあと、もう一度ehloを実行します。

その後、ユーザーネームとパスワードを使ってSMTPサーバーにログインし、send_messageでメールを送信します。送信後はquitを実行して終了します。

コード メールを送信する

```
server = smtplib.SMTP(smtp_host, smtp_port)
server.ehlo()
server.starttls()
server.ehlo()
server.login(username, password)
server.send_message(msg)
server.quit()
```

最終的なコードは以下のとおりになります。

コード：c10_3_1.py　メールを送信する

```
from email import message
import smtplib


smtp_host = 'smtp-mail.outlook.com'
smtp_port = 587

from_email = 'test@example.com'
to_email = 'test@example.com'
username = 'test@example.com'
password = 'feiwafjdafjeiwaf'

msg = message.EmailMessage()
msg.set_content('Test email')
msg['Subject'] = 'Test email sub'
msg['From'] = from_email
msg['To'] = to_email

server = smtplib.SMTP(smtp_host, smtp_port)
server.ehlo()
server.starttls()
server.ehlo()
server.login(username, password)
server.send_message(msg)
server.quit()
```

実行すると、少し時間がかかりますが、設定した内容でメールが送信されていることがわかると思います。お使いのメールソフトで確認してみてください。

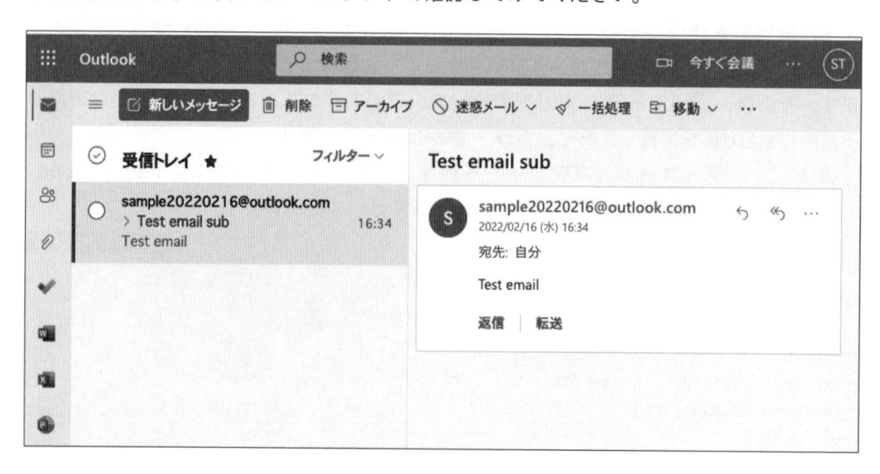

今回はOutlook.comでのメールの送信方法を紹介しましたが、メールサービスによっては手順に違いがあります。たとえばGmailの場合は、ポート番号を変えたりスクリプトの許可をしたりする必要があります。また、会社によってルールが異なる場合もあるので、会社のメールを利用するときは、SMTPサーバーを設定した人と相談してプログラムを作成してください。

添付ファイルつきのメールを送信しよう

ファイルを添付してメールを送信する場合は、前の項で利用したものに加えて、標準ライブラリの**email.mime**（イーメール マイム）から**multipart**（マルチパート）と**text**（テキスト）をインポートしましょう。添付ファイルなしのメール送信と比べて、もう少し低水準の処理から細かく書いていく必要があります。

コード ファイルを添付したメールの送信に必要なライブラリ

```
from email import message
from email.mime import multipart
from email.mime import text
import smtplib
```

メールのオブジェクトを作成するときは、**multipart.MIMEMultipart**関数を使います。件名や送信元、送信先の設定は前項と同じですが、メールの本文は**text.MIMEText**関数を使って以下のように作成します。第1引数にメールの本文を指定しましょう。第2引数の'plain'は、プレーンテキストであることを表しています。

コード ファイルを添付したメールを作成する

```
msg = multipart.MIMEMultipart()
msg['Subject'] = 'Test email sub'
msg['From'] = from_email
msg['To'] = to_email
msg.attach(text.MIMEText('Test email', 'plain'))
```

その後、ファイルを添付していきます。ここでは、スクリプトを記述したファイルであるlesson.pyの内容をファイルとして添付することにします。

ファイルを'r'でopenし、text.MIMEText関数の引数にf.readでファイルの中身を読み込んだものを渡して、変数attachmentに格納します。次に、attachmentに**add_header**（アッド・ヘッダー）メソッドで情報を付加し、ファイルから読み込んだ内容を添付ファイルにします。ここでは、添付するファイル名をlesson.txtと指定しています。その後、attachメソッドでファイルを添付します。

コード ファイルを添付したメールを作成する

```
with open('lesson.py', 'r') as f:
    attachment = text.MIMEText(f.read(), 'plain')
    attachment.add_header(
        'Content-Disposition', 'attachment',
        filename='lesson.txt'
```

```
    )
    msg.attach(attachment)
```

送信する処理は前項と同一です。最終的なコードは以下のようになります。

コード：c10_3_2.py　ファイルを添付したメールを送信する

```
from email import message
from email.mime import multipart
from email.mime import text
import smtplib


smtp_host = 'smtp-mail.outlook.com'
smtp_port = 587

from_email = 'test@example.com'
to_email = 'test@example.com'
username = 'test@example.com'
password = 'feiwafjdafjeiwaf'

msg = multipart.MIMEMultipart()
msg['Subject'] = 'Test email sub'
msg['From'] = from_email
msg['To'] = to_email
msg.attach(text.MIMEText('Test email', 'plain'))

with open('lesson.py', 'r') as f:
    attachment = text.MIMEText(f.read(), 'plain')
    attachment.add_header(
        'Content-Disposition', 'attachment',
        filename='lesson.txt'
    )
    msg.attach(attachment)

server = smtplib.SMTP(smtp_host, smtp_port)
server.ehlo()
server.starttls()
server.ehlo()
server.login(username, password)
server.send_message(msg)
server.quit()
```

実行すると、添付ファイルつきのメールが送信されていることが確認できます。

Point MIMEによるメール送信

このように、MIMEというメールを送信するときの規格にしたがって内容を設定していくことで、ファイルを添付したメールを作成できます。メールの細かい設定に興味がある方は、ぜひMIMEについて調べてみてください。

ログの内容をメールで送信しよう

SMTPHandler(エスエムティーピーハンドラー)を使うことで、ログをメールで送信できます。まず、loggingとlogging.handlersをインポートします。

コード ログをメールで送信するときに必要なライブラリ

```
import logging
import logging.handlers
```

次に、ロガーを作成していきます。ログレベルはCRITICALとし、CRITICALのログが出力されたときにメールで送信するようにします。このロガーに、addHandlerでSMTPHandlerを指定することで、ログ出力をメールで送信できるようになります。

SMTPHandlerの引数に必要な情報を渡していきます。タプルでSMTPサーバーの情報を設定し、その後に送信元と送信先のメールアドレスを指定します。subjectで件名を、credentialsでユーザーネームとパスワードを設定します。secureはkeyfile、certfile、contextを指定可能ですが、Outlook.comの場合は必要ないのでそれぞれNoneとします。timeoutは、Outlook.comだとやりとりに少し時間がかかるので、20秒とします。

コード SMTPHandlerの作成

```
logger = logging.getLogger('email')
logger.setLevel(logging.CRITICAL)
```

```
logger.addHandler(logging.handlers.SMTPHandler(
    (smtp_host, smtp_port), from_email, to_email,
    subject='Admin test log',
    credentials=(username, password),
    secure=(None, None, None),
    timeout=20
))
```

この状態でログを出力してみましょう。最終的なコードは以下のようになります。

コード：c10_3_3.py ログをメールで送信する

```
import logging
import logging.handlers


smtp_host = 'smtp-mail.outlook.com'
smtp_port = 587

from_email = 'test@example.com'
to_email = 'test@example.com'
username = 'test@example.com'
password = 'feiwafjdafjeiwaf'

logger = logging.getLogger('email')
logger.setLevel(logging.CRITICAL)

logger.addHandler(logging.handlers.SMTPHandler(
    (smtp_host, smtp_port), from_email, to_email,
    subject='Admin test log',
    credentials=(username, password),
    secure=(None, None, None),
    timeout=20
))

logger.info('test')
logger.critical('critical')
```

実行したあとメールが確認できるまで少し時間がかかりますが、CRITICALで出力されたログの情報がメールで送信されていることがわかると思います。

Point　ログをメールで送る際の注意点

ログをメールで送るような処理の場合、プログラムが誤ってメールを大量に送信してしまうということもありえます。そのためか、最近はメールを送る処理を自作するのではなく、ログをログ解析ソフトに送り、そのソフトから必要に応じてメールを送ってもらうことが多いようです。とはいえ、ログをメールで送信する仕組みを知っておくことは、メールやログの処理を作成する際に役立つことがあるはずです。

SMTPHandlerの処理

SMTPHandlerの中の処理を見てみると、引数にどのような情報を渡せばよいのかがわかります。公式のドキュメントを読んでもよいのですが、実際のコードを読むのもおすすめです。

コード SMTPHandler の処理

```
class SMTPHandler(logging.Handler):
    """
    A handler class which sends an SMTP email for each logging event.
    """
    def __init__(self, mailhost, fromaddr, toaddrs, subject,
                 credentials=None, secure=None, timeout=5.0):
```

たとえば、変数secureに格納された情報は、emitというメソッドで使用されています。emitメソッドのコードを読んでいくと、先に説明したメール送信と同じような処理の中で、starttlsにsecureが渡されていることがわかります。

コード SMTPHandler クラスの emit メソッドの処理の一部

```
            smtp = smtplib.SMTP(self.mailhost, port, timeout=self.timeout)
            msg = EmailMessage()
            msg['From'] = self.fromaddr
            msg['To'] = ','.join(self.toaddrs)
            msg['Subject'] = self.getSubject(record)
```

```
            msg['Date'] = email.utils.localtime()
            msg.set_content(self.format(record))
            if self.username:
                if self.secure is not None:
                    smtp.ehlo()
                    smtp.starttls(*self.secure)
                    smtp.ehlo()
```

さらにstarttlsメソッドの定義を確認すると、引数にkeyfile、certfile、contextが渡されていることがわかります。このようにしてコードを追っていくと、ドキュメントを見なくても引数に何を渡せばよいかがわかってきます。

コード starttlsの引数

```
    def starttls(self, keyfile=None, certfile=None, context=None):
```

10-4 実行環境を切り替えて使う

Pythonの実行環境を切り替えたい場合は、virtualenvを使います。異なるバージョンのPythonを切り替えるだけではなく、実行環境ごとにインストールするライブラリを管理することも可能です。案件ごとに環境が異なる場合などに役立ちます。

virtualenvで複数のPython環境を切り替えよう

たとえばPython2とPython3など、複数のPythonのバージョンを使いわけたいときは、**virtualenv**（バーチャルエンブ）を使うと独立したPythonの環境を切り替えて使えるようになります。virtualenvがインストールされていない場合は、ターミナルから以下のコマンドを実行しましょう。AnacondaやPyCharmを利用している場合は、すでにインストールされているかもしれません。

ターミナル　virtualenvのインストール

```
pip install virtualenv
```

インストールしたら、PyCharmでvirtualenvを設定していきましょう。画面上部のメニューバーから［Preferences］をクリックして［環境設定］を開き、［プロジェクト：プロジェクト名］（下図ではプロジェクト名はpython_programmingとなっています）の配下にある［Pythonインタープリター］をクリックします。その後、画面上部のPythonインタープリターの名前が表示されている部分の右にある歯車アイコンをクリックし、［追加］をクリックします。Windowsの場合は［設定］から開きますが、あとの流れは同じです。

左側の環境が［Virtualenv環境］であることを確認し、［基本インタープリター］でPythonのバージョンを選択し、［OK］をクリックします（他のバージョンのPythonが表示されない場合は、Pythonの公式ページから別途ダウンロードし、右側の［…］をクリックして選択します）。ここでは、Python2.7を選択しています。

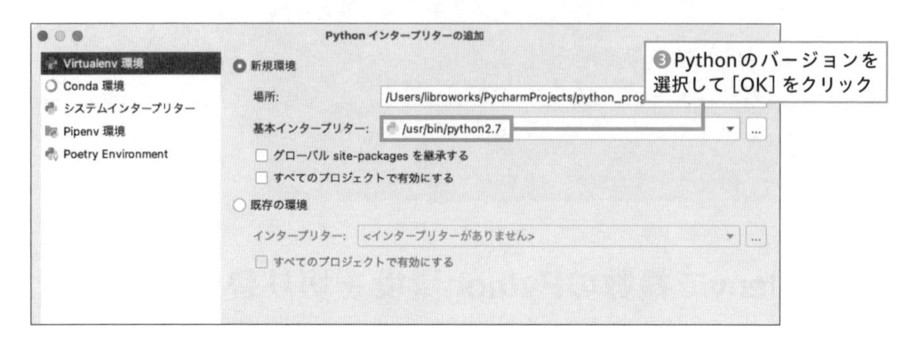

作成後、画面下のプログレスバーが完了するまで待つと、選択したPythonのバージョンが実行環境として利用可能になります。画面右上から［実行構成の編集］をクリックし、［Pythonインタープリター］から先ほど作成した環境を選択して［OK］をクリックしましょう。

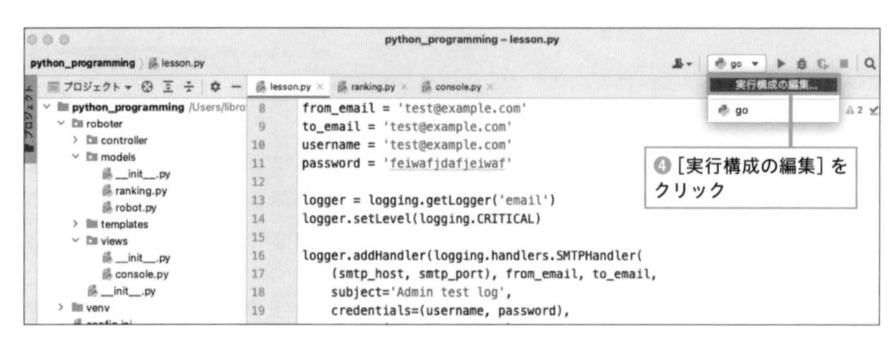

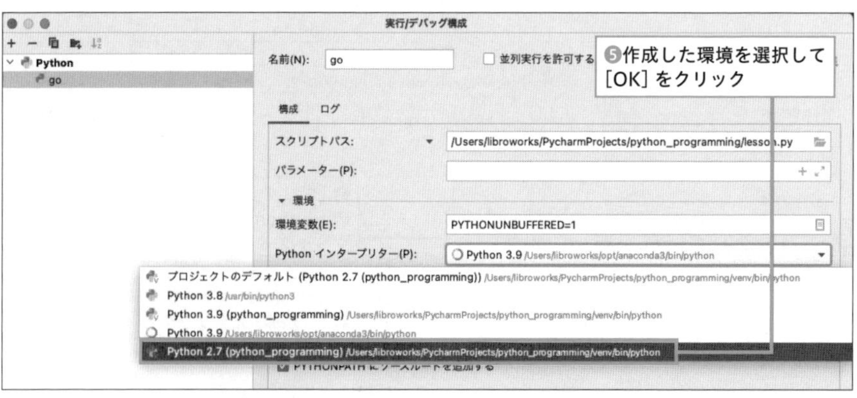

この状態で、以下のようにprintを書いてみましょう。Python2では、このような()をつけない書き方をすることができました。

コード：c10_4_1.py　Python2の環境でprintを実行

```
print 'test'
```

実行してみると、printの処理が正常に終了することがわかります。

実行結果(Python2の場合)

```
test
```

もう一度［実行構成の編集］を開き、［Pythonインタープリター］をPython3の環境にしてから上記の処理を実行してみると、今度はエラーとなるはずです。このようにして、Pythonの環境を使いわけることができます。

実行結果(Python3の場合)

```
  File "/Users/jsakai/PycharmProjects/python_programming/lesson.py", line 1
    print 'test'
          ^
SyntaxError: Missing parentheses in call to 'print'. Did you mean print('test')?
```

Point　環境ごとにサードパーティのライブラリを管理する

virtualenvを使えば、サードパーティのライブラリも環境ごとにインストールできます。たとえば、ある環境にはtermcolorがインストールされているが、それ以外の環境にはインストールされていない、といった状態にすることが可能となります。

ターミナルからvirtualenvを作成する

また、ターミナルからvirtualenvを作成することが可能です。以下のコマンドでは、my_python_envという名前でvirtualenvを作成します。コマンドを実行すると、my_python_envというディレクトリが作成されます。

ターミナル　virtualenvの作成

```
python_programming jsakai$ virtualenv my_python_env
```

Pythonの実行環境をこのmy_python_envに切り替えるには、sourceコマンドを使ってsource my_python_env/bin/activateと実行します（Windowsの場合は、sourceコマンドを使わずにmy_python_env/Scripts/activateとして実行します）。すると、ターミナルの左側に(my_python_env)と表示され、実行環境が切り替わった状態になります。

ターミナル　実行環境の切り替え

```
python_programming jsakai$ ls
__pycache__      lesson.py        my_python_env    roboter
python_programming jsakai$ source my_python_env/bin/activate
(my_python_env) python_programming jsakai$
```

この状態でPythonの対話型シェルを開き、my_python_envの環境ではインストールしていないtermcolorをインポートしようとするとエラーになることがわかります。

ターミナル 実行環境の切り替え

```
(my_python_env) python_programming jsakai$ python
Python 3.9.7 (default, Sep 16 2021, 08:50:36)
[Clang 10.0.0 ] :: Anaconda, Inc. on darwin
Type "help", "copyright", "credits" or "license" for more information.
>>> import termcolor
Traceback (most recent call last):
  File "<stdin>", line 1, in <module>
ModuleNotFoundError: No module named 'termcolor'
>>>
```

ターミナルからwhichコマンド（Windowsの場合は「where.exe python」）を実行して、使用しているPythonの環境を確認してみると、以下のようにmy_python_envの中のPythonを使用していることがわかります。

ターミナル 使用しているPythonの確認

```
(my_python_env) python_programming jsakai$ which python
/Users/jsakai/PycharmProjects/python_programming/my_python_env/bin/python
```

実行環境を元に戻すにはdeactivateコマンドを実行します。この状態でPythonの対話型シェルを開いて、termcolorをインポートすると、この環境には以前にtermcolorをインストールしたことがあるので、エラーにならないことがわかります。

ターミナル 実行環境を元に戻す

```
(my_python_env) python_programming jsakai$ deactivate
python_programming jsakai$ python
Python 3.9.7 (default, Sep 16 2021, 08:50:36)
[Clang 10.0.0 ] :: Anaconda, Inc. on darwin
Type "help", "copyright", "credits" or "license" for more information.
>>> import termcolor
>>>
```

Lesson 11

応用編

Webとネットワーク

Pythonは、Webアプリケーションのサーバーサイド開発でもよく使われています。Webの一連の処理の流れは、自分で作ろうとするとかなり難しく思えるかもしれません。しかし、PythonのWeb関連ライブラリを使ってみると、思ったよりもシンプルにWebの処理を書けることがわかると思います。ここでは、Webでよく使われるファイル形式にはじまり、REST APIの呼び出しやWebスクレイピング、ひいては簡単なWebサーバーの構築について解説していきます。

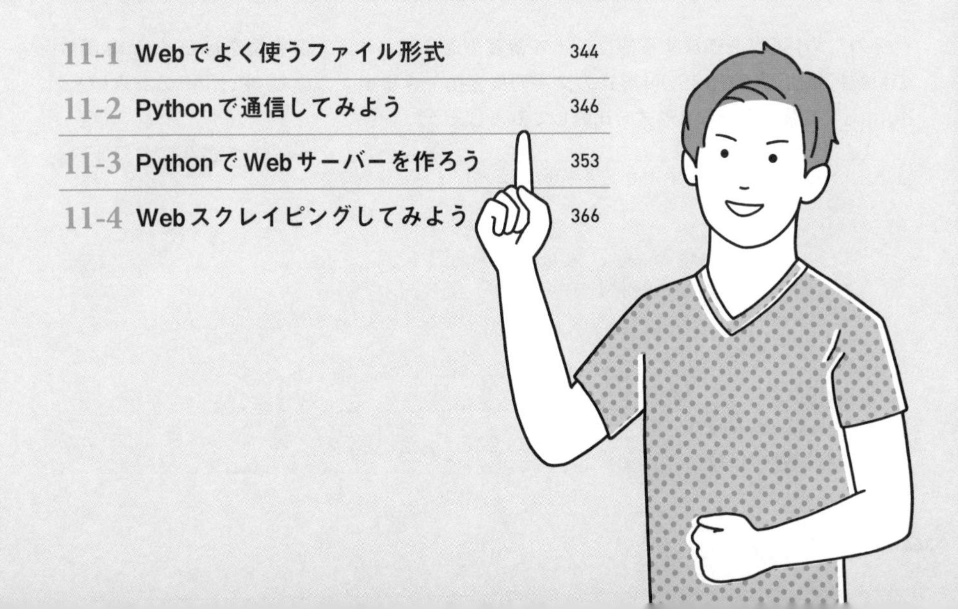

11-1 Webでよく使うファイル形式

Webにおけるデータのやりとりで使われるファイル形式にJSONがあります。データを構造化してまとめられ、軽量（データサイズが小さい）という特徴があり、広く使われています。PythonにもJSONを扱うためのライブラリが用意されています。辞書型と同じ形式で利用できるので、とても簡単に扱うことができます。

JSONファイルを操作しよう

JSON（ジェーソン）形式のファイルを扱う場合は、標準ライブラリの**json**をインポートします。

コード　jsonのimport

```
import json
```

JSONの形式は以下のとおりです。Pythonの辞書型と非常に似ていますね。

コード　JSONの例

```
{
    "employee":
        [
            {"id": 111, "name": "Mike"},
            {"id": 222, "name": "Nancy"}
        ]
}
```

そのためJSONを作成する際は、まず辞書型を作成します。辞書型を**json.dumps**（ジェーソン ダンプエス）関数の引数に渡すことで、JSON形式の文字列に変換できます。ここで、Pythonの辞書型と、dumpsで変換したJSON形式を比較してみましょう。

コード：c11_1_1.py　辞書型とJSON形式の比較

```
j = {
    "employee":
        [
            {"id": 111, "name": "Mike"},
            {"id": 222, "name": "Nancy"}
        ]
}

print(j)
print("#############")
print(json.dumps(j))
```

実行結果

```
{'employee': [{'id': 111, 'name': 'Mike'}, {'id': 222, 'name': 'Nancy'}]}
#############
{"employee": [{"id": 111, "name": "Mike"}, {"id": 222, "name": "Nancy"}]}
```

比べてみるとほとんど同じですが、JSONに変換したほうは文字列がダブルクォートとなっています。ファイルに出力したときにもわかるのですが、JSONでは必ずダブルクォートとなる点に注意してください。このように仕様の微妙な違いはありますが、その部分はライブラリが吸収してくれるので、Pythonの辞書型を元に非常に簡単に作成できます。

JSONファイルに書き込む

JSONをファイルに書き込む際は、dumpsではなく**dump**（ダンプ）を使います。dumpの引数に辞書型とファイルを渡しましょう。実行するとJSONファイルが作成されます。

コード：c11_1_2.py　JSONファイルの書き込み

```
with open('test.json', 'w') as f:
    json.dump(j, f)
```

実行結果：test.json

```
{"employee": [{"id": 111, "name": "Mike"}, {"id": 222, "name": "Nancy"}]}
```

JSONファイルを読み込む

json.load（ジェーソン ロード）を使うと、JSONファイルを辞書型として読み込むことができます。

コード：c11_1_3.py　JSONファイルの読み込み

```
with open('test.json', 'r') as f:
    print(json.load(f))
```

実行結果

```
{'employee': [{'id': 111, 'name': 'Mike'}, {'id': 222, 'name': 'Nancy'}]}
```

ここで、先ほどjson.dumpsでJSON形式に変換した文字列を、**json.loads**（ジェーソン ロードエス）で読み込むと、JSON形式の文字列を辞書型に変換できます。

コード：c11_1_4.py　JSON形式を辞書型に変換

```
a = json.dumps(j)
print(a)
print("@@@@@@@@@@@@@")
print(json.loads(a))
```

実行結果

```
{"employee": [{"id": 111, "name": "Mike"}, {"id": 222, "name": "Nancy"}]}
@@@@@@@@@@@@@
{'employee': [{'id': 111, 'name': 'Mike'}, {'id': 222, 'name': 'Nancy'}]}
```

dumpとdumps、loadとloadsが紛らわしいですが、両者の違いは**読み書きの対象がファイルか文字列か**です。JSONファイルに書き込みや読み込みを行う場合はdumpとloadを、辞書型とJSON形式との変換を行う場合はdumpsとloadsを使うと覚えてください。

11-2 Pythonで通信してみよう

一般的なWebアプリケーションは「データの新規登録」「データの参照」「データの更新」「データの削除」といった機能を持ちます。これらの機能の呼び出しを、WebのHTTP上で行う方式では「REST」というものが一般的です。ここではREST APIをPythonで扱う方法として、標準ライブラリのurllibと、それを使いやすくしたrequestsというライブラリを紹介します。

urllibでREST APIを使ってみよう

REST（レスト）とは、**HTTPメソッド**を用いてクライアントからWebサーバーにアクセスする手法のことです。HTTPメソッドごとに、実行する処理の内容が異なります。RESTで主に使用するHTTPメソッドには以下の4つがあります。

HTTPメソッド	説明
GET	データの参照
POST	データの新規登録
PUT	データの更新
DELETE	データの削除

GETは、WebブラウザでWebページを閲覧するときに使われるメソッドです。POSTは、新しいデータを作成したいときに使用します。PUTはデータを更新したいときに、DELETEはデータを削除したいときに使います。はじめてだと難しく感じるかもしれませんが、実際にやってみながら理解していきましょう。

それでは、Pythonの標準ライブラリである**urllib**（ユーアールエルリブ）を使って、RESTを体験してみましょう。まず、urllib.requestのimport文を記述します。また、Webサーバーから返ってくるJSONデータを処理したいので、jsonのimport文も記述しておきます。

コード ライブラリのimport

```
import urllib.request
import json
```

GET

httpbin.orgというWebサイトで、GETやPUTなどのHTTPメソッドをテストできるので、今回はこちらを使っていきます。GETの場合は以下のURLを設定します。

コード GETでアクセスするURL

```
url = 'http://httpbin.org/get'
```

URLにアクセスするには、ファイルを読み込むときと同じようにwith文を使って書きます。**urllib.request.urlopen**関数の引数にURLを渡してアクセスしましょう。readで読み込んだ内容を表示してみると、bがついたバイト列の形で結果が返ってきます。

コード：c11_2_1.py　GETでアクセス

```
with urllib.request.urlopen(url) as f:
    print(f.read())
```

実行結果

```
b'{\n  "args": {}, \n  "headers": {\n    "Accept-Encoding": "identity", \n    "Host": "httpbin.org", \n    "User-Agent": "Python-urllib/3.9", \n    "X-Amzn-Trace-Id": "Root=1-620e345b-0c91fa4a10a072090e8a1fb2"\n  }, \n  "origin": "153.242.69.3", \n  "url": "http://httpbin.org/get"\n}\n'
```

これをUTF-8でデコードすると、きれいに表示されます。

コード：c11_2_2.py　GETで取得したデータをデコード

```
with urllib.request.urlopen(url) as f:
    print(f.read().decode('utf-8'))
```

実行結果

```
{
  "args": {},
  "headers": {
    "Accept-Encoding": "identity",
    "Host": "httpbin.org",
    "User-Agent": "Python-urllib/3.9",
    "X-Amzn-Trace-Id": "Root=1-620e34cc-5d8ca83775273a67661e41fa"
  },
  "origin": "153.242.69.3",
  "url": "http://httpbin.org/get"
}
```

このデータはJSON形式となっているので、json.loadsを使うとPythonの辞書型として読み込むことができます。

コード：c11_2_3.py　GETで取得したデータを辞書型で読み込む

```
with urllib.request.urlopen(url) as f:
    r = json.loads(f.read().decode('utf-8'))
    print(r)
    print(type(r))
```

実行結果

```
{'args': {}, 'headers': {'Accept-Encoding': 'identity', 'Host': 'httpbin.org', 'User-Agent': 'Python-urllib/3.9', 'X-Amzn-Trace-Id': 'Root=1-620e358f-16742ad878e46b87352bda2d'}, 'origin': '153.242.69.3', 'url': 'http://httpbin.org/get'}
<class 'dict'>
```

アクセスする際にパラメーターを渡すこともできます。GETの場合は、まず辞書型でパラメーターを作成し、URLの後ろに?（クエスチョンマーク）をつけ、その後ろにパラメーターをエンコードしたものをつなげる必要があります。

以下の例では、作成したパラメーターを変数payloadに格納し、URLの後ろに付加してprintで表示しています。URLの後ろにクエスチョンマークを挟んで、パラメーターの内容が付加されていることがわかると思います。

コード：c11_2_4.py GETでパラメーターを付加してアクセスするときのURL

```
payload = {"key1": "value1", "key2": "value2"}
url = 'http://httpbin.org/get' + '?' + urllib.parse.urlencode(payload)
print(url)
```

実行結果

```
http://httpbin.org/get?key1=value1&key2=value2
```

GETのアクセスでパラメーターを渡す場合は、上記のURLのようにキーとバリューを=（イコール）でつなぎ、また複数のデータを渡す場合はその間に&（アンパサンド）を入れるというルールがあります。

POST

POSTはデータを登録する処理などで用いるHTTPメソッドです。POSTのリクエストにパラメーターを持たせる場合は、GETと異なる方法を使う必要があります。

たとえば、ユーザーを登録する処理の場合、Webサーバーにユーザーネームやパスワードといったパラメーターを送信する必要があります。このパラメーターをGETメソッドのときと同じようにURLの後ろに付加してアクセスすると、もし第三者がURLの情報を入手した場合、その相手にパスワードなどの情報が伝わってしまうことになります。そのため、POSTメソッドでは別の方法でパラメーターを渡さなければなりません。

POSTの場合、urlopenにそのままURLを渡すのではなく、パラメーターを含んだリクエストのデータを渡すようにします。まず、**urllib.request.Request**（リクエスト）関数でリクエストのデータを作成します。引数には、POSTでアクセスするURLと、パラメーターをJSON形式にした上でエンコードしたデータを渡し、methodにはPOSTを指定します。

コード POSTでリクエストするためのデータを作成

```
payload = {"key1": "value1", "key2": "value2"}
payload = json.dumps(payload).encode('utf-8')
req = urllib.request.Request(
    'http://httpbin.org/post', data=payload, method='POST')
```

これをurllib.request.urlopenに渡してPOSTでアクセスします。結果を読み込むときの処理はGETと同じです。

コード：c11_2_5.py POSTでアクセス

```
with urllib.request.urlopen(req) as f:
    print(json.loads(f.read().decode('utf-8')))
```

実行結果

```
{'args': {}, 'data': '', 'files': {}, 'form': {'{"key1": "value1", "key2": "value2"}': ''}, 'headers': {'Accept-Encoding': 'identity', 'Content-Length': '36', 'Content-Type': 'application/x-www-form-urlencoded', 'Host': 'httpbin.org', 'User-Agent': 'Python-urllib/3.9', 'X-Amzn-Trace-Id': 'Root=1-620f160c-010ddfa50cdf79712f32fbcb'}, 'json': None, 'origin': '153.242.69.3', 'url': 'http://httpbin.org/post'}
```

PUTとDELETE

PUTでのアクセスはPOSTと同様です。URLをPUTでアクセスするものに変更し、methodをPUTに指定しましょう。

コード：c11_2_6.py　PUTでアクセス

```
payload = {"key1": "value1", "key2": "value2"}
payload = json.dumps(payload).encode('utf-8')
req = urllib.request.Request(
    'http://httpbin.org/put', data=payload, method='PUT')
with urllib.request.urlopen(req) as f:
    print(json.loads(f.read().decode('utf-8')))
```

実行結果

```
{'args': {}, 'data': '', 'files': {}, 'form': {'{"key1": "value1", "key2": "value2"}': ''}, 'headers': {'Accept-Encoding': 'identity', 'Content-Length': '36', 'Content-Type': 'application/x-www-form-urlencoded', 'Host': 'httpbin.org', 'User-Agent': 'Python-urllib/3.9', 'X-Amzn-Trace-Id': 'Root=1-620f197b-361f60a21f3193536edee6dd'}, 'json': None, 'origin': '153.242.69.3', 'url': 'http://httpbin.org/put'}
```

DELETEも、POSTやPUTと同様です。

コード：c11_2_7.py　DELETEでアクセス

```
payload = {"key1": "value1", "key2": "value2"}
payload = json.dumps(payload).encode('utf-8')
req = urllib.request.Request(
    'http://httpbin.org/delete', data=payload, method='DELETE')
with urllib.request.urlopen(req) as f:
    print(json.loads(f.read().decode('utf-8')))
```

実行結果

```
{'args': {}, 'data': '', 'files': {}, 'form': {'{"key1": "value1", "key2": "value2"}': ''}, 'headers': {'Accept-Encoding': 'identity', 'Content-Length': '36', 'Content-Type': 'application/x-www-form-urlencoded', 'Host': 'httpbin.org', 'User-Agent': 'Python-urllib/3.9', 'X-Amzn-Trace-Id': 'Root=1-620f1a05-07fa9e06477b631e73d64a11'}, 'json': None, 'origin': '153.242.69.3', 'url': 'http://httpbin.org/delete'}
```

requestsで簡単にREST APIを使ってみよう

今度は、サードパーティのライブラリである**requests**（リクエスツ）を使ってHTTPリクエストを実行してみます。urllibでは、エンコードやデコードなどといった操作をする必要がありましたが、requestsはそれよりも直感的でわかりやすくHTTPリクエストをすることができるため、非常に人気のあるライブラリです。

まずは、ターミナルから以下のコマンドを実行してrequestsをインストールしましょう。PyCharmからインストールしてもかまいません。

ターミナル requestsをインストール

```
pip install requests
```

requestsによるGETでのアクセスは、以下のように簡単に書くことができます。

コード：c11_2_8.py requestsによるGETでのアクセス

```
import requests

payload = {'key1': 'value1', 'key2': 'value2'}

r = requests.get('http://httpbin.org/get', params=payload)

print(r.status_code)
print(r.text)
print(r.json())
```

パラメーターを渡すときも、urllibではパラメーターを?の後ろにつけるといった処理が必要でしたが、requestsではgetの引数のparamsで指定するだけです。結果を確認する際は、status_codeでステータスコードを、textでテキスト形式の結果を、jsonでJSON形式の結果をそれぞれ取得することが可能です。

実行結果

```
200
{
  "args": {
    "key1": "value1",
    "key2": "value2"
  },
  "headers": {
    "Accept": "*/*",
    "Accept-Encoding": "gzip, deflate, br",
    "Host": "httpbin.org",
    "User-Agent": "python-requests/2.26.0",
    "X-Amzn-Trace-Id": "Root=1-620f20bf-159931245d8ce2340ee7d726"
  },
  "origin": "153.242.69.3",
  "url": "http://httpbin.org/get?key1=value1&key2=value2"
}

{'args': {'key1': 'value1', 'key2': 'value2'}, 'headers': {'Accept': '*/*', 'Accept-Encoding': 'gzip, deflate, br', 'Host': 'httpbin.org', 'User-Agent': 'python-requests/2.26.0', 'X-Amzn-Trace-Id': 'Root=1-620f20bf-159931245d8ce2340ee7d726'}, 'origin': '153.242.69.3', 'url': 'http://httpbin.org/get?key1=value1&key2=value2'}
```

POSTでのアクセスは**requests.post**関数を使います。データを渡す際は、引数にdataとして渡しましょう。こちらも、リクエストのためのオブジェクトを作成する必要がないので、簡単に書くことができます。

コード：c11_2_9.py　requestsによるPOSTでのアクセス

```
import requests

payload = {'key1': 'value1', 'key2': 'value2'}

r = requests.post('http://httpbin.org/post', data=payload)

print(r.status_code)
print(r.text)
print(r.json())
```

実行結果

```
200
{
  "args": {},
  "data": "",
  "files": {},
  "form": {
    "key1": "value1",
    "key2": "value2"
  },
  "headers": {
    "Accept": "*/*",
    "Accept-Encoding": "gzip, deflate, br",
    "Content-Length": "23",
    "Content-Type": "application/x-www-form-urlencoded",
    "Host": "httpbin.org",
    "User-Agent": "python-requests/2.26.0",
    "X-Amzn-Trace-Id": "Root=1-620f22fd-4c16853c30d461ab0adc8ad2"
  },
  "json": null,
  "origin": "153.242.69.3",
  "url": "http://httpbin.org/post"
}

{'args': {}, 'data': '', 'files': {}, 'form': {'key1': 'value1', 'key2': 'value2'},
'headers': {'Accept': '*/*', 'Accept-Encoding': 'gzip, deflate, br', 'Content-
Length': '23', 'Content-Type': 'application/x-www-form-urlencoded', 'Host': 'httpbin.
org', 'User-Agent': 'python-requests/2.26.0', 'X-Amzn-Trace-Id': 'Root=1-620f22fd-
4c16853c30d461ab0adc8ad2'}, 'json': None, 'origin': '153.242.69.3', 'url': 'http://
httpbin.org/post'}
```

PUTやDELETEの場合も同様です。

コード：c11_2_10.py　requestsによるPUTでのアクセス

```
r = requests.put('http://httpbin.org/put', data=payload)
```

コード：c11_2_11.py requestsによるDELETEでのアクセス

```
r = requests.delete('http://httpbin.org/delete', data=payload)
```

引数timeoutを指定すると、指定した時間内に応答がなかった場合、エラーを返すようにできます。

コード：c11_2_12.py timeoutを指定

```
import requests

payload = {'key1': 'value1', 'key2': 'value2'}

r = requests.get('http://httpbin.org/get', params=payload, timeout=0.001)
```

上記の例では、0.001秒という非常に短い時間を指定しているため、実行するとエラーが返ってきます。なかなか結果が返ってこないサーバーにリクエストする際、一定時間で返ってこなかったら次の処理に進みたいという場合に、timeoutを指定します。requestsではこうした設定も可能なので、非常に便利なライブラリとなっています。

11-3 PythonでWebサーバーを作ろう

普段私たちが見ているWebページやWebアプリケーションは、WebブラウザなどのクライアントからWebサーバーにアクセスする形で利用しています。PythonにはWebアプリケーションを開発するためのさまざまなWebフレームワークがあり、それらにはたいてい開発用Webサーバーが付属しています。ここではFlaskという軽量Webフレームワークを利用して、Webサーバーの基本的な構築を解説します。

FlaskでWebサーバーを立ち上げよう

PythonのWebフレームワークには、**Django**（ジャンゴ）や**Pyramid**（ピラミッド）などさまざまなものがあります。目的によって適したWebフレームワークは異なりますが、構築の仕方はよく似ています。ここでは**Flask**（フラスク）を例にして解説しますが、一度構築の仕方を理解しておけば、他のWebフレームワークも理解しやすくなるでしょう。

まずはターミナルなどからFlaskをインストールしてください。

ターミナル　Flask をインストール

```
pip install flask
```

はじめに、使用するクラスや関数をインポートしていきます。

コード　Flask の import

```
from flask import Flask
from flask import g
from flask import render_template
from flask import request
from flask import Response
```


Point　Flaskのインポート

gやrequestといった名前でインポートすると、Flaskに由来するものであることがわかりにくくなる恐れがあります。本書の解説ではそのままインポートしますが、実際の開発ではわかりやすいインポートを検討してください。なお、上記でインポートしているgは、Flaskでグローバルな値を格納するために使われています。

app = Flask(__name__) のように、Flaskクラスにファイル名を渡したものをグローバル変数として宣言します。その後、以下のようなhello_world関数を作成し、デコレーターとして@app.route('/') を付加します。これで、Webページのトップページにアクセスされた場合は、この関数の返り値が表示されるようになります。

コード Flaskの利用

```
app = Flask(__name__)

@app.route('/')
def hello_world():
    return 'hello world'
```

その後、上記のようにグローバルで宣言したappを**run**(ラン)メソッドで実行することで、サーバーを起動できます。ここではmain関数の中で、debugをTrueに設定することでデバッグモードを有効にしてから実行しています。

コード：c11_3_1.py Flaskの実行

```
def main():
    app.debug = True
    app.run()


if __name__ == '__main__':
    main()
```

Point サーバー名とポート番号のデフォルト値

サーバーを起動する際に、サーバー名やIPアドレスとポート番号を指定することも可能です。指定しなかった場合は、127.0.0.1と5000がそれぞれIPアドレスとポート番号に使用されます。

コード Flaskの実行

```
    app.run(host='127.0.0.1', port=5000)
```

実行すると、デフォルトのIPアドレスとポート番号でサーバーが起動します。

実行結果

```
* Serving Flask app "lesson" (lazy loading)
* Environment: production
  WARNING: This is a development server. Do not use it in a production deployment.
  Use a production WSGI server instead.
* Debug mode: on
* Running on http://127.0.0.1:5000/ (Press CTRL+C to quit)
* Restarting with watchdog (fsevents)
* Debugger is active!
* Debugger PIN: 774-659-077
```

起動したサーバー（http://127.0.0.1:5000/）にアクセスすると、次のように関数hello_worldの返り値が表示されることが確認できます。

実行結果

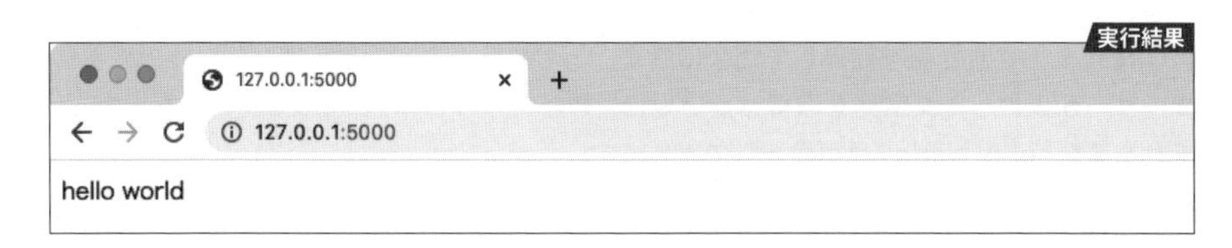

hello_world関数の返り値を書き換えてページを再読み込みすると、表示される文字が変わります。Flaskではこのようにして、非常に簡単にWebサーバーを実行できるのです。

コード：c11_3_2.py　Flaskの hello_world 関数

```
@app.route('/')
def hello_world():
    return 'hello world!'
```

実行結果

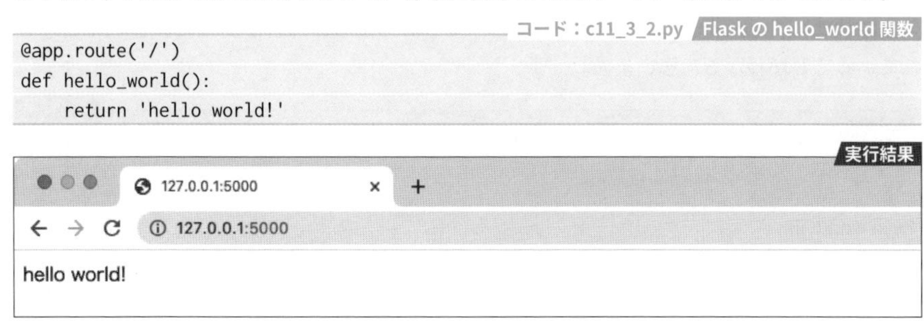

関数を追加してみましょう。先ほどのhello_world関数はトップページであることがわかりやすいよう返り値をtopに書き換え、/helloにアクセスした際にhello world!を表示するhello_world2関数を作成します。このように、それぞれのページに対応した関数を簡単に書くことができます。

コード：c11_3_3.py　Flaskの処理の作成

```
@app.route('/')
def hello_world():
    return 'top'

@app.route('/hello')
def hello_world2():
    return 'hello world!'
```

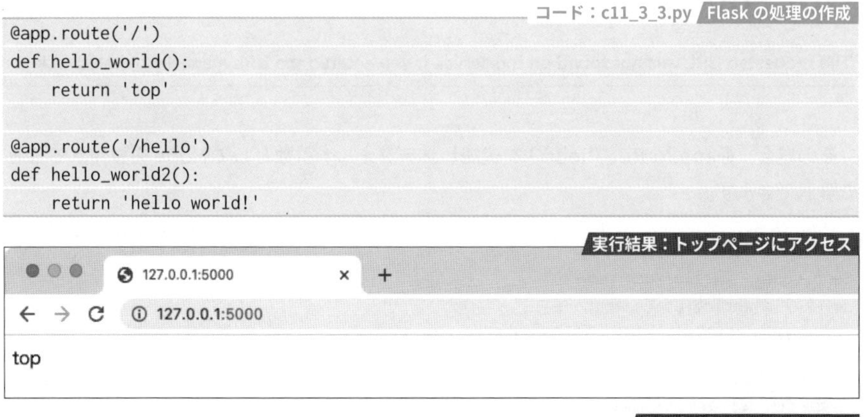

実行結果：トップページにアクセス

実行結果：/hello にアクセス

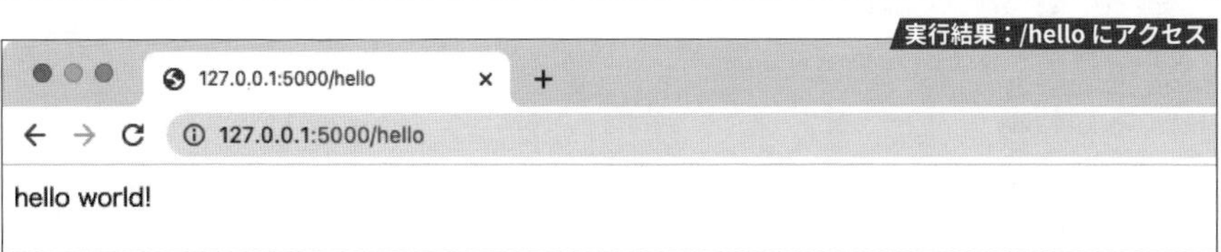

URLに入力された値を取得して関数に渡すこともできます。たとえば、/helloの後ろにユーザーが入力した文字列を取得したい場合、以下のように<>で囲んで変数名を指定し、それを関数hello_world2に引数として渡します。

コード：c11_3_4.py Flask の処理の作成

```
@app.route('/hello/<username>')
def hello_world2(username):
    return 'hello world! {}'.format(username)
```

この状態で/hello/junにアクセスすると、/helloの後ろの内容が関数に渡されて表示されていることがわかると思います。

実行結果

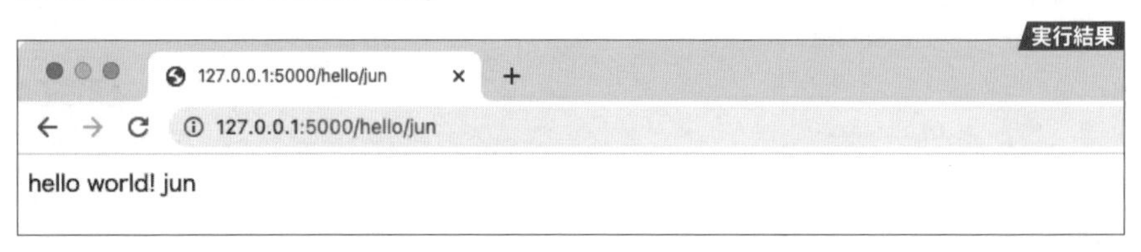

このとき、/helloの後ろに何も指定しないと、Not Foundとなります。

実行結果

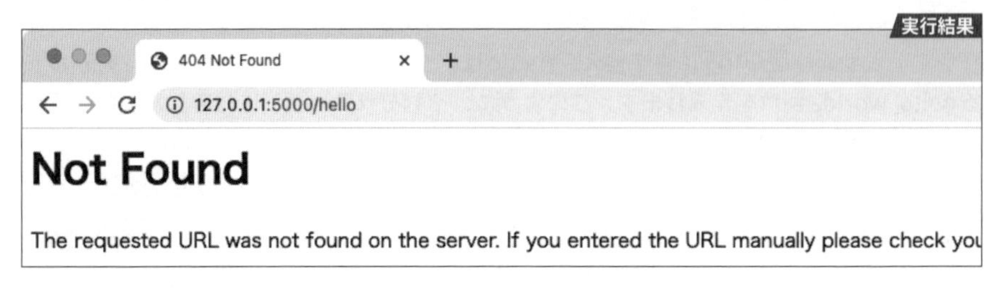

その場合、@app.route('/hello')を追加し、デフォルト引数としてNoneを設定することで解消できます。

コード：c11_3_5.py Flask の処理の作成

```
@app.route('/hello')
@app.route('/hello/<username>')
def hello_world2(username=None):
    return 'hello world! {}'.format(username)
```

実行結果

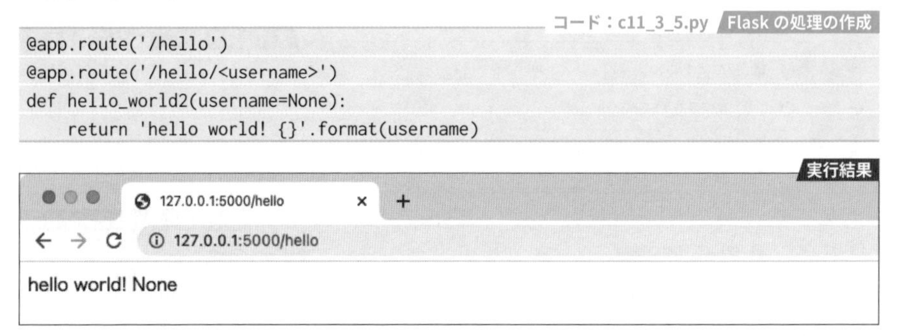

テンプレートを作成する

関数からHTMLの結果を返したい場合は、Flaskのテンプレートを使用すると簡単です。

templatesという名前のディレクトリを作成し、その中に新しくHTMLファイルを作成しましょう。PyCharmでは、ディレクトリを右クリックし、[新規] → [HTMLファイル] をクリックします。

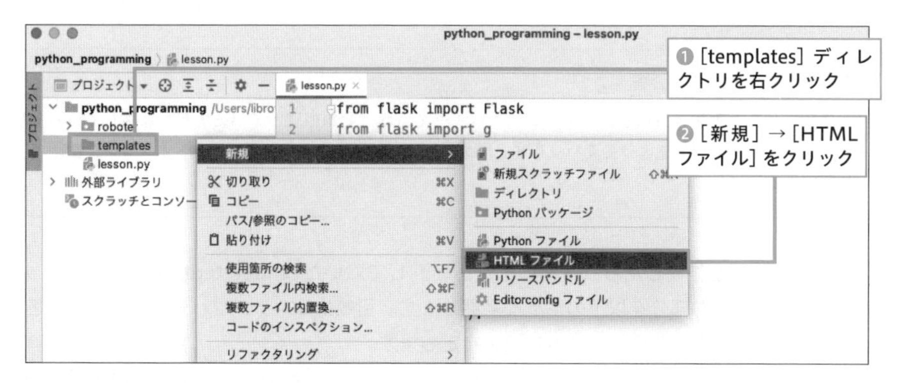

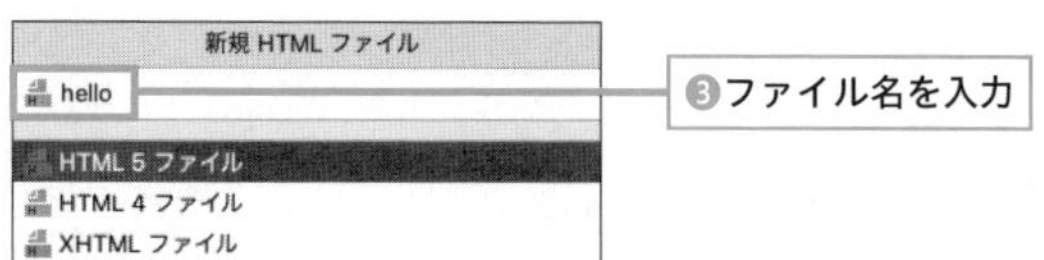

HTMLファイルを編集しましょう。<title>の部分にHelloというページタイトルを入れるなど、適宜編集していきます。

コード：hello.html　テンプレートの作成

```
<!DOCTYPE html>
<html lang="en">
<head>
    <meta charset="UTF-8">
    <title>Hello</title>
</head>
<body>

</body>
</html>
```

※ダウンロードするサンプルコードは追記後の完成した状態のものです。

通常のHTMLと異なるのは、条件分岐などを含むテンプレートを書ける点です。<body>の中にテンプレートを書いていきます。以下の例では、usernameの値が存在すればHelloのあとにusernameを表示し、そうでなければHelloのみを表示します。

コード：hello.html　テンプレートの作成

```
<body>

{% if username %}
Hello {{ username }}
{% else %}
```

```
Hello
{% endif %}

</body>
```

Point テンプレートの書き方

テンプレートの書き方はどのWebフレームワークでもおおむね似通っていますが、採用しているテンプレートエンジンによって変わります。Flaskの場合はJinja（ジンジャ）というテンプレートエンジンを使用しています。

テンプレートを作成したら、最初にインポートしておいた**render_template**（レンダー・テンプレート）関数を使って、関数の返り値の部分を以下のように変更します。引数には、テンプレートのファイル名と、テンプレート内で使用している変数を指定します。

コード：c11_3_6.py テンプレートの利用

```
@app.route('/hello')
@app.route('/hello/<username>')
def hello_world2(username=None):
    return render_template('hello.html', username=username)
```

この状態でURLにアクセスすると、/helloの後ろに値を渡した場合もそうでない場合も、hello.htmlに記述した処理にしたがって表示されていることがわかります。

実行結果：/hello/jun にアクセス

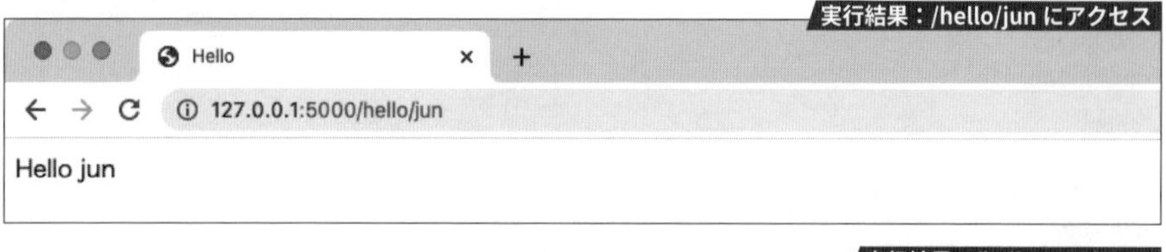

実行結果：/hello にアクセス

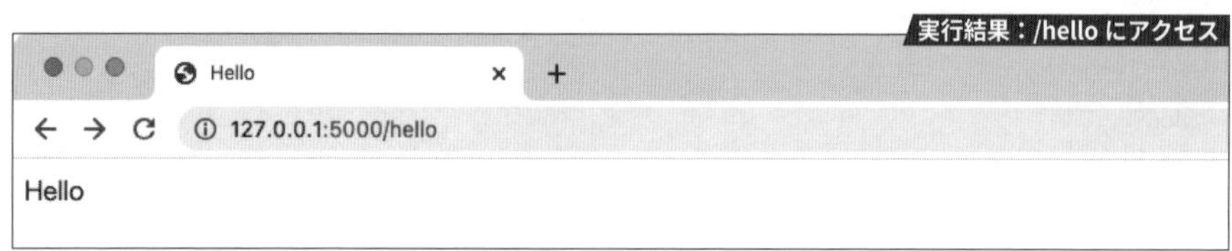

このように、テンプレートのHTMLファイルの中で条件分岐の処理を書くことができるので、usernameの有無によって2つのテンプレートファイルを用意する必要はありません。実際の開発では、Webデザイナーがデザインを含む基本のHTMLを作成し、そこにプログラマーが条件分岐の処理を追加することが多いです。

HTTPメソッドを使用する

Webページを表示する際のGETの処理のみならず、APIで使われるPOSTやPUTの処理も簡単に書くことができます。HTTPメソッドを使用する際は、@app.routeのURLの指定に加えて、対応するmethodsもリストで指定します。以下のようにshow_post関数を作成し、返り値にrequest.valuesをstrで文字列にしたものを指定します。

コード：c11_3_7.py　HTTPメソッドを使用した処理の作成

```
@app.route('/post', methods=['POST', 'PUT', 'DELETE'])
def show_post():
    return str(request.values)
```

Point　Flaskのrequest

このrequestはP.353でインポートしたものです。サーバーが起動している間に、ユーザーがWEBサイトをクリックした場合は、show_post関数が実行される前に、Flaskはユーザー側から送られてきた情報をすでにrequestの中に格納しています。いきなりrequestを使っているので違和感があるかもしれませんが、このようにWebフレームワークは関数が実行される前に裏でさまざまな処理を実行しており、requestから簡単にリクエストの内容が確認できるなど、開発をスムーズにしてくれているのです。

動作を確認するために、もうひとつPythonのスクリプトを作成して、POSTでアクセスしてみましょう。以前REST APIを呼び出すときに解説したrequestsを使って、以下のように処理を書きます。

コード：test_flask.py　POSTでアクセス

```
import requests

r = requests.post(
    'http://127.0.0.1:5000/post', data={'username': 'mike'})
print(r.text)
```

サーバーのスクリプトを実行した状態で、test_flask.pyをターミナルから実行してみると、POSTでのHTTPリクエストが成功し、送信したリクエストの内容が返ってくることがわかると思います。

ターミナル　POSTでアクセス

```
python_programming jsakai$ python test_flask.py
CombinedMultiDict([ImmutableMultiDict([]), ImmutableMultiDict([('username',
'mike')])])
```

辞書型の返り値ではなく、usernameの中の値のみを返すようにするには、以下のように指定します。

コード：c11_3_8.py　返り値として値のみを返す

```
@app.route('/post', methods=['POST', 'PUT', 'DELETE'])
def show_post():
    return str(request.values['username'])
```

もう一度POSTでアクセスすると、usernameの中身であるmikeだけが返ってきます。

ターミナル POSTでアクセス

```
python_programming jsakai$ python test_flask.py
mike
```

@app.routeでPUTやDELETEも指定したので、それらのメソッドでアクセスしても同様に値が返ってきます。

コード：test_flask.py PUTでアクセス

```
r = requests.put(
    'http://127.0.0.1:5000/post', data={'username': 'mike'})
```

コード：test_flask.py DELETEでアクセス

```
r = requests.delete(
    'http://127.0.0.1:5000/post', data={'username': 'mike'})
```

ただし、/postのURLではmethodsにGETは指定していないので、GETで呼び出そうとするとエラーになります。

コード：test_flask.py GETでアクセス

```
r = requests.get(
    'http://127.0.0.1:5000/post', data={'username': 'mike'})
```

ターミナル GETで呼び出し

```
python_programming jsakai$ python test_flask.py
<!DOCTYPE HTML PUBLIC "-//W3C//DTD HTML 3.2 Final//EN">
<title>405 Method Not Allowed</title>
<h1>Method Not Allowed</h1>
<p>The method is not allowed for the requested URL.</p>
```

データベースを利用する

Webアプリケーションはさまざまなデータを記憶するためにデータベースを使用します。今度は、データベースに値を格納したり呼び出したりしてみましょう。簡易データベースの**sqlite3**（エスキューライトスリー）をインポートします。

コード sqlite3のインポート

```
import sqlite3
```

データベースに接続するために、まず以下のような関数を作成します。インポートしておいたFlaskの**g**を利用しています。gはグローバルな値を格納するための場所で、ここではデータベースとの接続を表すオブジェクトを入れるために使用します。

コード データベースに接続する処理

```
def get_db():
    db = getattr(g, '_database', None)
    if db is None:
        db = g._database = sqlite3.connect('test_sqlite.db')
    return db
```

まず組み込み関数の**getattr**でg._databaseという属性を取得します。g._databaseに値が入っていれば接続ずみなので、それをdbとして利用します。dbがNoneの場合は、データベースを新たに作成し、その接続をg._databaseとdbに格納して関数の返り値とします。この関数の手法はFlaskのドキュメントにも書かれているものなので、データベースに接続する際のパターンの1つとして覚えておいてください。

また、データベースへの接続を自動で閉じるために、以下の関数を作成します。teardown_appcontextのデコレーターを付加すると、アプリケーションが終了するときに自動でこの関数が呼び出されるので、もしデータベースへの接続が残っていれば接続を閉じるようになっています。

コード データベースへの接続を閉じる処理

```
@app.teardown_appcontext
def close_connection(exception):
    db = getattr(g, '_database', None)
    if db is not None:
        db.close()
```

データベースを利用する関数を作っていきましょう。以下のemployee関数では、/employeeというURLでアクセスした場合はPOST、PUT、DELETEで、/employee/<name>のようにして後ろにnameをつけたURLでアクセスした場合はGETとして処理するようにしています。

コード：c11_3_9.py データベースを利用する関数の準備

```
@app.route('/employee', methods=['POST', 'PUT', 'DELETE'])
@app.route('/employee/<name>', methods=['GET'])
def employee(name=None):

    if request.method == 'GET':
        return name
```

request.methodを使うと、どのHTTPメソッドでアクセスされているかを確認できます。ここでは、GETで呼び出されたときの処理を作成し、リクエスト時にURLで指定されたnameをそのまま返すようにしています。この状態で/employee/junにアクセスすると、URLでnameに指定したjunが表示されます。

実行結果

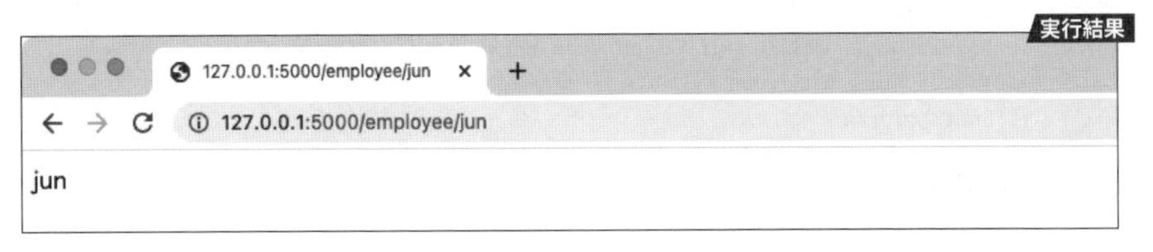

次に、employee関数に、データベースに接続する処理を追記していきます。get_db関数を呼び出してデータベースとの接続を取得し、SQL（データベース言語）を実行するため

のカーソルを作成したあと、**execute**(エグゼキュート)メソッドでデータベースにテーブルを作成するSQLを実行します。ここでは簡易的にemployeeの処理の中でテーブルを作成していますが、本当はアプリケーションの最初で作成したほうがいいでしょう。**commit**(コミット)メソッドによって、実行したSQLの結果がデータベースに反映されます。

コード データベースへの接続とテーブルの作成

```
def employee(name=None):
    db = get_db()
    curs = db.cursor()
    curs.execute(
        'CREATE TABLE IF NOT EXISTS persons( '
        'id INTEGER PRIMARY KEY AUTOINCREMENT, name STRING)'
    )
    db.commit()

    if request.method == 'GET':
        return name
```

Point テーブルを作成するSQL文

上記のexcecuteメソッドで実行しているSQL文の意味は、「personsというテーブルが存在しない場合にテーブルを作成する」というものです。このテーブルは数値型で主キーのidと文字列型のnameという2つのカラムを持ち、idはAUTOINCREMENTを指定しているため自動で値が割り振られていきます。SQLはPythonとはまったく別のデータベース言語です。くわしく知りたい方はSQLの解説書などを参照してください。

これでデータベースとテーブルが用意できたので、次はそこから値を取得してみましょう。employee関数のGET時の処理に追加していきます。

request.values.get('name', name)でクライアントからURLで指定されたnameを取得し、f-stringsでSQLを作成して、そのnameと等しいデータを取得します。**fetchone**(フェッチワン)メソッドを使って、SQLの結果から最初のデータを取得し、もし存在しなければ、Noというメッセージとともに404の**ステータスコード**を返します。データがある場合は、personからuser_idとnameを取得して、200のステータスコードとともに返します。

コード GET時の処理

```
    if request.method == 'GET':
        curs.execute(f'SELECT * FROM persons WHERE name = "{name}"')
        person = curs.fetchone()
        if not person:
            return "No", 404
        user_id, name = person
        return f'{user_id}:{name}', 200
```

Point HTTPのステータスコード

404はHTTPのステータスコードで、「(リクエストされたものが) 何もない」ときに使います。返り値とステータスコードを指定する際は、return "No", 404のように書きましょう。

処理が成功したときは200のコードを返します。また、データを作成したときは201のステータスコードを使います。どんなときにどのステータスコードを返すのかについては、Webで情報を検索してみてください。

データベースに値が存在しなければ取得もできないので、POSTのリクエストでデータを登録する処理を追加していきましょう。SQLのINSERT文を使ってデータを登録します。返り値には、作成したデータとともに201のステータスコードを設定します。

コード POST時の処理

```
    if request.method == 'POST':
        curs.execute(f'INSERT INTO persons(name) values("{name}")')
        db.commit()
        return f'created {name}', 201
```

続いて、データを更新するPUTのリクエスト処理を作成していきます。クライアントのリクエストからnew_nameを受け取り、SQLのUPDATE文で書き換えます。

コード PUT時の処理

```
    if request.method == 'PUT':
        new_name = request.values['new_name']
        curs.execute(f'UPDATE persons set name = "{new_name}" '
                     f'WHERE name = "{name}"')
        db.commit()
        return f'updated {name}: {new_name}', 200
```

Point requestから値を取得する2つの方法

nameを取得するときはrequest.values.getを使って値を取得していましたが、new_nameはrequest.values['new_name']として値を取得しています。このようにすると、new_nameが存在しない場合はエラーが返るようになります。

request.values.getを使用した場合は、new_nameが存在しない場合はNoneが設定され、エラーになりません。ここでは、UPDATEに必要なnew_nameが存在しない場合はエラーになるようにしたいため、request.values['new_name']で値を取得しています。

同様に、データを削除するDELETEの処理も作成します。

コード DELETE時の処理

```
    if request.method == 'DELETE':
        curs.execute(f'DELETE from persons WHERE name = "{name}"')
        db.commit()
        return f'deleted {name}', 200
```

また、employee関数の処理の最後には、カーソルをcloseしましょう。長くなりましたが、employee関数の全体像は以下のようになります。

コード：c11_3_10.py データベースを利用する処理

```
@app.route('/employee', methods=['POST', 'PUT', 'DELETE'])
@app.route('/employee/<name>', methods=['GET'])
def employee(name=None):
    """ データベースへの接続とテーブルの作成 """
    db = get_db()
    curs = db.cursor()
    curs.execute(
        'CREATE TABLE IF NOT EXISTS persons( '
        'id INTEGER PRIMARY KEY AUTOINCREMENT, name STRING)'
    )
    db.commit()

    name = request.values.get('name', name)

    """GET 時の処理 """
    if request.method == 'GET':
        curs.execute(f'SELECT * FROM persons WHERE name = "{name}"')
        person = curs.fetchone()
        if not person:
            return "No", 404
        user_id, name = person
        return f'{user_id}:{name}', 200

    """POST 時の処理 """
    if request.method == 'POST':
        curs.execute(f'INSERT INTO persons(name) values("{name}")')
        db.commit()
        return f'created {name}', 201

    """PUT 時の処理 """
    if request.method == 'PUT':
        new_name = request.values['new_name']
        curs.execute(f'UPDATE persons set name = "{new_name}" '
                     f'WHERE name = "{name}"')
        db.commit()
        return f'updated {name}: {new_name}', 200

    """DELETE 時の処理 """
    if request.method == 'DELETE':
        curs.execute(f'DELETE from persons WHERE name = "{name}"')
        db.commit()
        return f'deleted {name}', 200

    curs.close()
```

それではこの処理を実行してみましょう。最初に/employee/junにアクセスすると、データベースには値が入っていないのでNoと表示されます。

実行結果

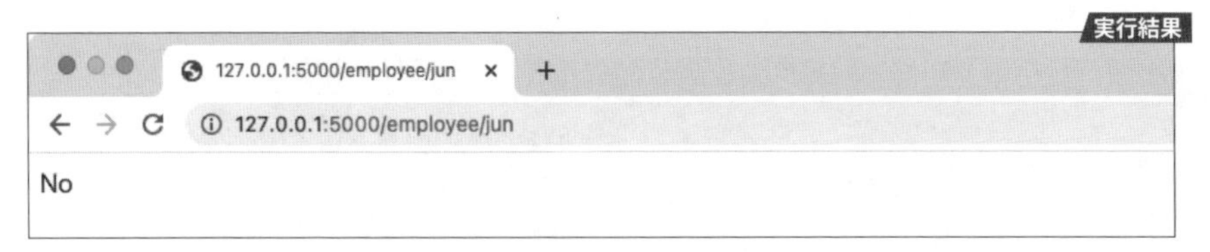

また、この状態でプロジェクトのディレクトリを確認すると、test_sqlite.dbというファイルが作成されているかと思います。この中に、personsテーブルが作成されています。

他のメソッドでもリクエストを実行してみましょう。少し前に使用したtest_flask.pyを変更して、それぞれのメソッドでのリクエストを実行してみます。PUTで更新する際にはnew_nameを指定するのを忘れないようにしましょう。

コード：test_flask.py　さまざまなメソッドで呼び出し

```
import requests

r = requests.get('http://127.0.0.1:5000/employee/jun', data={'name': 'jun'})
print(r.text)
r = requests.post('http://127.0.0.1:5000/employee', data={'name': 'jun'})
print(r.text)
r = requests.put('http://127.0.0.1:5000/employee', data={'name': 'jun', 'new_name': 'sakai'})
print(r.text)
r = requests.delete('http://127.0.0.1:5000/employee', data={'name': 'sakai'})
print(r.text)
```

ターミナルから実行すると、それぞれの処理が実行され、データが作成、変更、削除されていることがわかります。lesson.pyの処理にブレークポイントを設定し、デバッガーで確認してみると、処理の中身がよりわかりやすいかもしれません。

ターミナル　それぞれのメソッドで呼び出し

```
python_programming jsakai$ python test_flask.py
No
created jun
updated jun: sakai
deleted sakai
```

このように、データベースにアクセスする際は、SQLのSELECT文で値を取得する際はGET、INSERT文で値を作成する際はPOST、UPDATE文で値を更新する場合はPUT、DELETE文で値を削除する際はDELETEというようにメソッドを分けて書くと、コードがきれいでわかりやすくなります。また、今回はSQLiteを使いましたが、SQLAlchemyなどのライブラリを併用すれば、Pythonのコードでsql文を生成でき、よりわかりやすいプログラムになります。

11-4 Webスクレイピングしてみよう

Webページから情報を抽出することを、Webスクレイピングといいます。GETリクエストを使えばWebページの情報は簡単に取得できるので、そこからほしい情報を取り出してみましょう。ここでは、BeautifulSoupを使ったWebスクレイピングの方法を簡単に解説していきます。

BeautifulSoupでWebスクレイピングしよう

BeautifulSoup(ビューティフルスープ)というライブラリを使って、Webページのタグなどを解析して内容を取得するWebスクレイピングをやっていきましょう。

WebブラウザでPythonのWebページを開き、ページ上で右クリックして［ページのソースを表示］をクリックすると、WebページのHTMLを表示できます。このHTMLの構造を解析し、値を取得していきます。

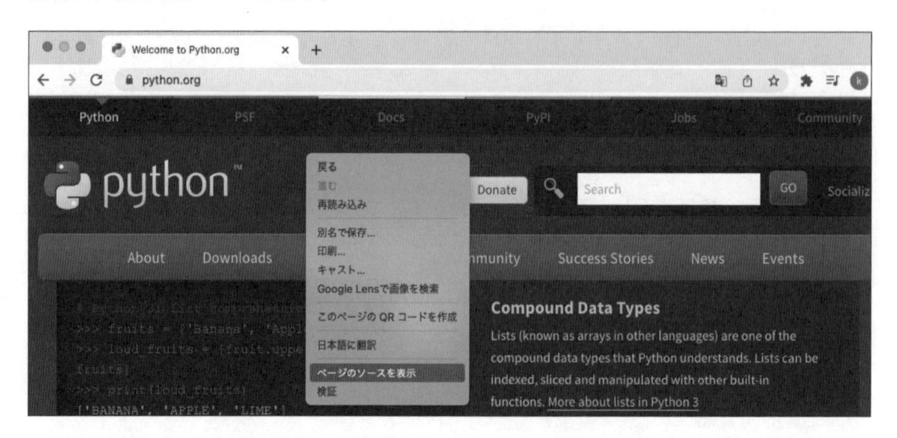

今回はBeautifulSoupを利用してWebスクレイピングを行っていきます。また、WebページからHTMLの情報を取得してくる必要があるので、requestsもインポートします。

コード BeautifulSoupのインポート

```
from bs4 import BeautifulSoup
import requests
```

BeautifulSoupのライブラリがインストールされていない場合は、ターミナルから次のコマンドを実行してください。

ターミナル BeautifulSoupのインストール

```
pip install bs4
```

requests.getでhttps://www.python.orgのHTMLを取得し、そのままBeautifulSoupに渡すと、以下のような警告が発生します。

コード：c11_4_1.py HTMLの取得

```
html = requests.get('https://www.python.org')
soup = BeautifulSoup(html.text)
```

実行結果

```
/Users/jsakai/PycharmProjects/python_programming/lesson.py:5: GuessedAtParserWarning:
No parser was explicitly specified, so I'm using the best available HTML parser
for this system ("lxml"). This usually isn't a problem, but if you run this code on
another system, or in a different virtual environment, it may use a different parser
and behave differently.

The code that caused this warning is on line 5 of the file /Users/jsakai/
PycharmProjects/python_programming/lesson.py. To get rid of this warning, pass the
additional argument 'features="lxml"' to the BeautifulSoup constructor.

  soup = BeautifulSoup(html.text)
```

このエラーはparser（パーサー）（構文解析器）が指定されていないときに発生するもので、メッセージを読むとHTMLをパース（解析）する**lxml**というライブラリが推奨されています。そのため、BeautifulSoup(html.text, 'lxml')のようにしてlxmlを指定する必要があります。

HTMLから要素を取得してみましょう。**find_all**（ファインド・オール）メソッドの引数にタグを指定すると、そのタグで囲われたすべての要素をリストで取得できます。今回はh2タグで囲われた要素を取得してみます。

コード：c11_4_2.py titleタグの要素の取得

```
html = requests.get('https://www.python.org')
soup = BeautifulSoup(html.text, 'lxml')
headers = soup.find_all('h2')
print(headers)
```

実行結果

```
[<h2 class="widget-title"><span aria-hidden="true" class="icon-get-started"></
span>Get Started</h2>, <h2 class="widget-title"><span aria-hidden="true" class="icon-
download"></span>Download</h2>, <h2 class="widget-title"><span aria-hidden="true"
class="icon-documentation"></span>Docs</h2>, ……中略……]
```

headers[0].textのように指定すると、最初に見つかった要素のテキストを取得できます。

コード：c11_4_3.py h2タグの要素の取得

```
print(headers[0].text)
```

実行結果

```
Get Started
```

次に、https://www.python.org/に記述されている「Python is a programming language that lets you work quickly」という文字列が含まれる要素を取得してみましょう。［ページのソースを表示］でHTMLを表示して、command + F（Windowsの場合はCtrl + F）でページ内検索してみると、その文字列が入っているのは、class属性がintroductionの<div>タグの子要素だとわかります。

コード　ページのソースを表示して目的の要素を探す

```
        <div class="introduction">
              <p>Python is a programming language that lets you work quickly <span class="breaker"></span>and integrate systems more effectively. <a class="readmore" href="/doc/">Learn More</a></p>
        </div>
```

これを取得するには、以下のようにしてタグとクラスを指定します。

コード：c11_4_4.py　divタグのintroductionクラス要素の取得

```
intro = soup.find_all('div', {'class': 'introduction'})
print(intro)
```

実行結果

```
[<div class="introduction">
<p>Python is a programming language that lets you work quickly <span class="breaker"></span>and integrate systems more effectively. <a class="readmore" href="/doc/">Learn More</a></p>
</div>]
```

これも1つしかないので、リストの中身は1つになっています。以下のようにして値を取得してみましょう。

コード：c11_4_5.py　divタグのintroductionクラス要素の取得

```
print(intro[0].text)
```

実行結果

```
Python is a programming language that lets you work quickly and integrate systems more effectively. Learn More
```

ひとまずタグとクラスの指定方法がわかれば、たいていの要素は探すことができるはずです。BeautifulSoupはWebスクレイピングでは有名なライブラリですので、Webスクレイピングの必要があればぜひ使ってみてください。

Lesson 12

応用編

並列化

プログラムは通常、コードを上から順番に1つずつ実行していきます。もし途中で時間がかかる重たい処理があった場合は、それが終わるまでは次の処理に進むことができません。ですが、時間がかかる処理は別で実行しておき、その間に他の処理を進めることができたら効率的ですよね。それを実現するのが並列化です。ここでは、同時に複数の処理を実行するマルチスレッドやマルチプロセスという方法について学んでいきましょう。

12-1 マルチスレッドで並列化しよう

並列化にはマルチスレッドとマルチプロセスという2つの方法があります。前者のマルチスレッドは、CPUの1つのコアの上で複数のスレッドを実行する方法です。マルチスレッドの処理では、スレッド同士でメモリを共有しているという特徴があります。そのため、同じ値を複数のスレッドで書き換えるといった処理を行う際には注意が必要です。

マルチスレッドとマルチプロセスとは

パソコンでも、Wordを開きながらWebブラウザでYouTubeの動画を見るなど、並列して複数のプログラムを使うことができますよね。それを**並列処理**(へいれつしょり)といいます。そして、並列処理には、**マルチスレッド**と**マルチプロセス**の2つの方式があります。

マルチスレッドは、CPUの1つのコア(演算回路)の上にスレッド(作業単位)が複数走っているイメージです。同じメモリを共有しており、同時に書き込み処理を行うときなどに書き込み先が壊れないように気をつける必要があります。

マルチプロセスの場合は、違うコアの上でプロセスがそれぞれ走っていて、メモリもそれぞれで管理しているイメージです。プロセス同士でデータを受け渡す場合は**プロセス間通信**をする必要があり、行き来するデータが大きくなるとその負担が大きくなりすぎる(つまりプログラムが遅くなる)ことがあります。そのため、並列で実行したい処理の内容や、プログラムを実行するサーバーのCPUの性能などの要因によって、マルチスレッドとマルチプロセスのどちらがよいかが分かれます。

マルチスレッド

スレッドでメモリを共有している

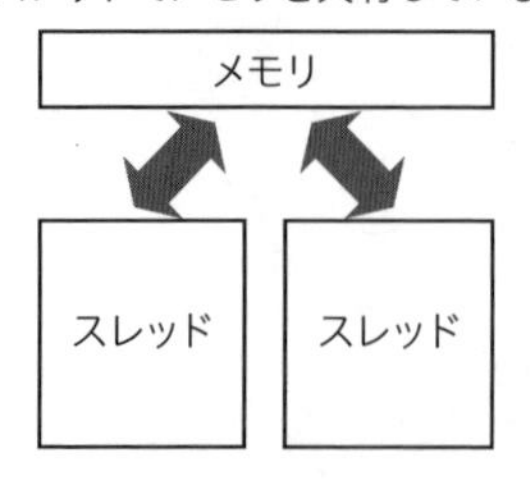

マルチプロセス

プロセスごとにメモリを管理

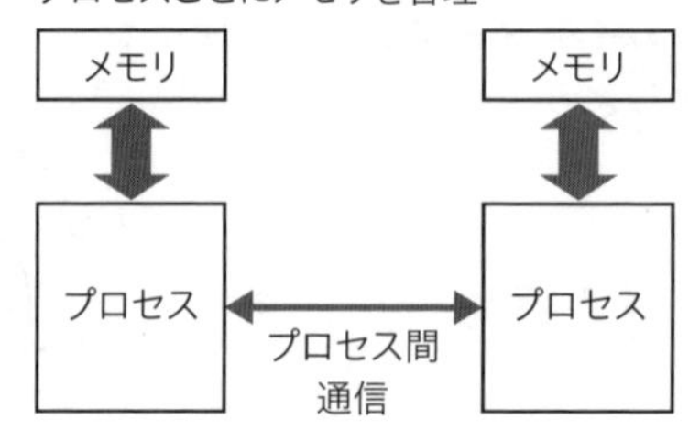

並列化は、ネットワーク関係などの低レイヤーの処理でよく使われます。そのため、低レイヤーの領域に関わることがなければ、プロセスやスレッドに触れることもあまりないかも

しれません。しかし、「こういうことができる」ことだけでも知っておけば、今後低レイヤーの領域に関わるときに役に立つことがあるはずです。

マルチスレッド

実際にコードを書いてスレッドを使った処理を確認してみましょう。まずは**threading**(スレッディング)をインポートします。その後、複数の関数を定義して、これらを並列で実行していきます。2つのスレッドを区別するために、**threading.current_thread().name**(カレント スレッド ネーム)で現在のスレッドの名前を表示します。

コード／スレッドで実行する処理の作成

```
import threading

def worker1():
    print(threading.current_thread().name, 'start')
    print(threading.current_thread().name, 'end')

def worker2():
    print(threading.current_thread().name, 'start')
    print(threading.current_thread().name, 'end')
```

__name__が__main__であることを確認してから、**threading.Thread**(スレッド)で2つのスレッドを作成し、変数t1とt2に入れます。このとき、先ほど作成した関数worker1、worker2を引数のtargetに指定します。その後、startでスレッドを実行します。スレッドの開始がわかりやすいよう、printで「started」と表示しています。最初の__name__をチェックする処理を飛ばすと、Windows環境などでは実行できないことがあるので注意してください。

コード：c12_1_1.py／スレッドの作成

```
if __name__ == '__main__':
    t1 = threading.Thread(target=worker1)
    t2 = threading.Thread(target=worker2)
    t1.start()
    t2.start()
    print('started')
```

このコードを実行してみると、2つの処理がそれぞれ実行されることがわかります。Thread-1とThread-2は、Python側がそれぞれのスレッドに対して自動的につけた名前を、threading.current_thread().nameで取得したものです。

実行結果

```
Thread-1 start
Thread-1 end
Thread-2 start
Thread-2 end
started
```

12

この流れを図で表すと、以下のようになります。

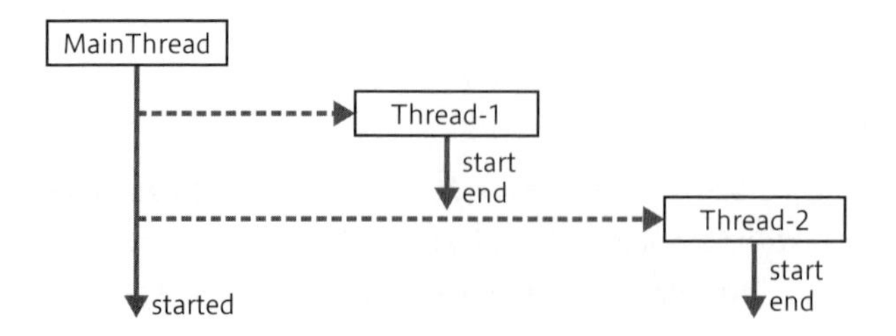

この結果を見ても、すぐに処理が終わってしまうので、並列で実行されているのかよくわからないですね。timeをインポートしてsleepによる5秒間の待機処理を入れてみましょう。

コード：c12_1_2.py スレッドで実行する処理の作成

```
import threading
import time

def worker1():
    print(threading.current_thread().name, 'start')
    time.sleep(5)
    print(threading.current_thread().name, 'end')

def worker2():
    print(threading.current_thread().name, 'start')
    time.sleep(5)
    print(threading.current_thread().name, 'end')
```

実行してみると、それぞれのスレッドが開始されたあと、終了する前に「started」が出力されていることがわかると思います。

実行結果

```
Thread-1 start
Thread-2 start
started
Thread-1 end
Thread-2 end
```

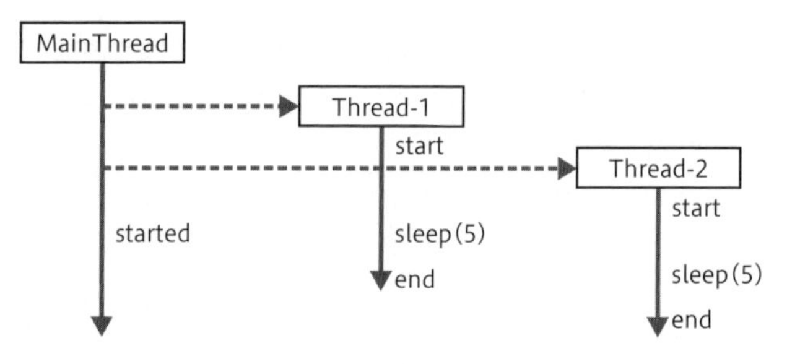

PyCharmでデバッグを実行すると、startでスレッドが実行されたあとに、メインの処理を実行しているMainThreadのほかに、複数のスレッドが表示されることがわかると思います。スレッドを選択することで、それぞれの処理に切り替えることが可能です。

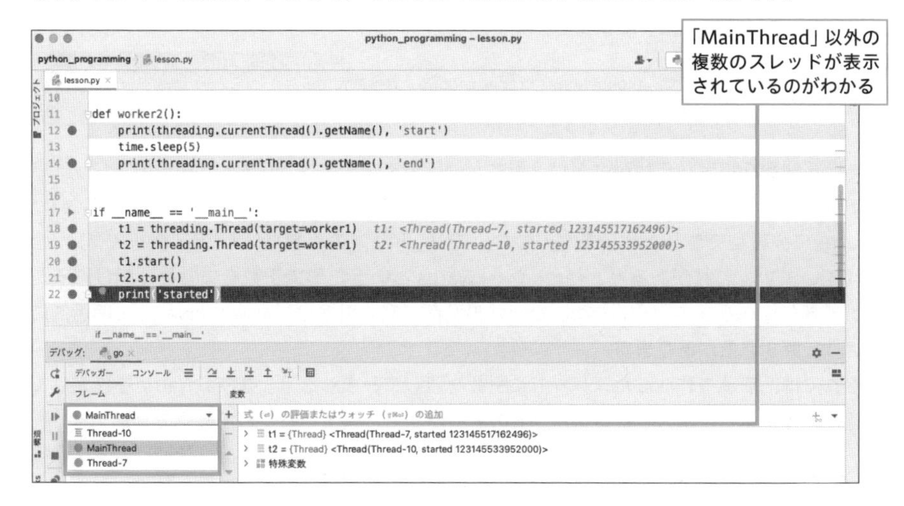

「MainThread」以外の複数のスレッドが表示されているのがわかる

スレッドの名前をいちいちthreading.current_thread().nameで取得するのが面倒であれば、loggingを使ってスレッドの名前を出力しましょう。formatの中で%(threadName)sを指定すれば、スレッド名をログに出力できます。

コード：c12_1_3.py　スレッド名をロギングする

```
import logging
import threading
import time

logging.basicConfig(
    level=logging.DEBUG, format='%(threadName)s: %(message)s')

def worker1():
    logging.debug('start')
    time.sleep(5)
    logging.debug('end')

def worker2():
    logging.debug('start')
    time.sleep(5)
    logging.debug('end')
```

実行結果

```
Thread-1: start
Thread-2: start
started
Thread-1: end
Thread-2: end
```

スレッドに引数を渡そう

ここで、スレッドを作成するthreading.Threadのコードの中身を見てみましょう。__init__の引数は以下のようになっています。

コード threading.Thread の __init__ の処理

```
    def __init__(self, group=None, target=None, name=None,
                 args=(), kwargs=None, *, daemon=None):
```

先ほど関数を指定したtargetという引数が確認できます。ほかにも、nameでスレッド名を指定することも可能です。targetに渡した関数に渡す引数は、argsにタプルで渡したり、kwargsに辞書型で渡したりします。なお、この__init__の引数には*（アスタリスク）が含まれています。これがあると、*argsや**kwargsといった形で引数をまとめて受け取ることができなくなります。そのため、targetの関数に渡す引数は、argsやkwargsで明示的に指定して渡す必要があります。

それでは、前項で作成したスレッドに引数を渡してみましょう。まず、nameを指定して処理を実行すると、出力されるスレッドの名前が変更されていることが確認できます。

コード：c12_1_4.py スレッドの名前を変更

```
t1 = threading.Thread(name='rename_worker1', target=worker1)
```

実行結果

```
rename_worker1: start
Thread-1: start
started
rename_worker1: end
Thread-1: end
```

次に、関数worker2に引数を追加し、スレッドで引数を渡すようにしてみましょう。

コード 関数 worker2 に引数を追加

```
def worker2(x, y=1):
    logging.debug('start')
    logging.debug(x)
    logging.debug(y)
    time.sleep(5)
    logging.debug('end')
```

この関数に対して、スレッドの作成時に引数を渡すには、以下のようにします。argsを渡すときはタプルで渡す必要がありますが、(100)だとタプルにならないので、カンマを忘れないようにしましょう。kwargsは辞書型で指定します。

コード：c12_1_5.py スレッドに引数を渡す

```
    t2 = threading.Thread(target=worker2,
                          args=(100,), kwargs={'y': 200})
```

実行すると、worker2の処理に引数が渡されて結果が表示されることが確認できます。

実行結果

```
started
rename_worker1: start
Thread-1: start
Thread-1: 100
Thread-1: 200
rename_worker1: end
Thread-1: end
```

Point　スレッドを実行する方法

threadingにはrunというメソッドもあり、targetとして指定した関数をスレッドで実行します。このrunをオーバーライドしてスレッドを実行する方法もとれますが、一般的にはstartメソッドなどで実行することのほうが多いでしょう。

デーモンスレッドで待たずに処理を進めよう

以下のように、関数worker1のsleepは5秒、関数worker2のsleepを2秒とし、これらをスレッドで並列に実行してみます。

コード：c12_1_6.py　スレッドの実行

```
import logging
import threading
import time

logging.basicConfig(
    level=logging.DEBUG, format='%(threadName)s: %(message)s')

def worker1():
    logging.debug('start')
    time.sleep(5)
    logging.debug('end')

def worker2():
    logging.debug('start')
    time.sleep(2)
    logging.debug('end')

if __name__ == '__main__':
    t1 = threading.Thread(target=worker1)
    t2 = threading.Thread(target=worker2)
    t1.start()
    t2.start()
    print('started')
```

実行すると、2つ目のスレッドの処理のほうが早く終わり、少し経ってから1つ目の処理が完了してアプリケーションが終了すると思います。このように、それぞれのスレッドの処理の終了を待ってから、全体の処理が終了するようになっています。

実行結果

```
Thread-1: start
Thread-2: start
started
Thread-2: end
Thread-1: end
```

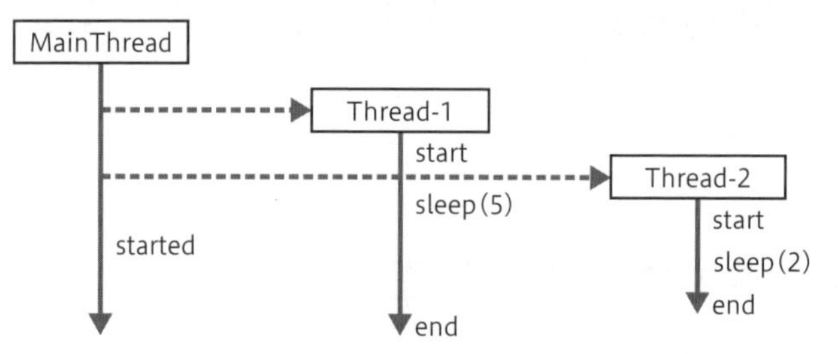

1つ目のスレッドの終了を待たずにプログラムの処理を終了することもできます。**daemon**プロパティにTrueを代入してスレッドを**デーモンスレッド**にします。

コード：c12_1_7.py デーモンスレッドの実行

```
if __name__ == '__main__':
    t1 = threading.Thread(target=worker1)
    t1.daemon = True
    t2 = threading.Thread(target=worker2)
    t1.start()
    t2.start()
    print('started')
```

実行結果

```
Thread-1: start
Thread-2: start
started
Thread-2: end
```

こうすると、1つ目のスレッドの終了を待たずに、プログラム全体の処理が終了します。スレッドの処理が長く、かつ待つ必要がないときに、デーモンスレッドを使いましょう。

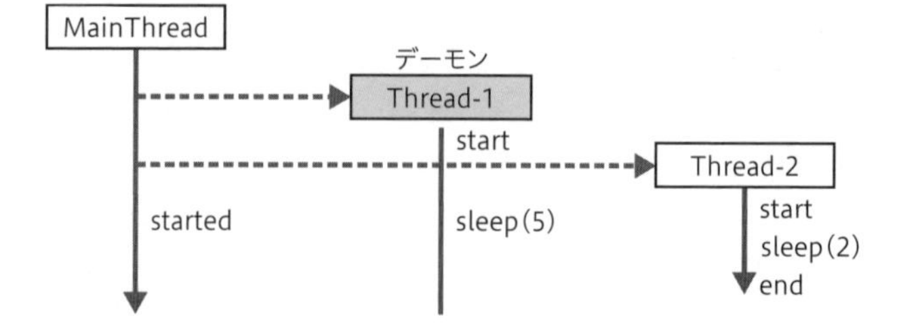

ただし、プログラムが終了してしまうと、デーモンスレッドの処理も終了してしまいます。たとえばファイルへの書き込みなどといった処理の最中でも強制的に終了されてしまうので、注意が必要です。デーモンスレッドの処理の終了を待ちたい場合は、**join**（ジョイン）メソッドを使うことでデーモンスレッドが終了してからプログラムが終了するようにできます。

コード：c12_1_8.py　デーモンスレッドのjoin

```
if __name__ == '__main__':
    t1 = threading.Thread(target=worker1)
    t1.daemon = True
    t2 = threading.Thread(target=worker2)
    t1.start()
    t2.start()
    print('started')
    t1.join()
```

実行結果

```
Thread-1: start
Thread-2: start
started
Thread-2: end
Thread-1: end
```

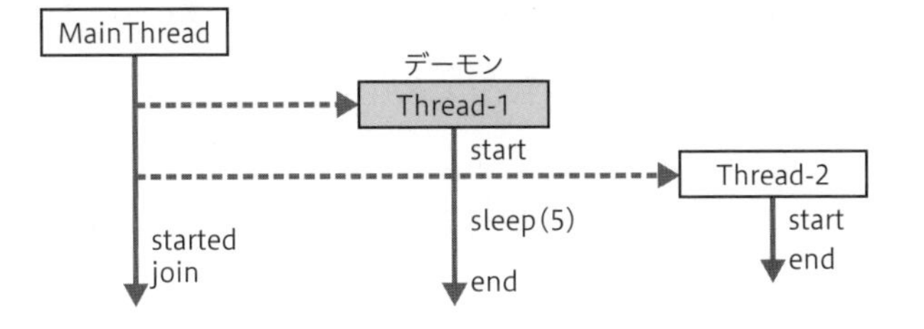

のちほど触れるマルチプロセスでも同じことが可能です。UNIX環境だと途中で強制終了された処理がゾンビプロセスとなってしまう恐れがあるので、処理をデーモン化する際は必ず最後にjoinするようにしてください。

Point　明示的なjoin

デーモンスレッドではない普通のスレッドの場合は、joinをしなくてもスレッドの終了を待ってからプログラムが終了します。しかし、デーモン化されていないスレッドに対しても明示的にjoinする書き方もあります。他の人のコードを読んでいて、明示的なjoinがあった場合には、「なぜ不要なjoinを書いているのか」と思わずに、あえてjoinを書いているのだろうと考えてください。

スレッドの一覧を取得しよう

forループで5つのデーモンスレッドを作成し、それらのスレッドをすべてjoinさせたいとします。その場合、作成したスレッドをリストに格納しておき、以下のようにfor文で5回反復処理する方法が考えられます。

コード：c12_1_9.py　スレッドをまとめてjoinする

```
if __name__ == '__main__':
    threads = []
    for _ in range(5):
        t = threading.Thread(target=worker1)
        t.daemon = True
        t.start()
        threads.append(t)
    for thread in threads:
        thread.join()
```

実行結果

```
Thread-1: start
Thread-2: start
Thread-3: start
Thread-4: start
Thread-5: start
Thread-1: end
Thread-2: end
Thread-3: end
Thread-4: end
Thread-5: end
```

しかし、実行中のスレッドを取得する**enumerate**（イニュームレイト）メソッドを使えば、わざわざリストを用意する必要はなくなります。

コード：c12_1_10.py　threading.enumerateを使う

```
if __name__ == '__main__':
    for _ in range(5):
        t = threading.Thread(target=worker1)
        t.daemon = True
        t.start()
    for thread in threading.enumerate():
        if thread is threading.current_thread():
            print(thread)
            continue
        thread.join()
```

enumerateで取得するスレッドには、メインスレッドも含まれます。そのため上記の処理では、スレッドが現在のスレッドを示すthreading.current_threadと一致するかどうかif文で判断し、一致した場合はcontinue、そうでない場合はスレッドをjoinするという形になっています。

実行結果

```
Thread-1: start
Thread-2: start
Thread-3: start
Thread-4: start
Thread-5: start
<_MainThread(MainThread, started 4408507904)>
Thread-3: end
Thread-2: end
Thread-1: end
Thread-4: end
Thread-5: end
```

このenumerateの結果を表示してみると、MainThreadと、threading.Threadで作成したスレッドがリストに格納されていることが確認できます。

コード：c12_1_11.py threading.enumerateの結果を表示する

```
if __name__ == '__main__':
    for _ in range(5):
        t = threading.Thread(target=worker1)
        t.daemon = True
        t.start()
    print(threading.enumerate())
    for thread in threading.enumerate():
        if thread is threading.current_thread():
            continue
        thread.join()
```

実行結果

```
Thread-1: start
Thread-2: start
Thread-3: start
Thread-4: start
Thread-5: start
[<_MainThread(MainThread, started 4443688448)>, <Thread(Thread-1, started daemon 123145573531648)>, <Thread(Thread-2, started daemon 123145590321152)>, <Thread(Thread-3, started daemon 123145607110656)>, <Thread(Thread-4, started daemon 123145623900160)>, <Thread(Thread-5, started daemon 123145640689664)>]
Thread-1: end
Thread-2: end
Thread-3: end
Thread-4: end
Thread-5: end
```

このように、enumerateを使うとスレッドの一覧を取得できます。便利な関数なので、機会があれば使ってみてください。

12

タイマーでスレッド開始までの時間を設定しよう

スレッドを実行する際に、何秒後に開始するかというタイマーを指定できます。

コード：c12_1_12.py　Timerを設定する

```
if __name__ == '__main__':
    t = threading.Timer(3, worker1)
    t.start()
```

上記のコードで実行すると、3秒経過してからworker1の処理がはじまります。

実行結果（3秒経過してから処理がはじまる）

```
Thread-1: start
Thread-1: end
```

Timerの__init__の引数を確認すると、以下のようになっています。

コード　Timerのinitの引数

```
    def __init__(self, interval, function, args=None, kwargs=None):
```

これもThreadに引数を渡すときと同様に、argsやkwargsを指定することで引数を渡せます。

コード：c12_1_13.py　Timerに引数を渡す

```
def worker1(x, y=1):
    logging.debug('start')
    logging.debug(x)
    logging.debug(y)
    time.sleep(5)
    logging.debug('end')

if __name__ == '__main__':
    t = threading.Timer(3, worker1, args=(100,), kwargs={'y': 200})
    t.start()
```

実行結果

```
Thread-1: start
Thread-1: 100
Thread-1: 200
Thread-1: end
```

LockとRLockでスレッドの実行を制御しよう

Lockでスレッドを1つずつ実行する

関数worker1、worker2の処理を以下のように書き換えます。関数に辞書型を渡し、内部でその値に1を足すという処理です。

コード：c12_1_14.py　辞書型を並列に更新する

```
def worker1(d):
    logging.debug('start')
```

```
    i = d['x']
    d['x'] = i + 1
    logging.debug(d)
    logging.debug('end')

def worker2(d):
    logging.debug('start')
    i = d['x']
    d['x'] = i + 1
    logging.debug(d)
    logging.debug('end')

if __name__ == '__main__':
    d = {'x': 0}
    t1 = threading.Thread(target=worker1, args=(d, ))
    t2 = threading.Thread(target=worker2, args=(d, ))
    t1.start()
    t2.start()
```

上記を、2つのスレッドを作成して実行すると、以下のようになります。それぞれのスレッドで辞書型の値が1ずつ足されており、カウンターのように動作することがわかります。

実行結果

```
Thread-1: start
Thread-1: {'x': 1}
Thread-1: end
Thread-2: start
Thread-2: {'x': 2}
Thread-2: end
```

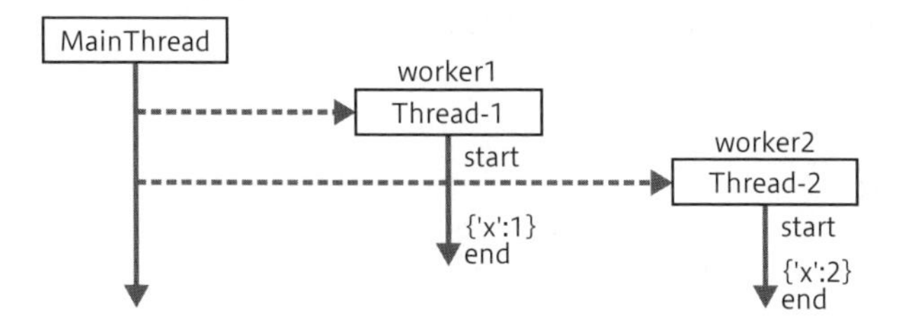

この処理は一見すると正常に動作しているように思われますが、ここでworker1の中で「5秒待つ」という処理を入れるとどうなるでしょうか。

コード：c12_1_15.py　辞書型を並列に更新する

```
def worker1(d):
    logging.debug('start')
    i = d['x']
    time.sleep(5)
    d['x'] = i + 1
```

```
    logging.debug(d)
    logging.debug('end')
```

実行結果

```
Thread-1: start
Thread-2: start
Thread-2: {'x': 1}
Thread-2: end
Thread-1: {'x': 1}
Thread-1: end
```

すると、両方とも辞書型の値が1になっており、カウンターとしての役目を果たせていないことがわかります。これは、1つ目のスレッドが変数iに値を読み込んだ時点では辞書型の値は0だったので、5秒待ったあとにそのまま0＋1の結果である1を出力しているためです。その間に、2つ目のスレッドで辞書型の値を1に更新しているのですが、1つ目のスレッドが同じく1で値を上書きしてしまっているのです。

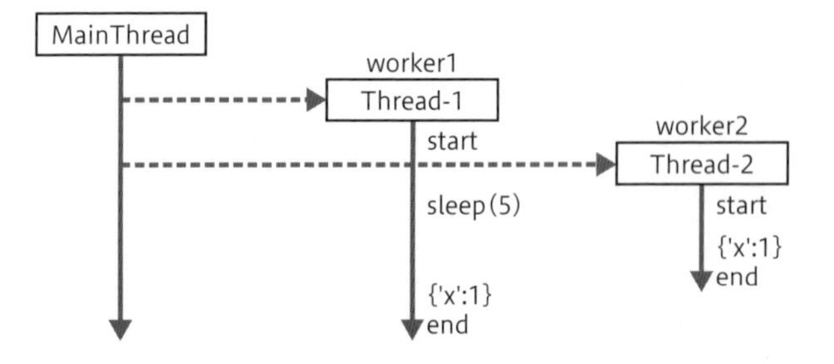

このような事態を防ぐためには、**ロック**を使いましょう。まず**threading.Lock**を作成して、スレッドを作成する際に実行する関数にロックを渡します。

コード ロック

```
if __name__ == '__main__':
    d = {'x': 0}
    lock = threading.Lock()
    t1 = threading.Thread(target=worker1, args=(d, lock))
    t2 = threading.Thread(target=worker2, args=(d, lock))
    t1.start()
    t2.start()
```

そして、ロックを渡された関数で以下のように**acquire**（アクワイヤ）と**release**（リリース）を実行します。こうすると、あるスレッドでacquireが実行されてからreleaseが完了するまでの間、他のスレッドは処理を実行せず待機する状態になります。

コード：c12_1_16.py ロック

```
def worker1(d, lock):
    logging.debug('start')
    lock.acquire()
```

```
    i = d['x']
    time.sleep(5)
    d['x'] = i + 1
    logging.debug(d)
    lock.release()
    logging.debug('end')

def worker2(d, lock):
    logging.debug('start')
    lock.acquire()
    i = d['x']
    d['x'] = i + 1
    logging.debug(d)
    lock.release()
    logging.debug('end')
```

実行してみると、1つ目のスレッドの処理中、2つ目のスレッドが待っている状態になるので、他のスレッドに邪魔されることなく処理が実行されることが確認できます。

実行結果

```
Thread-1: start
Thread-2: start
Thread-1: {'x': 1}
Thread-1: end
Thread-2: {'x': 2}
Thread-2: end
```

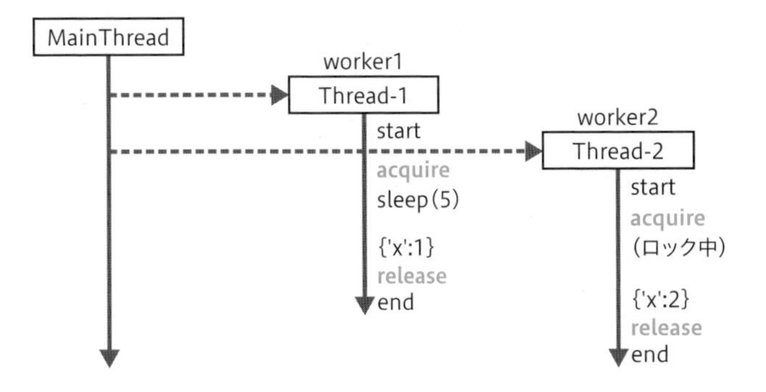

Point　ロックをグローバルで宣言するのは非推奨

ロックを引数に渡すのではなく、グローバルで宣言して使うこともできますが、あまり推奨されていません。引数で渡すようにしてください。

また、このacquireとreleaseの処理は、with文を使って次のように書くこともできます。with文を使うとacquireやreleaseを書く必要がありません。

コード：c12_1_17.py with 文を使ったロック

```
def worker1(d, lock):
    logging.debug('start')
    with lock:
        i = d['x']
        time.sleep(5)
        d['x'] = i + 1
        logging.debug(d)
    logging.debug('end')
```

RLockで2回ロックする

このwith文の中で、再度ロックを使って辞書型を更新してみます。

コード：c12_1_18.py ロックの中のロック

```
def worker1(d, lock):
    logging.debug('start')
    with lock:
        i = d['x']
        time.sleep(5)
        d['x'] = i + 1
        logging.debug(d)
        with lock:
            d['x'] = i + 1
    logging.debug('end')
```

実行結果

```
Thread-1: start
Thread-2: start
Thread-1: {'x': 1}
```

すると、この処理は上記の状態で止まったまま動かなくなります。これは、1つ目のwith文のロックがまだreleaseされていないためです。その中にある2つ目のwith文の処理が、1つ目のロックがreleaseされるのをずっと待ってしまうため、プログラムが途中で動かなくなってしまいます。

これを避けるには、**RLock**（アールロック）を使います。RLockは、acquireの中で再度acquireすることができるようになるため、上記のコードでも問題なく動作するようになります。2つ目のロックがreleaseされたタイミングで、1つ目のロックも同時にreleaseされます。

コード：c12_1_19.py RLock

```
if __name__ == '__main__':
    d = {'x': 0}
    lock = threading.RLock()
    t1 = threading.Thread(target=worker1, args=(d, lock))
    t2 = threading.Thread(target=worker2, args=(d, lock))
    t1.start()
    t2.start()
```

実行結果

```
Thread-1: start
Thread-2: start
Thread-1: {'x': 1}
Thread-1: end
Thread-2: {'x': 2}
Thread-2: end
```

セマフォでスレッドの数を制御しよう

以下のように、5秒待機する処理をロックを使って実行していきます。

コード：c12_1_20.py ロック

```
def worker1(lock):
    with lock:
        logging.debug('start')
        time.sleep(5)
        logging.debug('end')

def worker2(lock):
    with lock:
        logging.debug('start')
        time.sleep(5)
        logging.debug('end')

def worker3(lock):
    with lock:
        logging.debug('start')
        time.sleep(5)
        logging.debug('end')

if __name__ == '__main__':
    lock = threading.Lock()
    t1 = threading.Thread(target=worker1, args=(lock, ))
    t2 = threading.Thread(target=worker2, args=(lock, ))
    t3 = threading.Thread(target=worker3, args=(lock, ))
    t1.start()
    t2.start()
    t3.start()
```

実行すると、1スレッドずつ、前の処理が終了してから順番に実行されていきます。

実行結果

```
Thread-1: start
Thread-1: end
Thread-2: start
Thread-2: end
Thread-3: start
Thread-3: end
```

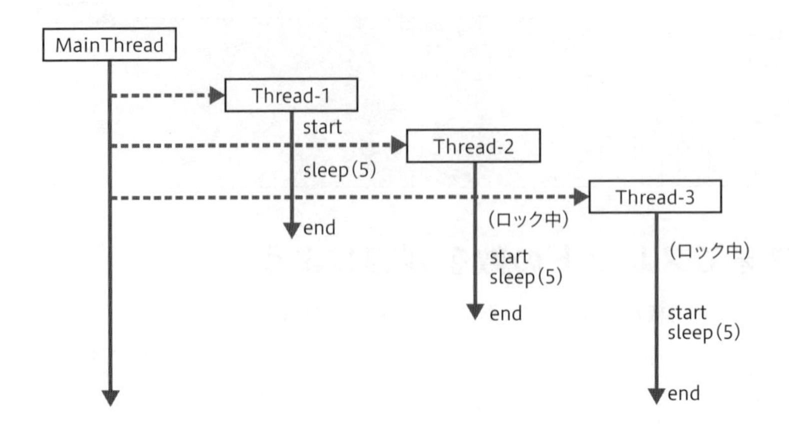

ロックに似たものとして、**セマフォ**があります。セマフォを使うと、スレッド数をコントロールできます。**Semaphore**(セマフォ)の引数に「同時に実行を許可するスレッド数」を指定してセマフォを作成し、それをスレッド実行時に各関数に渡します。各関数にはwith文を加え、セマフォが有効なときだけ処理を実行するようにします。

コード：c12_1_21.py セマフォ

```
def worker1(semaphore):
    with semaphore:
        logging.debug('start')
        time.sleep(5)
        logging.debug('end')

def worker2(semaphore):
    with semaphore:
        logging.debug('start')
        time.sleep(5)
        logging.debug('end')

def worker3(semaphore):
    with semaphore:
        logging.debug('start')
        time.sleep(5)
        logging.debug('end')

if __name__ == '__main__':
    semaphore = threading.Semaphore(2)
    t1 = threading.Thread(target=worker1, args=(semaphore, ))
    t2 = threading.Thread(target=worker2, args=(semaphore, ))
    t3 = threading.Thread(target=worker3, args=(semaphore, ))
    t1.start()
    t2.start()
    t3.start()
```

実行してみると、まず2つのスレッドが同時に実行され、それらが終了したタイミングで3つ目のスレッドが開始されることがわかります。

実行結果
```
Thread-1: start
Thread-2: start
Thread-1: end
Thread-3: start
Thread-2: end
Thread-3: end
```

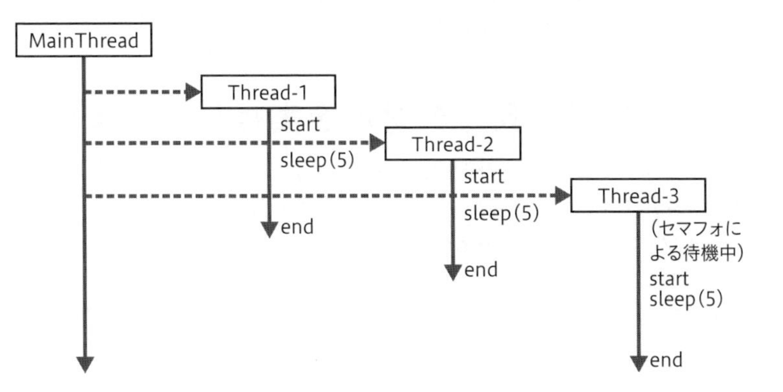

ロックによる制御では1つのスレッドだけが動くことができましたが、セマフォでは複数のスレッドがロックを取得できます。たとえば、先に2つのスレッドの処理でデータをダウンロードして、それが終わったら3つ目の処理を開始するといった場面で、セマフォを使うことができます。

12-2 マルチプロセスによる並列化

もう１つの並列化の方法であるマルチプロセスは、メモリもプロセスごとに独立して管理されるため、マルチスレッドのように同じメモリの値に書き込んでしまうことはありません。その反面、プロセスの間でデータを受け渡す場合にはひと工夫が必要です。

マルチプロセスで並列化の処理を実行してみよう

それではこれからマルチプロセスの説明をしていきますが、基本的な使い方はマルチスレッドと同じです。マルチスレッドで扱ってきたLockやRLock、Semaphoreなども、マルチプロセスのライブラリである**multiprocessing**（マルチプロセッシング）に用意されています。マルチプロセスにしかないものとしては、他のプロセスに値を渡すPipeなどがあります。

はじめに、マルチスレッドの処理をマルチプロセスに書き換えてみましょう。以下は、マルチスレッドの例です。これをマルチプロセスに書き換えていきます。

コード：c12_2_1.py　スレッドの処理の例

```
import logging
import threading

logging.basicConfig(
    level=logging.DEBUG, format='%(threadName)s: %(message)s')

def worker1(i):
    logging.debug('start')
    logging.debug(i)
    logging.debug('end')

def worker2(i):
    logging.debug('start')
    logging.debug(i)
    logging.debug('end')

if __name__ == '__main__':
    i = 10
    t1 = threading.Thread(target=worker1, args=(i,))
    t2 = threading.Thread(name='renamed worker2', target=worker2, args=(i,))
    t1.start()
    t2.start()
```

実行結果

```
Thread-1: start
Thread-1: 10
Thread-1: end
renamed worker2: start
renamed worker2: 10
renamed worker2: end
```

これをマルチプロセスで書き換えるには、まずmultiprocessingをインポートします。また、ログでプロセス名を表示するには、formatにprocessNameを使用します。

コード プロセスの処理の準備

```
import logging
import multiprocessing

logging.basicConfig(
    level=logging.DEBUG, format='%(processName)s: %(message)s')
```

プロセスの作成と実行は次のように書きます。スレッドのときの書き方とほとんど同じなので、わかりやすいのではないでしょうか。

コード：c12_2_2.py プロセスの作成

```
if __name__ == '__main__':
    i = 10
    p1 = multiprocessing.Process(target=worker1, args=(i,))
    p2 = multiprocessing.Process(name='renamed worker2', target=worker2, args=(i,))
    p1.start()
    p2.start()
```

これで実行してみると、以下のようにプロセスが実行されることが確認できます。

実行結果

```
Process-1: start
Process-1: 10
Process-1: end
renamed worker2: start
renamed worker2: 10
renamed worker2: end
```

また、プロセスをデーモン化する際も、スレッドと同じように書くことができます。

コード：c12_2_3.py プロセスのデーモン化

```
if __name__ == '__main__':
    i = 10
    p1 = multiprocessing.Process(target=worker1, args=(i,))
    p1.daemon = True
    p2 = multiprocessing.Process(name='renamed worker2', target=worker2, args=(i,))
    p1.start()
```

```
    p2.start()
    p1.join()
```

実行結果

```
Process-1: start
Process-1: 10
Process-1: end
renamed worker2: start
renamed worker2: 10
renamed worker2: end
```

joinしないとデーモン化したプロセスを待たずに処理が終了してしまうので注意するという点も、スレッドと同じです。明示的にjoinをするとわかりやすいので、デーモン化していないプロセスについてもjoinするとよいでしょう。

> **Point** __name__が__main__のときのみ実行する
>
> これもスレッドと同様ですが、むやみにプロセスが作成されないように、__name__が__main__のときのみ実行するようにプロセスの処理を書くようにしましょう。Windowsの環境などでは、__main__の中に処理がないと実行できないこともあります。

プールでプロセスの数を制限しよう

プールを使うと、実行するプロセスの数を制限できます。プロセスのプールを作成するときは、with文を使います。このとき、実行対象となるプロセスの数を指定します。その後、**apply_async**（アプライ・エーシンク）メソッドで実行する関数やその引数を渡しましょう。引数を渡す際は、スレッドのときと同様、タプルで渡します。プロセスにする関数worker1の返り値は、引数の値をそのまま返すようにしましょう。プロセスの返り値をp1に格納し、**get**（ゲット）メソッドでその値を取得しています。

コード：c12_2_4.py プロセスのプールを作成

```
def worker1(i):
    logging.debug('start')
    time.sleep(5)
    logging.debug('end')
    return i

if __name__ == '__main__':
    with multiprocessing.Pool(5) as p:
        p1 = p.apply_async(worker1, (100,))
        logging.debug('executed')
        logging.debug(p1.get())
```

apply_asyncによるプロセスの実行は非同期で行われます。つまり、プロセスの結果が返ってくるのを待たずして、次の行の処理が実行されます。

実行結果を確認すると、worker1の結果が表示される前に、メインプロセスの「executed」を出力する処理が表示されています。その後、sleepで5秒待機するので、プロセスが完了するまで待ってからgetが返り値を取得しています。

実行結果

```
MainProcess: executed
SpawnPoolWorker-1: start
SpawnPoolWorker-1: end
MainProcess: 100
```

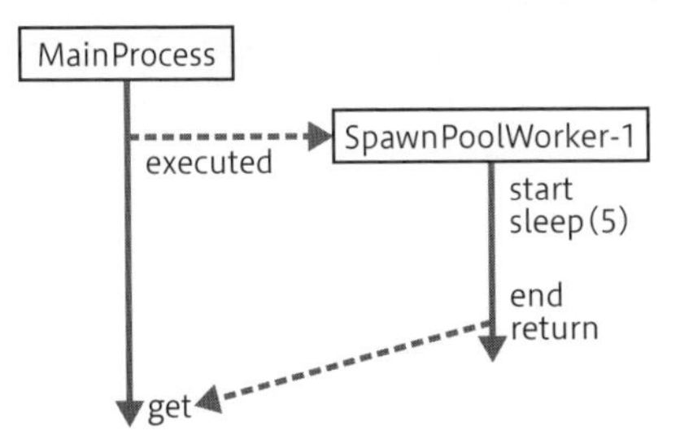

実行するプロセスを追加してみましょう。以下のようにプロセスを2つに増やし、並列で実行してみます。

コード：c12_2_5.py　プロセスのプールを作成

```
if __name__ == '__main__':
    with multiprocessing.Pool(5) as p:
        p1 = p.apply_async(worker1, (100,))
        p2 = p.apply_async(worker1, (100,))
        logging.debug('executed')
        logging.debug(p1.get())
        logging.debug(p2.get())
```

実行結果

```
MainProcess: executed
SpawnPoolWorker-1: start
SpawnPoolWorker-2: start
SpawnPoolWorker-1: end
MainProcess: 100
SpawnPoolWorker-2: end
MainProcess: 100
```

12

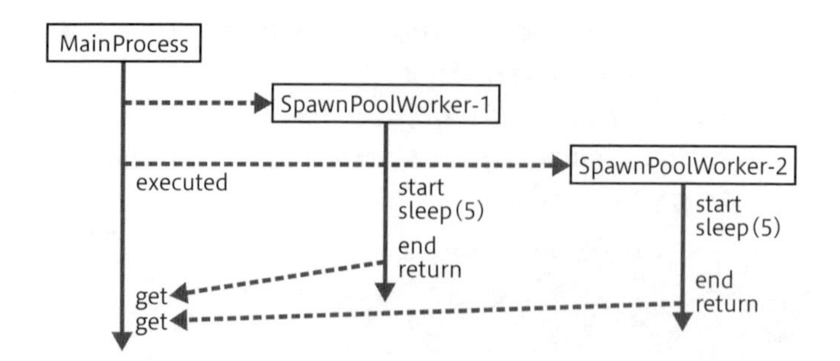

さらに、プールを作成するときに指定するプロセスの数を1にしてみます。

コード：c12_2_6.py　プロセスの数を制限する

```
if __name__ == '__main__':
    with multiprocessing.Pool(1) as p:
        p1 = p.apply_async(worker1, (100,))
        p2 = p.apply_async(worker1, (100,))
        logging.debug('executed')
        logging.debug(p1.get())
        logging.debug(p2.get())
```

これを実行すると、同時に実行するプロセスが1つに制限され、1つ目のプロセスの実行が終わってから、2つ目のプロセスが開始されることがわかると思います。また、このときのプロセスの名前は同じになっています。

実行結果

```
MainProcess: executed
SpawnPoolWorker-1: start
SpawnPoolWorker-1: end
SpawnPoolWorker-1: start
MainProcess: 100
SpawnPoolWorker-1: end
MainProcess: 100
```

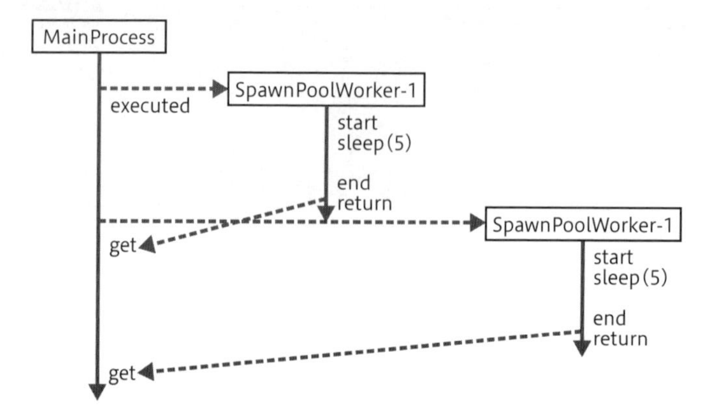

このようにして、プロセスの数を制限することが可能です。

タイムアウトを設定する

getは、プロセスの処理が完了するまで待ち続けます。ですが、プロセスが時間のかかる処理の場合、延々と待ち続けるということになりかねません。その際は、getでtimeoutを指定することで、指定した時間を超えた場合にはエラーを返すようにできます。

コード：c12_2_7.py　タイムアウトを設定する

```
if __name__ == '__main__':
    with multiprocessing.Pool(5) as p:
        p1 = p.apply_async(worker1, (100,))
        p2 = p.apply_async(worker1, (100,))
        logging.debug('executed')
        logging.debug(p1.get(timeout=1))
        logging.debug(p2.get())
```

上記ではtimeoutを1秒で設定しています。worker1には5秒sleepする処理が含まれており、timeoutの秒数を超えてエラーとなります。こうすることで、プロセスの実行に時間がかかった場合のエラーをハンドリングすることも可能です。

実行結果

```
MainProcess: executed
SpawnPoolWorker-1: start
SpawnPoolWorker-2: start
Traceback (most recent call last):
  File "/Users/jsakai/PycharmProjects/python_programming/lesson.py", line 19, in
<module>
    logging.debug(p1.get(timeout=1))
  File "/Users/jsakai/opt/anaconda3/lib/python3.9/multiprocessing/pool.py", line
767, in get
    raise TimeoutError
multiprocessing.context.TimeoutError
```

プールを使って次の処理の実行をブロックしよう

プールの中でプロセスを並列化せずに、次の処理の実行をブロックすることもできます。apply_asyncではなく**apply**（アプライ）を使うと、そのプロセスが完了してから次の処理に進むようになります。

以下の例では、1つ目のプロセスをapplyで実行してから「executed apply」を出力し、その後2つのプロセスをapply_asyncで非同期に実行しています。

コード：c12_2_8.py　並列化せずに実行する

```
if __name__ == '__main__':
    with multiprocessing.Pool(3) as p:
        logging.debug(p.apply(worker1, (200,)))
```

12

```
        logging.debug('executed apply')
        p1 = p.apply_async(worker1, (100,))
        p2 = p.apply_async(worker1, (100,))
        logging.debug('executed')
        logging.debug(p1.get())
        logging.debug(p2.get())
```

実行すると、applyで実行したプロセスが完了して200が表示されてから、その次の行の「executed apply」が表示されていることがわかります。その後、apply_asyncで実行した2つのプロセスが並列で実行されます。こちらは非同期で実行されているので、プロセスの結果が表示される前に次の行の「executed」が表示されています。

実行結果

```
SpawnPoolWorker-1: start
SpawnPoolWorker-1: end
MainProcess: 200
MainProcess: executed apply
MainProcess: executed
SpawnPoolWorker-2: start
SpawnPoolWorker-3: start
SpawnPoolWorker-2: end
SpawnPoolWorker-3: end
MainProcess: 100
MainProcess: 100
```

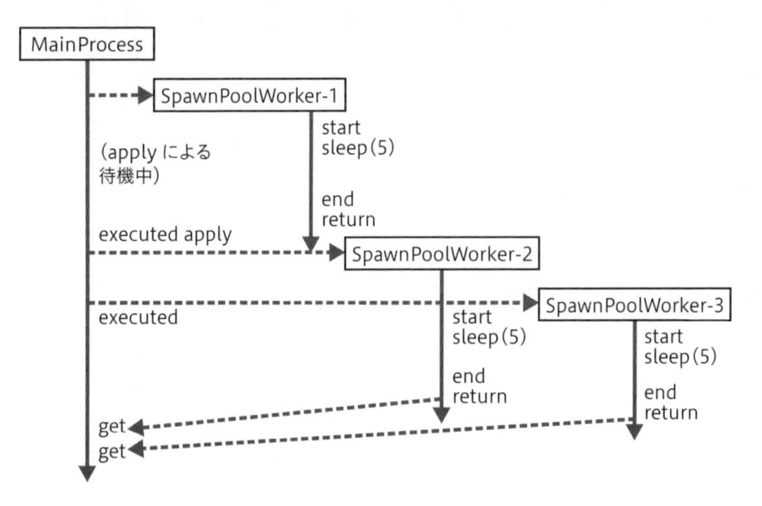

特定の処理を実行したあとに、並列処理を走らせたい場合には、このようにapplyを使うとよいでしょう。

プールとマップで複数のプロセスを一気に実行しよう

以下のように、同じ関数を複数のプロセスで実行する処理があるとします。

コード：c12_2_9.py　apply_async で 1 つずつ実行する

```
if __name__ == '__main__':
    with multiprocessing.Pool(3) as p:
        p1 = p.apply_async(worker1, (100,))
        p2 = p.apply_async(worker1, (100,))
        logging.debug('executed')
        logging.debug(p1.get())
        logging.debug(p2.get())
```

このような処理は、**マップ**を使って簡単に書くことができます。マップを作成するときは、実行する関数と、その引数を渡します。関数に渡す引数は、実行したいプロセスの数だけ、リストの形にします。以下の例では、100と200という2つの引数を渡しているので、この2つの引数でそれぞれプロセスが実行されます。マップで実行したプロセスの結果をrに格納し、実行後に表示してみます。

コード：c12_2_10.py　マップでプロセスを実行する

```
if __name__ == '__main__':
    with multiprocessing.Pool(3) as p:
        r = p.map(worker1, [100, 200])
        logging.debug('executed')
        logging.debug(r)
```

すると、以下のように2つのプロセスが並列で実行されます。返り値は、それぞれのプロセスの結果がリストに格納された形となります。このように、マップを使うとプロセスを1つずつ自分で実行する必要がないので便利です。ぜひ使ってみてください。

実行結果

```
SpawnPoolWorker-1: start
SpawnPoolWorker-2: start
SpawnPoolWorker-1: end
SpawnPoolWorker-2: end
MainProcess: executed
MainProcess: [100, 200]
```

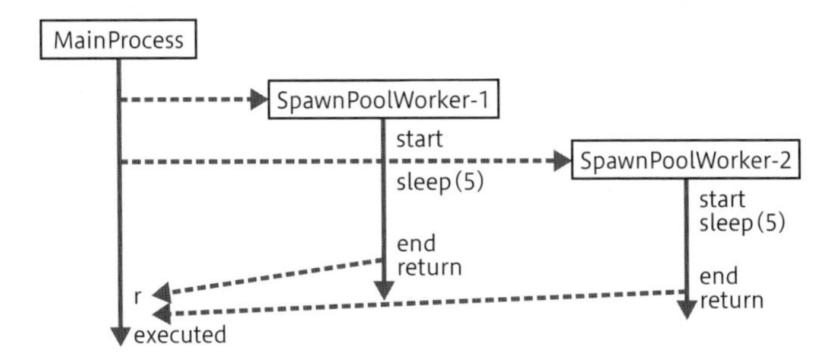

Point マップによるプロセスの実行順

実行結果を見ると、並列化した2つのプロセスが完了したあとで、その次の行のexecutedが実行されています。マップの中のプロセスがすべて完了してから、次の処理に進むのです。

map_asyncで非同期に実行

前ページの例では、マップの中のプロセスがすべて完了するまで次の処理がブロックされていましたが、これを待たずに実行することも可能です。その場合は、**map_async**（マップ・エーシンク）メソッドを使って実行しましょう。返り値はgetを使って取得します。

コード：c12_2_11.py マップで非同期にプロセスを実行する

```
if __name__ == '__main__':
    with multiprocessing.Pool(3) as p:
        r = p.map_async(worker1, [100, 200])
        logging.debug('executed')
        logging.debug(r.get())
```

すると、マップのプロセスが完了する前に、次の行の「executed」が出力されていることがわかります。その後、getでプロセスの完了を待ち、結果が返ってきたら値を取得し表示しています。

実行結果

```
MainProcess: executed
SpawnPoolWorker-1: start
SpawnPoolWorker-2: start
SpawnPoolWorker-1: end
SpawnPoolWorker-2: end
MainProcess: [100, 200]
```

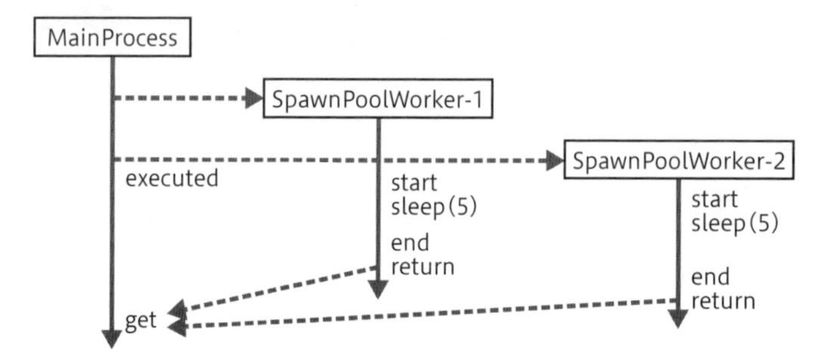

またこのとき、getにtimeoutを設定することも可能です。以下の例では、5秒待機するworker1に対して、timeoutを1秒に設定しているので、エラーとなっています。

コード：c12_2_12.py　マップでの実行にtimeoutを設定する

```
def worker1(i):
    logging.debug('start')
    time.sleep(5)
    logging.debug('end')
    return i

if __name__ == '__main__':
    with multiprocessing.Pool(3) as p:
        r = p.map_async(worker1, [100, 200])
        logging.debug('executed')
        logging.debug(r.get(timeout=1))
```

実行結果

```
MainProcess: executed
SpawnPoolWorker-1: start
SpawnPoolWorker-2: start
Traceback (most recent call last):
  File "/Users/jsakai/PycharmProjects/python_programming/lesson.py", line 18, in
<module>
    logging.debug(r.get(timeout=1))
  File "/Users/jsakai/opt/anaconda3/lib/python3.9/multiprocessing/pool.py", line
767, in get
    raise TimeoutError
multiprocessing.context.TimeoutError
```

imapで結果をイテレーターで取得

imap（アイマップ）を利用すると、結果がイテレーターとして返ってきます。ただし、そのままだとプロセスが実行されず、処理が終了してしまいます。

コード：c12_2_13.py　imap

```
if __name__ == '__main__':
    with multiprocessing.Pool(3) as p:
        r = p.imap(worker1, [100, 200])
        logging.debug('executed')
        logging.debug(r)
```

実行結果

```
MainProcess: executed
MainProcess: <multiprocessing.pool.IMapIterator object at 0x7faa97505f10>
```

プロセスを実行するには、イテレーターをループで処理する必要があります。リスト内包表記（P.148）を使って以下のようにすることで、プロセスが実行されて結果が表示されます。この方法は、複数のプロセスの結果に対して、それぞれforループなどで処理をしたい場合などに有効です。

コード：c12_2_14.py　imap

```
if __name__ == '__main__':
    with multiprocessing.Pool(3) as p:
```

```
        r = p.imap(worker1, [100, 200])
        logging.debug('executed')
        logging.debug([i for i in r])
```

実行結果

```
MainProcess: executed
SpawnPoolWorker-1: start
SpawnPoolWorker-2: start
SpawnPoolWorker-1: end
SpawnPoolWorker-2: end
MainProcess: [100, 200]
```

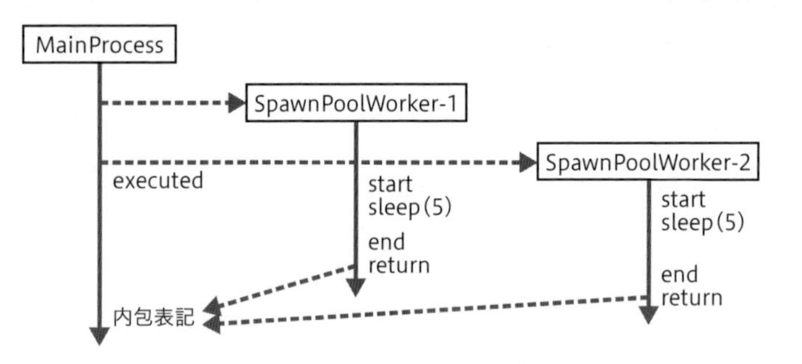

Point リスト内包表記を使わずにimapで実行

リスト内包表記を使わず、結果を1つずつ表示する場合は、以下のようになります。

コード：c12_2_15.py imap

```
if __name__ == '__main__':
    with multiprocessing.Pool(3) as p:
        r = p.imap(worker1, [100, 200])
        logging.debug('executed')
        for i in r:
            logging.debug(i)
```

実行結果

```
MainProcess: executed
SpawnPoolWorker-1: start
SpawnPoolWorker-2: start
SpawnPoolWorker-1: end
MainProcess: 100
SpawnPoolWorker-2: end
MainProcess: 200
```

プロセス間でデータのやりとりをするには？

マルチスレッドの処理ではメモリが共有されているので、データのやりとりが簡単でした。しかしマルチプロセスでは、メインプロセスからプロセスが作成される際にそれぞれ独立したメモリ空間が割り当てられるため、データのやりとりの方法が少し変わってきます。別の方法でプロセス間におけるデータのやりとりしなければいけません。

以下は、マルチスレッドで1つの辞書を更新する処理です。

コード：c12_2_16.py　マルチスレッドでメモリを参照する

```
import logging
import threading
import time

logging.basicConfig(
    level=logging.DEBUG, format='%(threadName)s: %(message)s')

def worker1(d, lock):
    with lock:
        i = d['x']
        time.sleep(2)
        d['x'] = i + 1
    logging.debug(d)

def worker2(d, lock):
    with lock:
        i = d['x']
        d['x'] = i + 1
    logging.debug(d)

if __name__ == '__main__':
    d = {'x': 0}
    lock = threading.Lock()
    t1 = threading.Thread(target=worker1, args=(d, lock))
    t2 = threading.Thread(target=worker2, args=(d, lock))
    t1.start()
    t2.start()
    t1.join()
    t2.join()
    logging.debug(d)
```

このスクリプトを動かしてみると、まずworker1がロックを取得して先に処理を実行し、その後でworker2の処理に進んでいることがわかります。2つのスレッドで同じ辞書型を更新しているので、1つずつ数えていくカウンターのような動きになっています。

実行結果

```
Thread-1: {'x': 1}
Thread-2: {'x': 2}
MainThread: {'x': 2}
```

これをマルチプロセスの処理で書き換えるとどうなるでしょうか。マルチプロセスの場合は共有メモリではなくプロセスごとにメモリを管理するため、同様の書き方では同じ値を更新することはできません。

コード：c12_2_17.py マルチプロセスでメモリを参照する

```
import logging
import multiprocessing
import time

logging.basicConfig(
    level=logging.DEBUG, format='%(processName)s: %(message)s')

def worker1(d, lock):
    with lock:
        i = d['x']
        time.sleep(2)
        d['x'] = i + 1
    logging.debug(d)

def worker2(d, lock):
    with lock:
        i = d['x']
        d['x'] = i + 1
    logging.debug(d)

if __name__ == '__main__':
    d = {'x': 0}
    lock = multiprocessing.Lock()
    p1 = multiprocessing.Process(target=worker1, args=(d, lock))
    p2 = multiprocessing.Process(target=worker2, args=(d, lock))
    p1.start()
    p2.start()
    p1.join()
    p2.join()
    logging.debug(d)
```

実行すると、プロセスの中ではそれぞれ別々に辞書型の値が1に更新され、メインプロセスでは0のままになっています。

実行結果

```
Process-1: {'x': 1}
Process-2: {'x': 1}
MainProcess: {'x': 0}
```

プロセスが作成されると、その時点でのメインプロセスの値をそのままコピーする形で新しいプロセスが作成されます。これを**フォーク**といい、その値はそれぞれのプロセスの中だけで使われます。

ここでは、2つのプロセスがそれぞれメインプロセスの{'x': 0}をコピーして、プロセスの中で1を加えています。ですが、その処理がメインプロセスの辞書型に反映されることはないため、最終的なメインプロセスの辞書型の値は0のままとなっているのです。

マルチプロセスでデータを共有するためには、特別な方法を使う必要があります。具体的には、次に紹介するパイプなどが挙げられます。

パイプを使ってプロセス間でデータを受け渡そう

パイプを使うと、1つのプロセスの出力を、他のプロセスの入力として受け渡すことができるようになります。パイプについては、subprocess（P.250）を解説する際にも少しお話ししたので、なんとなくおわかりかもしれません。

パイプは2つで1組のセットになります。multiprocessing.Pipe()を使って、以下のようにメインプロセスで2つのパイプを作成しましょう。ここではparent_conn（コネクション）、child_connの2つにしてみます。

コード パイプを作成する

```
if __name__ == '__main__':
    parent_conn, child_conn = multiprocessing.Pipe()
```

続いて、引数でパイプを受け取ってもう1つのパイプにデータを送る関数を作成していきます。sendを使うと、もう1つのパイプにデータを送ることができます。このときのデータは、リストの形で送ることも可能です。また、パイプは終了時にcloseで接続を閉じるようにしましょう。

コード パイプでデータを送信する

```
def f(conn):
    conn.send(['test'])
    conn.close()
```

パイプを使ったプロセスを作成するときは、引数にパイプを渡します。プロセスの実行後、送信されたデータをもう1つのパイプで受け取るには、recv（レシーブ）を使いましょう。

コード：c12_2_18.py パイプでデータを受け取る

```
if __name__ == '__main__':
    parent_conn, child_conn = multiprocessing.Pipe()
    p = multiprocessing.Process(target=f, args=(parent_conn,))
    p.start()
    logging.debug(child_conn.recv())
```

実行すると、プロセスの中からsendで送信されたデータが、メインプロセスで表示されていることが確認できます。

実行結果

```
MainProcess: ['test']
```

パイプでデータを受信するタイミング

ここで、プロセスの中で5秒待つ処理を入れてみましょう。

コード：c12_2_19.py パイプでデータを受信するタイミング

```
def f(conn):
    conn.send(['test'])
    time.sleep(5)
    conn.close()
```

この状態で実行してみると、5秒待つことなくパイプで送信されたデータが表示されます。これは、プロセスの途中であっても、パイプからsendでデータが送信された時点で、もう1つのパイプがrecvでデータを受け取るためです。

実行結果

```
MainProcess: ['test']
```

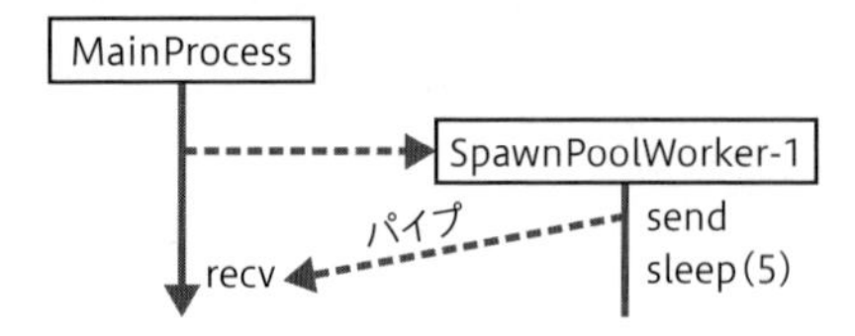

では、recvでデータの受信を待つ前に、joinでプロセスの終了を待つようにしてみます。

コード：c12_2_20.py パイプでデータを受信するタイミング

```
def f(conn):
    conn.send(['test'])
    time.sleep(5)
    conn.close()

if __name__ == '__main__':
    parent_conn, child_conn = multiprocessing.Pipe()
    p = multiprocessing.Process(target=f, args=(parent_conn,))
    p.start()
    p.join()
    logging.debug(child_conn.recv())
```

すると、今度はプロセスの完了を待ってからrecvで待ちはじめるので、5秒経過してからデータが表示されます。

実行結果

```
MainProcess: ['test']
```

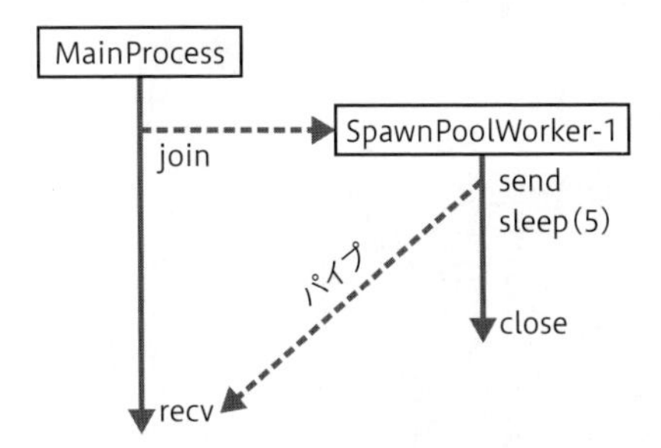

プロセスの終了を待たずに、送信されたデータをもう1つのパイプで受け取りたい場合は、recvの前にjoinをしないようにしましょう。

12-3 高水準のインターフェースを使って並列化しよう

threadingとmultiprocessingを使って、並列化の処理を実行してきました。これらの処理は、低レイヤーの処理となるため少し難しかったと思います。それらに対して、concurrent.futuresは高水準のインターフェースとなっているため、比較的簡単に並列化の処理を書くことができます。単純な並列化の処理であれば、concurrent.futuresを使ってみるのもよいでしょう。

concurrent.futuresでマルチスレッドの処理を作成する

concurrent.futures（コンカレント・フューチャーズ）を使ってマルチスレッドを実装していきます。インポートやロギングの設定を以下のように作成し、main関数の部分にコードを書きます。

コード インポートとロギングの設定

```
import concurrent.futures
import logging
import time

logging.basicConfig(level=logging.DEBUG, format='%(threadName)s: %(message)s')

def main():
    pass

if __name__ == '__main__':
    main()
```

with文を使って**ThreadPoolExecutor**（スレッドプールエグゼキューター）を作成します。ここでは、引数のmax_workersに5を指定しています。このmax_workersは、同時に実行するスレッド数を設定できます。その後、submitでスレッドとして実行する関数を指定します。関数に渡す引数は、その後に続いて指定します。

コード ThreadPoolExecutorでスレッドの作成

```
def main():
    with concurrent.futures.ThreadPoolExecutor(max_workers=5) as executor:
        f1 = executor.submit(worker, 2, 5)
```

スレッドに渡す関数も作成します。関数workerを2つの引数の積を返す処理とし、適宜ロギングも書いていきます。

コード スレッドで実行する関数の作成

```
def worker(x, y):
    logging.debug('start')
    time.sleep(3)
    r = x * y
    logging.debug(r)
    logging.debug('end')
    return r
```

この関数を、main関数の中でスレッドを2つ作成して実行してみましょう。結果を確認するときはresultで取得します。このように、関数でreturnした値をresultで取り出すことで、スレッドに返り値を設定することも可能です。

コード：c12_3_1.py ThreadPoolExecutorでスレッドの作成

```
def main():
    with concurrent.futures.ThreadPoolExecutor(max_workers=5) as executor:
        f1 = executor.submit(worker, 2, 5)
        f2 = executor.submit(worker, 2, 5)
        logging.debug(f1.result())
        logging.debug(f2.result())
```

実行してみると、2つのスレッドの実行結果がそれぞれメインスレッドで表示されることがわかります。

実行結果

```
ThreadPoolExecutor-0_0: start
ThreadPoolExecutor-0_1: start
ThreadPoolExecutor-0_0: 10
ThreadPoolExecutor-0_0: end
ThreadPoolExecutor-0_1: 10
ThreadPoolExecutor-0_1: end
MainThread: 10
MainThread: 10
```

ここで、試しにmax_workersを1にして実行してみましょう。

コード：c12_3_2.py max_workersを変更する

```
    with concurrent.futures.ThreadPoolExecutor(max_workers=1) as executor:
```

すると、1つ目のスレッドが完了してから2つ目のスレッドがはじまることがわかります。このように、マルチプロセスが持っていたプールの機能を簡単に実装できます。

実行結果

```
ThreadPoolExecutor-0_0: start
ThreadPoolExecutor-0_0: 10
ThreadPoolExecutor-0_0: end
ThreadPoolExecutor-0_0: start
MainThread: 10
```

```
ThreadPoolExecutor-0_0: 10
ThreadPoolExecutor-0_0: end
MainThread: 10
```

マルチプロセスのマップの機能を使うこともできます。mapを使って関数と引数を指定しましょう。引数は*argsとし、リストの中にリストでそれぞれの引数を入れる形で渡します。1つ目のリストに第1引数、2つ目のリストに第2引数といった形で書いていきます。実行結果はイテレーターが返ってくるので、リスト内包表記を使って表示しています。

コード：c12_3_3.py　mapで実行

```
def main():
    with concurrent.futures.ThreadPoolExecutor(max_workers=5) as executor:
        args = [[2, 2], [5, 5]]
        r = executor.map(worker, *args)
        logging.debug(r)
        logging.debug([i for i in r])
```

実行すると、結果がリストとして表示されていることがわかると思います。

実行結果

```
ThreadPoolExecutor-0_0: start
ThreadPoolExecutor-0_1: start
MainThread: <generator object Executor.map.<locals>.result_iterator at 0x7ff1c11f8200>
ThreadPoolExecutor-0_1: 10
ThreadPoolExecutor-0_1: end
ThreadPoolExecutor-0_0: 10
ThreadPoolExecutor-0_0: end
MainThread: [10, 10]
```

concurrent.futuresでマルチプロセスの処理を作成する

マルチプロセスにする場合は、ThreadPoolExecutorを**ProcessPoolExecutor**（プロセスプールエグゼキューター）に書き換えるだけです。また、ロギングの処理もあわせてプロセス名を表示するように変更しておきましょう。

コード：c12_3_4.py　ProcessPoolExecutorでマルチプロセスの処理を実行

```
import concurrent.futures
import logging
import time

logging.basicConfig(level=logging.DEBUG, format='%(processName)s: %(message)s')

def worker(x, y):
    logging.debug('start')
    time.sleep(3)
```

```
    r = x * y
    logging.debug(r)
    logging.debug('end')
    return r

def main():
    with concurrent.futures.ProcessPoolExecutor(max_workers=5) as executor:
        f1 = executor.submit(worker, 2, 5)
        f2 = executor.submit(worker, 2, 5)
        logging.debug(f1.result())
        logging.debug(f2.result())

if __name__ == '__main__':
    main()
```

実行すると、問題なくそれぞれのプロセスの結果が表示されていることがわかります。

実行結果

```
SpawnProcess-1: start
SpawnProcess-2: start
SpawnProcess-1: 10
SpawnProcess-1: end
MainProcess: 10
SpawnProcess-2: 10
SpawnProcess-2: end
MainProcess: 10
```

また、mapも同様に使うことができます。以下のように実行すると、ThreadPoolExecutorのときと同じく、リストで結果が表示されています。

コード：c12_3_5.py　マルチプロセスの処理をmapで実行

```
def main():
    with concurrent.futures.ProcessPoolExecutor(max_workers=5) as executor:
        args = [[2, 2], [5, 5]]
        r = executor.map(worker, *args)
        logging.debug(r)
        logging.debug([i for i in r])
```

実行結果

```
MainProcess: <generator object _chain_from_iterable_of_lists at 0x7fe48c4d67b0>
SpawnProcess-1: start
SpawnProcess-2: start
SpawnProcess-1: 10
SpawnProcess-1: end
SpawnProcess-2: 10
SpawnProcess-2: end
MainProcess: [10, 10]
```

12

マルチスレッドで作っていたコードを、サーバーがデュアルコアなどコアを活かせるサーバーになったのでマルチプロセスに書き換えたい場合、concurrent.futuresであればThreadPoolExecutorをProcessPoolExecutorに書き換えるだけでよいのでコードの変更もほとんどありません。単純な並列化の処理を作成したい場合であればconcurrent.futuresを使っても問題なく処理を作成することができるので、選択肢として頭に入れておくとよいでしょう。

Column

エンジニアのキャリア戦略⑦

勝てるフィールドを選ぼう

長引く不況に加え、コロナ禍で雇用不安や収入減少に直面したことなどから、日本でも副業を始めたり、投資に関心を持ったりする人が増えたと聞いています。私自身はYouTubeやオンライン講座Udemyなどの副業をかなり早くから始め、株式投資もしています。

きっかけは、サッカーに打ち込んでいた学生時代、ケガをして突然プロの道を閉ざされてしまったとき、「**自分の人生が一発で悪い方向に行くのはよくない**」と痛感したことでした。

そこから特に意識し始めたのは、生きるための選択肢を増やすことでした。大学卒業後、ITを学ぶために大学院に行こうと決めたのも、そのためだといえます。

ところが、いきなりある大学院の教授から「神学部からエンジニアになんてなれるわけないだろう」と門前払いを食らってしまいました。でも実際にはその後、国立の大学院大学に入学し、好成績で卒業できたのです。入学できた秘訣は、ある情報を知ったことでした。それは「合格者の5%は文系出身者にする」という、学校側の方針です。結果は合格。というのも、実は2人しか応募がなく、5%にも満たなかったのです。

ITが脚光を浴び始め、就職先として大人気だった当時、「ITを学びたい」と考えた文系学生はもっといたはずです。でも、最初から無理だと思ってしまったのかもしれません。**自ら情報を取り、勝てるフィールドを選んで戦う大切さ**をあらためて知った出来事でした。「**運はコントロールできないが、向上させることはできる**」。そう思うのです。そのための方法は次のコラム（P.462）でも述べますが、きっとあなたにも役立つ点があると信じています。

Lesson 13 応用編

データ解析

Pythonは、いわゆるビッグデータを扱うライブラリが充実しているため、データ解析の分野でも広く使われています。データ解析と聞くと難しく感じるかもしれませんが、データ解析に使うnumpyやpandas、グラフ化するmatplotlibなどのライブラリなどを使うだけですむので、意外な手軽さに驚くことでしょう。ここでは、データ解析に関わる用語や、さまざまなライブラリの使い方を学んだあと、株価のデータを解析して未来の株価を予測するプログラムを開発します。

13-1 データ解析をはじめる前に

最初に、データ解析について学ぶ前の準備をします。実際にプログラムを書くことで「データウェアハウス」と「データマイニング」の違い、「機械学習」と「深層学習」の違いを実感することがこのLessonの目標です。また、データ解析で使われることの多い、Jupyter Notebookの操作についても解説します。

データ解析の概念を学ぼう

データ解析については関連する分野や用語の多さにとまどう方も多いかもしれません。用語の分類も曖昧で、同じことを指していても人によって使う用語が違うこともあるので、余計に難しく感じるという事情もあります。

今回は株価のデータを扱って「統計学」「データマイニング」「機械学習」を学習しますが、それぞれの用語の関係をひとまず以下の図のように整理します。

データ解析に関連する概念

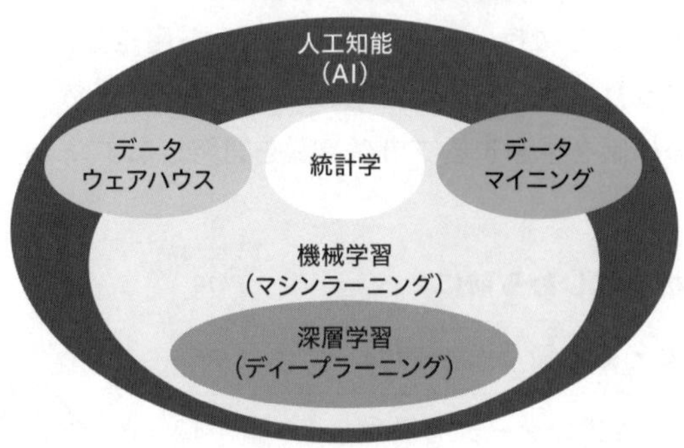

先ほども書いたようにデータ解析に関する用語は人によって定義が異なる場合もあるので、他の参考書などでは本書とは異なる形で説明しているかもしれません。以下はあくまで本書での定義と考えてください。

データウェアハウスはデータの倉庫という意味で、今回は株価のデータを持っている場所をデータウェアハウスと定義します。次に、そこから取ってきたデータを評価する数式のようなものを**統計学**、数式を用いて株価のデータ同士の関係を分析していくことを**データマイニング**と呼ぶこととします。

機械学習（マシンラーニング）は、**scikit-learn**（サイキットラーン）というライブラリのアルゴリズムに株価データを学習させて、株価を予測することです。**深層学習（ディープラーニング）**は機械学習の一部で、従来の機械学習よりも多くのデータを学習させて、人間の脳が考えるような形で株価のデータを見たコンピューターが「これはAppleの株価である」「これはMetaの株価である」と判断できるようにすることを指します。

機械学習の予測に基づいて「この株は買うべき」「この株は売るべき」と判断して、株を売り買いするシステムを作れば、それは「人工知能（AI）」であるといえるでしょう。

今回は株価のデータを扱う一種の「人工知能」を作ることを通して、データ解析について学んでいきます。とはいえ、本書ですべてを完璧に実装することは難しいので、今回は簡単な例を紹介して、先ほどの図の全体像が理解できるところまでを目標とします。

データ解析で実現できること

以下に表示されている折れ線グラフはApple社の株価を表しています。濃い線は現在（2022年3月）までの株価で、右端にある薄い線は将来の株価の予測です。このLessonでは最終的に、現在までの株価のデータから将来の株価を予測するプログラムを作ります。

実行結果

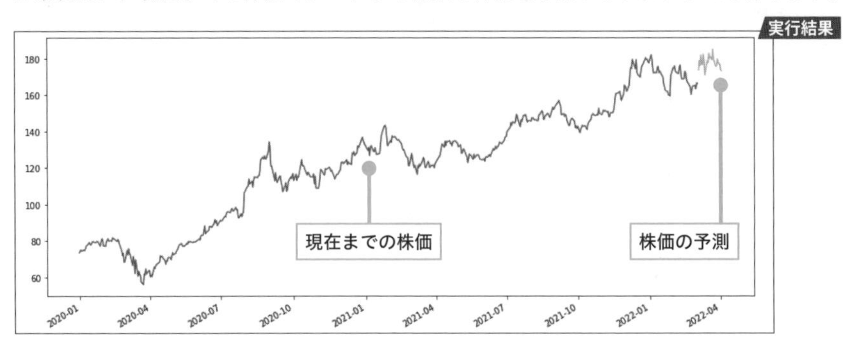

今回はこのプログラムを書くために、**Jupyter Notebook**（ジュピターノートブック）という開発環境を使います。IPython（PyCharmのPythonコンソール）のWeb版で、各種解析用のライブラリを使って描画したグラフなどをインタラクティブに確認できるので、データ解析を学ぶ授業でもよく使用されます。

データ解析をするプログラムを書くためには、多くのライブラリの知識も必要です。今回は、画像やグラフを表示するために**matplotlib**（マトプロットリブ）、株価の数字を扱うために**numpy**（ナンパイ）や**pandas**（パンダス）というライブラリを使います。また、機械学習を行うために**scikit-learn**（サイキット・ラーン）というライブラリや、株価取得のために**yfinance**（ワイファイナンス）というライブラリも使います。このLessonでは、それぞれのライブラリの使い方も解説していきます。

なお、本書では以下のバージョンを使用して検証しており、バージョンが異なる場合は結果が異なることがあります。

```
pip install ipython==7.29.0 jupyter==1.0.0 matplotlib==3.4.3 numpy==1.20.3
pandas==1.3.5 pandas-datareader==0.10.0 scikit-learn==0.24.2 yfinance==0.2.3
```

Jupyter Notebookを使ってみよう

それでは、Jupyter Notebookを起動します。macOSをお使いの方は、[アプリケーション]フォルダーの**Anaconda Navigator**のアイコンをダブルクリックしてください。Windowsをお使いの方は、[スタート] メニューの [Anaconda] フォルダーに同じくAnaconda Navigatorがあるので、それをクリックしてください。

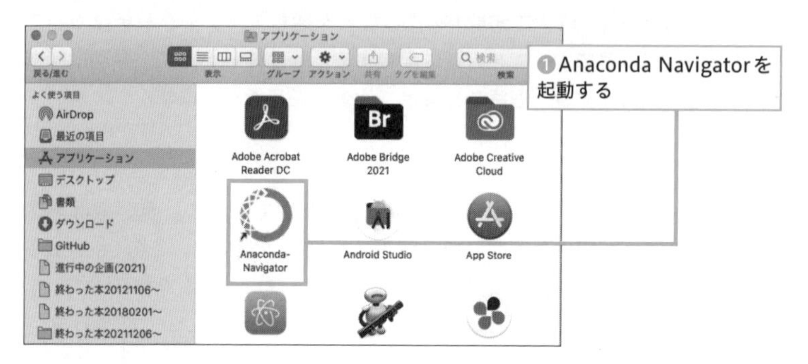

Anaconda Navigatorを起動すると、次の画面が表示されます。Jupyter Notebookのアイコンの下の [Launch] をクリックすると、Jupyter Notebookを起動できます。そのほかにデータ解析用のjupyterlabなど他のツールもありますが、今回は扱いません。もしデータ解析についてもっと知りたいという方は、Jupyter Notebook以外のツールも触ってみるとよいでしょう。

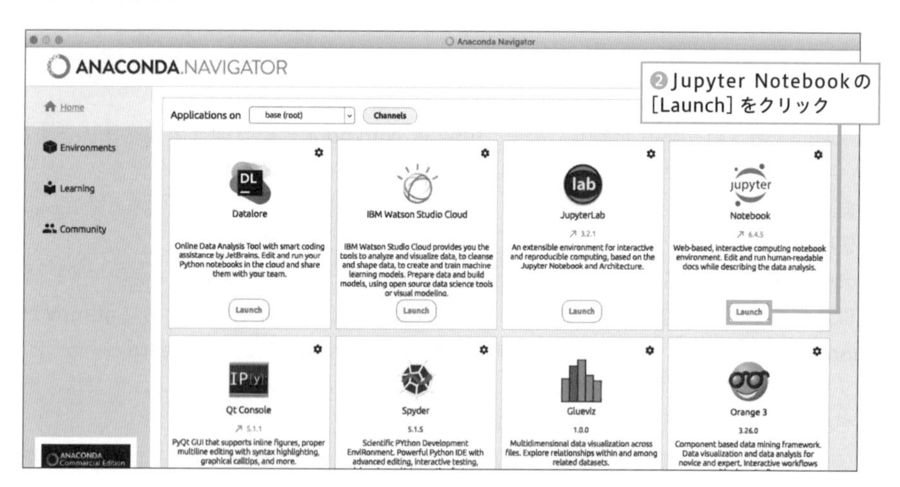

[Launch] をクリックすると、Webブラウザが自動的に起動し、Jupyter Notebookのページが表示されます（PyCharmのターミナルに「pip install jupyter」でインストールしたあと、「jupyter notebook」と入力しても起動できます）。初期状態では [ファイル] とい

うタブが表示されています。新規ファイルを作成するには、右上の［新規］をクリックして［Python3］を選択します。対話型の画面が表示されるので、セルにPythonのコードを記述していきます。

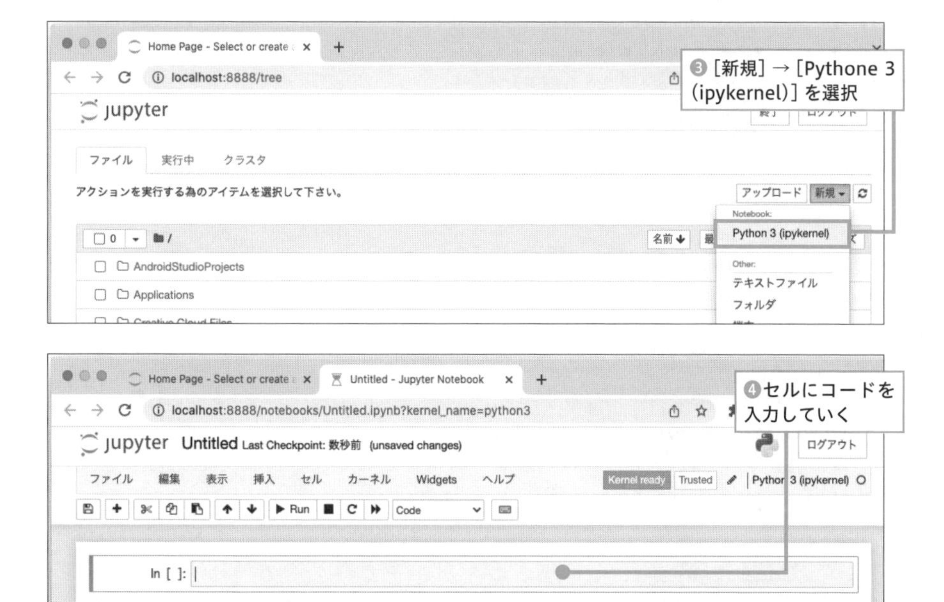

コードを入力する準備ができたら、まずはファイルに名前をつけましょう。画面上の［Untitled］と表示された部分をクリックして、ファイルの名前を入力し、［Rename］をクリックします。ここでは「lesson_numpy」という名前にします。

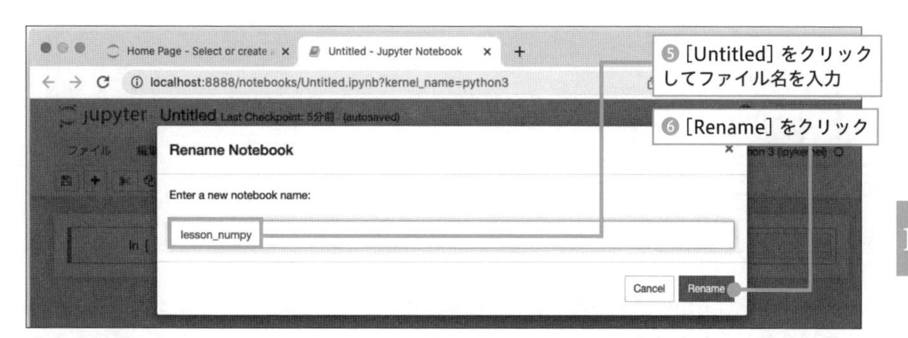

コードを書いて実行する

準備が整ったので、Jupyter NotebookでPythonのコードを入力して実行します。例として「x = 10」と入力しましょう。コードを実行するには画面上部にある［▶ Run］をクリックするか、Shift+Enterキーを押します。

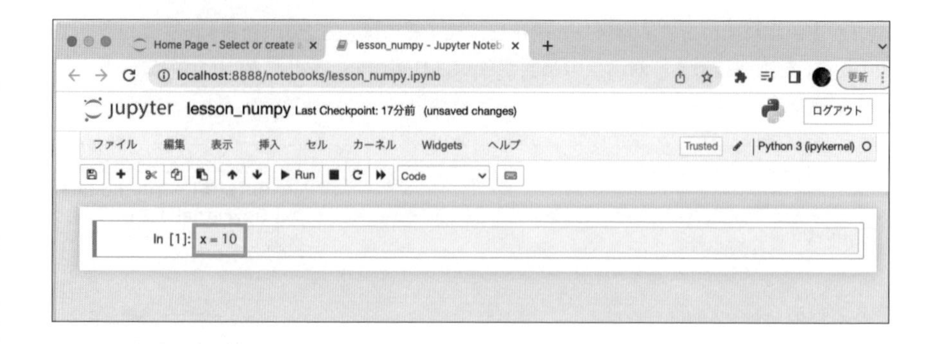

対話型シェルやIPythonなどと同じように、2行目に「x」と入力して実行すると、変数xの値が表示されます。

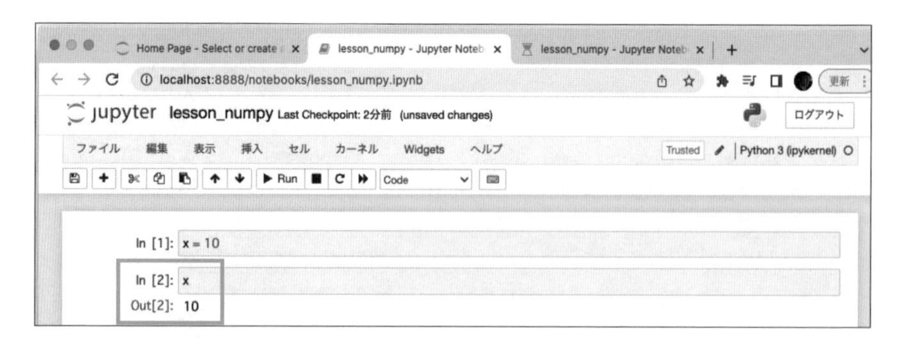

複数行をまとめて実行することもできます。コードを入力して、Shiftキーを押さずにEnterキーを押すと、行を折り返せます。以下のように「y = 10」「z = 20」「y + z」と3行のコードを入力してから実行すると、結果が「30」と表示されます。

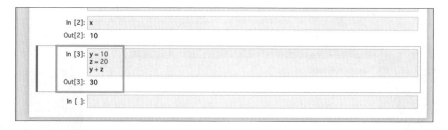

コードを修正してから、その行をもう一度実行すると実行結果が変わります。エラーが発生した場合などのために覚えておきましょう。たとえば、定義していない変数aだけを入力して実行すると、以下のようにエラーが発生します。

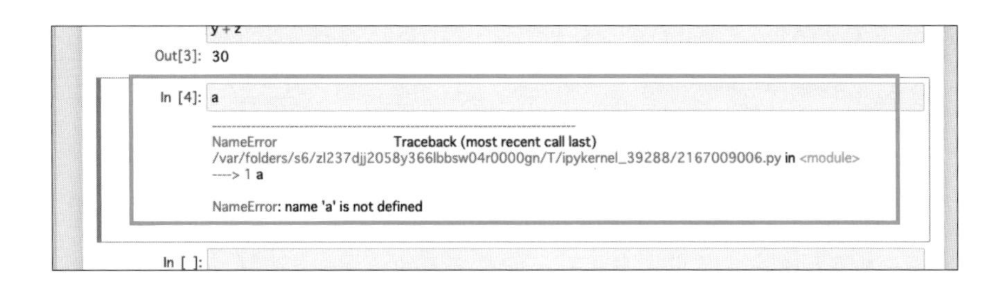

エラーが発生した行を「a = 50」「a」と2行のコードに修正して、もう一度実行すると実行結果が変わります。

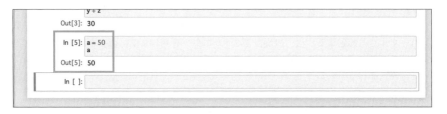

ボタンによる編集機能

画面上部のボタンを押すと、さまざまな編集機能を使えます。ボタンの見た目で直感的に理解できるかもしれませんが、ハサミ型のボタンを押すと選択中のセルを切り取ります。

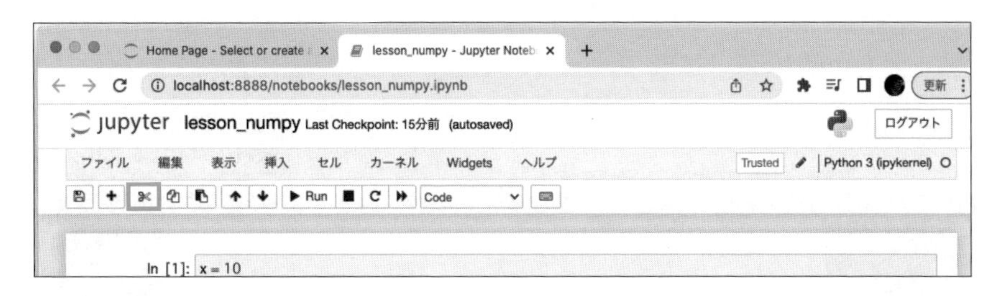

[+] のボタンを押すと、選択中のセルと次のセルの間に新しいセルを挿入します。

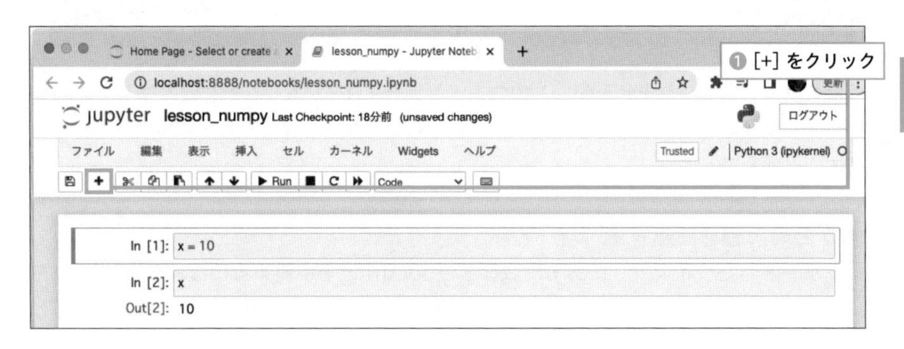

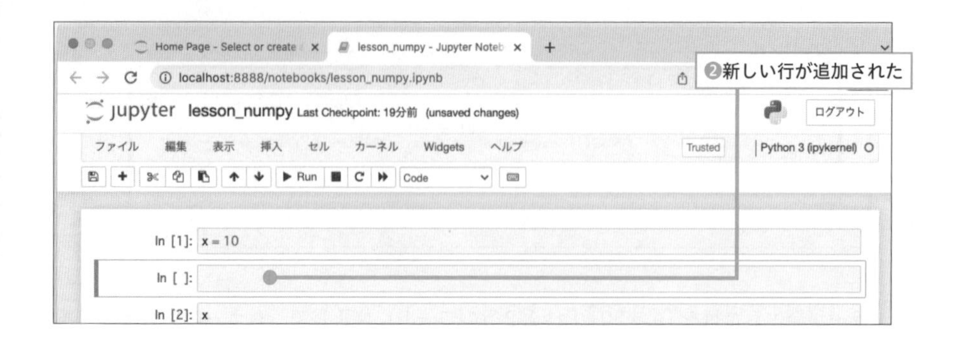

ここまで、入力したコードを上から順に実行してきましたが、コードがうまく動かない場合はカーネルを再起動して、まだどのコードも実行されていない状態に戻すことができます。カーネルを再起動するには、画面上部の C ボタンを押します。カーネルを初期化すると定義された変数がすべて失われることを警告するメッセージが表示されるので、[Restart]をクリックしましょう。

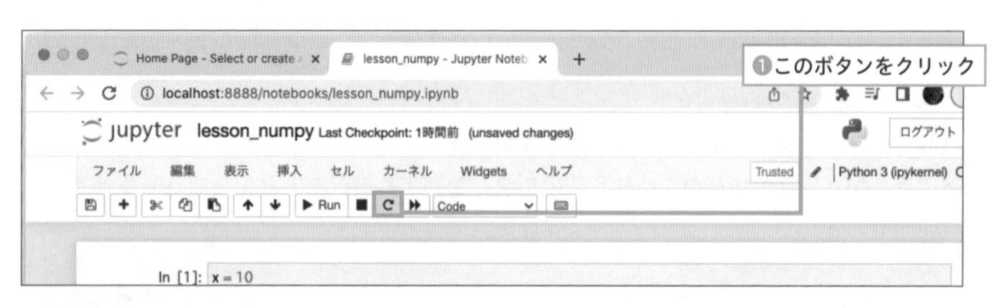

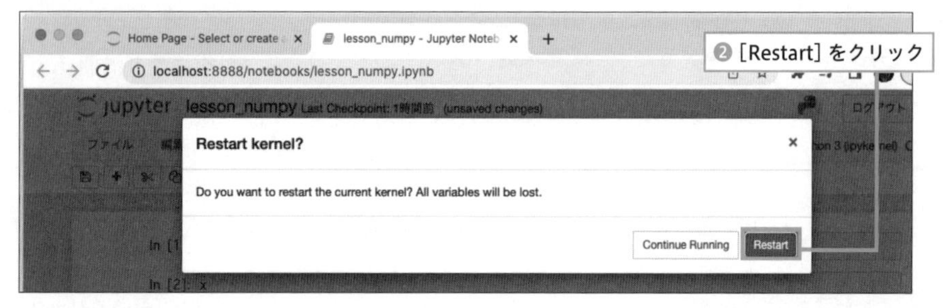

画面の見た目は変わりませんが、どのコードも実行されていない状態に戻りました。コードがうまく動かなくて、どの行を実行したかわからなくなった場合はカーネルの再起動を覚えておくと便利です。

関数などの詳細を確認する

インポートしたライブラリにある関数などのdocstringを参照するには本来help関数を使いますが、Jupyter Notebookでは、情報を知りたいメソッドや関数の後ろに?を書くと簡単に詳細を確認できます。

たとえば、以下のようにosライブラリをインポートしてからos.path.join?と入力して実行すると、画面下にos.path.join関数のdocstringが表示されます。

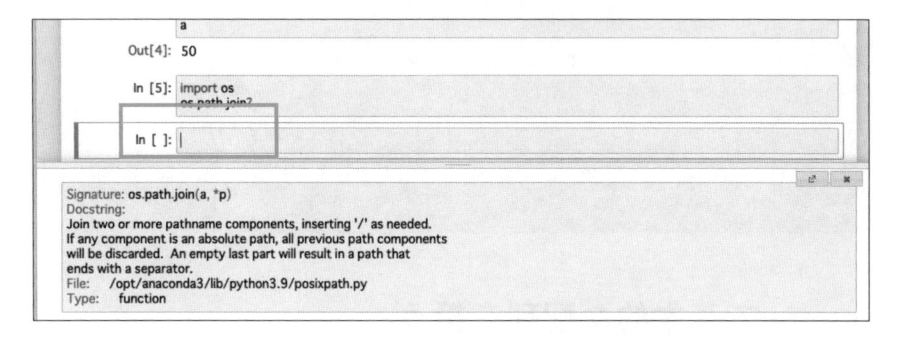

?を2つ書くとソースコードが表示されます。os.path.join関数のソースコードを見てみましょう。

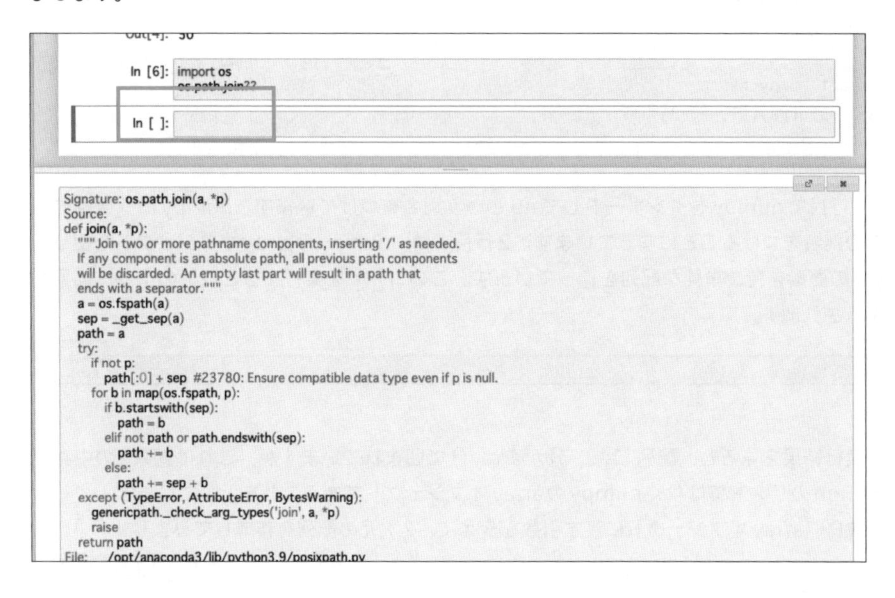

以上、Jupyter Notebookの操作方法を簡単に見てきました。本格的にPythonのコードを書く前に、操作に慣れておくとよいでしょう。

13-2 データをまとめて扱う numpy

データ解析を行うためには、大量のデータを整理してまとめておかなければいけません。Python標準のリストやタプルでもそれができなくはないのですが、数値計算を効率的に行うためのライブラリnumpyを使えばより簡単に実現できます。

numpyで基本的な配列を扱う

numpy（ナンパイ）は、Python標準のリストと似た機能を持ちながら、独自のメソッドを数多く備えた**array（配列）**（アレイ）というデータ構造を定義しています。まずは、numpyで基本的な配列を作ってみましょう。

コード：c13_2_1.ipynb　numpyで配列を作る

```
import numpy as np
a = np.array([1, 2, 3])
a
```

1行目でnumpyをインポートしてnpという別名をつけています。numpyには慣例的にこの別名をつけることになっています。2行目では、numpyのarrayオブジェクトを使って3つの要素を持つ単純な配列を作っています。このコードを実行すると以下のように結果が表示されます。

実行結果

```
array([1, 2, 3])
```

実行結果を見ると、配列[1, 2, 3]がarray()で囲まれていますが、これは変数aの中身がPythonのリストではなくnumpyのarrayオブジェクトであることを示しています。

次に、arrayオブジェクトに渡す引数を変えて、2次元の配列を作成してみましょう。

コード：c13_2_2.ipynb　2次元配列を作る

```
a = np.array([[1, 2, 3], [4, 5, 6]])
a
```

実行結果

```
array([[1, 2, 3],
       [4, 5, 6]])
```

要素を書いて配列を作成するだけでは、numpyのarrayオブジェクトを使うメリットが感じられないかもしれません。numpyの配列には、どんなデータが格納されているかを確かめるためのプロパティも用意されています。**shape**（シェイプ）プロパティを表示して、変数aがどのような配列であるかを確認してみましょう。

コード：c13_2_3.ipynb　配列のshapeプロパティ

```
a.shape
```

実行結果

```
(2, 3)
```

実行結果は、変数aが「2」つの行（横方向のまとまり）、「3」つの列（縦方向のまとまり）を持つ2次元配列であることを表しています。

配列が何次元の配列かを調べるときは**ndim**（エヌディム）プロパティを使います。

コード：c13_2_4.ipynb　ndimプロパティ

```
a.ndim
```

実行結果

```
2
```

dtype（ディータイプ）プロパティは配列の中身のデータ型を表します。

コード：c13_2_5.ipynb　dtypeプロパティ

```
a.dtype
```

実行結果

```
dtype('int64')
```

配列に合計でいくつのデータが入っているかを調べるには、**size**（サイズ）プロパティを確認します。

コード：c13_2_6.ipynb　sizeプロパティ

```
a.size
```

実行結果

```
6
```

numpyの関数で配列を作る

numpyの**arange**（アレンジ）関数を使うと、Python標準のrange関数と同じように配列を作ることができます。以下では、初項0、最後が30まで、公差5の等差数列を作っています。

コード：c13_2_7.ipynb　arange関数

```
np.arange(0, 30, 5)
```

実行結果

```
array([ 0,  5, 10, 15, 20, 25])
```

arange関数では、浮動小数点数からなる配列を作成することもできます。

コード：c13_2_8.ipynb　arange関数で浮動小数点数の配列を作る

```
np.arange(0, 2, 0.3)
```

実行結果

```
array([0. , 0.3, 0.6, 0.9, 1.2, 1.5, 1.8])
```

zeros（ゼロス）関数を使うと、数値0だけからなる配列を作れます。行数、列数のタプルを引数にすると、そのサイズの2次元配列が作成されます。

コード：c13_2_9.ipynb zeros関数で2次元配列を作る

```
np.zeros((3, 4))
```

実行結果

```
array([[0., 0., 0., 0.],
       [0., 0., 0., 0.],
       [0., 0., 0., 0.]])
```

上記の実行結果ではすべての要素が浮動小数点数の0.になっていますが、これを整数にしたい場合はdtypeというキーワード引数にデータ型np.int16を指定します。

コード：c13_2_10.ipynb zeros関数でデータ型を指定

```
np.zeros((3, 4), dtype=np.int16)
```

実行結果

```
array([[0, 0, 0, 0],
       [0, 0, 0, 0],
       [0, 0, 0, 0]], dtype=int16)
```

zeros関数と似た関数に**ones**（ワンズ）関数があります。こちらは、すべての要素が1になることを除けば、使い方はzeros関数と同じです。

コード：c13_2_11.ipynb ones関数で2次元配列を作る

```
np.ones((3, 4), dtype=np.int16)
```

実行結果

```
array([[1, 1, 1, 1],
       [1, 1, 1, 1],
       [1, 1, 1, 1]], dtype=int16)
```

numpyにはほかにも配列を作るための便利な関数があります。**linspace**（リンスペース）関数を使うと、1つ目と2つ目の引数で指定した範囲内で、3つ目の引数で指定した要素数の配列を、等間隔（リニア＝比例）になるように作成できます。

コード：c13_2_12.ipynb linspace関数で2次元配列を作る

```
np.linspace(0, 2, 9)
```

実行結果

```
array([0.  , 0.25, 0.5 , 0.75, 1.  , 1.25, 1.5 , 1.75, 2.  ])
```

0から2までの範囲で、等間隔に散らばった9個の要素を持つ配列が作成されました。

配列を編集する

reshape（リシェイプ）メソッドを使うと、配列の次元を変換できます。以下のコードは、arangeメソッドで作成した6要素の配列を、reshapeメソッドで2行、3列の2次元配列に変換しています。

コード：c13_2_13.ipynb reshapeメソッドで2次元配列を作る

```
a = np.arange(6).reshape(2, 3)
a
```

実行結果

```
array([[0, 1, 2],
       [3, 4, 5]])
```

numpyの配列の**T属性**を使うと、2次元配列の行と列を入れ替えた結果を簡単に得ることができます。2次元配列aの行と列を入れ替えた結果を見てみましょう。

コード：c13_2_14.ipynb　reshape メソッドで 2 次元配列を作る

```
a.T
```

実行結果

```
array([[0, 3],
       [1, 4],
       [2, 5]])
```

3行、2列の2次元配列が得られました。なお、このコードを実行すると変数aのT属性が表示されましたが、変数a自体は2行、3列の2次元配列のまま変わっていないことに注意してください。

reshapeメソッドにより多くの引数を渡すと、さらに多次元の配列にすることもできます。ただし、配列の要素の数がreshapeメソッドの引数を掛けあわせた数になっていないとエラーが発生するので注意しましょう。

コード：c13_2_15.ipynb　reshape メソッドで 3 次元配列を作る

```
a = np.arange(24).reshape(2, 3, 4)
a
```

実行結果

```
array([[[ 0,  1,  2,  3],
        [ 4,  5,  6,  7],
        [ 8,  9, 10, 11]],

       [[12, 13, 14, 15],
        [16, 17, 18, 19],
        [20, 21, 22, 23]]])
```

配列を結合する

複数の配列を結合して新しい配列を作ることもできます。準備として、次のようにarrange関数を使って3つの配列x、y、zを作成します。

コード：c13_2_16.ipynb　3 つの配列 x、y、z を作る

```
x = np.arange(0,10,2)
y = np.arange(5)
z = np.arange(0,100,20)
print(x, y, z)
```

実行結果

```
[0 2 4 6 8] [0 1 2 3 4] [ 0 20 40 60 80]
```

append(アペンド)関数は、引数に2つの配列を渡すと、それらの要素を1つの配列にまとめて返す関数です。

コード：c13_2_17.ipynb　append 関数で 1 つの配列にまとめる

```
np.append(x, y)
```

13

実行結果

```
array([0, 2, 4, 6, 8, 0, 1, 2, 3, 4])
```

vstack(ブイスタック)関数を使うと、引数として渡した配列を要素とする配列が得られます。vはvertical(垂直)の略なので、配列を縦に積み上げるようなイメージを持つとわかりやすいかもしれません。

コード:c13_2_18.ipynb vstack関数で配列を縦に積み上げる

```
np.vstack([x,y,z])
```

実行結果

```
array([[ 0,  2,  4,  6,  8],
       [ 0,  1,  2,  3,  4],
       [ 0, 20, 40, 60, 80]])
```

それに対して、**hstack**(エイチスタック)関数は複数の配列を1つの配列に連結します。append関数は2つの配列までしか連結できませんが、hstack関数は3つ以上の配列も連結できます。hはhorizontal(水平)の略なので、配列を横につなげているイメージです。

コード:c13_2_19.ipynb hstack関数で配列を横に連結する

```
np.hstack([x,y,z])
```

実行結果

```
array([ 0,  2,  4,  6,  8,  0,  1,  2,  3,  4,  0, 20, 40, 60, 80])
```

配列に演算を行う

numpyの配列は、演算子による演算も行えます。まずはa、bという2つの配列を用意します。

コード:c13_2_20.ipynb 2つの配列a、bを作る

```
a = np.arange(10, 51, 10)
b = np.arange(1, 6)
print(a, b)
```

実行結果

```
[10 20 30 40 50] [1 2 3 4 5]
```

演算子-でこの2つの配列をつなぐと、それぞれの要素を引き算した結果が配列として表示されます。

コード:c13_2_21.ipynb 配列同士の引き算

```
a - b
```

実行結果

```
array([ 9, 18, 27, 36, 45])
```

比較演算子も使えます。変数aを比較演算子<で演算するプログラムを実行してみましょう。

コード:c13_2_22.ipynb 配列を比較演算子で演算

```
a  < 30
```

実行結果

```
array([ True, True, False, False, False])
```

30未満という条件にあてはまる要素にはTrue、あてはまらない要素にはFalseが格納された配列が返されます。

ランダムな数値を得る

numpyには0から1の範囲でランダムな数値を得るための**random**（ランダム）関数があります。引数に渡した数値のぶんだけ要素を持った配列を生成する関数ですが、タプルを渡すことで多次元の配列を作ることもできます。今回は2行、3列の2次元配列を作ります。

numpyのrandomモジュールに属するrandom関数を使うので、「.random」を2回書くことに注意してください。

コード：c13_2_23.ipynb　ランダムな数値からなる2次元配列

```
a = np.random.random((2, 3))
a
```

実行結果

```
array([[0.37777536, 0.71758126, 0.25740567],
       [0.62593041, 0.91050611, 0.79936358]])
```

配列の要素の合計値、平均値などを得る

sum（サム）メソッドは、配列の要素の合計値を返すメソッドです。まずは、1から10までの数値を持つ配列を作って、その合計値を得るプログラムを実行します。

コード：c13_2_24.ipynb　1から10までの数値の合計を求める

```
a = np.arange(1, 11)
a.sum()
```

実行結果

```
55
```

mean（ミーン）メソッドは平均値を返します。先ほどの配列aの平均値を確認してみましょう。

コード：c13_2_25.ipynb　配列の平均値を得る

```
a.mean()
```

実行結果

```
5.5
```

最大値を得る**max**（マックス）メソッド、最小値を求める**min**（ミン）メソッドも使う機会が多いメソッドです。

コード：c13_2_26.ipynb　配列の最大値、最小値を得る

```
print(a.max(), a.min())
```

実行結果

```
10 1
```

行、列の合計値を得る

sumメソッドは多次元配列に対して使うことで、さらに多様な使い方ができます。たとえば、キーワード引数axisに0を渡すことで、2次元配列の縦の列の合計を得ることができます。

まずは、1から10までの数値で2次元配列を作ります。

コード：c13_2_27.ipynb　1から10までの数値の2次元配列を作る

```
a = np.arange(1, 11).reshape(2, 5)
a
```

実行結果

```
array([[ 1,  2,  3,  4,  5],
       [ 6,  7,  8,  9, 10]])
```

次に、sumメソッドをキーワード引数axisに0を渡して実行してみましょう。

コード：c13_2_28.ipynb　2次元配列の縦の列の合計を得る

```
a.sum(axis=0)
```

実行結果

```
array([ 7,  9, 11, 13, 15])
```

左の列から1と6の合計、2と7の合計……というように各列の合計を要素とする配列が返されました。

```
      array([[ 1, 2, 3, 4,  5],
             [ 6, 7, 8, 9, 10]])
.sum(axis=0) 7,  9, 11, 13, 15
```

キーワード引数axisに1を渡すと、今度は横の行を合計した結果が得られます。先ほどと同じ変数aで試してみましょう。

コード：c13_2_29.ipynb　2次元配列の横の行の合計を得る

```
a.sum(axis=1)
```

実行結果

```
array([15, 40])
```

```
                          .sum(axis=1)
array([[ 1 , 2 , 3 , 4 ,  5 ],    15

       [ 6 , 7 , 8 , 9 , 10 ]])   40
```

表示できる要素の上限を拡大する

Jupyter Notebookでたくさんの要素を持つ配列を表示するとき、初期設定のままでは途中の要素が省略されます。

コード：c13_2_30.ipynb　要素数10,000の配列を作る

```
a = np.arange(10000)
a
```

実行結果

```
array([   0,    1,    2, ..., 9997, 9998, 9999])
```

要素を省略せずに表示させたい場合は、numpyの**set_printoptions**（セット・プリントオプションズ）関数を使います。この関数を、キーワード引数threshold（スレッショルド）に表示させたい上限を渡して実行すると、画面に表示できる要素の上限が変わります。

コード：c13_2_31.ipynb　10,000個の要素を表示できるようにする

```
np.set_printoptions(threshold=10000)
a
```

実行結果

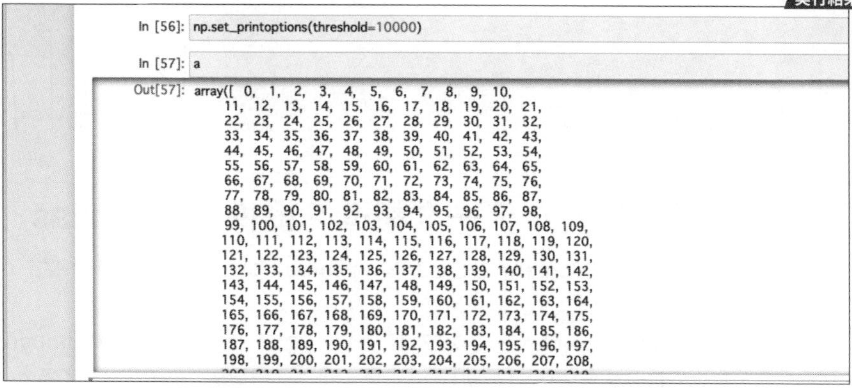

```
In [56]: np.set_printoptions(threshold=10000)

In [57]: a

Out[57]: array([ 0,  1,  2,  3,  4,  5,  6,  7,  8,  9, 10,
           11, 12, 13, 14, 15, 16, 17, 18, 19, 20, 21,
           22, 23, 24, 25, 26, 27, 28, 29, 30, 31, 32,
           33, 34, 35, 36, 37, 38, 39, 40, 41, 42, 43,
           44, 45, 46, 47, 48, 49, 50, 51, 52, 53, 54,
           55, 56, 57, 58, 59, 60, 61, 62, 63, 64, 65,
           66, 67, 68, 69, 70, 71, 72, 73, 74, 75, 76,
           77, 78, 79, 80, 81, 82, 83, 84, 85, 86, 87,
           88, 89, 90, 91, 92, 93, 94, 95, 96, 97, 98,
           99, 100, 101, 102, 103, 104, 105, 106, 107, 108, 109,
          110, 111, 112, 113, 114, 115, 116, 117, 118, 119, 120,
          121, 122, 123, 124, 125, 126, 127, 128, 129, 130, 131,
          132, 133, 134, 135, 136, 137, 138, 139, 140, 141, 142,
          143, 144, 145, 146, 147, 148, 149, 150, 151, 152, 153,
          154, 155, 156, 157, 158, 159, 160, 161, 162, 163, 164,
          165, 166, 167, 168, 169, 170, 171, 172, 173, 174, 175,
          176, 177, 178, 179, 180, 181, 182, 183, 184, 185, 186,
          187, 188, 189, 190, 191, 192, 193, 194, 195, 196, 197,
          198, 199, 200, 201, 202, 203, 204, 205, 206, 207, 208,
```

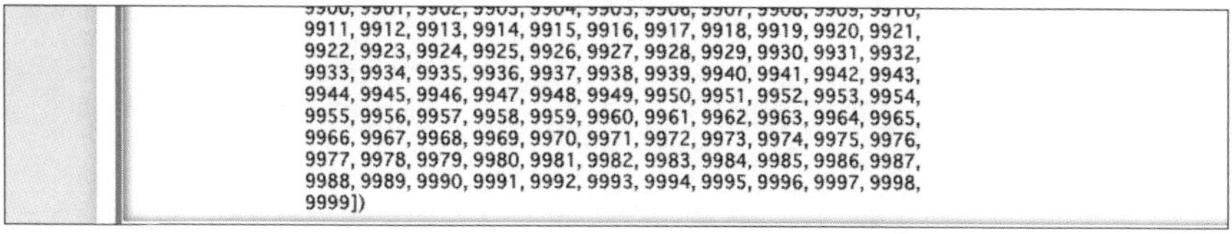

```
         9900, 9901, 9902, 9903, 9904, 9905, 9906, 9907, 9908, 9909, 9910,
         9911, 9912, 9913, 9914, 9915, 9916, 9917, 9918, 9919, 9920, 9921,
         9922, 9923, 9924, 9925, 9926, 9927, 9928, 9929, 9930, 9931, 9932,
         9933, 9934, 9935, 9936, 9937, 9938, 9939, 9940, 9941, 9942, 9943,
         9944, 9945, 9946, 9947, 9948, 9949, 9950, 9951, 9952, 9953, 9954,
         9955, 9956, 9957, 9958, 9959, 9960, 9961, 9962, 9963, 9964, 9965,
         9966, 9967, 9968, 9969, 9970, 9971, 9972, 9973, 9974, 9975, 9976,
         9977, 9978, 9979, 9980, 9981, 9982, 9983, 9984, 9985, 9986, 9987,
         9988, 9989, 9990, 9991, 9992, 9993, 9994, 9995, 9996, 9997, 9998,
         9999])
```

実行結果のOutの部分をスクロールすると、10,000個すべての要素を見ることができます。

13-3

pandasで表形式のデータを扱う

pandasは、numpyと同じく大量のデータをまとめて操作するための機能を多く備えたライブラリです。2次元の配列を表のような見た目で確認できるDataFrameというデータ型の扱いをマスターすれば、Excelなどの表計算ソフトで行っていた処理の多くをPythonで実現できます。

データ解析に便利なデータ構造を提供するpandas

numpyと並んでデータ解析に使われることが多い**pandas**（パンダス）というサードパーティ製ライブラリの使い方を解説していきます。

pipコマンド（P.188）でpandasをインストールしたあと、PyCharmで「import pandas」と入力して右クリックし、[移動]→[宣言または使用箇所]をクリックすると、pandasのフォルダー内のファイルが表示されます。

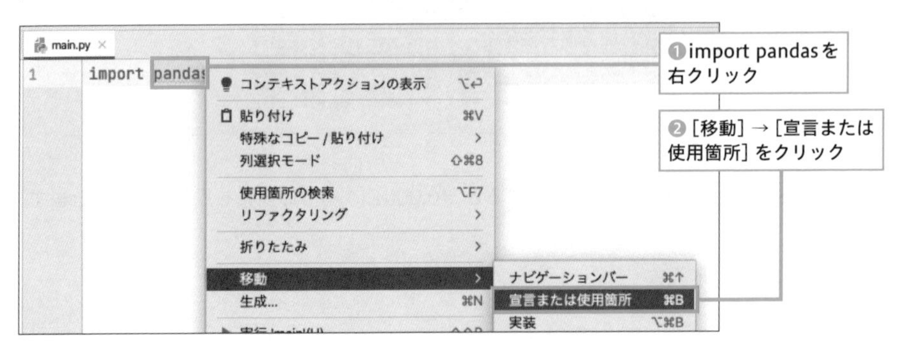

__init__.pyが表示されたら、上部のファイルパスの[pandas]をクリック→[core]をクリック→[base.py]をクリックしてbase.pyというファイルを見ると、numpyをインポートしていることがわかります。

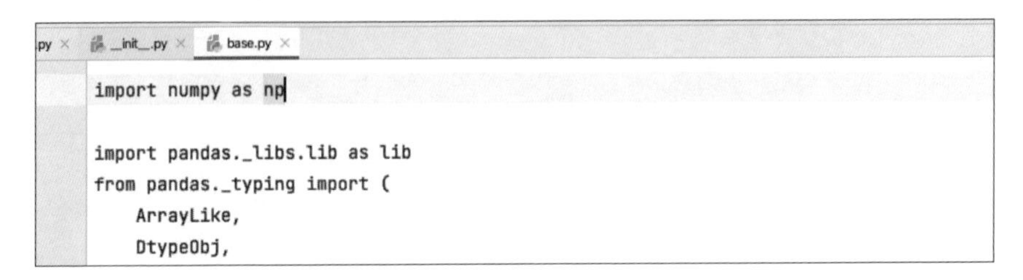

このことからもわかるようにpandasはnumpyと共通した機能を持ちながら、一部の機能ではnumpyよりも優れている部分もあるので、データ解析ではnumpyと一緒に使われることが多いライブラリです。

1次元の配列、Seriesオブジェクト

それではさっそく、pandasを使ってみましょう。まずはimport文を書いて実行します。のちほどnumpyと組み合わせるので、2つのライブラリをインポートしておきます。pandasには、慣例的にpdという別名をつけることになっています。

コード　pandasをインポートする

```
import numpy as np
import pandas as pd
```

pandasで1次元の配列を扱う場合は、**Series**（シリーズ）オブジェクトを使います。

コード：c13_3_1.ipynb　Seriesオブジェクトを生成する

```
s = pd.Series([1, 2, 3])
s
```

実行結果

```
0    1
1    2
2    3
dtype: int64
```

1次元の配列を作ったのに、2列の表のようなものが表示されて驚いたかもしれません。これは左にインデックス、右にSeriesオブジェクトの要素が表示されているので、2列の表のように見えますが、変数sには1次元の配列が格納されています。下には、データ型であることを表すint64が出力されています。

sum（サム）メソッドを使うと、要素の合計値が返ってきます。

コード：c13_3_2.ipynb　Seriesオブジェクトの合計値を求める

```
s.sum()
```

実行結果

```
6
```

ほかにも、meanやmin、maxなどnumpyのarrayオブジェクト（P.423）と共通するメソッドが多くあります。

2次元の配列、DataFrame

2次元の配列を表現するときは、**DataFrame**（データフレーム）オブジェクトを使います。次のように辞書型のデータからDataFrameオブジェクトを生成して、表示してみましょう。

コード：c13_3_3.ipynb　Seriesオブジェクトの合計値を求める

```
df = pd.DataFrame({'A': [1, 2], 'B': [3, 4]})
df
```

実行結果

```
In [3]: df = pd.DataFrame({'A': [1, 2], 'B': [3, 4]})
        df
Out[3]:
```

	A	B
0	1	3
1	2	4

辞書のキーをカラム名、辞書の値をカラムの値として持つテーブル形式でデータが表示されました。行の名前はインデックスになっています。

次に、ランダムな数値からなるDataFrameを作ってみましょう。numpyのrandomモジュールにある**randn**(ランドエヌ)関数を使って、6行×4列のDataFrameを生成します。

コード：c13_3_4.ipynb ランダムな数値からなるDataFrame

```
df = pd.DataFrame(np.random.randn(6, 4))
df
```

実行結果

```
In [4]: df = pd.DataFrame(np.random.randn(6, 4))
        df
Out[4]:
```

	0	1	2	3
0	0.519899	0.016233	-0.461241	-1.577625
1	0.182441	1.700902	-0.309356	0.207934
2	1.130738	-0.915832	-1.276525	0.549394
3	-0.623767	-1.332339	0.122941	0.690869
4	1.024878	1.346822	-0.165419	-0.060750
5	-0.021347	-0.172216	-1.753876	-1.047945

行・列に名前をつける

DataFrameオブジェクトを生成するとき、キーワード引数indexを指定すると、行のインデックスを自由に指定できます。今回は、2022年1月1日からはじまる6日間の日付を行名とします。

指定した期間の日付の情報を得るには、pandasのdate_range関数を使います。今回は「2022年1月1日から6日間」の日付を得るため、文字列'20220101'とキーワード引数periodsに6を渡しています。

コード：c13_3_5.ipynb DataFrameのindexに日付を指定

```
df = pd.DataFrame(np.random.randn(6, 4), index=pd.date_range('20220101', periods=6))
df
```

実行結果

```
In [5]: df = pd.DataFrame(np.random.randn(6, 4), index=pd.date_range('20220101', periods=6))
        df
Out[5]:
```

	0	1	2	3
2022-01-01	-1.720766	1.428346	0.707472	-0.511541
2022-01-02	0.402545	-1.660178	0.097731	0.535840
2022-01-03	0.279928	-0.021706	-1.115514	0.021171
2022-01-04	-0.568098	-0.506228	0.589985	0.063668
2022-01-05	-1.326830	-0.286537	0.371224	1.287879
2022-01-06	-0.179556	0.702928	0.891214	-0.492685

列の名前を指定するには、DataFrameオブジェクトを生成するときにキーワード引数columnsに値を渡します。

コード：c13_3_6.ipynb　DataFrame の columns に列名を指定

```
df = pd.DataFrame(np.random.randn(6, 4), index=pd.date_range('20220101', periods=6),
columns=['A', 'B', 'C', 'D'])
df
```

実行結果

```
Out[6]:
```

	A	B	C	D
2022-01-01	-1.377430	1.215015	0.390456	1.710501
2022-01-02	1.843728	0.900676	1.339725	1.679018
2022-01-03	0.211237	0.399152	-1.429695	0.352047
2022-01-04	0.272439	-1.043291	0.191079	-1.445130
2022-01-05	0.795069	0.004538	-0.888515	-0.931691
2022-01-06	-0.532972	-0.465734	-1.311045	1.009278

また、numpyの配列と同じようにT属性で行と列を入れ替えた表も取得できます。

実行結果

```
In [7]: df.T
Out[7]:
```

	2022-01-01	2022-01-02	2022-01-03	2022-01-04	2022-01-05	2022-01-06
A	-1.377430	1.843728	0.211237	0.272439	0.795069	-0.532972
B	1.215015	0.900676	0.399152	-1.043291	0.004538	-0.465734
C	0.390456	1.339725	-1.429695	0.191079	-0.888515	-1.311045
D	1.710501	1.679018	0.352047	-1.445130	-0.931691	1.009278

DataFrameの一部のみを表示する

ここからは、DataFrameの全体ではなく一部の情報を知るためのメソッドや属性をいくつか紹介します。

DataFrameのサイズが大きくて一部だけを表示したい場合は、**head**（ヘッド）メソッドや**tail**（テイル）メソッドを使います。前ページ中段のDataFrameを使って見ていきましょう。

headメソッドは、DataFrameの先頭から指定した数値ぶんだけ行を返します。

コード：c13_3_7.ipynb　DataFrameの先頭

```
df.head(1)
```

実行結果

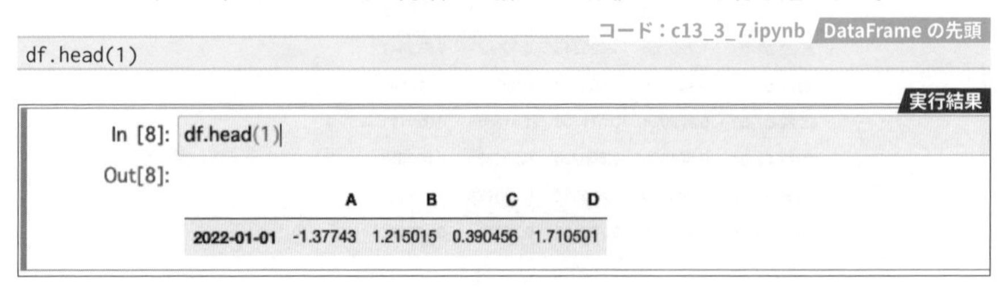

In [8]: df.head(1)

Out[8]:

	A	B	C	D
2022-01-01	-1.37743	1.215015	0.390456	1.710501

tailメソッドは、逆にDataFrameの末尾からの行を返します。3を指定すると、最後から3番目までの行を表示します。

コード：c13_3_8.ipynb　DataFrameの末尾

```
df.tail(3)
```

実行結果

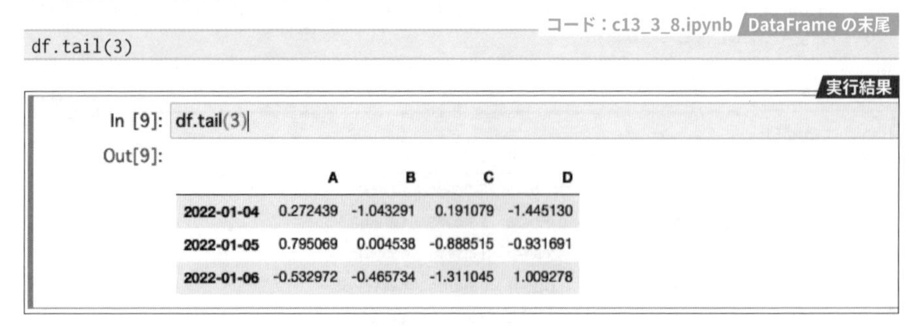

In [9]: df.tail(3)

Out[9]:

	A	B	C	D
2022-01-04	0.272439	-1.043291	0.191079	-1.445130
2022-01-05	0.795069	0.004538	-0.888515	-0.931691
2022-01-06	-0.532972	-0.465734	-1.311045	1.009278

列や行についての情報だけを表示することもできます。**index**（インデックス）属性には、DataFrameのインデックスの情報が格納されています。

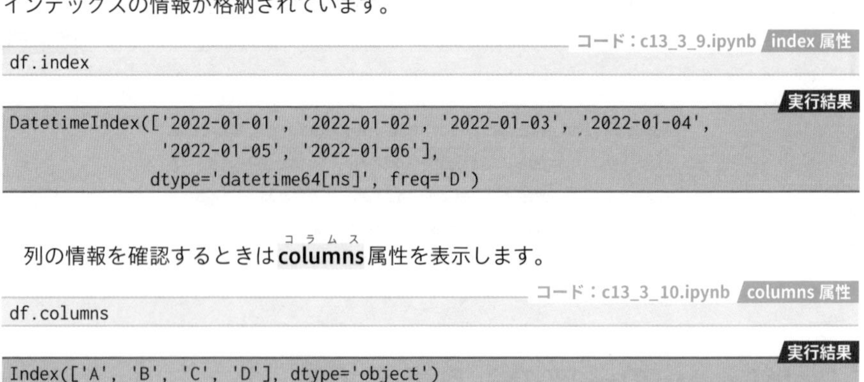

コード：c13_3_9.ipynb　index属性

```
df.index
```

実行結果

```
DatetimeIndex(['2022-01-01', '2022-01-02', '2022-01-03', '2022-01-04',
               '2022-01-05', '2022-01-06'],
              dtype='datetime64[ns]', freq='D')
```

列の情報を確認するときは**columns**（コラムス）属性を表示します。

コード：c13_3_10.ipynb　columns属性

```
df.columns
```

実行結果

```
Index(['A', 'B', 'C', 'D'], dtype='object')
```

DataFrameが持つ値だけを知りたい場合は、**values**（バリューズ）属性を表示すると便利です。

コード：c13_3_11.ipynb　values 属性

```
df.values
```

実行結果

```
array([[-1.37743021,  1.2150149 ,  0.39045594,  1.71050086],
       [ 1.84372837,  0.90067553,  1.33972474,  1.67901823],
       [ 0.21123704,  0.39915156, -1.42969453,  0.35204711],
       [ 0.27243879, -1.04329124,  0.19107866, -1.44513023],
       [ 0.79506905,  0.00453799, -0.8885146 , -0.93169145],
       [-0.53297242, -0.46573408, -1.31104546,  1.0092777 ]])
```

DataFrameの特徴を確認するものとして、**describe**(ディスクライブ)メソッドを紹介します。このメソッドは、データ個数（count）や平均値（mean）、標準偏差（std）、最小（min）／最大値（max）、中央値（50%）などの統計量を表示します。

コード：c13_3_12.ipynb　describe メソッド

```
df.describe()
```

実行結果

In [13]: df.describe()

Out[13]:

	A	B	C	D
count	6.000000	6.000000	6.000000	6.000000
mean	0.202012	0.168392	-0.284666	0.395670
std	1.103343	0.846410	1.099995	1.334512
min	-1.377430	-1.043291	-1.429695	-1.445130
25%	-0.346920	-0.348166	-1.205413	-0.610757
50%	0.241838	0.201845	-0.348718	0.680662
75%	0.664411	0.775295	0.340612	1.511583
max	1.843728	1.215015	1.339725	1.710501

DataFrame内のデータを並べ替える

DataFrame内のデータは、Excelなどの表計算ソフトで作成したテーブルのように順番を並べ替えた（ソートした）結果を見ることができます。

sort_values(ソート・バリューズ)メソッドは、名前のとおり値に基づいてDataFrameの行を並べ替えたものを返すメソッドです。キーワード引数byに列名を指定することで、その列の値を基準にソートします。次ページの実行結果の図では、B列の値が小さい行から順に表示されています。

コード：c13_3_13.ipynb　B 列の値でソート

```
df.sort_values(by='B')
```

実行結果

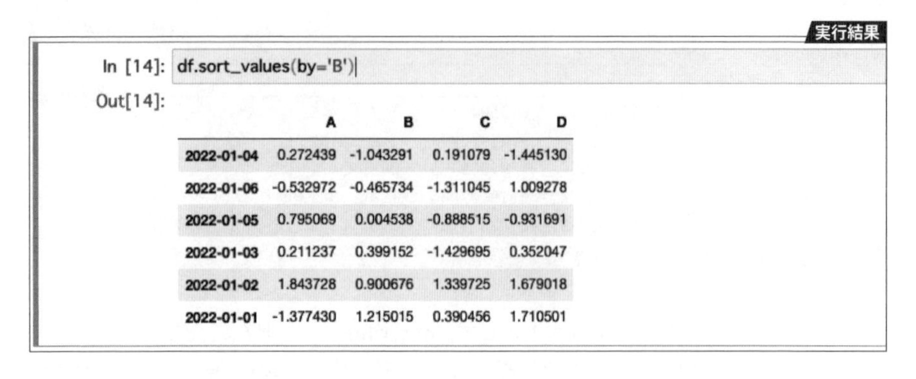

In [14]: df.sort_values(by='B')

Out[14]:

	A	B	C	D
2022-01-04	0.272439	-1.043291	0.191079	-1.445130
2022-01-06	-0.532972	-0.465734	-1.311045	1.009278
2022-01-05	0.795069	0.004538	-0.888515	-0.931691
2022-01-03	0.211237	0.399152	-1.429695	0.352047
2022-01-02	1.843728	0.900676	1.339725	1.679018
2022-01-01	-1.377430	1.215015	0.390456	1.710501

列や行を指定してデータを取り出す

スライス記法のようにインデックスを指定すると、特定の行だけを取り出せます。インデックス0の行から2の行までを取り出してみましょう。スライス記法と同じように、2の行までを取り出したいときはendに3を指定することに注意してください。

コード：c13_3_14.ipynb　行の範囲を指定

```
df[0:3]
```

実行結果

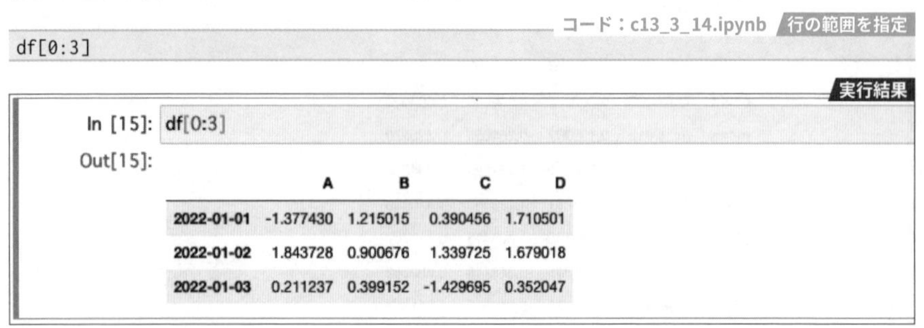

In [15]: df[0:3]

Out[15]:

	A	B	C	D
2022-01-01	-1.377430	1.215015	0.390456	1.710501
2022-01-02	1.843728	0.900676	1.339725	1.679018
2022-01-03	0.211237	0.399152	-1.429695	0.352047

インデックスではなく、行の名前を指定することでも、特定の範囲の行だけを取り出すこともできます。その場合は、endに取り出したい最後の行の名前を指定すればOKです。2022年1月2日から4日の行を取り出してみましょう。

コード：c13_3_15.ipynb　行の範囲を指定

```
df['20220102':'20220104']
```

実行結果

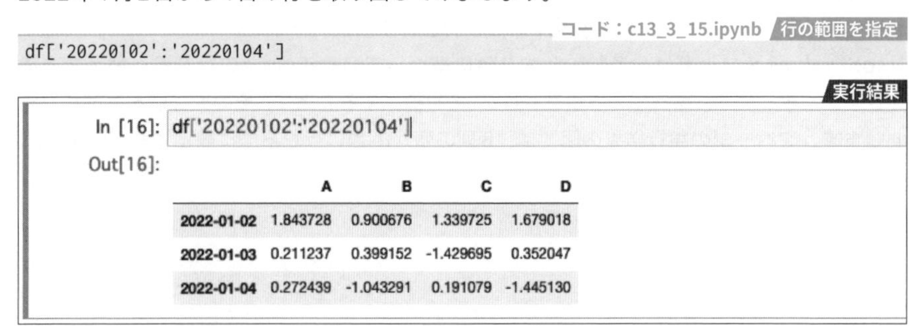

In [16]: df['20220102':'20220104']

Out[16]:

	A	B	C	D
2022-01-02	1.843728	0.900676	1.339725	1.679018
2022-01-03	0.211237	0.399152	-1.429695	0.352047
2022-01-04	0.272439	-1.043291	0.191079	-1.445130

特定の行や列を取り出すには、loc（ロク）プロパティを使う方法もあります。locプロパティは、[]で囲んだインデックスを渡して特定の行を取り出すのが基本的な使い方です。インデックス2022年1月1日を指定して、その行だけを取り出してみましょう。メソッドではないので()ではなく[]を書くことに注意してください。

コード：c13_3_16.ipynb　locプロパティでインデックスを指定

```
df.loc['20220101']
```

実行結果

```
A    0.893565
B    1.003590
C   -1.127916
D    0.395434
Name: 2022-01-01 00:00:00, dtype: float64
```

行と列の両方を指定することもできます。2022年1月2日の行のA列とB列を取り出すには、以下のように指定します。

コード：c13_3_17.ipynb　locプロパティでインデックスと列を指定

```
df.loc['20220102', ['A', 'B']]
```

実行結果

```
A   -0.82712
B   -0.50025
Name: 2022-01-02 00:00:00, dtype: float64
```

次のように、行の範囲をスライス記法で指定することで、指定した範囲の行だけを取り出すこともできます。

コード：c13_3_18.ipynb　locプロパティでインデックスの範囲を指定

```
df.loc['20220102':'20220104', ['A', 'B']]
```

実行結果

In [19]: df.loc['20220102':'20220104', ['A', 'B']]

Out[19]:

	A	B
2022-01-02	1.843728	0.900676
2022-01-03	0.211237	0.399152
2022-01-04	0.272439	-1.043291

スライス記法なので、:だけを書いてすべての行を取り出すこともできます。

コード：c13_3_19.ipynb　locプロパティですべての行を指定

```
df.loc[:, ['A', 'B']]
```

実行結果

```
In [20]: df.loc[:, ['A', 'B']]
Out[20]:
```

	A	B
2022-01-01	-1.377430	1.215015
2022-01-02	1.843728	0.900676
2022-01-03	0.211237	0.399152
2022-01-04	0.272439	-1.043291
2022-01-05	0.795069	0.004538
2022-01-06	-0.532972	-0.465734

locプロパティに似たものに、数値を受け取る**iloc**（アイロク）プロパティがあります。こちらは、行、列の順番に要素を受け取ります。0行目、0列目のデータを取得してみましょう。インデックス'20220101'の行の、A列のデータが表示されます。

コード：c13_3_20.ipynb　ilocプロパティで数値で要素を指定

```
df.iloc[0, 0]
```

実行結果

```
-1.3774302116713923
```

ilocプロパティにも、スライスされたオブジェクトを渡すことができます。先頭から2行×2列のデータを取り出してみましょう。

コード：c13_3_21.ipynb　ilocプロパティで数値で要素を指定

```
df.iloc[0:2, 0:2]
```

実行結果

```
In [22]: df.iloc[0:2, 0:2]
Out[22]:
```

	A	B
2022-01-01	-1.377430	1.215015
2022-01-02	1.843728	0.900676

条件にあてはまるデータだけを抽出する

DataFrameを扱う際は、行や列を直接指定するのではなく、ある条件にあてはまるデータだけを抽出する、**boolean indexing**（ブーリアン インデクシング）というテクニックも欠かせません。

DataFrameのインデックスとしてboolean型の値を返す式を書くと、その式がTrueを返す行のみを抽出できます。たとえば、A列の値が0より大きい行のみを取り出すには以下のようにコードを書きます。

コード：c13_3_22.ipynb　A列の値が0より大きい行を抽出

```
df[df.A > 0]
```

実行結果

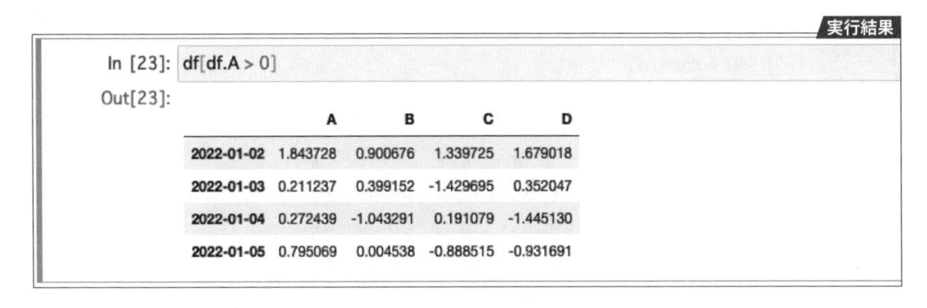

In [23]: df[df.A > 0]

Out[23]:

	A	B	C	D
2022-01-02	1.843728	0.900676	1.339725	1.679018
2022-01-03	0.211237	0.399152	-1.429695	0.352047
2022-01-04	0.272439	-1.043291	0.191079	-1.445130
2022-01-05	0.795069	0.004538	-0.888515	-0.931691

boolean型の値を返す式に変数df自体を使うと、条件を満たすデータだけが抽出され、それ以外のデータは**NaN (Not a Number)**として出力されます。

コード：c13_3_23.ipynb　0より大きい値を抽出

```
df[df > 0]
```

実行結果

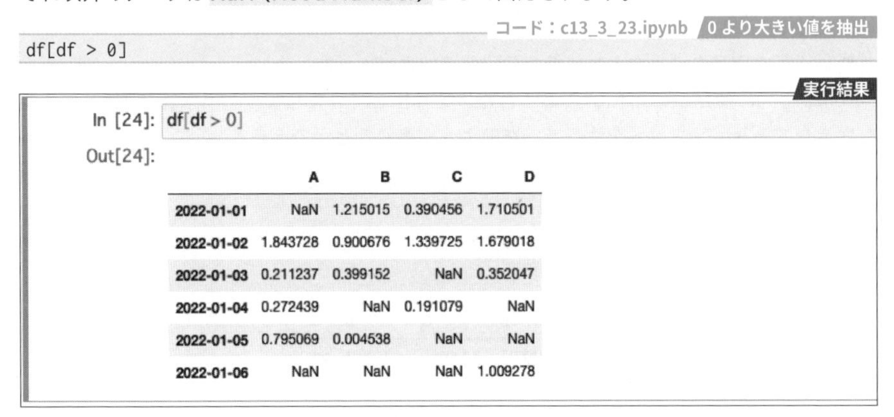

In [24]: df[df > 0]

Out[24]:

	A	B	C	D
2022-01-01	NaN	1.215015	0.390456	1.710501
2022-01-02	1.843728	0.900676	1.339725	1.679018
2022-01-03	0.211237	0.399152	NaN	0.352047
2022-01-04	0.272439	NaN	0.191079	NaN
2022-01-05	0.795069	0.004538	NaN	NaN
2022-01-06	NaN	NaN	NaN	1.009278

データの追加・結合

新しいデータを追加する

ここまでいろいろな方法でDataFrameのデータを抽出してきました。次は、新たに列を追加する方法を見ていきましょう。

変数dfは今のままの状態で残しておきたいので、**copy**メソッドで変数df2に内容をコピーしたあと、新たにE列を追加するコードを書いて実行します。

コード：c13_3_24.ipynb　データを追加

```
df2 = df.copy()
df2['E'] = ['one',  'one', 'two', 'three', 'four', 'three']
df2
```

実行結果

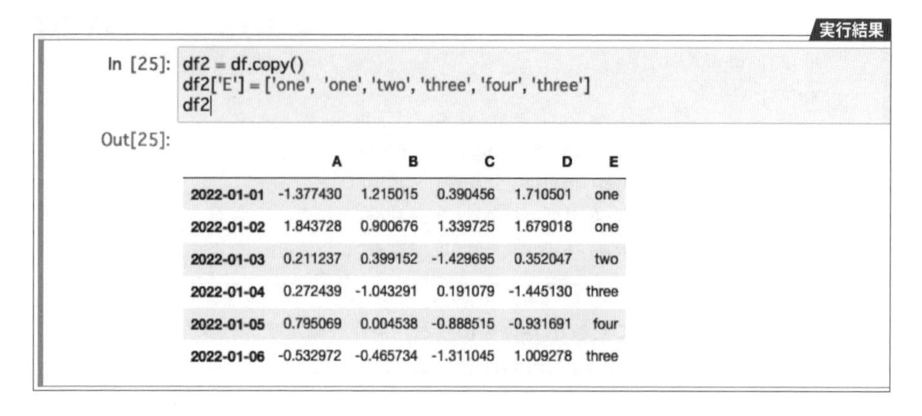

In [25]:
```
df2 = df.copy()
df2['E'] = ['one', 'one', 'two', 'three', 'four', 'three']
df2
```
Out[25]:

	A	B	C	D	E
2022-01-01	-1.377430	1.215015	0.390456	1.710501	one
2022-01-02	1.843728	0.900676	1.339725	1.679018	one
2022-01-03	0.211237	0.399152	-1.429695	0.352047	two
2022-01-04	0.272439	-1.043291	0.191079	-1.445130	three
2022-01-05	0.795069	0.004538	-0.888515	-0.931691	four
2022-01-06	-0.532972	-0.465734	-1.311045	1.009278	three

新しく、文字列をデータとして持つE列が追加されました。

次は、E列の値がoneかfourである行だけを抽出してみましょう。in演算子（P.95）と似た働きをする**isin**（イズイン）メソッドを使って、次のように書くことができます。

コード：c13_3_25.ipynb　E列の値で行を抽出

```
df2[df2['E'].isin(['one', 'four'])]
```

実行結果

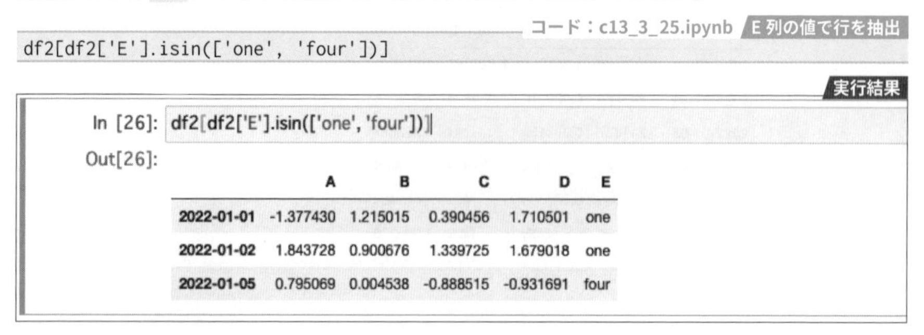

In [26]:
```
df2[df2['E'].isin(['one', 'four'])]
```
Out[26]:

	A	B	C	D	E
2022-01-01	-1.377430	1.215015	0.390456	1.710501	one
2022-01-02	1.843728	0.900676	1.339725	1.679018	one
2022-01-05	0.795069	0.004538	-0.888515	-0.931691	four

DataFrameに新しい行を追加する際、その準備としてDataFrameに入っているデータを1行ずつ下にずらしたいという場合があります。そんなときは、**shift**（シフト）メソッドを使うと引数として渡した数値のぶんだけ行を下にずらすことができます。

コード：c13_3_26.ipynb　行をずらす

```
df2.shift(1)
```

実行結果

In [27]:
```
df2.shift(1)
```
Out[27]:

	A	B	C	D	E
2022-01-01	NaN	NaN	NaN	NaN	NaN
2022-01-02	-1.377430	1.215015	0.390456	1.710501	one
2022-01-03	1.843728	0.900676	1.339725	1.679018	one
2022-01-04	0.211237	0.399152	-1.429695	0.352047	two
2022-01-05	0.272439	-1.043291	0.191079	-1.445130	three
2022-01-06	0.795069	0.004538	-0.888515	-0.931691	four

データが1行ずつ下にずれて、新しい行にはNaNが値として入っています。

DataFrameを結合する

複数のDataFrameを結合する方法も学んでおきましょう。

まずは、変数dfに2行×2行のランダムな値のDataFrameを新しく代入しなおして結果を表示します。

コード：c13_3_27.ipynb　DataFrameを抽出

```
df = pd.DataFrame(np.random.randn(2, 2))
df
```

実行結果

```
In [28]: df = pd.DataFrame(np.random.randn(2, 2))
         df
Out[28]:
```

	0	1
0	-1.779261	0.684114
1	-0.098191	0.283484

次に、pandasの**concat**（コンキャット）関数を使って変数df2つを結合します。concat関数は引数として渡されたオブジェクトを結合したものを返す関数です。結合するオブジェクトは、タプルかリストにまとめる必要があることに注意してください。

コード：c13_3_28.ipynb　concat関数で変数df2つを結合

```
pd.concat([df, df])
```

実行結果

```
In [29]: pd.concat([df, df])
Out[29]:
```

	0	1
0	-1.779261	0.684114
1	-0.098191	0.283484
0	-1.779261	0.684114
1	-0.098191	0.283484

インデックスも含めて同じDataFrameが2つ結合されたものが表示されます。

データをグループでまとめる

DataFrameを使うと、列の値を元にグループを作成して、グループごとの合計値や最大値などを求めることもできます。

まずは以下のようにA列に文字列型、B列に数値型の値を持つDataFrameを生成してみましょう。

コード：c13_3_29.ipynb　4行×2列のDataFrameを生成

```
df = pd.DataFrame({'A': ['foo', 'bar', 'foo', 'bar'], 'B': np.random.randn(4)})
df
```

実行結果

```
In [30]: df = pd.DataFrame({'A': ['foo', 'bar', 'foo', 'bar'], 'B': np.random.randn(4)})
         df
```

Out[30]:

	A	B
0	foo	-0.053183
1	bar	-0.402858
2	foo	-0.210201
3	bar	0.503346

今回は、A列の値ごとにグループを作って、グループごとのB列の合計値を求めます。groupby（グループバイ）メソッドを使ってA列でグループを作り、**sum**メソッドでグループごとの合計値を表示しましょう。

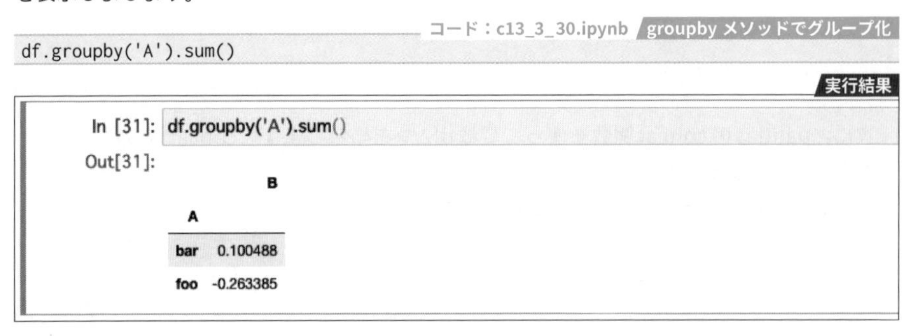

コード：c13_3_30.ipynb　groupbyメソッドでグループ化

```
df.groupby('A').sum()
```

実行結果

```
In [31]: df.groupby('A').sum()
```

Out[31]:

A	B
bar	0.100488
foo	-0.263385

1行目の値が'bar'である行のB列の合計値、2行目の値が'foo'である行のB列の合計値が表示されました。

以上がpandasの基本的な使い方です。2次元配列を表形式で管理できるDataFrameはとても便利なので、さまざまな場面で活躍します。

13-4

matplotlibでグラフを描画する

matplotlibはグラフなどを描画するためのライブラリです。numpyやpandasで操作したデータを視覚的にわかりやすく表現できるので、データ解析のためにも広く使われています。

基本的なグラフを作成する

Jupyter Notebookで**matplotlib**（マットプロットリブ）を使うことで、対話形式のウィンドウにグラフを作成するためのコードを書いて、その結果をすぐに確認できます。

今回のようにコードからグラフを書くためにはmatplotlibのpyplot（パイプロット）モジュールを使います。まずは、pyplotとnumpyをインポートしましょう。pyplotには慣例としてpltという別名をつけます。

コード　pyplotとnumpyをインポート

```
import matplotlib.pyplot as plt
import numpy as np
```

それでは、pyplotモジュールでグラフを書いていきます。線によるグラフを描画するには**plot**（プロット）関数を使います。まずは、plot関数に引数として、数値の配列を渡してみましょう。

グラフを作成したら、**show**（ショウ）関数で対話ウィンドウに表示します。

コード：c13_4_1.ipynb　グラフを描画して表示する

```
plt.plot([1, 2, 3, 4])
plt.show()
```

実行結果

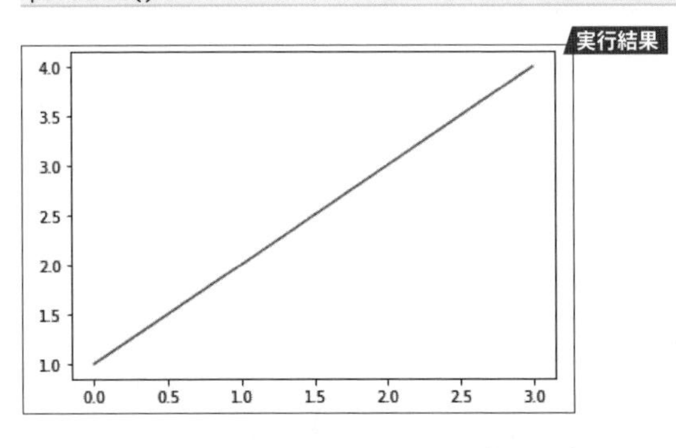

plot関数に渡した配列の要素をy軸（縦方向）の値、配列のインデックスをx軸（右方向）の値として持つグラフが表示されました。

このように、plot関数は引数を1つ渡されると、それをy軸の値とします。次は、x軸とy軸の値を両方とも指定するために引数を2つ渡します。1つ目の引数がx軸の値、2つ目の引数がy軸の値となることに注意してください。

コード：c13_4_2.ipynb　x軸とy軸を指定

```
plt.plot([1, 2, 3, 4], [1, 4, 9, 16])
plt.show()
```

実行結果

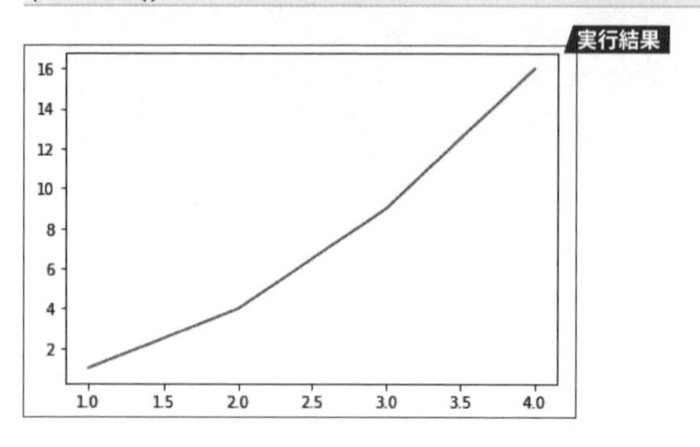

x軸が1のときy軸は1、x軸が2のときy軸は4、x軸が3のときy軸は9……と引数に渡した2つの配列にしたがってグラフが描画されていることがわかります。

線以外の方法でグラフを書くこともできます。plot関数の3つ目の引数に文字列を渡すことで、グラフのフォーマットを指定してみましょう。'o'を渡すと、丸い点でグラフが表現されます。

コード：c13_4_3.ipynb　丸い点でグラフを描画

```
plt.plot([1, 2, 3, 4], [1, 4, 9, 16], 'o')
plt.show()
```

実行結果

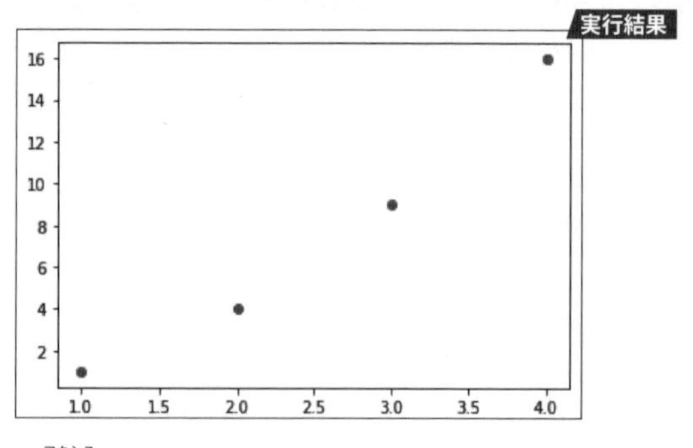

axis（アクシス）関数を使うと、表示するx軸とy軸の範囲を指定できます。引数として、x軸の最小値、x軸の最大値、y軸の最小値、y軸の最大値の順番で数値を格納した配列を渡してみましょう。

コード：c13_4_4.ipynb　x軸、y軸の範囲を指定

```
plt.plot([1, 2, 3, 4], [1, 4, 9, 16], 'o')
plt.axis([0, 6, 0, 10])   x軸は0～6、y軸は0～10を表示させる
plt.show()
```

実行結果

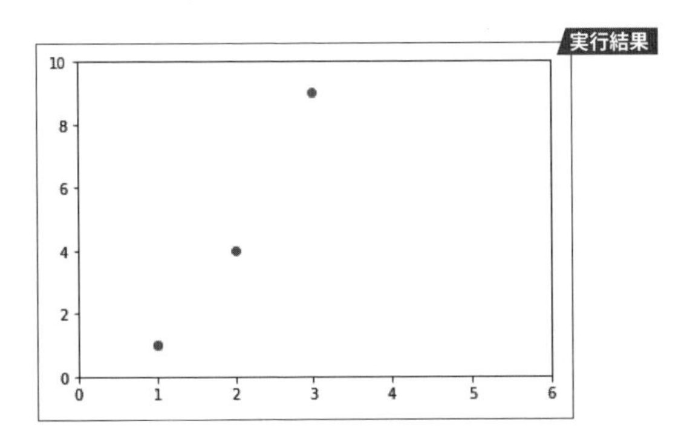

複数のグラフを1つの図に描画する

plot関数にグラフを書くための情報を複数渡せば、1つの図に複数のグラフを描画できます。

以下のコードでは、numpyのarange関数で数値の配列を作ったあと、その配列を使って3つのグラフをそれぞれ違うフォーマットで描画しています。ここでは、0から5まで、0.2刻みの配列を簡単にarrange関数で作成していますが、このようにPythonの通常のリスト関数にはない、複雑なデータをもつリストを簡単に作成できるのもnumpyのarange関数の特徴です。

コード：c13_4_5.ipynb　3つのグラフを表示

```
t = np.arange(0, 5, 0.2)
plt.plot(t, t, 'r--')
plt.plot(t, t**2, 'bs')
plt.plot(t, t**3, 'g^')
plt.show()
```

0～5まで、0.2刻みの配列を作成

実行結果

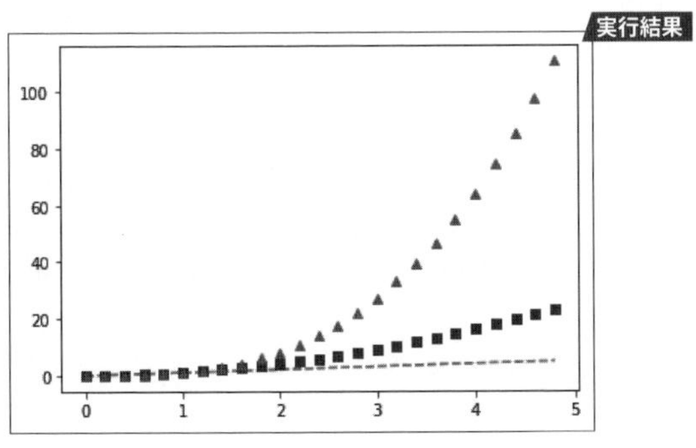

一番下の破線は、フォーマットを'r--'と指定しています。'r'は赤色で、'--'は破線でグラフを描画することを示しています。グラフのフォーマットでは、このように色と形式を同時に指定できます。

真ん中にある曲線のフォーマットは'b'で青色、's'で四角い点で描画することを指定しています。一番上の曲線のフォーマットは'g'で緑色、'^'で上向きの三角で描画するよう指定しています。

1つの図に複数のグラフを描画する場合は、どのグラフがどのようなデータを表しているかをわかりやすくすることも重要です。次のプログラムでは、plot関数にlabelというキーワード引数としてそれぞれのグラフの説明を渡し、**legend**（レジェンド）関数を実行することで図の中にグラフの説明を表示しています。

手順としては、まずplt.plot(x, y, label='ラベル名')のようにしてラベル名を指定し、その後にplt.legend()で凡例を表示します。legend関数では、自分の作りたい凡例を作って表示できるので、グラフをよりわかりやすくすることができます。

コード：c13_4_6.ipynb 3つのグラフを表示

```
t = np.arange(0, 5, 0.2)
plt.plot(t, t, 'r--', label='y=x')
plt.plot(t, t**2, 'bs', label='y=x**2')
plt.plot(t, t**3, 'g^', label='y=x**3')
plt.legend()
plt.show()
```

実行結果

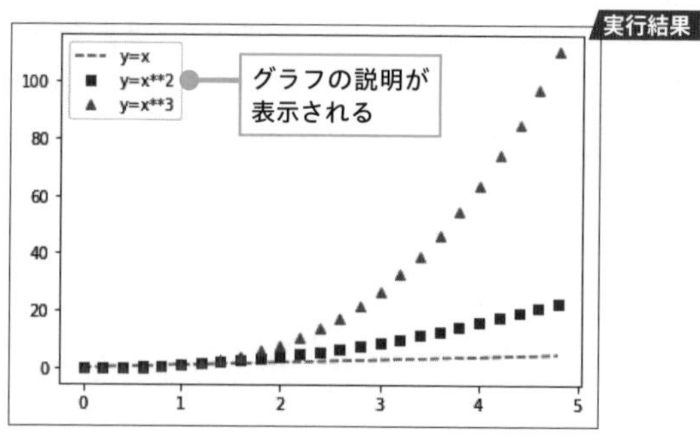

散布図を作成する

pyplotは直線や曲線だけでなく、さまざまな形式のグラフを作成できます。散布図を作成するための**scatter**（スキャッター）関数を使ってみましょう。まずはnumpyのrand関数を使って50個のランダムな数値（乱数）の配列xとyを作り、それを値とする散布図を作成します。rand関数では、0以上1未満の乱数が作成されます。

コード：c13_4_7.ipynb 散布図を作成

```
x = np.random.rand(50)
y = np.random.rand(50)
plt.scatter(x, y)
plt.show()
```

実行結果

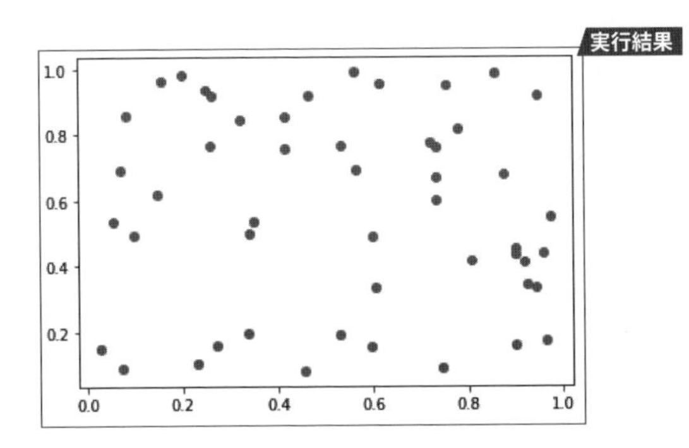

scatter関数にキーワード引数を設定すると、散布図にさまざまな装飾を施せます。

キーワード引数sに値を指定すると、散布図中の点のサイズを指定できます。「s=100」のようにsに1つだけ数値を渡すとすべての点がそのサイズになり、点の数だけ要素を持つ配列などを渡すと、点ごとにサイズを変えることができます。

キーワード引数cには点の色を指定します。こちらも、「c='r'」のように1つだけ値を渡してすべての点を同じ色にすることも、点ごとに色を設定することもできます。

以下のコードでは色もサイズもランダムになるようにしています。

コード：c13_4_8.ipynb　散布図の点のサイズ、色を設定

```
x = np.random.rand(50)
y = np.random.rand(50)
sizes = np.random.rand(50) * 100
colors = np.random.rand(50)
plt.scatter(x, y, s=sizes, c=colors)
plt.show()
```

実行結果

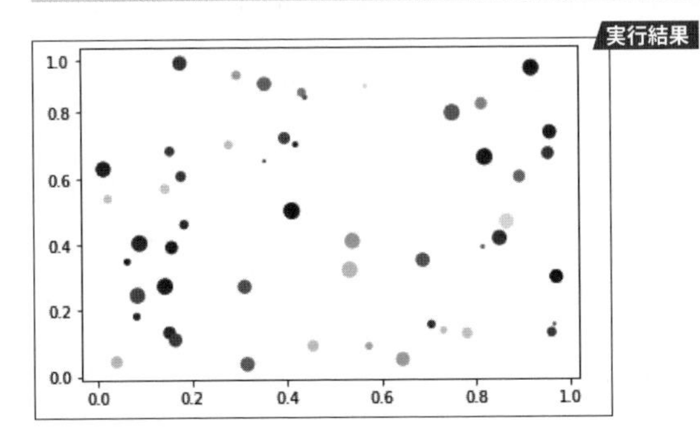

Point　Colormapについて

上記のコードでは、scatter関数のキーワード引数cに0以上1未満の範囲のランダムな数値を渡すことで、散布図内の点に色を設定しました。matplotlibには、このように0以上1未満の数値を色に結びつけるColormapという仕組みがあります。

Colormapについてもっと知りたい場合は、以下のURLにある情報を参照してください。

https://matplotlib.org/stable/tutorials/colors/colormaps.html

棒グラフを作成する

pyplotモジュールの**bar**(バー)関数を使うことで、棒グラフを描画できます。引数には、棒グラフが取るx軸の値とy軸の値を渡します。

コード：c13_4_9.ipynb 棒グラフを描画

```
values = [1, 2, 3, 4, 5, 6]
x_pos = np.arange(len(values))

plt.bar(x_pos, values)
plt.show()
```

実行結果

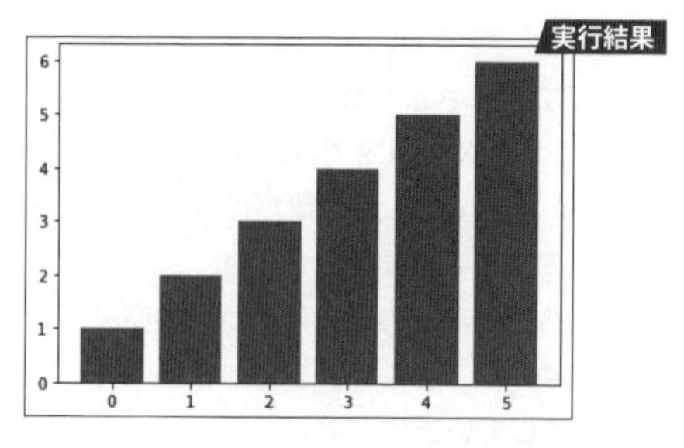

上記のプログラムではx軸の値は単純に0から5までの数値でしたが、それぞれの棒が何を表しているのかをわかりやすくするために、x軸の値を自由に設定することもできます。**xticks**(エクスティックス)関数を使って、x軸の値をアルファベットに変更してみましょう。

xticks関数には、x軸内での位置を表す配列を1つ目の引数、x軸に設定したい値の配列を2つ目の引数として渡します。次のプログラムでは、0から5の数値の配列を1つ目の引数、アルファベットの配列を2つ目の引数として渡すことで、配列objectsの要素が左から順番にx軸の値になっています。

コード：c13_4_10.ipynb 棒グラフのx軸の値を設定

```
values = [1, 2, 3, 4, 5, 6]
x_pos = np.arange(len(values))
objects = ['a', 'b', 'c', 'd', 'e', 'f']

plt.bar(x_pos, values)
plt.xticks(x_pos, objects)
plt.show()
```

実行結果

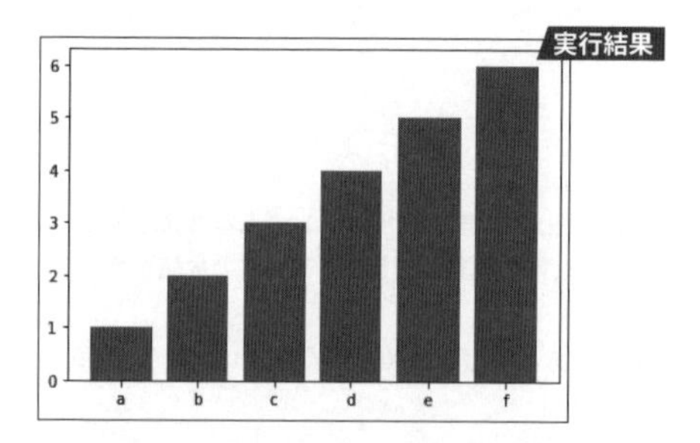

円グラフを作成する

円グラフを描画するにはpyplotモジュールのpie(パイ)関数を使います。1つ目の引数には項目ごとの割合を表す数値のリストを渡し、キーワード引数labelsに各項目に表示するラベルを、キーワード引数colorsに項目ごとの色を渡します。4つの項目からなる円グラフを作成してみましょう。

コード：c13_4_11.ipynb　円グラフを作成

```
rates = [10, 20, 30, 40]
labels = ['Python', 'C++', 'Ruby', 'Java']
colors = ['red', 'green', 'yellow', 'blue']

plt.pie(rates, labels=labels, colors=colors)
plt.axis('equal')
plt.show()
```

実行結果

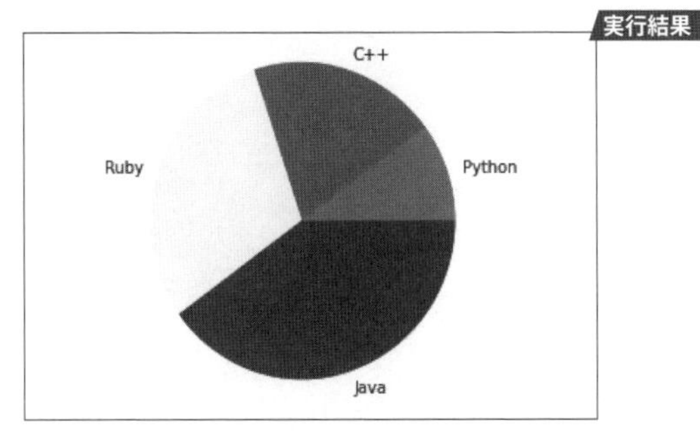

Point　axis関数で正円にする

上記のプログラムでpie関数の直後に実行したaxis関数は、グラフの軸についての属性を設定する関数です。ここでは、引数に文字列'equal'を渡すことで、円グラフを円の形に整形しています。

「円グラフなんだから、もともと円形なのでは？」と思われるかもしれませんが、これをしておかないとグラフがゆがんだ楕円形で表示されてしまいます。

円グラフの各項目に、%単位の割合を表示することもできます。pie関数のキーワード引数autopctに数値のフォーマット形式を指定する文字列を渡すと、項目の内側に割合を表示します。ここでは小数点以下第1位までを表示するようフォーマット形式を指定して、先ほどと同じ円グラフを表示してみましょう。

コード：c13_4_12.ipynb　円グラフの項目に割合（%）を表示

```
rates = [10, 20, 30, 40]
labels = ['Python', 'C++', 'Ruby', 'Java']
colors = ['red', 'green', 'yellow', 'blue']

plt.pie(rates, labels=labels, colors=colors, autopct='%1.1f%%')
```

```
plt.axis('equal')
plt.show()
```

実行結果

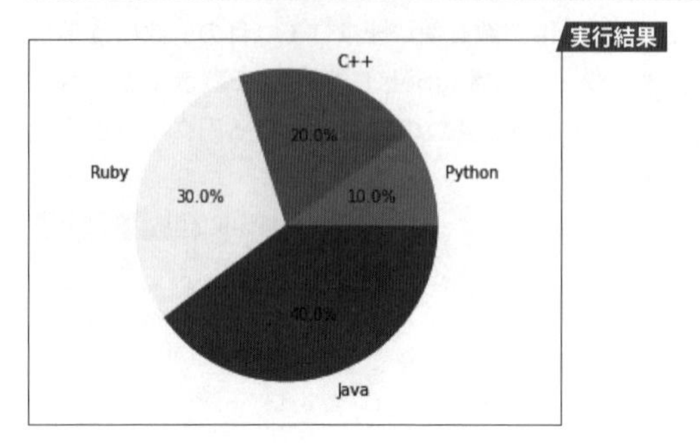

13-5 scikit-learnで機械学習を行う

機械学習のためのさまざまなアルゴリズムを収録したライブラリの代表的なものが、scikit-learnです。機械学習のアルゴリズムについてくわしく解説することは本書の範囲を超えているので概要を紹介するだけになりますが、scikit-learnでデータ解析をする流れを押さえてください。

機械学習のアルゴリズム

ひと口に機械学習といっても、そこで使われるアルゴリズムには回帰、クラスター化などの名前で分類されるさまざまなものが存在します。それら機械学習に関わる多くのアルゴリズムを利用できるライブラリが、いまから紹介する**scikit-learn**です。

実際に使ってみる前に、scikit-learnの公式サイトにアクセスしてみましょう。

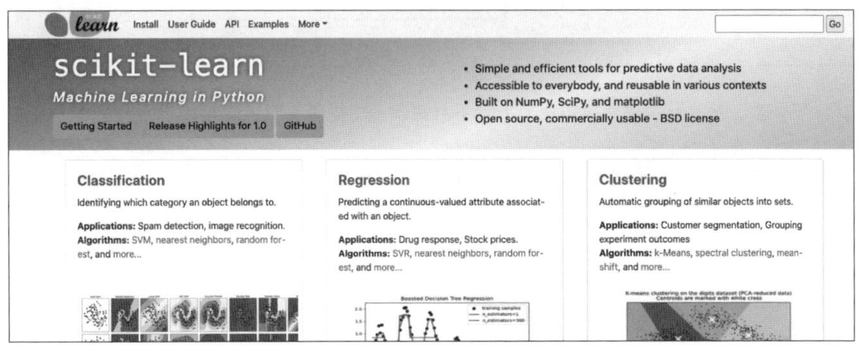

https://scikit-learn.org/stable/

トップページにはさまざまなアルゴリズムが掲載されていますが、今回はこの中からRegression（回帰）に分類される**Linear Regression（線形回帰）**というアルゴリズムを使います。

scikit-learnの公式サイトには、ライブラリのさまざまな機能を用いて作られた豊富なサンプルプログラムが掲載されています。線形回帰を使ったサンプルプログラムを見てみましょう。画面上部のリボンから「Examples」をクリックしてサンプルプログラムのページへ移動します。

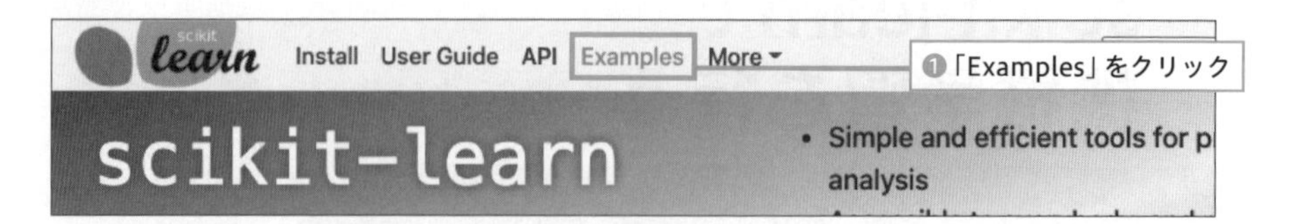

画面をスクロールしていくと、Model SelectionというカテゴリーにPlotting Cross-Validated Predictionsというサンプルが見つかります。探しにくい場合は、画面右上の検索ウィンドウに「Plotting Cross-Validated Predictions」と入力してもよいでしょう。

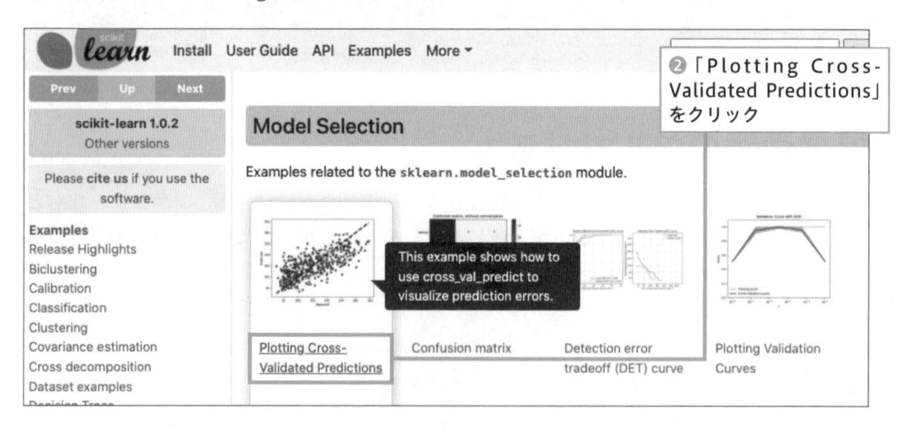

クリックすると、サンプルプログラムとそれによって描画される図が表示されます。

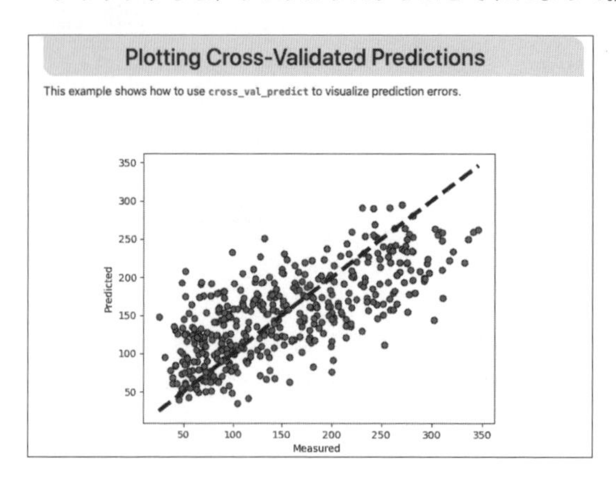

この図は、scikit-learnに収録されている糖尿病の患者の年齢、性別、血圧などの情報から、1年後の病状の進行を予測したモデルを表しています。

今回は、このプログラムを参考にしながら、線形回帰のプログラムをどうやって書いていくかという手順を学んでいきます。

scikit-learnの基本的な使い方

それでは、scikit-learnを使ったプログラムを書いてみましょう。scikit-learnをインストールできたら、Jupyter Notebookにプログラムを入力していきます。

まずは、scikit-learnから3つのモジュールをインポートします。scikit-learnはプログラムの中ではsklearnと表記することに注意してください。同時に、これまで使ったmatplotlibとpandasもインポートしておきましょう。

コード 各種ライブラリをインポート

```
import sklearn.datasets
import sklearn.linear_model
import sklearn.model_selection
import matplotlib.pyplot as plt
import pandas as pd
```

次に、糖尿病（diabetes）患者に関するデータを返すsklearn.datasetsの**load_diabetes**（ロード・ダイアビーティス）関数を呼び出して、その結果を変数diabetesに格納します。

変数diabetesのdataプロパティにどんなデータが入っているのかをわかりやすく見るために、pandasのDataFrame型に変換してからDataFrameを表示してみましょう。

コード：c13_5_1.ipynb diabetes の data プロパティを表示

```
diabetes = sklearn.datasets.load_diabetes()
df = pd.DataFrame(diabetes.data, columns=diabetes.feature_names)
df
```

実行結果

	age	sex	bmi	bp	s1	s2	s3	s4	
0	0.038076	0.050680	0.061696	0.021872	-0.044223	-0.034821	-0.043401	-0.002592	0.019
1	-0.001882	-0.044642	-0.051474	-0.026328	-0.008449	-0.019163	0.074412	-0.039493	-0.068
2	0.085299	0.050680	0.044451	-0.005671	-0.045599	-0.034194	-0.032356	-0.002592	0.002
3	-0.089063	-0.044642	-0.011595	-0.036656	0.012191	0.024991	-0.036038	0.034309	0.022
4	0.005383	-0.044642	-0.036385	0.021872	0.003935	0.015596	0.008142	-0.002592	-0.031
...	...	...	...	...	...	...	...	...	
437	0.041708	0.050680	0.019662	0.059744	-0.005697	-0.002566	-0.028674	-0.002592	0.031
438	-0.005515	0.050680	-0.015906	-0.067642	0.049341	0.079165	-0.028674	0.034309	-0.018
439	0.041708	0.050680	-0.015906	0.017282	-0.037344	-0.013840	-0.024993	-0.011080	-0.046
440	-0.045472	-0.044642	0.039062	0.001215	0.016318	0.015283	-0.028674	0.026560	0.044
441	-0.045472	-0.044642	-0.073030	-0.081414	0.083740	0.027809	0.173816	-0.039493	-0.004

442 rows × 10 columns

変数diabetesのdataプロパティには糖尿病患者の年齢（age）や性別（sex）などの情報が入っていることがわかりました。次は、変数diabetesが持つ別のプロパティ、**target**（ターゲット）プロパティを見てみましょう。ここには、1年後の病状の進行を数値化したものが入っています。

コード：c13_5_2.ipynb diabetes の target プロパティを表示

```
diabetes.target
```

実行結果

```
array([151.,  75., 141., 206., 135.,  97., 138.,  63., 110., 310., 101.,
        69., 179., 185., 118., 171., 166., 144.,  97., 168.,  68.,  49.,
        68., 245., 184., 202., 137.,  85., 131., 283., 129.,  59., 341.,
        87.,  65., 102., 265., 276., 252.,  90., 100.,  55.,  61.,  92.,
       259.,  53., 190., 142.,  75., 142., 155., 225.,  59., 104., 182.,
       128.,  52.,  37., 170., 170.,  61., 144.,  52., 128.,  71., 163.,
       150.,  97., 160., 178.,  48., 270., 202., 111.,  85.,  42., 170.,
       200., 252., 113., 143.,  51.,  52., 210.,  65., 141.,  55., 134.,
        42., 111.,  98., 164.,  48.,  96.,  90., 162., 150., 279.,  92.,
        83., 128., 102., 302., 198.,  95.,  53., 134., 144., 232.,  81.,
       104.,  59., 246., 297., 258., 229., 275., 281., 179., 200., 200.,
       173., 180.,  84., 121., 161.,  99., 109., 115., 268., 274., 158.,
       107.,  83., 103., 272.,  85., 280., 336., 281., 118., 317., 235.,
```

今回は、変数diabetesのdataプロパティ（患者の年齢などの情報）から1年後の病状を予測し、その予測結果がtargetプロパティ（実際の1年後の病状）とどの程度近いかを**交差検証（Cross-validation）**（こうさけんしょう／クロス・バリデーション）という手法で確かめるプログラムを開発します。

線形回帰や交差検証についてすべてを説明することは本書の内容を超えてしまうので、線形回帰の機械学習を行わせる手順のみを紹介することにします。

慣例として、機械学習アルゴリズムに入力するデータはXという変数に格納することになっています。大文字で表記することに注意してください。それに対して、機械学習の出力結果と比較するためのデータはyという変数に格納します。こちらは小文字です。

コード／変数Xとyにデータを格納

```
X = diabetes.data
y = diabetes.target
```

それでは、Xから1年後の病状を予測するプログラムを書いていきます。

まずは、機械学習のアルゴリズムがどれくらい正しく予測したかを検証するために、機械学習に用いるデータを、機械学習モデルに読み込ませる訓練（train）用のデータと、そのモデルを評価するためのテスト用のデータに分けます。このようにモデルを作る訓練用のデータと、モデルを評価するテスト用のデータを分けることを**ホールドアウト法**と呼びます。

sklearn.model_selectionモジュールの**train_test_split**（トレイン・テスト・スプリット）関数にXとyを渡して、その結果を新しい4つの変数に格納しましょう。

コード／データを訓練用とテスト用に分割

```
X_train, X_test, y_train, y_test = sklearn.model_selection.train_test_split(X, y,
test_size=0.2)
```

上記では、train_test_split関数のキーワード引数test_sizeに0.2を渡すことで、テスト用に20%のデータを使って、残りの80%のデータは訓練用に使うように指示しています。

次は、線形回帰アルゴリズムで機械学習を行うためのオブジェクトを作って変数lrに入れ、**fit**（フィット）メソッドに訓練用のデータを渡すことで機械学習を実行します。

コード／線形回帰の機械学習を実行

```
lr = sklearn.linear_model.LinearRegression()
lr.fit(X_train, y_train)
```

機械学習が完了したら、score（スコア）メソッドに先ほど分割しておいたテスト用のデータを渡して、機械学習の結果がどれくらい実際の数字に近いかを確認します。

コード：c13_5_3.ipynb　機械学習の結果を検証

```
lr.score(X_test, y_test)
```

実行結果

```
0.608071442672719
```

およそ60%程度正しいという結果が出ました。この結果は計算を実行するたびに変わりうるので、同じ結果が出なくても気にしないでください。

最後に、機械学習によって導き出した予測と、実際の結果の差がどれくらいあったのかを視覚化するために、これらをグラフ化します。機械学習による予測はpredict（プレディクト）メソッドで求めます。

コード：c13_5_4.ipynb　機械学習の結果を検証

```
predicted = lr.predict(X)
fig, ax = plt.subplots()
ax.scatter(y, predicted, edgecolors=(0, 0, 0))
ax.plot([y.min(), y.max()], [y.min(), y.max()], "k--", lw=4)
ax.set_xlabel("Measured")
ax.set_ylabel("Predicted")
plt.show()
```

実行結果

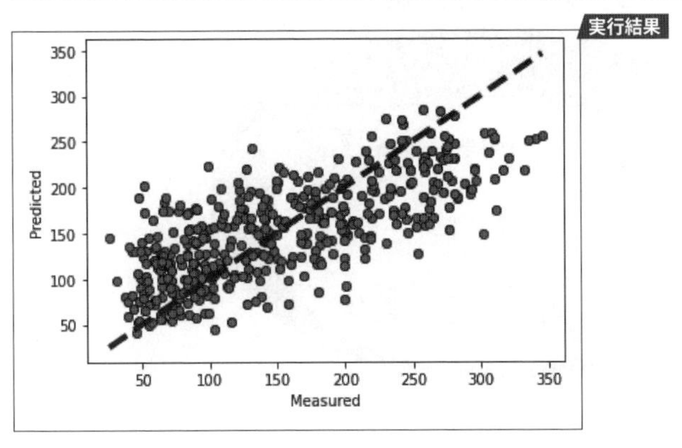

概要だけの説明になってしまいましたが、このような流れで与えられたデータから結果がどうなるかを予測するのが機械学習です。次の項目でも線形回帰のアルゴリズムを使うので、もう一度流れを復習しておきましょう。

①機械学習に用いるデータを訓練用のデータとテスト用のデータに分ける
②アルゴリズムを呼び出して訓練用のデータを学習させる
③学習した結果をテスト用のデータで検証する

13-6 株価のデータ解析と予測

このLessonで紹介してきたライブラリの知識を総動員して、データ解析によって未来の株価を予測するプログラムを作ります。実際にコードを書くことによって、データ解析についての知識が深まるはずです。

株価を分析する

本Lessonの冒頭でお見せしたデータ解析に関わる用語の図をもう一度見てみましょう。これからいよいよ、「データウェアハウス」から取得したデータに「統計学」的な処理や「データマイニング」を行って、その後プログラムに「機械学習」や「深層学習」を行わせます。

データ解析に関連する概念

人工知能
(AI)
データ
ウェアハウス
統計学
データ
マイニング
機械学習
(マシンラーニング)
深層学習
(ディープラーニング)

Lessonの冒頭で予告していたように、今回はApple社の株価のデータを使って機械学習アルゴリズムを訓練し、未来の株価の予測値を導き出すプログラムを作っていきます。

まずはこれまで学んできたライブラリをインポートします。また、株価を取得するためにyfinanceのpdr_overrideという関数を実行します。

コード ライブラリをインポート

```
import datetime

import matplotlib
import matplotlib.pyplot as plt
import numpy as np
import pandas_datareader
```

```
import sklearn
import sklearn.linear_model
import sklearn.model_selection
import yfinance

yfinance.pdr_override()
```

データウェアハウス

「データウェアハウス」は、データを保存している場所を意味します。ここでは、**pandas-datareader**（パンダス・データリーダー）というライブラリを使って、Apple社の株価、Meta社の株価、そして金価格の情報をそれぞれ変数に格納します。

1つ目の引数には、株式市場などで銘柄を識別するために使われるティッカーコードを指定します。2つ目の引数には、株価の取得を開始する日付を渡します。今回は、2020年1月1日を指定してこの日付以降の株価のデータを取得します。また、tailメソッドで、最新の3行分のデータだけを表示させてみます。

コード：c13_6_1.ipynb　株価のデータを取得

```
df_aapl = pandas_datareader.data.get_data_yahoo('AAPL', '2020-01-01')
df_meta = pandas_datareader.data.get_data_yahoo('META', '2020-01-01')
df_gold = pandas_datareader.data.get_data_yahoo('GLD', '2020-01-01')
df_aapl.tail(3)
```

実行結果

	Open	High	Low	Close	Adj Close	Volume
Date						
2022-02-28	163.059998	165.419998	162.429993	165.119995	164.376358	95056600
2022-03-01	164.699997	166.600006	161.970001	163.199997	162.465012	83474400
2022-03-02	164.389999	167.360001	162.949997	166.559998	165.809891	79724800

取得したApple社の株価の最終3行が表示されました。Dateは日付、HighとLowはその日の最高値と最安値、OpenとCloseは始値と終値をそれぞれ表しています。

Meta社は、2021年10月に社名をFacebookから変更したため、ティッカーコード（銘柄を識別する略称）は'META'となっています。

データに対して統計学的な処理をする

次は、「データウェアハウス」から取得したデータに対して「統計学」的な処理を行います。株価の情報を見る際によく参照されるのが、**単純移動平均（Simple Moving Avarage）**（シンプル ムービング アベレージ）という数値です。これは決められた期間のデータの平均値で、たとえば「直近14日間の株価の平均値」などがこれにあたります。投資家は「現時点の株価が単純移動平均より高いか低いか」を見ることによって、株価が上がりそうか下がりそうかを判断するわけです。

それでは、単純移動平均と株価のグラフを1つの図に表示してみましょう。

コード：c13_6_2.ipynb　株価と単純移動平均をグラフ化

```
df_aapl['SMA'] = df_aapl['Close'].rolling(window=14).mean()
df_aapl['Close'].plot(figsize=(15,6), color='red')
df_aapl['SMA'].plot(figsize=(15,6), color='green')
plt.show()
```

実行結果

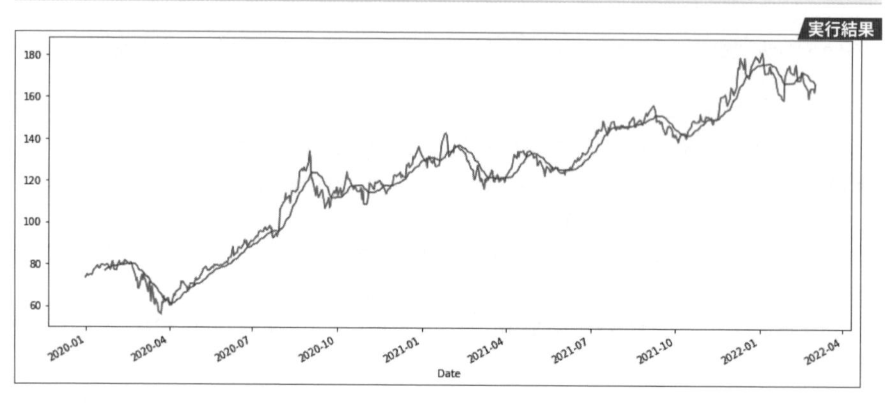

上記のプログラムの1行目では、DataFrame型の変数df_aaplに新しい列'SMA'を追加して、そこに直近14件のデータの終値の平均値を格納しています。

2行目で終値の値を赤色で、3行目で単純移動平均を緑色でグラフ化していますが、pandasのDataFrameのメソッドとしてmatplotlib.plotのplot関数を呼び出していることに違和感を覚えた方もいるかもしれません。これはDataFrameがラッパーという仕組みを使ってplot関数を呼び出しているからです。

また、plot関数のキーワード引数figsizeでは、表示する図のサイズをインチ単位で指定しています。

さて、表示されたグラフを見てみましょう。緑のグラフは直近14日の単純移動平均なので、過去14日のデータが存在しない2020年1月1日から14日間は緑色の線が表示されていません。

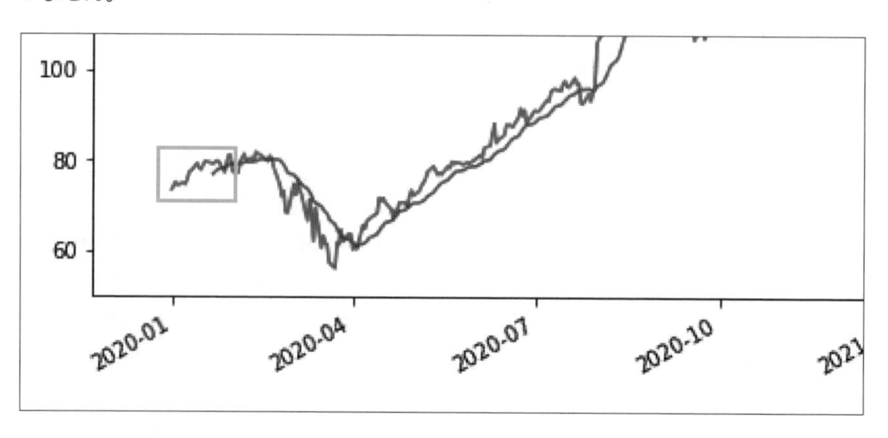

先ほども書きましたが、投資家はこの単純移動平均を現時点の株価と比べて、その株価がどのように変動するかを判断します。具体的には、株価が単純移動平均の値より高くなったときには、これから値上がりが予想されるので株を買い、逆に株価が単純移動平均の値より低くなったときには、値下がりが予想されるので株を売るといった具合です。

データマイニング

次に、単独のデータだけでなく、他のデータとの関連を見ることによって解析を行う、「データマイニング」を説明します。最初の「データマイニング」として、Apple社とMeta社の株価をグラフに表示して、2つを比較してみましょう。

コード：c13_6_3.ipynb　Apple 社と Meta 社の株価を比較

```
df_aapl['Close'].plot(figsize=(15,6), color='red')
df_meta['Close'].plot(figsize=(15,6), color='blue')
plt.show()
```

実行結果

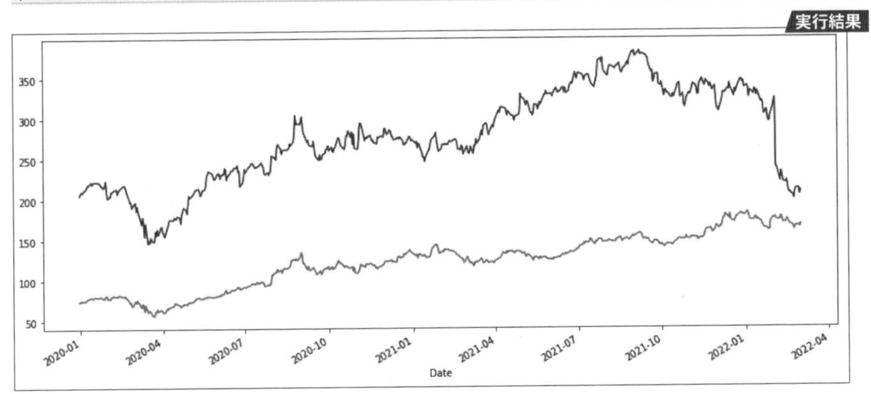

Apple社の株価を赤色（下側の線）、Meta社の株価を青色（上側の線）のグラフで表示しました。この2つのグラフを比べて、2社の株価の値動きが似ていることに注目し、「Meta社の株価が上がればApple社の株価も上がる」などの解釈を導き出すことを、本書では「データマイニング」と呼びます。

次は、Apple社の株価、Meta社の株価、金の価格のそれぞれについて、1日単位での株価の変化率を調べて、それら3つの変化率を比べてみます。まずは、それぞれのDataFrameに'changing'という列を追加して株価の変化率を格納します。

コード：c13_6_4.ipynb　株価の変化率を求める

```
df_aapl['changing'] = (((df_aapl['Close'] - df_aapl['Open'])) / (df_aapl['Open']) * 
100)
df_meta['changing'] = (((df_meta['Close'] - df_meta['Open'])) / (df_meta['Open']) * 
100)
df_gold['changing'] = (((df_gold['Close'] - df_gold['Open'])) / (df_gold['Open']) * 
100)
df_aapl.tail(2).round(2)
```

実行結果

	Open	High	Low	Close	Adj Close	Volume	changing
Date							
2022-03-01	164.70	166.60	161.97	163.20	162.47	83474400	-0.91
2022-03-02	164.39	167.36	162.95	166.56	165.81	79724800	1.32

変数df_aaplの最終2行を表示すると、列changingが追加され、そこに変化率が入っていることがわかります。

3つのDataFrameが持つ変化率をグラフとして1つの図に描画して、その関連性を見てみましょう。

コード：c13_6_5.ipynb　3つの株価の変化率をグラフにする

```
df_aapl['changing'].tail(100).plot(grid=True, figsize=(15,6), color='red')
df_meta['changing'].tail(100).plot(grid=True, figsize=(15,6), color='blue')
df_gold['changing'].tail(100).plot(grid=True, figsize=(15,6), color='orange')
plt.show()
```

実行結果

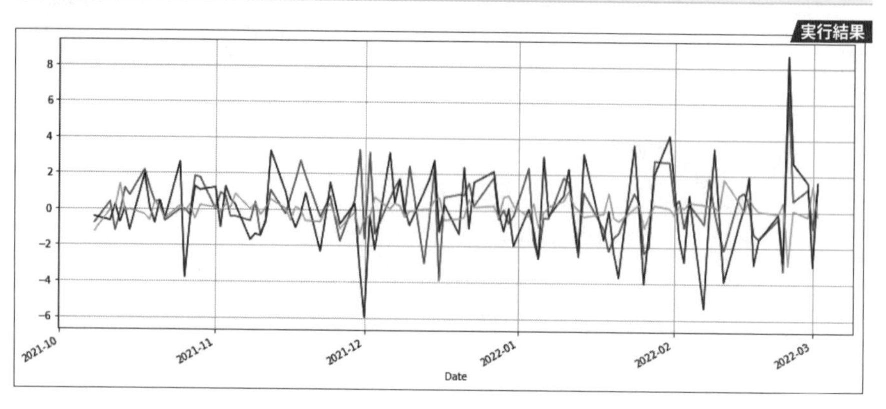

この図から、青い線（濃い線）で表示されたMeta社の変化率は動きが大きいこと、Apple社とMeta社の変化率は似たような動きをしていることなどがわかります。

投資家は、たとえば決算発表の直後に変化率の動きが大きくなることなどをここから読み取って、株を売買する際の参考にします。

株価を予測する

ここまで、「データウェアハウス」から株価の情報を取得して、それに「統計学」的な処理を加えたり、「データマイニング」で新しい解釈を加えたりすることを説明してきました。ここからは、「機械学習」「深層学習」を用いて、未来の株価のデータを予測するプログラムを作ります。

「機械学習」も「深層学習」も理解するには高度な知識が必要なので、本書では概要を紹介するにとどまりますが、興味のある方は専門的な講座や書籍に進んでいくとよいでしょう。

機械学習のためのデータを用意する

今回は線形回帰のアルゴリズムで、Apple社の株価を予測していきます。その準備として、まずはApple社の株価情報のDataFrameに'label'という列を追加して、そこに30営業日後の終値を格納します。

コード：c13_6_6.ipynb 終値を格納する

```
df_aapl['label'] = df_aapl['Close'].shift(-30)
df_aapl.tail(35)
```

実行結果

Date	Open	High	Low	Close	Adj Close	Volume	changing	label
2022-01-11	172.320007	175.179993	170.820007	175.080002	174.069748	76138300	1.601668	162.740005
2022-01-12	176.119995	177.179993	174.820007	175.529999	174.517136	74805200	-0.334997	164.850006
2022-01-13	175.779999	176.619995	171.789993	172.190002	171.196426	84505800	-2.042324	165.119995
2022-01-14	171.339996	173.779999	171.089996	173.070007	172.071350	80440800	1.009695	163.199997
2022-01-18	171.509995	172.539993	169.410004	169.800003	168.820206	90956700	-0.997021	166.559998

shift（シフト）メソッドは引数に指定した数値のぶんだけインデックスをずらしてデータを取得するメソッドです。今回は、引数に-30を渡すことで、30営業日後の株価の終値を取得しています。

たとえば、2022年1月11日～18日の列'label'と2月24日～3月2日の列'Close'を比べると、2つの値が一致しています。

実行結果

Date	Open	High	Low	Close	Adj Close	Volume	changing	label
2022-01-11	172.320007	175.179993	170.820007	175.080002	174.069748	76138300	1.601668	162.740005
2022-01-12	176.119995	177.179993	174.820007	175.529999	174.517136	74805200	-0.334997	164.850006
2022-01-13	175.779999	176.619995	171.789993	172.190002	171.196426	84505800	-2.042324	165.119995
2022-01-14	171.339996	173.779999	171.089996	173.070007	172.071350	80440800	1.009695	163.199997
2022-01-18	171.509995	172.539993	169.410004	169.800003	168.820206	90956700	-0.997021	166.559998

実行結果

2022-02-24	152.580002	162.850006	152.000000	162.740005	162.007095	141147500	6.658804	NaN
2022-02-25	163.839996	165.119995	160.869995	164.850006	164.107590	91974200	0.616461	NaN
2022-02-28	163.059998	165.419998	162.429993	165.119995	164.376358	95056600	1.263337	NaN
2022-03-01	164.699997	166.600006	161.970001	163.199997	162.465012	83474400	-0.910747	NaN
2022-03-02	164.389999	167.360001	162.949997	166.559998	165.809875	79724800	1.320031	NaN

実行結果として末尾35件のデータを出力しましたが、末尾30件のデータについてはまだ「30日後の株価」が存在せず列'label'に入れるべきデータがないので、NaN（Not a Number）が入っています。

13

これから作っていくのは、まだ明らかになっていない、この「未来の株価」を予測するプログラムです。

線形回帰で株価を予測する

それでは線形回帰アルゴリズムを使って、未来の株価を予測していきます。まずは、アルゴリズムに学習させるデータを変数Xに格納します。

コード：c13_6_7.ipynb 学習させるデータをXに格納

```
X = np.array(df_aapl.drop(['label', 'SMA'], axis='columns'))
X = sklearn.preprocessing.scale(X)
X
```

実行結果

```
array([[-1.67979531, -1.64395313, -1.67230516, -1.64795121, -0.30619473,
        -1.64839194],
       [-1.62615236, -1.59921311, -1.62302167, -1.59554645,  0.28308639,
        -1.59731941],
       [-1.62630755, -1.5888764 , -1.61591419, -1.6183856 ,  0.46734763,
        -1.6195772 ],
       ...,
       [ 0.23584352,  0.22013118,  0.2142924 ,  0.18128486,  0.05751321,
         0.20526089],
       [ 0.19522386,  0.22139347,  0.2224155 ,  0.20881655, -0.57846881,
         0.23256576],
       [ 0.30219939,  0.24285625,  0.25865531,  0.2923511 , -0.4668421 ,
         0.31541215]])
```

上記のプログラムでは、1行目で変数df_aaplから機械学習での予測に使われない列'label'と列'SMA'を除いたものを変数Xに代入しています。

2行目では、sklearn.preprocessingの**scale**（スケール）関数を使って平均から大きく外れたデータを除去して、データの前処理を行っています。こうすることで、極端なデータから機械学習の予測結果が影響を受けてしまうことを避けられます。

次に、機械学習の結果と比較するための正解のデータを変数yに格納します。今回は、変数df_aaplに追加した列'label'の値（30日後の株価終値）が正解にあたります。

コード：c13_6_8.ipynb 正解のデータをyに格納

```
y = np.array(df_aapl['label'])
y
```

実行結果（一部）

```
array([ 81.21749878, 81.23750305, 79.75      , 80.90499878,
        80.07499695, 78.26249695, 74.54499817, 72.01999664,
        73.16249847, 68.37999725, 68.33999634, 74.70249939,
        72.33000183, 75.68499756, 73.23000336, 72.25749969,
        66.54250336, 71.33499908, 68.85749817, 62.05749893,
        69.49250031, 60.55250168, 63.21500015, 61.66749954,
        61.19499969, 57.31000137, 56.09249878, 61.72000122,
```

次に、訓練用とテスト用にデータを分割しますが、その前に変数yの末尾30行を取り除いておきます。列'label'の末尾30行にはNaNが入っているからです。変数Xも行数を合わせるために末尾30行を取り除きます。

訓練用データとテスト用データの分割には、sklearn.model_selection（モデル・セクション）の**train_test_split**（トレイン・セット・スプリット）関数を実行します。

コード 訓練用データとテスト用データに分割

```
y = y[:-30]
X = X[:-30]
X_train, X_test, y_train, y_test = sklearn.model_selection.train_test_split(
    X, y, test_size=0.2)
```

データの分割後、線形回帰アルゴリズムのオブジェクトを作成して、機械学習を行わせます。学習の実行後に、学習結果がどれくらい正確であるかも確認します。

コード：c13_6_9.ipynb 機械学習オブジェクトを作成して学習させる

```
lr = sklearn.linear_model.LinearRegression()
lr.fit(X_train, y_train)
accuracy = lr.score(X_test, y_test)
accuracy
```

実行結果

```
0.8757357328855524
```

87%以上正しく学習できているという結果が出ました。

それでは、いよいよ株価の予測を行います。過去30日間の株価のデータを使い、未来の30日間の株価を予測します。

コード：c13_6_10.ipynb 過去30日間から未来の30日間を予測

```
predicted_data = lr.predict(X[-30:])
predicted_data
```

実行結果

```
array([173.56579938, 178.7724794 , 175.91776423, 181.78728671,
       176.51226065, 176.55693844, 182.21958749, 178.26030388,
       170.77677094, 173.28420742, 176.22526997, 178.58332475,
       177.51418638, 182.73552693, 179.96980047, 180.78484785,
       180.224224  , 179.15372196, 184.8841466 , 179.13795089,
       178.19115062, 176.46085249, 175.392258  , 176.45875953,
       179.60697816, 177.44357133, 176.77969457, 176.77574637,
       173.65894349, 173.05695145])
```

変数predicted_dataに、未来の30日間の株価の予測が入っていることが確認できました。

次は、現在までの株価と一緒に、予測した未来の株価をグラフにして表示してみましょう。手順が少し複雑ですが、変数df_aaplに'Predict'という列を追加して、そこに予測した未来の株価を格納してからグラフを描画します。

コード：c13_6_11.ipynb 未来の株価の予測をグラフにする

```
df_aapl['Predict'] = np.nan

last_date = df_aapl.iloc[-1].name
one_day = 86400
next_day = last_date.timestamp() + one_day

for data in predicted_data:
```

```
    next_date = datetime.datetime.fromtimestamp(next_day)
    df_aapl.loc[next_date] = np.append([np.nan] * (len(df_aapl.columns)-1), data)
    next_day += one_day

df_aapl['Close'].plot(figsize=(15,6), color='green')
df_aapl['Predict'].plot(figsize=(15,6), color='orange')
plt.show()
```

実行結果

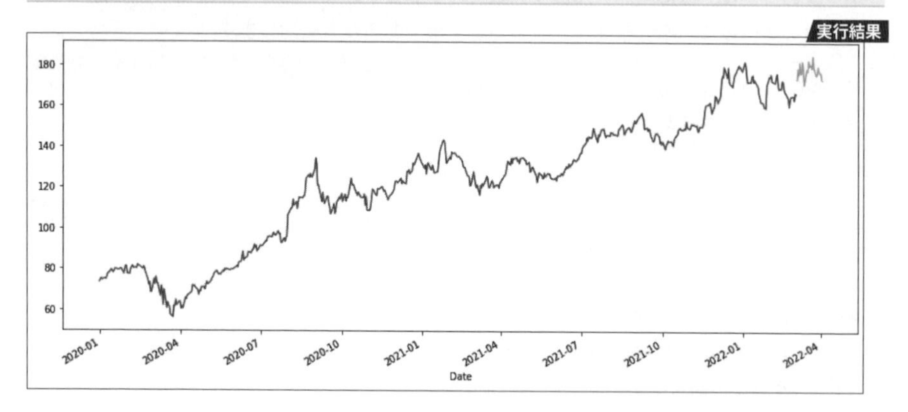

緑の線（濃い線）が現在までの株価で、右端のオレンジの線（薄い線）が予測した株価です。

前述のコードでは、まず1行目で変数df_aaplに'Predict'という列を追加して、値としてNaNを入れています。

3行目から5行目では、未来の株価を列'Predict'に入れるために必要な日付の変数を設定しています。変数last_dateにはdf_aaplの最後の日付を入れ、変数one_dayには1日を秒数に換算した86400を入れています。この2つを足しあわせることで、「df_aaplの最終日の翌日」を計算して変数next_dayに入れます。

7行目から10行目のfor文では、変数predicted_dataの件数だけdf_aaplに行を追加して、列'Predict'に株価の予測を代入することを繰り返しています。追加された行では、'Predict'以外の値はすべてNaNにしています。

Point 深層学習、人工知能

ここまで機械学習アルゴリズムを使って未来の株価を予測するところまでを学習してきました。最後に、より高度な「深層学習」「人工知能」について、概要を少しお話しします。

「機械学習」では、プログラムを書くときに「これがApple社の株価」「これがMeta社の株価」というように人間がデータを解釈する必要がありました。一方「深層学習」ではさらに一歩進んで株価のデータを読み込んだコンピューターが人間の助けを借りずに「これはApple社の株価である」と解釈できるようになることを目指します。

「人工知能」についてはどのようなプログラムをそう呼ぶかが曖昧な部分もありますが、株価のデータを読み込んで未来の株価を予測し、証券会社が提供している仕組みを使って自動で売買するようなプログラムを作れば、それは一種の「人工知能」であるといえるかもしれません。

以下のプログラムは、簡単なif文で今日の株価と1カ月後の株価を比べて、1カ月後のほうが高ければ株を買い、そうでなければ株を売る判断をしています。

コード：c13_6_12.ipynb　株を買うべきか売るべきか判断する

```
stock_after_a_month = df_aapl['Predict'][-1]
stock_today = df_aapl['Close'][-31]
if stock_after_a_month > stock_today:
    print('Buy Now.')
else:
    print('Sell Now.')
```

「機械学習」「深層学習」などの言葉を聞く機会が増えてきましたが、実際にコードを書いてみないとそれぞれの言葉の違いや、他の言葉との関係は理解しにくいでしょう。本書で「深層学習」や「人工知能」に興味を持った方は、ぜひ専門的な講座や書籍へステップアップして学習を進めてください。

Column

エンジニアのキャリア戦略⑧

運を向上させる3つのコツ

前のコラムで**チャンスを拡大させ、運を上げるためのコツ**があるといった話をしました。いろいろあるのですが、主に次の3つに集約できると思います。

①とにかく発信する

今は技術ブログやSNS、AmazonのKindleその他、発信ツールがたくさんあります。そうしたものを活用して、自分の得意なことについて発信しまくりましょう。続けていると、どこからどんな声がかかり、チャンスが訪れるかわからないものです。逆に言うと、発信しなければ、どこからも声はかかりません。

私の最初の発信は、自分でkindleで作った電子書籍です。自分でやれば費用はかかりません。次がUdemy。これもやりようで、ある講師はタイ語で講座を出したら、あっという間に1,000万円の売上を記録したそうです。特段の内容というわけではなく、「どこの市場なら勝てるか」を意識したそうで、勝てるフィールドを選ぶことで売上を伸ばせる一例と言えるでしょう。

②環境を選ぶ

たとえば、「アイドルになりたい」という人が、田舎道を歩いていてもスカウトされるのはなかなか難しいですよね。でも、東京の渋谷や原宿を歩けば、確率はぐんと上がります。**どこに行けば、チャンスをつかめるか？** 常にそういったことを頭に入れて適切な情報を集め、行動するのがベストなのかなと思います。

また、実力が最も伸びるのは、ITであれ英語であれ、**自分よりもそれが得意な人が多い環境**に身を置いたときです。自分から、そういう場所を求めていきましょう。実力をちゃんと評価してくれる環境を選ぶことも大事です。

③スプーン１杯のリスクを取る

どんな成功者でも、必ず人生のどこかでリスクは取っているものです。ただ、命綱なしで綱渡りするようなやり方は避けるべきでしょう。たとえば起業のような大きなチャレンジは、自己破産と紙一重かもしれません。起業の前に、まずは副業や転職に挑戦して手応えを確認してみる。命綱は手離さず、少しだけ勇気を出して新しい環境に飛び込むことから始めてみるのです。

索引

S

T, U

V〜Z

あ行

ま・や行

ら行

編集協力／リブロワークス
本文デザイン／横塚あかり（リブロワークス）
DTP／リブロワークス・デザイン室
イラスト／瀬川尚志
校閲／浦辺制作所

なお、本書の出版はUdemyの認可を得たものではなく、Udemyがスポンサーとして関わっているものでもありません。

用語集

● アルファベット

アナコンダ
Anaconda［P.18］
Pythonによる開発をすぐに始められるよう、Python本体と、データ分析や機械学習などでよく使うサードパーティ製パッケージやツールなどを1つにまとめたディストリビューション（配布物）。

API
「Application Programming Interface」の略。あるソフトウェアの機能の一部を、他のソフトウェアと連携するためのしくみのこと。

ブーリアン
Boolean型［P.33］
True（真）またはFalse（偽）どちらかの値をとるデータ型のこと。if文やfor文などで条件分岐を行う際などに使う。

ブレーク
break文［P.103］
ループから抜け出す際に使う文。たとえば、「変数countが5以上になったらwhileループを抜ける」という処理の場合は次のように書く。

```
while True:
    if count >= 5:
        break
```

コンティニュー
continue文［P.105］
break文と同じくループ内で使う文。continue文の場合はループから抜け出すのではなく、実行した時点でループ内の後続の処理をスキップして次のループに進む。ある特定の条件下でのみ処理をスキップしたい場合などに使う。

CSVファイル［P.237］
カンマ区切りのテキストファイルのこと。CSVは「Comma Separated Value」の略。

ドクストリング
docstring［P.130］
関数などの定義内に記載する説明文のこと。引数、戻り値、型などについて説明する。docstringを書く場合は、関数の中にダブルクォート（"）3つで囲んで書く。記述したdocstringは__doc__か、help関数を使うことで表示できる。

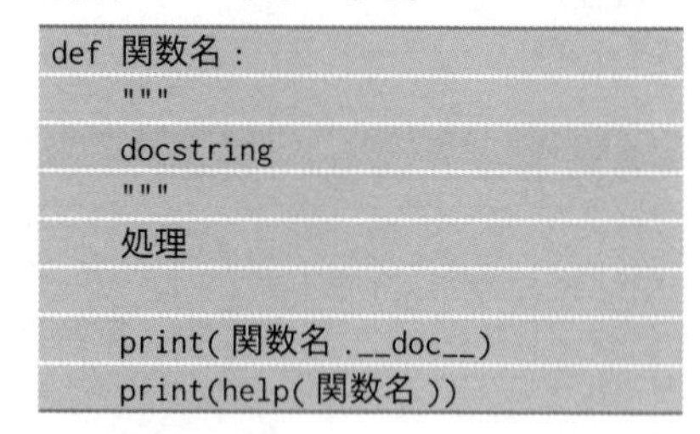

```
def 関数名：
    """
    docstring
    """
    処理

    print( 関数名 .__doc__)
    print(help( 関数名 ))
```

イニュームレート
enumerate関数［P.113］
組み込み関数の1つ。リストやタプルなどのイテレーターから、要素とインデックスを同時に取り出すことができる。for文と組み合わせて使うことが多い。

エフ・ストリングス
f-strings［P.54］
Python3.6より可能になった文字列の挿入方法。文字列のクォートの前に「f」をつけ、{ }の中に挿入する変数名を書く。フォーマット済み文字列リテラルともいう。

```
x = 1
print(f'a is {x}')
```

フロート
float型［P.38］
浮動小数点数を扱うデータ型のこと。浮動小数点数とは、コンピューターにおける数値の表現方法の1つ。小数点を移動することで、極小から極大な値まで表現できる。

フォー
for文［P.108］
ループ（繰り返し）処理を行うために使う文。ループの項も参照。

help関数［P.41］
組み込み関数の1つ。関数やライブラリなどの使い方がわからない場合に、docstringを参照することができる。

```
import math

print(help(math))
```

HTTPメソッド［P.358］
Webで使われる通信方式（HTTP）で、通信の種類を決めるもの。代表的なものに、GET、POST、PUT、DELETEがある。

if文［P.88］
条件分岐のための文。ifのあとに条件式を書き、その次の行に「条件にあてはまったときに実行する処理」を書く。条件にあてはまらなかった場合の処理をelse文や、elif文に追加することもある。

```
x = 0

if x < 0:
    print('negative')
elif x == 0:
    print('zero')
else:
    print('positive')
```

import文［P.168］
他のモジュールから関数などを取り込む際に使う文。「import モジュール名」の形で記述する。「as」を使って短い別名をつけ、あとから利用しやすくする書き方もある。また、「from」を使って、モジュールの一部を取り込むことも可能。

```
import モジュール名
import モジュール名 as 別名
from モジュール名 import 関数、クラス名
```

input関数［P.106］
組み込み関数の1つで、ユーザーが入力した値を受け取って変数に代入する。入力した内容は常に文字列になるので、数値として扱いたい場合は変換が必要。引数には、ユーザに表示したい文字列を渡す。

```
msg = input('氏名を入力してください')
print(msg)
```

IPython［P.29］
Pythonのデフォルトの対話型シェルを高機能にした対話型シェルのこと。詳細は対話型シェルの項を参照。

JSON［P.344］
「JavaScript Object Notation」の略で、データ定義形式の1つ。さまざまなプログラミング言語で使用でき、人間が見ても理解しやすいという特徴がある。{ }の中に、ダブルクォートで囲った「キー名」とそれに対応する「値」をコロン（:）で区切って入力するのが基本の記述形式。

```
{
    "id": 111, "name": "Mike",
    "id": 222, "name": "Nancy"
}
```

Jupyter Notebook［P.411］
Webブラウザ上でPythonを実行できる対話型の開発環境。Pythonのデータ解析を試行錯誤しながら行うことができ、結果をレポートとして利用できるため、データ分析や機械学習の分野でよく使われる。

len関数［P.50］
組み込み関数の1つ。文字列やリストなどの長さを調べることができる。

MVCモデル［P.267］
アプリケーションの内部構造を、表示などのUI処理を担当するViews、データの処理を担当するModels、ViewsとModelsを制御するControllerの3つに分ける考え方。機能を分割してプログラムを把握しやすくすることを目指しており、Webフレームワークでよく用いられる。

None[P.100]（ノーン）
値がないことを示す定数。変数が未定義であることを明示する場合や、関数がオブジェクトを生成できない場合の戻り値として使われることが多い。

PEP8[P.286]
Pythonにおけるコーディング規約。インデントの幅や1行の長さなど、コードの書き方のルールを定義している。

print関数[P.32]（プリント）
組み込み関数の1つ。値を表示する際に利用する。

PyCharm[P.21]（パイチャーム）
JetBrains社が提供する、Pythonに特化した統合開発環境。無料版と有料版がある。

rawデータ[P.44]（ロー）
文字列のクォートの前に「r」をつけることで、バックスラッシュ（\）をエスケープ文字として扱わないようにできる。正規表現やファイルパスなどのバックスラッシュを多用する文字列表現が書きやすくなるというメリットが得られる。

```
print(r'C:\name\name')
```

round関数[P.40]（ラウンド）
組み込み関数の1つ。小数を四捨五入することができる。

SyntaxError（構文エラー）[P.35]（シンタックスエラー）
構文や文法にミスがある場合に発生するエラーのこと。Syntax（シンタックス）は構文、文法の意味。

TODOコメント[P.304]
あとでコードに変更を加えるつもりのときに残すコメントのこと。記入する場合は#のあとにスペースを1つ空けてTODOと書き、さらにスペースを1つ空けて、( )の中に組織内で自分を示すユニークな文字列を記載する。

```
# TODO (jsakai) Use locking mechanism
for avoiding dead lock issue
```

type関数[P.33]（タイプ）
組み込み関数の1つ。変数の型を調べることができる。

Webサーバー[P.353]
Webブラウザからのリクエストに応じて、HTMLや画像などのコンテンツを配信するサーバーソフトウェア。またはそれがインストールされたコンピュータのこと。

Webスクレイピング[P.366]
Webページから自分の欲しい情報を抽出すること。Webクローラーともいう。

Webフレームワーク[P.353]
Webアプリケーションを開発するためによく使う機能やツールをまとめたもの。導入することで、ゼロから開発するよりもコストや時間を削減できる。PythonのWebフレームワークにはDjango、Pyramid、Flaskなどがある。

while文[P.102]（ワイル）
for文と同じく、ループ（繰り返し）処理を行うために使う文。条件を満たす間、同じ処理を繰り返す。

with文[P.228]（ウィズ）
ファイル操作など、何らかのリソース（資源）を利用する際に、使用後に解放処理を行う文。ファイル処理の場合は、クローズする処理を自動的に行ってくれる。

```
with open('test.txt', 'w') as f:
    f.write('Test')
```

yaml[P.311]

「YAML Ain't a Markup Language」の略で、構造化されたデータを表現するためのデータ形式のこと。アプリケーションの設定ファイルなどに使われる。

yield文[P.144]

ジェネレーター内で、returnの代わりに使う文。関数定義内にyield文があると、Pythonはジェネレーターであると判断する。ジェネレーターの項も参照。

```
def greeting():
    yield 'Good morning'
```

zip関数[P.114]

組み込み関数の1つ。複数のリストやタプルから1つずつ要素を取り出し、タプルにまとめて返す。たとえば、次の例を実行した場合の結果は「('1', 'A')」「('2', 'B')」「('3', 'C')」となる。

```
list1 = ['1', '2', '3']
list2 = ['A', 'B', 'C']
for tpl in zip(list1, list2):
    print(tpl)
```

● あ行

値渡し[P.65]

関数に引数を渡す際に、値をコピーして渡すこと。関数内でその値が更新されても、呼び出し元の値には影響しない。

アプリケーション[P.260]

利用者の目的に応じたサービスを提供するソフトウェアのこと。特に、インターネットを通してサービスを提供するものをWebアプリケーションという。

アンパッキング[P.72]

リストやタプルの要素を取り出して、複数の値として展開すること。関数の呼び出し時にアンパッキングしたい場合は、リスト名などの先頭に「*」をつける。

```
list = [1, 2, 3]
print(*list)
```

位置引数[P.121]

引数を書く位置によってどこに渡されるかが決まる引数のこと。順番を間違えると予期しない結果となってしまうため、注意が必要。

```
def func(item, price):
    print('item = ', item)
    print('price = ', price)

func('candy', 300)
```

イテレーター[P.109]

繰り返し処理のために、値を順番に取り出す機能を持つ型のこと。リスト、タプル、文字列、辞書などはイテレーターに変換可能なオブジェクトという意味で、イテラブルとも呼ぶ。

イミュータブル[P.49]

記憶している値をあとから変更できないオブジェクトのこと。数値や文字列、タプルなどはイミュータブルである。対義語であるミュータブルの項も参照。

入れ子[P.58]

ある構造の中に、同じ構造が含まれている状態のこと。ネストともいう。たとえば、for文の中にさらにfor文が入っている場合、入れ子の状態といえる。

インスタンス

クラスをもとにして生成した実体のこと。インスタンスを生成すると、インスタンスごとに異なるデータを持たせることができる。

インスタンス変数[P.198]

個々のインスタンスごとに持つ変数のこと。インスタンス生成時に設定する場合は、__init__という特殊メソッド内に定義する。

インタープリター[P.87]
ソースコードを1行ずつ解釈しがら実行していく形式のこと。インタープリター型の言語にはPythonのほかに、RubyやJavaScriptなどがある。反対にソースコードをまとめて実行可能形式に変換するコンパイラ型の言語もあり、C++やJavaなどが該当する。

インデックス[P.47]
リストの順番を表す数字で、添え字ともいう。1ではなく0から数えはじめる点に注意。

インデント[P.88]
文の行頭にスペースを入れて字下げすること。Pythonでは半角スペース4つ単位でインデントすることが推奨されている。

エスケープシーケンス
改行やタブなど、特殊な機能を文字列として表現したい場合に使う。改行を意味する「\n」のように、バックスラッシュ(\)のあとに文字を続けて表現する。

演算子[P.93]
「+」や「<」など演算を行うための記号。機能ごとに比較演算子、論理演算子、算術演算子などに分類できる。詳細はそれぞれの項を参照。

オーバーライド[P.202]
継承元のクラスの変数やメソッドを、継承先のクラスで再度定義して処理を上書きすること。

オブジェクト
データとそれを処理するメソッドが一体になったもの。数値、文字列などPythonではあらゆるデータがオブジェクトである。

オブジェクト指向[P.197]
オブジェクトという部品を組み合わせてプログラムを作る手法のこと。処理が理解しやすい、プログラムの追加や修正がしやすい、複数人でコーディング作業を分担しやすいといったメリットが得られる。

● か行

返り値[P.119]
関数を実行した際に返される値のこと。戻り値ともいう。

型[P.33]
データ(値)の種類のこと。たとえば、その値が数値の場合は数値型、文字列の場合は文字列型となる。

関数[P.36]
ひとまとりの処理に名前をつけ、何度も呼び出せるようにしたもの。関数を定義する際はdefキーワードを使う。

```
def 関数名 ( 引数 ):
    処理
```

関数内関数[P.133]
関数の中に定義された関数のこと。関数の中だけで繰り返し行う処理があるような場合に作成することが多い。

```
def 関数 1( 引数 ):
    def 関数 2( 引数 ):
        関数 2 の処理
    関数 1 の処理
```

キーワード引数[P.122]
関数に引数を渡す際に、引数名と値をセットで指定すること。「引数名=値」の形で指定する。

```
def func(item, price):
    print('item = ', item)
    print('price = ', price)

func(item='candy', price=300)
```

機械学習[P.447]
人工知能を実現する方法の1つであり、機械(コンピューター)に大量のデータを学習させることで、データのルールやパターンを解析させる手法のこと。

キャメルケース［P.293］
単語の頭を大文字にして、アンダースコア（_）を使わずにつないでいく記法。Pythonでは、クラス名はキャメルケースで書くことが推奨されている。

```
class RestaurantRobot(Robot):
```

組み込み関数［P.182］
Pythonに標準で組み込まれている関数のこと。インポートせずにすぐに使えるという特徴がある。

クラス［P.196］
データの振る舞いを決定づける型のようなもの。オブジェクトの設計図ともいえる。定義する場合はclassキーワードを使う。

クラス変数［P.217］
クラスの中で定義された変数のこと。インスタンス間で共有したい値がある場合に定義する。クラス変数は、インスタンスを生成していなくても呼び出せる。

クラスメソッド［P.219］
クラスの中で定義されたメソッドのこと。インスタンスを生成せずとも呼び出すことができる。クラスメソッドを定義する際は、@classmethodデコレーターをつける。

グローバル変数［P.154］
関数の外で定義した変数のこと。グローバル変数で定義すると、同じプログラムの中ならどこからでも参照できる。

継承［P.201］
既存のクラスを引き継いで新たなクラスを作ること。このとき、継承されるクラスのことを親クラスやスーパークラス、継承するクラスのことを子クラスやサブクラスと呼ぶ。

コーディング規約
ソースコードを書く際に守るべき、書き方や形式に関する決まりごとをまとめたもの。変数や関数の命名規則、インデントやスペースのルールなどを定めている。

コマンド［P.166］
コマンドライン（シェル）で、プログラムに対して命令する際に指定するキーワードのこと。たとえばPythonのスクリプトを実行する際はpythonコマンドを使用し、ディレクトリの情報を確認する際はls（dir）コマンドを使う。

コマンドライン引数［P.167］
スクリプトを実行するときに渡す引数のこと。状況に応じて渡す引数を変更したい場合などに利用する。コマンドライン引数を使う際は、「pythonコマンド ファイル名」のあとにスペースを挟んで、渡したい引数を指定する。引数を複数指定することも可能。

```
$ python sample.py 引数1 引数2
```

コメント［P.86］
プログラムの中に入れる注釈文のこと。Pythonでは行の先頭にハッシュ（#）をつけることで、その行をコメントとして認識させることができる。複数行にわたってコメントを書く際は、コメントの範囲をダブルクォート3つ（"""）で囲む。

コレクション
リスト、タプル、辞書、集合のように多数のデータを格納することを目的としたオブジェクトのこと。

コンストラクタ［P.200］
インスタンスを初期化・生成するために使われる、クラス名と同じ名前の特殊な関数。クラス内では__init__メソッドで定義する。

● さ行

サードパーティ製パッケージ［P.171］
pandasやscikit-learnなど、Python開発元以外が開発したパッケージのこと。

再帰［P.245］
関数などが定義内で、その関数自身を呼び出す構造のこと。また、そのような関数を再帰関数（recursive function）ともいう。

算術演算子
「+」「-」「*」など算術（計算）を行うための演算子。

参照渡し［P.65］
値渡しの対義語。関数に引数を渡す際に、値そのものではなくオブジェクトへの参照を渡す。関数内でその値が変更されると、元の値も変更されてしまう。

シーケンス型［P.56］
複数のデータをまとめ、順番に処理することができるデータ構造のこと。リスト、タプル、文字列などが含まれる。

ジェネレーター［P.144］
イテレーターを生成する関数。要素を取り出すときにその都度要素を生成していくという特徴を持つ。def文を使って定義し、return文の代わりにyield文を使う。

辞書［P.75］
波かっこの中に、キーと値をセットで格納する型のこと。

```
d = {'x': 10, 'y': 20}
```

集合［P.81］
「データが重複しない」「インデックスをもたない」という特徴を持つ型のこと。数学における集合演算が可能。辞書と同じく、波かっこを使って記述する。

```
a = {1, 2, 3, 4, 5, 6}
```

条件分岐［P.88］
何かの条件で、実行する処理を変えること。if文を使って記述する。

人工知能（AI）［P.461］
情報を処理して判断、推測するといった人間の知的な活動をコンピューターで再現すること。人工知能を実現する手段の1つに機械学習がある。

深層学習［P.461］
機械学習の一種。人間の神経細胞（ニューロン）をもとにしたニューラルネットワークを使い、データの特徴をより深く学習させる手法。ディープラーニングともいう。

シンボリックリンク［P.240］
あるファイルやディレクトリとリンクしたファイルを作成し、そのファイルを開くことで参照できるようにしたもの。主にLinuxで用いられ、Windowsのショートカットや macOSのエイリアスと似たしくみ。

数値型［P.33］
整数を扱うデータ型のこと。

スクリプト
比較的学習や実行の手間が少ない、簡易なプログラミング言語のこと。ファイルを指してスクリプトと呼ぶこともある。

スコープ［P.154］
変数の有効範囲のこと。ローカル変数かグローバル変数によって異なる。

スタティックメソッド［P.221］
インスタンスを生成せずに呼び出せるメソッド。@staticmethodデコレーターをつけて作成したメソッドはスタティックメソッドとなる。

ステータスコード［P.362］
システムが処理結果や状態を伝えるために返却する数字や符号のこと。特に、HTTP通信で使用されるものをHTTPステータスコードと呼び、200、404、500などといった3桁の数字でその状態を表す。

ステートメント
プログラムにおける「文」のこと。たとえばif文は英語ではif statementとなる。

スネークケース［P.293］
小文字の単語をアンダースコアでつなぐようにして書く記法。Pythonでは変数や関数名はスネークケースで書くことが推奨されている。

```
def recommend_restaurant(self):
```

スライス［P.48］
リスト、タプル、文字列などのシーケンス型オブジェクトからデータを抜き出す際に使用する手法。[ ]の中に開始値、終了値、ステップ（要素を取り出す間隔）を指定する。いずれかを省略する書き方もある。この例だと、「py」の文字が取り出せる。

```
word = 'python'
print(word[0:2])
```

制御フロー［P.85］
プログラムの流れのこと。順次、分岐、反復に分類できる。制御構文とも呼ぶ。

セマフォ［P.385］
並列処理を行う際に、共有資源（リソース）に対して同時にアクセスできるプログラム数を制御する手法。

ソースコード
プログラミング言語で書かれたテキストファイルのこと。

● た行

ターミナル［P.37］
コマンドラインインターフェース（CLI）において、ユーザーのコマンドをプログラムに伝えるツールのこと。

代入文
変数に値を格納するための文。イコール(=)を使い、左辺の変数に右辺の値が入る。

```
word = 'python'
```

対話型シェル［P.29］
ユーザーが入力したプログラムを1行ずつ実行する実行環境のこと。ユーザーがプログラムと対話するかのようにプログラムを実行できるため、対話型と呼ばれている。

多重継承［P.215］
同時に2つ以上のクラスを継承すること。親クラスの間で同名のメソッドが存在すると、継承の順番で挙動が変わってしまうことがあるため、可能なら多重継承をしないような設計にした方がよい。継承の項も参照。

タプル［P.69］
リストと同様に複数のデータをまとめることができる型。しかし、リストとは異なりあとから値を変更できない。タプルは丸カッコで定義するが、省略可能。

```
t = (1, 2, 3, 4)
```

抽象クラス［P.212］
継承されることを前提としたクラスのこと。クラスを定義する際に、( )の中にmetaclass=abc.ABCMetaと書くことで、そのクラスが抽象クラスであることを示すことができる。

ディープラーニング［P.411］
深層学習の項を参照。

データウェアハウス[P.453]
大量かつ多様なデータを、時系列順にまとめて保存しておくサーバーや管理システムのこと。

データ構造[P.55]
データをまとめて記憶・管理する構造のこと。Pythonにおいて代表的なものに、リスト、タプル、辞書、集合などがある。

データベース
あとから検索などをしやすくするために、一定の形式で整理されたデータの集まりのこと。また、コンピューター上でデータベースを管理するためのソフトウェアとしてデータベース管理システム(DBMS)があり、DBMSを利用することでSQLという言語を使ってデータベースを操作できるようになる。

データマイニング[P.455]
データをマイニング(採掘)すること。大量のデータを統計学や分析手法などを用いて分析し、知識(傾向やパターンなど)を取り出すこと。

デコレーター[P.136]
関数を装飾する関数やしくみのこと。デコレーターを使うことで、既存の関数の処理を変えずに関数の前後に処理を追加できる。デコレーター用の関数を用意し、装飾したい関数の上に「@デコレーター用関数名」と記述することで、自動的にデコレーターが呼び出されるようになる。

```
def デコレーター用関数(引数):
    処理

@デコレーター用関数名
def 関数(引数):
    処理
```

デストラクタ[P.200]
コンストラクタの対義語で、インスタンスが破棄される際に実行されるメソッドのこと。特殊メソッドである__del__を使って書く。return文は書けない。

デフォルト引数[P.123]
引数が省略された場合にデフォルトで入る値のこと。次の例の場合だと、引数を省略した場合「candy」と「300」がデフォルト値として使われる。明示的に引数を与えた場合は、デフォルト引数は上書きされる。

```
def func(item='candy', price=300):
    print('item = ', item)
    print('price = ', price)

func()
```

デリミタ
要素の区切りを示す記号などのこと。一般的にカンマ、タブなどが該当する。Pythonではイコール(=)もデリミタに分類される。

統合開発環境[P.21]
テキストエディタ、デバッガ、コンパイラなどソフトウェアを効率よく開発するための機能がそろった、統合的なプログラミング環境。IDEともいう。

特殊メソッド[P.222]
__init__メソッド、__next__メソッドなどといった、特殊な役割を持つメソッド。

●な行

内包表記[P.148]
リストなどの中にfor文を記述し、繰り返し処理でイテラブルなオブジェクトを作る手法。

```
num = [i for i in range(0,10)]
print(num)
```

ネスト［P.58］
入れ子の項を参照。

● は行

バグ［P.91］
プログラム中のミスや欠陥のこと。また、バグを見つけ、取り除いたり修正したりする作業のことのことをデバッグという。

パス
任意のファイルやディレクトリにたどり着くための道筋を表す文字列のこと。

パッケージ［P.166］
モジュールをまとめるしくみのこと。サードパーティ製パッケージにおけるパッケージは、インターネットで配布するための補足情報のファイルなどが含まれており、配布用パッケージと呼ばれることもある。

ハッシュテーブル［P.80］
辞書のように「キーと値」で構成されるデータ構造で使われている、高速にデータを探すしくみ。

ハンドラー［P.320］
特定の条件を満たす状況になった際に、実行中のプログラムに割り込む形で、要求された処理を行うプログラムのこと。たとえばロギングのハンドラーは、アプリケーションの処理中に割り込んで、ログを書き出す処理を行う。

比較演算子［P.93］
「<」や「==」など、2つの式や値の比較を行い、真偽（TrueかFalse）を返す演算子。

引数（ひきすう）［P.36］
関数を呼び出す際に関数に渡す値のこと。この例でいうと、「'Hello'」が引数となる。

```
print('Hello')
```

ビッグデータ［P.409］
さまざまな種類や形式のデータを含む、巨大なデータ群のこと。IoT機器から収集されるデータや、個人の購買履歴など。

標準ライブラリ［P.185］
Pythonに標準で付属しているモジュール群のこと。インポートするだけですぐに利用できる。

ブレークポイント［P.91］
デバッガーを使ってデバッグを行う際に、プログラムの実行を一時停止させるための箇所のこと。

ブロック［P.313］
インデントで字下げした範囲のこと。プログラム内の処理のまとまりを示す。

プロパティ［P.205］
オブジェクトの属性の1つ。値を取得するためのゲッターと、設定するためのセッターからなる。オブジェクトの変数をクラスの外から書き換えられたくない場合や、特定の条件に合致したときだけ書き換え可能にしたい場合などに利用できる。

並列処理［P.370］
並列して複数のプログラムを実行すること。マルチスレッドとマルチプロセスの2つの方式がある。詳細はそれぞれの項を参照。

変数［P.32］
数値や文字列といったデータを格納する入れ物のこと。Pythonでは変数を宣言する際にキーワードや型を記述する必要はなく、「変数名=値」と記入するだけで宣言ができる。

● ま行

マップ［P.395］

map関数を使って、リストやタプルなどのシーケンス型オブジェクトの要素すべてに対して、指定した関数を実行させるようにする手法。for文などを使って実装するよりも簡潔なコードにできる。

```
map( 関数、シーケンス型オブジェクト )
```

マルチスレッド［P.371］

並列処理の手法の1つで、同じプロセス内で平行処理させる方式。同じメモリを共有しているため、同時に書き込み処理を行うときなど、メモリに不整合が起きないよう気をつける必要がある。

マルチプロセス［P.388］

並列処理の手法の1つで、処理ごとにプロセスを割り当てる方式。マルチスレッドと異なり、メモリを共有しない。プロセス同士でデータを受け渡す場合はプロセス間通信をする必要があり、行き来するデータが大きくなるとそれに応じてプログラムが遅くなることがある。

ミュータブル

イミュータブルの対義語。記憶している値をあとから変更可能なオブジェクトのこと。リストや辞書はミュータブルである。

メソッド［P.50］

クラスの中で定義した関数のこと。オブジェクトに所属しており、オブジェクトに対して処理を行う。たとえばfindというメソッドは文字列クラスに属するメソッドで、呼び出す際は「文字列オブジェクト.find( )」のように書く。

文字コード

コンピューターで文字を利用するために、各文字に割り振られた符号のこと。代表的なものとしてASCII、Unicodeなどがある。また、文字を文字コードで割り振られた符号に変換することをエンコーディングという。

モジュール［P.166］

Pythonの処理や定義が記述されたスクリプトのこと。すなわち、「.py」の拡張子がついたファイルのこと。モジュールをほかのプログラムで使うにはインポートする必要がある。

文字列型［P.33］

文字列を扱うデータ型のこと。

戻り値［P.120］

返り値の項を参照。

● や行

ユニーク［P.84］

「値に重複がない」「一意の」「固有の」などといった意味で使われる言葉。

予約語

「if」「for」「while」のように、あらかじめプログラム上での使用目的が決められており、それ以外の目的で使用できない単語のこと。たとえば、「if」という名前の変数を使用しようとするとSyntaxErrorになる。

● ら行

ラムダ式［P.140］

1行で簡潔に定義する関数のこと。関数に名前をつける必要のないことから、無名関数ともいう。ラムダ式を作るには、lambdaキーワードを使い、「lambda 引数：式」の形で記述する。関数の引数として使用されることもある。

```
func = lambda x, y: x + y
func(1, 2)
```

リスト［P.56］

複数のデータをまとめる型。角カッコで囲んで記述し、数値、文字列などさまざまなデータを格納できる。インデックスを指定することで任意の要素を取り出すこともできる。

```
list = [1, 2, 3, 4]
```

リソース

コンピューターにおいて、何らかの処理の実行に必要となるものを総称して使われる言葉。たとえば、ファイルや、CPUの処理能力やメモリ容量を指すこともある。

リターンコード［P.252］

プログラムが処理結果などを示すために戻すコードのこと。たとえば、処理が正常終了したら0、何らかのエラーが発生したら1など。どのようなリターンコードを返すかはプログラムの実装による。

リテラル［P.46］

ソースコードに書かれた数値や文字列のこと。

```
123
"Python"
```

リファクタリング［P.173］

プログラムの挙動は変えずに、内部の構造を整理すること。関数やメソッドを整理したり、変数名をわかりやすくしたりして、可読性が高く保守しやすいコードにすることを目的としている。

累算代入文［P.102］

「+=」、「-=」など、演算を同時に行う代入文のこと。たとえば、「a += 1」は「変数aの内容に1を加える」を意味し、「a = a + 1」と同じ意味になる。

```
a = a + 1
a += 1
```

ループ［P.102］

繰り返し処理のこと。for文やwhile文を使って記述する。また、ループの終了条件がない（または誤りがある）ために、ループの処理が永遠に続く状態になることを無限ループという。

例外処理［P.158］

プログラムでエラーが発生したときに実行する処理のこと。エラーハンドリングともいう。

ローカル変数［P.154］

グローバル変数とは反対に、関数の中で定義した変数のこと。スコープはその関数の中のみとなり、関数の外からアクセスすることができない。

ログ［P.314］

プログラムの稼働中に発生した出来事を時系列順に記録したもの。起動、停止、エラー、通信などについて記録する。また、ログをとることをロギング、ログを出力する装置やシステムのことをロガーという。

論理演算子［P.94］

「and」「or」「not」など、論理演算を行うための演算子。複数の条件を組み合わせて条件分岐をしたい場合などに利用される。

酒井　潤（さかい　じゅん）
米シリコンバレーでエンジニアとして2012年よりSplunk, Inc.、2023年よりAIに関わるビッグデータを扱うスタートアップCribl, Inc.に勤務。2022年にハワイに移住し、フルリモートワークしつつ、オンライン講座Udemy講師としても活躍。本格的かつ実践的な知識をわかりやすく教えて人気を集め、総受講者数は延べ24万人以上に上る。1998年、同志社大学神学部卒業。サッカー推薦で大学入学後、2001年に日本代表に選出され、同年、東アジア競技大会で金メダルを獲得。2004年、北陸先端科学技術大学院大学情報科学専攻修士修了後、NTTドコモ入社。2005年、ハワイで起業し、米国にて複数社に勤務後、現在に至る。

シリコンバレー一流(いちりゅう)プログラマーが教(おし)える
Pythonプロフェッショナル大全(たいぜん)

2022年 8月16日　初版発行
2023年12月10日　8版発行

著　　　酒井(さかい)　潤(じゅん)
発行者　山下　直久
発行　　株式会社KADOKAWA
　　　　〒102-8177　東京都千代田区富士見2-13-3
　　　　電話 0570-002-301（ナビダイヤル）
印刷所　図書印刷株式会社

●お問い合わせ
https://www.kadokawa.co.jp/（「お問い合わせ」へお進みください）
※内容によっては、お答えできない場合があります。
※サポートは日本国内のみとさせていただきます。
※Japanese text only

定価はカバーに表示してあります。

ISBN 978-4-04-605754-9　C0004